THE KRUSE PROFESSIONAL PRICE GUIDE TO

COLLECTOR CARS

BY

CLASSIC AUCTION COMPANY, INC.

FIRST EDITION

HOUSE OF COLLECTIBLES, ORLANDO, FLA. 32811

PREFACE

Welcome to the First Edition of the "Kruse Professional Price Guide to Collector Cars".

Collectible automobiles are tremendously popular and continue to attract enthusiasts in ever increasing numbers. If it is true that Americans have had an enduring love affair with the automobile, then collecting is the legitimate product of that union.

In the collector's quest to become a knowledgeable, successful trader, many questions arise. It is to the Kruse Company that the majority of these questions are directed. A typical year in the Antique, Classic and Special Interest Car auction field yields literally thousands of requests for information.

Daily, the Kruse Offices receive hundreds of calls asking for advice on car classifications, investment trends, and of course, car values. Private individuals are frequently heard from requesting prices; banks and lawyers who may be involved in settling an estate require professional guidance; and insurance companies trying to understand a market they know nothing about rely on us for accurate data.

It is to these questions that this book is directed. There is a definite need for reliable professional reference material. It is our hope that the reader will benefit from the material we have covered in this guide.

In a joint endeavor, the House of Collectibles, exclusive publishers of official price guides, and the Kruse Company, the most respected and best known name in the classic car auction field, have joined hands to present this unique price guide.

This guide will prove to be an invaluable aid to both the seasoned collector and the novice eager to learn more of the fascinating world of car collecting. Cover to cover, a wealth of information is available in a clear, concise form. The listings include over 3600 models with essential year, model, engine statistics and body styling information. Each model lists three conditions: fair, good, and excellent. Each condition is then valued. All values listed have been researched and prepared with great diligence. The editors have attempted to survey and report on a cross section of cars that were bought and sold at auction, and by private transactions. While the pricing information provided in this book is most important, the collector must be provided with many other aspects of collecting. Therefore, the additional chapters will present an accurate picture of the collector car market. This book is the culmination of over seven years of research and experience. It is an all encompassing, up-to-date, reference and price guide. We believe it will achieve recognition as the "Bible of Car Collecting".

ACKNOWLEDGEMENTS

We want to thank the following people for their contribution to this book. Their efforts have helped to make it possible.

HENRY AUSTIN CLARK, JR., LONG ISLAND AUTOMOTIVE MUSEUM, SOUTHHAMPTON, NEW YORK; Marc Hudgeons, personal collection; James J. Bradley, National Automotive History Collection, DETROIT PUBLIC LIBRARY; Ken Gooding, Crawford Auto Aviation Museum, Cleveland, Ohio; Ray Miller, author, *Mustang Does It*; Stanley Roe, Motor Vehicle Manufacturers Assoc., Detroit, Michigan; Harry Stark, *Wards Automotive Yearbook,* Detroit, Michigan.

Published by the: House of Collectibles, Inc.
771 Kirkman Road
Suite 100
Orlando, FL 32811

Printed in the United States of America

Library of Congress Catalog Card Number: 78-54416

ISBN: 0-87637-337-6

THE KRUSE PROFESSIONAL PRICE GUIDE TO
COLLECTOR CARS

TABLE OF CONTENTS

INTRODUCTION
The Story of Car Collecting

As early as the 1950's, the term car collector referred to a small select band of devotees. Very few but the rich had the time or interest to indulge in what was considered to be a frivolous pursuit. These ardent followers were generally located in the east coast area, and they spent endless idle hours tinkering with ancient vehicles. Their cars were mostly of the Brass Era (pre 1919), and were highly undependable cantankerous works of automotive art. They had no serviceable purpose, but were a source of amusement and fascination for their owners.

Classic cars hadn't even been seriously looked at yet. Old time collectors still tell stories of buying Duesenbergs, Marmons, or Stutz automobiles on used car lots for as little as $150.00. The stalwart collectors trudged on through the years forming clubs such as the Veteran Motor Car Club of America, the Antique Auto Club of America, and the Classic Car Club of America. Single marque car clubs began to spring up around the most popularly collected cars. The largest was devoted to Ford automobiles. The Ford Clubs still out-number the others, but today we enjoy a club for almost every special interest car you can name. Each club enthusiast will proclaim the virtues and unique aspects of his chosen cars, and is devoted to attaining recognition and a proper niche in automotive history for them.

As the baby boom offspring came of age, we reached new levels of affluence in the United States. The populace now had the time and money to enjoy a new hobby: car collecting. Around 1970, the appeal of collectible cars became even greater and attracted increasing numbers of new devotees. The Annual Fall Swap Meet and Car Show Held by the Antique Auto Club of America in Hershey, Pennsylvania, now utilized cubic miles of vendor space. Less than ten years before, only a handful of vendors had set up in a fraction of that area.

The spurt of interest was understandable. These ghosts of the past held a universal appeal to collectors. The vintage autos were certainly well made, and recorded the unique firsts and lasts of a proud industry. The phrase "they sure don't make'em like they used to" is as classic as the cars themselves.

As the hobby grew, interest and demand for collector cars grew. Hundreds of new companies were created to furnish the services, parts and materials necessary to fill the needs of the collector. These companies and collectors form the backbone of the collectors car market. Without this kind of growth many cars would never have reached values that today warrants their restoration. Cars would never have been towed out of old barns or saved from the scrap heap without these services, publications and auctions to bring them to selective and appreciative buyers.

The skillful engineering, supple leather and gleaming chrome strike a note of response in the car buff. The search for your most desired car reflects the thrill of the hunt. It might seem to the new hobbyist that he is priced out of the collector market due to its tremendous growth. While it is true that you won't find a Duesenberg on a neighborhood used car lot, there are still ways of getting into the hobby for a low investment.

In looking for your first car, check the daily newspaper, shopper papers, and car trade papers. It is a must for every serious collector to subscribe to such publications (see section on Recommended Reference Publications). Set a goal as to the type of car you want. A big mistake is to buy the first old car that comes along simply because it is old. Of course, the higher you set your goal and the rarer the vehicle, the harder it will be to find.

If you have chosen a specific make of car, join the club devoted to that car. Single marque car collectors are often the most fanatical of the collectors, but usually the most sympathetic to your plight. As a result, a fellow club member may sell you a car you really want because you are a fellow club member and not merely an opportunist seeking financial gain at his expense. Auctions also offer a good opportunity to find your car, however they are usually higher quality cars. There are many variables to consider regarding your purchase—the extent of your mechanical ability, the amount of time you will be able to devote to your project, and the available work and storage areas.

Once you have your car, you will need parts, service, or special items. Service, literature, trade publications and local or national swap meets will be your main source. The two biggest swap meets are held annually at opposite corners of the country. The largest is the big AACA meet in Hershey, Pennsylvania, held in the first week of October. The other is Harrah's Swap and Car Meet in Reno, Nevada, held the last week of June. Please check the trade publications for details. Also, please refer to our Auction Calendar elsewhere in this publication for other meets and auctions.

The more informed and knowledgeable you become as a buyer, the more you will enjoy success and pleasure. It is one of the most challenging and most satisfying hobbies that exists today. It is hoped that you will find this book a valuable tool in your venture into the wonderful world of car collecting.

2

THE KRUSE STORY

America was built with pioneer spirit. The cities, the farm lands, the railroads, industry—almost everything we have is a result of the dedication, hard work, courage, and initiative inherent in our country's pioneers and the "American Free Enterprise System" they developed.

Born from this same pioneer stock, Russel Kruse and his family have become one of America's many success stories. The Kruse land was homesteaded, cleared for farming, and prospered in what is now rural DeKalb County, south of Auburn, Indiana. Twenty-six years ago, Russel left farming and began business on his own as an auctioneer.

He did well, and as his sons grew older they joined in the family business. The Kruses were excellent auctioneers, and they maintained large numbers of sales in Northeastern Indiana, Ohio and lower Michigan. Dean, the oldest son, soon gained a reputation as one of the best auctioneers in the United States and was being used by many large companies in the construction equipment, farm equipment, and industrial auction field as a fee auctioneer.

In 1971, the Kruse Auctioneers branched into the classic car area, forming the Kruse Classic Auction Company. The first car auction, featuring antique and classic collector cars, was designed to help the town of Auburn defray the costs of an annual Auburn-Cord-Duesenberg Reunion held there each Labor Day weekend.

That first auction was indicative of the enormous success the Kruse Classic Auction Company and the Kruse Company would come to enjoy throughout the world. When the final tallies were in, more than 87% of the cars entered in that auction had been sold, establishing Auburn, Indiana, as one of the top antique and classic car markets in the country, and the Kruse Company as the leading auctioneer. In 1977 at the 7th Annual Midwestern United States Antique and Classic Car Auction in Auburn, just under $5 million worth of collector cars were sold.

In those few short years, under the leadership of Russel and Dean, the Kruse Classic Auction Company had skyrocketed from a small family operation with gross sales of around $7 million annually to an internationally known firm with more than $60 million in annual sales. Essentially, however, the company has remained a family enterprise, with Russel as chairman of the board and Dean as President. Younger sons, Dennis and Daniel, are officers of the corporation and work primarily in auctioneering and as part of of the strong Kruse sales team.

In 1978 the Kruse Classic Auction Company will stage some 45 collector car auctions throughout the United States and Europe, ranging from small sales of around 250 motorcars, to large ones such as their Scottsdale, Arizona auction in January. In January, that event saw more than 1200 collector cars pass through the auction ring in four days.

The company isn't limited to just cars though. Many private collections are offered during the year that include antiques, coins, art and many other items. These include some very unusual and many priceless items. Recently, the Kruse Company auctioned a private collection on top of a Virginia mountain that included slot machines, musical items, art, cars, a riverboat and a complete zoo with over 200 animals. They also auctioned Hallmark's Jerry Smith Collection of antique toys and folk art (one of the largest such collections in the world), and they are well known for major real estate auctions throughout the United States.

Kruse has maintained a high standard for all these auctions and have gained world-wide recognition for their marketing expertise. They have set many records both in cars and in other fields. They sold a John Rogers Plaster casting of "Polo" for $10,000 at a private collection auction, twice the previous high paid for that piece. In the automotive field, they claim the current record holder. At their Scottsdale auction, a wealthy Mexican industrialist purchased a 1935 Duesenberg SSJ Roadster for $226,000. Prior to this sale, they held records for a 1929 J Duesenberg Phaeton that sold for $207,000 and $205,000 for another Duesenberg that was the first produced of the J series. They have sold famous cars, like the Hitler "parade car", a 1940-41 Mercedes Benz 770K that brought $176,000, and a gold-plated 1920 Pierce Arrow for $180,000.

The story continues to unfold as the auctions continue to grow and the collector car interest moves into more and more lives. For those who can't fathom the breathtaking prices into the tens and hundreds of thousands of dollars, a new popularity can be found in cars from the 1950's and the 1960's. Early Thunderbirds, Chevrolet Belairs, Lincoln Continental convertibles and others are attracting people into the hobby and as investors in collector cars. Today, more than 60% of the cars offered at auction fall into this special interest categories.

Like the pioneer spirit that has helped America to grow and prosper, the Kruse spirit and determination has resulted in the international success of the Kruse Companies, and has maintained their continuing interest in the client as a family friend.

4

HOW AN AUCTION WORKS

Many people have experienced the excitement of a big classic and antique car auction. But as they marvel at the glittering array of luxury automobiles and listen with amazement as the bidders vie with one another, few are aware of exactly how those cars, and those bidders, for that matter, got there.

Like any other show, auctions can only run smoothly with a lot of behind-the-scene organization, which includes cooperation between the company and its clients.

The actual preparation for an auction can begin as much as a year in advance. The Kruse Classic Auction Company has established an annual schedule of 18 auctions throughout the country, with a number of other auctions added yearly to its calendar. Buyers and sellers, unless they are dedicated auction-goers, usually attend the auctions closest to their area or ones that offer the exact item they want to purchase. Customers are notified of upcoming sales through pamphlets and brochures and for those collectors not on the Kruse mailing list, classified ads are placed in strategic newspapers and trade publications.

When an owner decides which auction to sell at, a consignment contract must be completed and sent to the company. These forms can be obtained by calling or writing the Kruse company. Along with a description of the car, the owner sets a reserve price on the contract. The article being sold will not sell for below this price. For example, if the highest bid on a car was $1500 and the reserve price stated on the contract was $2,000, the car would be a no sale, unless the consignor chooses to lower his reserve to the bid price. In addition to the consignment form, the seller must provide a $50 entry fee for each vehicle or item, the title and odometer statement (if applicable).

Photographs should also be included with the contract before the brochure printing deadline, which is usually a month before the sale, to benefit from the free national advertising campaign of the Kruse Company.

When all the cars are finally assembled at the auction site (Kruse does not arrange transport for vehicles), bidders and the interested public are allowed to view the autos and decide upon their favorites. After paying their bidders fee, buyers are given a number, and two reserved seats in the bidder's gallery.

It's time for the auction to begin. The cars are numbered and lined up; the bidders have their numbers and are seated in the gallery; the general public fills the remaining seats. Buyers carefully study their programs and make notations on how much to bid on which vehicle. As each automobile is driven through, bidders give it a final once-over and begin to signal the auctioneer as he cries for bids. Finally, the last car leaves the auction block. But the work is not yet over.

After making a purchase the buyer must settle the bill. Terms of sale are cash on the sale day, a certified or cashier's check, bank money order or a personal check accompanied by a bank letter of credit. After payment, the buyer is responsible for removing his purchase from the site 24 hours after the sale or the specified time limit set by the company. Sellers receive their checks 30 days after the auction.

AUCTION CALENDAR

KRUSE Classic Auction Co., Inc. Auburn, IN 219-925-4004
KRUSE Auctioneers, Inc., Auburn, IN 219-925-4004

DATE	TIME	NAME, LOCATION, TYPE
June 27, 1978	10:00 am	*Ft. Wayne State Hospital & Training Center,* 801 E. State, Ft. Wayne, IN, (personal property)
July 1, 1978	10:00 am	*Cleveland Collector Car Auction,* Richfield Coliseum, Richfield, Ohio, (cars)
July 1-2, 1978	Sat 10:00 am Sun 11:00 am	*Antique Consignment Auction,* Auburn ACD Museum, Auburn, IN, (antique toys & collectibles)
July 3, 1978	5:30 pm	*Jon Green,* Circle Park Rd., Hamilton, IN, (home and land)
July 6, 1978	1:00 pm	*Eller Trucking,* Piketon, Ohio, (tractor-trailers, airplanes, land)
July 7-9, 1978	10:00 am	*Greater Little Rock Collector Car Auction, Arkansas State* Fair Grounds, Little Rock, AR, (cars)
July 15, 1978	10:00 am	*State of Indiana Attorney General Sale,* State House Rotunda, Indianapolis, IN, (unclaimed property)
July 17, 1978	6:00 pm	*James Bailey Lafayette Land Sale,* Howard Johnson,I-65 & SR 26 E., Lafayette, IN, (real estate)
July 21, 1978	11:00 am	*Auxier Electric Co.,* 2724 Franks Drive, Madison, IN, (personal property)
July 22, 1978	1:00 pm	*Shavehead Lake Properties,* Shavehead Lake, Cass Co., MI, (real estate)
July 27, 1978	10:00 am	*Creasey Estate,* Auburn Fairgrounds, Auburn, IN, (personal property)
July 29, 1978	1:00 pm	*Reddington Farms,* 3 Bridges, NJ, (real estate)
July 29, 1978	10:00 am	*Northeastern U.S. Antique & Classic Car Auction,* Rensselaer County Fairgrounds, Schaghticoke, NY, (cars)
July 31, 1978	1:30 pm	*Ft. Wayne Fair,* Coliseum, Ft. Wayne, IN, (livestock)
August 5, 1978	8:00 pm	*Moeller Mansion,* 14800 108th St., Orland Park, IL, (home, land)
August 5, 1978	10:00 am	*Northwest Ohio Collector Car Auction,* Toledo Sports Arena, Toledo, Ohio, (cars)
August 11-12, 1978	Open	*Denver Area Collector Car Auction,* Denver Coliseum & Arena, Denver, CO, (cars)
August 18-20, 1978	Open	*Mid-America Collector Car Auction,* Ballroom of the Marriott Airport Hotel, Kansas City, MO, (cars)
August 27, 1978	Open	*Newport Antique & Collector Car Auction,* Newport Auto Museum, Freebody Park, Newport, RI, (cars)
September 2-4, 1978	Open	*Midwestern United States Collector Car Auction,* DeKalb High School, Auburn, IN, (cars)
**September 10, 1978	Open	*Carmichael Estate,* Berrien Co., MI, (real estate)
September 16, 1978	Open	*San Francisco/Oakland Bay Area Collector Car Auction,* Santa Clara Marriott Inn, Santa Clara, CA, (cars)
September 23-24, 1978	Open	*Minneapolis/St. Paul Collector Car Auction,* Minnesota State Fairgrounds, St. Paul. MN, (cars)
September 30, 1978 October 1, 1978	Open	*Dutch Wonderland Collector Car Auction,* Earl Clarks Dutch Wonderland, Lancaster, PA, (cars)
October , 1978	1:00 pm	*Lancaster Boat Auction,* Lancaster, PA, (boats)
October 14-15, 1978	Open	*Greater St. Louis Collector Car Auction,* St. Louis, MO, ballroom of the Chase Park Plaza Hotel, (cars)
October 21, 1978	Open	*Shenendoah Valley Collector Car Auction,* Roanoke Civic Center, Roanoke, VA, (cars)
**October 30, 1978	Open	*Houston Architectural Auction,* Houston, TX, (architectural antiques)
**November 1, 1978	Open	*Castalia Palace,* Columbus, IN, (real estate)
**November 11-12, 1978	Open	*Dallas/Ft. Worth Collector Car Auction,* Arlington Satdium, Arlington, TX, (cars)
November 18, 1978	10:00 am	*Fall consignment sale,* Auburn Fairgrounds, Auburn, IN, (personal property)
November 25-26, 1978	Open	*Southern California Collector Car Auction,* Newport Beach Marriott Inn, Newport Beach, CA, (cars)
January 4-7, 1979	Open	*Southwestern United States Collector Car Auction,* Scottsdale, AZ, (cars)
**March 17, 1979	Open	*Bernacchi Farm Equipment Auction,* LaPorte, IN (farm equipment)
November 4, 1978	Open	*International Collector Car Auction,* 199 Buckingham Palace Rd, London, England, (cars)

**DENOTES TENTATIVE DATES: no signed contract in our possession

TRENDS & PREDICTIONS

There are many motivating factors when a person invests in a collector car. Financial purposes, status seeking, nostalgia or simply "fun" are at the roots of car collecting. But the basic motivation is just one thing—*a love for old cars.* Even the most unscrupulous and mercenary speculator has some interest in the commodity he trades in, or he would trade real estate, stock or whatever he understands and enjoys more.

Taking this one step further, we find that a person's love of old cars seems to revolve around vehicles that he can personally relate to; that are in essence a small part of his personal history. At almost any car show, men in their fifties are fascinated by the thirty Cords, Terraplanes and Chevies. The admirers of the Brass Era cars are usually the retirement set. Post-war chrome barges and sixties muscle cars attract fans in their late twenties to thirties. Of course, there are exceptions to this, but the pattern exists. As a result, each type of collector car seems to come into its own as each collector group reaches the affluence and degree of leisure time needed for such a hobby.

In recent years, this pattern has been altered slightly by mini patterns that have broken up the unfettered growth and escalation of prices. This happens when a certain car is "discovered" by investors and speculators. Three cars that have recently gone through several mini-cycles have been sixties-era Corvettes, Mustangs and Lincoln Continental Convertibles. All three cars went up in value, investors thought to buy up as many as they could. Prices, as in any supply and demand situation, went up overnight and much too fast. Often times, club members bragged to each other about a killing they made on one car. Other members quickly assumed their car to be worth as much, and all placed their cars on the market at the same time to cash in on the trend. Once again, supply and demand took hold and prices went down. The Corvettes and Mustangs continued to fluctuate while the Lincolns stagnated. In all cases, the investor who ignores these mini trends comes out the winner. When the cars come back up each time they raise a little higher. While the car may yet go back down, the patience of waiting for another upward cycle usually pays off.

What is the next trend? Watch for more of the same. As the younger generation comes into car collecting, you'll see cars of the seventies collected. Think not? Look at a few of these: Plymouth and Dodge Superbirds with the giant wing designed for NASCAR racing, Cuda, and Dodge Challengers with 426 Hemi engines, GTO's early 70's Mustang convertibles, almost any convertible that was discontinued in the 70's, V12 Jaguar XKE's and Mark III Lincolns. The list is endless.

A few cars of the sixties have been overlooked, such as the Dodge Charger of '66 and '67. With what has happened to the Shelby Mustang and Cobra prices, the next obvious contender is the poor man's Cobra, the Sunbeam Tiger.

As older cars become prohibitedly expensive for the average person you'll see more average cars restored. '38 Dodge 4-doors, '54 Plymouths, '52 Kaisers etc., will go up as supply and demand dictate.

What about instant collector items like the '76 Eldorado convertible, and '78 Corvette Indy Pace Car? We saw the exact mini cycle we talked about happen to the Eldorado convertibles. Cadillac only built 22,000 of the cars . . . but wait a minute, 22,000 is a lot of cars! It is no way a rare car, as Cadillac would have liked a lot of people to believe. We would guess that 90% of these cars were bought as investments. Many were advertised immediately at many thousands of dollars over list price. Some sold, fanning the flames of greed. Everybody then tried to cash in immediately, thereby, deflaming the false market. Sounds bad? Not really. You still can't buy a '76 Eldo convertible for what it sold for new. So who can gripe about that? Drive a car for two years, and still sell it for more than you paid for it. Try that with a new Pinto! The Corvette mentioned has a little better chance of being a true collectors item since only 6500 were produced. We'll have to wait and see what happens on this car.

INVESTMENTS YOU CAN DRIVE

There are even now a few collectible cars that you can buy, drive and enjoy with the thought that afterward, you can expect to regain your original investment. Hopefully, you can even look forward to making a profit. Obviously, these are not the classics or high grade special interest cars. They are not even likely to be imports due to the high cost of import repairs and recent sharply rising prices for the most popular semi-vintage imports. They are primarily the overlooked cars of the fifties and sixties. Parts are still available and repairs are relatively easy when compared to most late model cars. Best of all, most of these cars have already bottomed out on the price curve, and are starting to rise.

It's probably a mistake to try for the really rare car, the '56 DeSota Adventurer, the '53 Olds Fiesta, the '49 Buick Riviera. Such cars are now getting to be so close to classics in desirability that you can't afford to drive them and put more miles on them. It may be even more of a mistake to buy the proven turkey, the cars that have been less than excellent performers in the past. If they haven't done anything for two decades, they're not likely to start moving now.

You have to look for the sleeper, the solid, dependable and at least somewhat inspired car with collector potential. But it must be something that collectors are looking upon with slight myopia in order for it to be a qualified bargain. Of course, you can always go for the really low mileage car, if you can be assured that the mileage is really that low and that the car does not need extensive repairs. You might do even better to look for cars with middle-aged mileage, perhaps in the 50,000 to 70,000 mile range. Such cars will usually be reasonably priced, and more likely than not in fairly good mechanical condition simply because they have been used and maintained.

What are the best ones to buy? Obviously convertibles, limited production models, sports models, and the like. Admittedly, it can get to be pretty subjective. Sometimes, your own intuition may be your best guide. One investor may be very hot on offbeat station wagons of the fifties and early sixties, while another may prefer the cars which had the biggest impact when they first hit the showroom floor. These are usually made by the Big Three, and are already showing some sign of making a big comeback. Very often, these are cars with a strong club backing.

We are offering a list of cars that are thought provoking. Some of these may have shown promise at auction, or at private sale. Some may have a long way to go. The list could easily be four or five times as long, and it is impossible to cover everyone's favorite. The prices are educated "guesstimates" based on West Coast sales, including both auctions and private sales. There will always be the little old lady from Pasadena bargains and isolated "sky is the limit" sales.

1962 Buick Wildcat

Buicks are receiving increasing collector attention. 1962 Wildcats, first year of production, are as much overlooked as were '49 Rivieras a few years ago. The Wildcat is basically an Invicta two-door hardtop with fabric top, smart trim, and interior with bucket seats. Tachometer was standard equipment. The standard engine is Buick's proven 401 cid. job with four barrel carb. Some have hotter powerplants. Wildcats were low production cars which have yet to catch on with collectors. Expect to buy a good one for $1,000 or less.

1962 Buick Skylark

Of all the compacts produced in the early sixties, none had more big car quality and features than Buick's Special, introduced in 1961. It feels, drives and even looks like a bigger Buick, especially with aluminum V-8. The Skylark was a deluxe bucket version introduced mid-year. The 1962 Skylark featured Buick's revolutionary new V-6. Motor Trend wasted no time in naming the '62 Buick Special Car of the Year. Happily, there's still a choice of convertible, hardtop and coupes, all at prices that are still a few years behind the times.

1963 Buick Riviera

First year models are always the most sought after, and the '63 Buick Riviera is no exception. This was Buick's long awaited answer to Ford's four passenger T-bird. When the Riviera was introduced, the torpedo styled Thunderbird was in its third and final year of production, giving the Riviera tremendous showroom impact. These early Rivieras have been real sleepers for a long time, and for no explainable reason. You can still buy a nice one for under $2,000, but don't expect this one to sleep much longer.

1961 Olds Starfire

Many collectors forget that the first of the sporty bucket-seat beauties on standard bodies was an Oldsmobile, and a convertible to boot. The sleek Starfire, with its all leather bucket seats and aluminum side trim, came out in mid 1961. It had a 330 hp Rocket engine, console mounted Hydramatic, and every conceivable convenience option, including a tachometer. These were rare cars when new, and a good low-mileage example is difficult to find now. Yet Starfire convertible prices are still in the $2,000-$3,000 range.

1966 Oldsmibile Toronado

Pace setting styling and front wheel drive made it the sensation of the sixties. Yet, the hottest car of the decade is the coldest resident on used car lots today. Admittedly, the front wheel drive gives a lot of trouble in high mileage cars, and excessive tire wear is just one problem. But when you can still buy a good original Toronado for under $1,000, how can you really go wrong?

1955 Pontiac Safari

Everybody knows about Chevrolet Nomads. Pontiac's Safari is a Nomad, and then some. It boasts a bigger, stronger engine, better body construction, and better quality exterior and interior trim, right down to genuine leather seats. This was also the first year of Pontiac ohv V-8. Chevrolet Nomads outsold Pontiac Safaris three to one, making the Safaris far rarer cars today. Since there are no Safari clubs, and there is a Nomad club, it may be that the Safari will prove a better buy. Some sellers tend to put dream prices on them, but to date the takers are probably few.

1953-54 Chevrolet Bel-Airs

The way early Chevrolet prices are going these days, one can't help but wonder when the collector-investor will rediscover the venerable six. Early fifties Chevies are still just about the most dependable, economical transportation since the Model A Ford. They were pleasantly drivable cars, too. '53 Bel Airs are attractive automobiles, and the '54 has even more eyeball appeal, plus striking interior-exterior color combinations and 10 more hp. Mileage? Expect up to 17 mpg., even with Powerglide. They are among the most simple of all cars to work on mechanically, and should be a cinch to keep running. Prices for good ones start at around $1,500 and go up from there.

1949-51 Olds 88s

These cars are more closely associated with early fifties Chevs than with sassy sixties Rockets. Early in 1949, Olds engineers shoved their new Rocket engine into a Chevy size body, and the high performance age was born. Never has any car stirred quite the excitement among enthusiasts as the early years Olds 88s. The '50 is the most sought after model, but the '49 and '51 are almost as desirable. Prices will depend a lot on desirability of the body style and overall condition of the car. But you can still buy a lot of the early Olds 88 in the $2,000 to $3,000 price range.

Corvairs

Some cars are collected because they were so successful or set trends. Others are collected simply because they failed. When Ralph Nader wrote "Unsafe at Any Speed", he assured the Corvair of certain death and instant immortality in collectordom. Rear mounted air cooled engine, independent coil spring suspension on all four wheels, an excellent ride for a small car, high style, good performance, and great gas mileage were all Corvair features until Nader's kiss of death. Sport models, including Monzas and Spyders, especially in the convertible versions are especially attractive. Corvair has a growing club, CORSA, which also helps the car's value. Unsafe at any speed, maybe. An unsafe investment at any reasonable price? No way.

1959 and later Ford Convertibles

Sooner or later, all Ford convertibles are enshrined. But to date, the cutoff point seems to be around 1956. '57 and '58 models are debatable for their poor bodies and the general hodge-podge styling of the '58. The promise is from 1959 on. The '59 Ford Galaxie convertible was one of the most attractive Ford Convertibles of all time. In '62, Ford came out with a fancy bucket seat model called the Galaxie 500 XL, and these models through 1964 should be especially popular in the years to come. The price on any one of these later model Ford converts is pretty much between the buyer and seller. One thing for certain; should you get ahold of one of these, hang on to it.

Early Mustangs

When early Mustangs are mentioned, current auction prices speak for themselves. But the betting has been on the convertibles for so long now that one can't help but think that the fastbacks and sporty model hardtops are by far and away becoming the best buys. On the other hand, who's to say that early Mustang convertibles won't follow the two seater Thunderbird right up to $10,000 and beyond. Only time will tell.

Comet Caliente and Cyclone

In September, 1963, the Lincoln-Mercury Division sponsored a reliability run at Daytona Speedway. A group of Comets drove day and night for 40 days, until they clocked 100,000 miles of high speed driving, or fell by the wayside in the attempt. The cars cracked more than 100 world records for speed and distance. All were stock 1964 Comet Caliente hardtops with factory optional speed equipment. Out of this rugged and flashy Caliente was born the Cyclone, a slightly less well-dressed version of the same machine. Cyclones came only in hardtops. Calientes were also offered in convertibles. Prices are still fairly soft, but the cars are not the easiest to find.

1954 Mercury Sun Valley

This Mercury, with the greenhouse roof is the great grand-daddy of today's plexi-top delights. The Sun Valley came out in '54 and slowly faded away by 1956. Ford also had a peek-a-boo top model called the Skyliner. '54 Sun Valleys are seldom seen now, but every now and then you'll find a good one in the $1,500 to $2,000 price range.

1958-60 Thunderbirds

While '55-57 purists have been turning up their noses on the four seater "Squarebirds", these later vintage models have been quietly but steadily coming along in their own right. The '58 is the coolest, but the '60s are the hottest. Convertibles of all three years are the choicest. But don't pass up the 1960 sunroof model. It's a very low production car. Prices are all over the lot, with some good hardtops still available for $1,500 or less, and some convertibles going for $3,000 or more.

1954 Lincoln Capris

In 1953 and 1954, Lincoln was unbeatable in the Mexican Road Races. Both years are Milestone Cars, but the '54 has a slight edge for styling. Surprisingly, there are real collector car bargains here, mainly because prices started from such a low base. Just a few years ago, you couldn't give away one of these cars. Today, its the neighborhood of $2,000 for openers.

1964-65 Plymouth Barracudas

This was Plymouth's answer to the Mustang, introduced at about the same time. The Barracuda shares Valiant's 106-inch wheelbase. It comes only in a fastback coupe with a greenhouse rear window, and a rear seat which folds forward for station wagon spaciousness. There are some hot power train options with four speed floor mounted manual transmission and Hurst competition shift linkage. The Barracuda was also offered with Valiant's slant six. Prices are still on the sunny side of $1,000 for the less exotically equipped cars.

Letter Series Chrysler 300s

In their day, the Chrysler 300 letter cars were the ultimate in big car performance. The first ones were offered in 1955, and they contributed much to the growth of high performance The 1956 model is the 300-B, essentially the same car with a bigger engine. The '57 to '59 models have an all new body, and from '57 on, convertibles were offered as well as coupes. There were many styling and engineering changes throughout the years. The 1965 300-K was the last Letter Series, Like Studebaker Hawks, these are complex collectibles, and it is advisable to talk to other collectors before you pick your favorite letter.

Studebaker Hawks

One sure way to make a good collector car investment is to buy a car which has a strong following in a major one-make club. Such a car is the Studebaker Hawk. No Studebaker collector wants to be without one. The Hawk is the direct descendent of the pace setting 1953 Studebaker Starlite coupe, which has become highly unavailable and quite high priced. The first Hawks were introduced in 1956 in four models, and a few of them in 1958 were actually Packards. A new Gran Turismo Hawk was introduced in 1962, and continued through 1964. There are so many Hawk models, engines, and varied changes that one is strongly urged to read up and talk to buyers before buying. Prices are as individual as the cars, ranging all the way from $1,500 to $4,000 or more.

If you haven't found your favorite drivable investment here, perhaps a later edition will contain the apple of your eye. Remember, in any speculation, there's no such thing as a sure thing. Deal intelligently and thoughtfully, and you can't go too far wrong.

THE ECONOMICS OF RESTORATION

by
Robert J. Gassaway, President
Gassaway, Inc., Auto Restoration
South Amboy, N. H.

Editors Note: Mr. Gassaway, 37, has been collecting and restoring automobiles for nearly 20 years.

Gassaway spent several years in various automobile trades, completing many restorations on a part-time basis, before he became general manager of a large restoration facility in New Jersey for five years.

He then fully restored the Hibbard & Darrin 1929 Stutz convertible Victoria, once owned by Secretary of the Treasury Andrew Mellon. That car, which became the logo for his firm, was the first in a long line of 100-point restorations done by Gassaway, Inc.

Duesenbergs have become a specialty at Gassaway's and the current record-holding LeBaron Phaeton J-126 of the George R. Wallace, Jr., collection is a Gassaway restoration.

In today's economy it is somewhat incongruous to link the words restoration and economics, if for no other reason than the fact that restoration work is not inexpensive.

With white and blue collar workers not only seeking, but demanding and getting higher wages for their services, the cost of the end product has been driven to an astronomical height. Classic and antique automobiles are no exception. Why then do collectors still pay these prices? Is it because money is no object.? No, that is not the answer at all.

On the contrary, classic car collectors are very knowledgeable people who have studied the market and have come to the realization that there is no other investment that will bring a greater or surer return than classic autos.

Granted there are some "long shots" that overnight can turn into tremendous financial successes. They can, just as easily, turn into financial disasters.

Almost everyone is looking for the sure thing today, and antique and especially classic cars are where it's at. Those with a good knowledge of buying the right cars and investing the correct amount of restoration dollars can realize a financial gain as well as the residual enjoyment of owning, showing and driving his collection. No other hobby can offer near the benefits of automobile collecting.

According to Webster, the word restore is defined as: to recover from ruin or decay; to repair, to renew, to replace, to reinstate, to revive.

Why is it then that people abuse the meaning of the word by making reference to cars as restored when in fact they are far from it?

When a car is really restored it means that each and every one of the 70,000-plus parts have been done as a separate entity. Then, and only then, are the various pieces put back together in the proper sequence to recreate what was once a proud automotive achievement.

Obviously, restoring a car in the proper manner is very time consuming and thus, because of time and materials involved, very expensive. And, unfortunately, many times the public is unable to discern between the restored car and that which just appears to be restored.

On the other hand, there are collectors who will demand and get the very best that money can buy. It is because of these true collectors, not the investment-minded entrepreneurs, that an organization like ours is able to exist and continue.

Because of the costs involved, only a certain number of cars are valuable enough to restore professionally, regardless of cost. These cars, as might well be imagined, are the Duesenberg J, Cadillac V-16, Packard 12s, etc. The real problem arises when someone wants to restore a car that is not as valuable, for instance a non-classic.

Contrary to belief, it costs just as much or more to restore a non-classic 1927 Essex sedan as it does a 745 Packard roadster. Both cars have fenders to be painted, drive trains to be rebuilt, bodies to be rewooded and so on. The only difference being the value when restoration is completed. The Essex might be worth $8,500 and the Packard $85,000. And it is not inconceivable that the Packard restoration cost less.

Many times I have had to dissuade a customer from putting his money and our time into the "wrong car." Sometimes the customer insists that he knows what he's doing and can well afford it. Then, when the car is finished he is unhappy because he wants to sell the car and can't even get the cost of the restoration out of it.

Looking ahead to the future for a moment there are a number of collector cars that are starting their climb to value status. If you are sharp enough to seek out these cars and buy them right, you can get a jump on the market.

Some of these cars, starting from newer and going back to classics, are: Corvettes, almost any body style or year, but especially the big-engine jobs and the '63 coupes. Buick Rivieras from 1963-65 and the boattail models from '70 on up. Ford Mustang 1965, especially the fast backs. Almost any convertible in mint original or low-mileage condition. Woody wagons, Ford V-8s, especially '33-'34 roadsters and phaetons. Thunderbirds of 1955-57 are still holding a good spot but are not climbing as fast as Corvettes.

Going back a few years to what will probably be the biggest rival Duesenberg will ever have is the 1930-32 Cadillac V-16. Parts are almost non-existent and when they do show up you have pay dearly for them. There is also an awakening of certain Pierce Arrow 12s, Auburn Speedster 12s, etc.

As you probably know, there are some very desirable cars that really should not be restored. One of the best reasons for making this statement would be if the car is a very low-mileage original that has never been altered in any way. Collectors who are restoring similar cars would benefit greatly by studying an original car for details. Many cars are worth more money in their original state than with an inadequate restoration.

15

An excellent example would be one well-meaning owner who turned a flawless original Packard Speedster, probably one of the best unrestored cars in the country, into a poorly restored used car by doing the interior over and adding a cheap paint job. Don't let this happen to you and your car.

When a question of authenticity arises at a car show the burden of proof is on the owner of the car to substantiate any claims of originality that have been made. Therefore, whenever possible, care should be taken to preserve any evidence of paint or material samples. They can be mounted in an album or display of some sort and, after being shown to the judges, may become a permanent record of your restoration for years to come.

Once you have decided which car to restore you must make a decision whether to do a partial or a complete restoration. There is an ever-decreasing number of cars that will warrant a complete restoration because of the high costs involved. Obviously, if you are doing most of the work yourself, you can save a great deal of money, and thus may be able to consider a car that you might not be able to afford to have restored professionally.

Labor is the principle cost in any restoration simply because there is so much time involved when done correctly. Assuming, as mentioned in the beginning, there are 70,000-plus parts in the average classic car. If each of these parts is restored as a separate entity, as they should be, at a rate of only 50 cents per part the investment has already reached $35,000 even before assembly of the car has begun.

As you can clearly see, the labor, whether it be yours or someone else's, is the major cost factor in any restoration.

All the afore-mentioned has direct bearing on whether you decide to do a partial or complete restoration. A partial is sometimes referred to as a road car restoration; meaning a car that will be driven as opposed to competing for awards at national car meets. If this is the case, more time and money should be spent on the mechanical end of the car, so as to make sure it is roadworthy. Of course, a fully restored show car should be mechanically excellent, also. However, if you are going to trailer the car to every show and not register it for the road, you may, at your discretion "get by" with the old pistons or other parts that may be in less than perfect condition.

Some of the areas that should be checked and/or repaired on a road car restoration are the complete engine assembly, including rings, valves, bearings, pistons, wristpins, valve guides, timing chains and/or gears, oil and water pumps, starter, generator, distributor, gaskets, etc. Next should come the transmission and clutch assembly, drive shaft, universals, the differential and related parts such as axle seals and bearings.

Of greater importance than most people care to admit are the brakes. All wheels should be pulled and brake assemblies cleaned, freed and lubricated as well as relined if necessary. All wheel cylinders should be rebuilt or replaced as well as the master cylinder and of course the brake drums must be checked for roundness at this time. Shock absorbers should be gotten into proper working order, more so for the purpose of good braking than for a smooth ride.

Worn steering and suspension parts are very important and should not be overlooked at any cost. Of equal value is the entire electrical wiring system of the car including lights, horns and all electrically-related components. Finishing off with a new set of tires, you should have a very road-worthy chassis.

Now, take a good look at the car's body. If there is soft or rotted wood in the framework the doors will never align properly or even stay closed unless the problem is corrected. It should be noted that woodworking can be one of the most expensive items to be done on any car. So, if you are going to have this type of work done, be advised that it will cost you.

Assuming the wood is good or has been repaired, all window glass should be checked and replaced if necessary. Safety glass is for your protection and those who ride with you.

Paint, body work and upholstery are next, but not as important in a road car restoration. Even a good paint job will not be possible if the old paint is cracked, peeling or blistering. The old paint must be stripped down to the bare metal and repainted from scratch.

Extra touches such as plating and other details are at the owner's discretion. Chrome plating can be very expensive on a classic car, especially if there are six wire wheels to be considered.

If you have faithfully gone over all the items mentioned, and a few that have not been, you may well have a road-worthy, fun car to drive and enjoy.

Strange as it may seem, if you had a fresh enamel paint-job, new straw seat covers and a new set of blackwall truck tires, your 1930 Duesenberg was considered a show car worthy of near 100 points . . . 15 years ago. Boy, has time changed all that! Over the years, collectors have been bitten by the competition bug. Somewhat like the professional baseball player who gives his best for the team and, more importantly, for his own personal satisfaction for a job well done. No one wants to be a loser. This is the driving force that encourages a collector to restore his car better than the car that beat him by one point at a previous car show. In theory, this is all well and good for those collectors who can afford it. But there are far more people who can just afford to own their cars, let alone spend excess money to enhance them.

That leaves one with two alternatives. Either be satisfied with less than placing first or second, or do the restoration yourself.

The second choice is, of course, only possible if you possess or have access to at least a two-car garage (preferably three-car), equipped with proper heating, lighting, venilation, tools, equipment, materials supplies, storage shelves, etc. Having a vast amount of spare time, understanding neighbors and a long-suffering wife (or husband, as the case may be) are also of importance.

One last question arises, "Do you know what you're doing?" Are you capable of taking your prize apart, finishing every part with excellence and reassembling all the parts in their proper order to create your own masterpiece? If all these questions can be answered with a resounding "yes", then, by all means, hurry up and finish this article and get out in the garage and into high gear!

Before you get your program going, remember to do one thing before you turn a wrench on any bolt. Get out your camera with lots of film and flashbulbs and spend as much time as needed to photograph every possible area of your car, especially the intricate linkages and mechanical parts. It would be a good idea to make drawings and sketches, too. You can't have too much help when you reassemble your car. It could be three or four years from now. And nobody's memory is that good. I have personally bought many cars, for far below the market price, because someone took them apart and didn't know how to assemble them again.

Another important thing to remember is to put all the small parts and fasteners into boxes, cans, jars or other containers. Label and store them properly. Countless hours and sometimes days can be wasted by looking for the special bolts that hold the dingbats onto the frame, because they weren't stored properly. It would be a good idea to keep taking pictures as you go along and even through completion so you will have a permanent record of your restoration work.

If you are sending out mechanical components to be rebuilt, such as engine and transmission, be sure you have knowledge of the rebuilder's workmanship and prices. Speak to someone who has had work done by that shop to see if he was satisfied. If you do your own mechanical work, you will probably find that you should replace most all the bearings in the car. The benefits are worth the additional expense. Be sure to gather all data along with factory specifications so you can readily use it when needed. You may find that there are a lot of modern parts that can be adapted to your car that will work better, such as aluminum pistons to replace cast iron, etc. These changes require research and knowledge, so be careful. Modern lubricants require different tolerances too, so be sure you take that into consideration.

When all moving parts are removed from the frame you should now proceed with sandblasting. I do not recommend doing this yourself unless you live in the country, with plenty of room. What a messy job! I send my work to a commercial sandblaster who does a fine job at a fair price. I advocate sandblasting as many parts of the car as possible. This gives the best bonding surface for holding paint. Be sure your sandblaster knows how to do sheet metal without warping it. Many cars have been ruined by this process, so forewarned if forearmed. We use a zinc-chromate primer on most metal when it returns from the sandblaster to prevent it from rusting until further work is performed. After all welding, grinding, straightening and filling is accomplished, we use DuPont Preparacoat Primer to build a paint surface.

I suppose this is as good a spot as any to discuss a very delicate subject; plastic and polyester resin filler. Many have ruined a good thing by abusing this product and expecting it to be a cure-all for what ails your car. As you probably know, it has all but completely eliminated body solder or lead as it is more commonly known. In my opinion, this is good because I have seen many cars with very nice original paint that are spoiled by the ugly porous scars that appear over the spots that were leaded in the factory. There is no sure-fire way to neutralize the acids that are present from the tinning and leading process. Consequently, the area will shrink in time and even cause holes and blistering. These are some of the reasons we have switched to plastic for the filling process. If used as directed it will out perform lead in every area. I have cars that were done ten years ago with this process that are holding up just fine. It should be noted that plastic may be used successfully on steel, aluminum, brass, copper, bronze, and many other alloys. Any deep pits or grinding marks may be filled with plastic before alpplying Preparacoat.

In my shop, we use nearly all DuPont products and my men are very happy with them, because we have proven their worth. This is not to say that other name brand products won't work; they probably work as well or better, but I can only relate our experience. We find that DuPont paint-remover, plastic, Preparacoat and lacquer primers do the job very well. I will be glad to supply additional information and numbers of products to those who will send a S.S.A.E. to my attention since there is not space available to go into every detail here.

If any welding is to be done, be very careful of sparks near thinners, paints, etc. Electric or arc welding should be used on heavy metals such as frames and engine blocks. Acetelyne or gas welding should be used on sheet metal and other lighter gauge metals. Heli-arc should be used on aluminum although it is possible to gas-weld aluminum. Electric spot welding, T.I.G. and M.I.G. welding also have application for more sophisticated use. There are many epoxies on the market that are good for repairing items that cannot be welded.

Taking one's time is an important thing to remember when restoring your car. If you are in a hurry, you can become very frustrated when you find that shrinkage ruins your paint finish, only because you didn't wait long enough before you sanded the Preparacoat. Or you rubbed it out first away instead of letting the paint cure. You wouldn't think of pulling potatoes out of the ground after just three weeks of growing time, would you? So why ruin a paint job by being impatient? There are may other things to do while the materials are curing. We like to let the Preparacoat cure for 30 days before sanding and 3-4 weeks before painting with nitrocellulose lacquer.

Sanding is one of the most time-consuming processes you will encounter during a restoration. Every part that gets painted must be sanded at least once. On some badly pitted parts, you may find yourself repeating the sanding process as many as six or more times to get all the pits smoothed out. Excellence takes time. Block sanding will eliminate high and low areas and ensure a nice flat surface if done properly.

Picking the color is an important item because your car may be "lost" by using the wrong color. That is not to say that all antique or classic cars have to be painted flashy colors, but neither do they all have to resemble Henry Ford's black Tin Lizzies. There are ways to make your car appear larger, smaller, lower, sedate or sporty just by altering the paint scheme. You may also make your car appear ridiculous by picking the wrong colors. Give this a lot of consideration. Make drawings and mock-ups before you decide.

Chrome or nickel plating is quite expensive but very necessary for a restored car that will compete for trophies. There are many commercial shops that do plating, but they don't want to be bothered with your rusted and pitted parts when they can do the clean new commercial work. Consequently, you should find a shop that specializes in Antique and Classic cars. The know-how to handle pot metal and other hard-to-plate parts is difficult to attain. Yes, plating is expensive, but much of the bright work is at eye level on the car and poor work will show up readily. Good plating will last a long time if given proper care.

One of the last things to be done on your car is the soft trim, including the upholstery, top, etc. Considering that you will be spending many enjoyable hours driving your car, you should try to make the seats as comfortable as possible and as neat looking and tailored as possible. The upholstery is very noticeable and should be done with the utmost care and detail. If you farm out the interior, be sure the shop has a good reputation for quality and service. Remember that "the bitterness of poor workmanship is long remembered after the sweetness of low price is forgotten."

Not many people restore the same car twice, so if you are going to do it once, do it right.

I sincerely hope that sharing some of my thoughts with you has helped in your restoration.

Best of luck on your restorations and feel free to adopt our motto: "Quality without Compromise."

COLLECTOR CAR TERMINOLOGY

ANTIQUE ... Cars up to 1935 including Brass and Vintage (generally accepted). The Antique Auto Club of America has set the cut off date at 25 years old.

BRASS ERA ... Cars built from the late pre-teens through the very late teens usually featuring great amounts of brasswork, lights, radiators etc.

CLASSIC* ... (see listing below)

COLLECTOR CAR ... A car deemed collectible that does not fall into any other category, i.e. a more mundane sedan say only 20 years old, not outstanding for its engineering, styling, perform-ance etc., and not reached antique status, yet possessing a certain charm due to its age that warrants it's collectability.

MILESTONE CAR ... A Post-War car recognized by the Mile-stone Car Society for its special merit in engineering, styling, performance etc.

POST WAR CAR ... Car built after World War II

PRE WAR CAR ... Car built before World War II

SPECIAL INTEREST CAR ... A car built after 1935 that holds esteem through special features, performance, styling etc.

VINTAGE ... Cars of the very early years before the Brass Era

The listing below is of registered "Classic" automobiles as defined by the Classic Car Club of America, P.O. Box 443, Madi-son, N.J. 07940. While many cars are referred to as classics, only cars on this list are true "Classic" automobiles.

CHART OF CLASSIC CARS, 1925-1948

A.C. — All
ADLER — Application required
ALFA-ROMEO — All, except application required for 1946-1948
ALVIS — Speed 20, 25 and 4.3 litre
AMILCAR — Supercharged Sports Model only — application required for others
ARMSTRONG-SIDDELEY — Application required
ASTON-MARTIN — All 1927-1939 — application required for others
AUBURN — All 8 and 12 cylinder models
AUSTRO-DAIMLER — All
BALLOT — Application required
BENTLEY — All, except application required for 1946-1948
BLACKHAWK — All
BMW — 327, 328, 335 only
BREWSTER — Heart Front Fords and one Heart Front Buick — others, application required
BUCCIALI — All
BUGATTI — All

21

BUICK — NO, except individual custom bodied — application required

CADILLAC — All 1925 through 1935, All 12 and 16 cylinder, 1938-1941 — 60 Special, 1936-1948 — all 70, 72, 75, 80, 85, 90 series, Custom bodies on other series require application

CHRYSLER — 1926 through 1930 Imperial 80, 1931 Imperial 8 Series C.G., 1932 C.G. and C.L., 1933 C.L., 1934 C.W., 1935 C.W., 5 Newports and 6 Thunderbolts, Custom Bodies, application required

CORD — All

CUNNINGHAM — All

DAGMAR — 25-70 Model only

DAIMLER — Application required

DARRACQ — 8-cylinder cars, and 4-litre, 6-cylinder cars only

DELAGE — Model D-8, others please apply (4-cylinder NO)

DELAHAYE — 4 cylinders NO, application required for others

DELAUNEY BELLEVILLE — 6-cylinder cars only

DOBLE — All

DORRIS — All

DUESENBERG — All

duPONT — All

EXCELSIOR — Application required

FARMAN — Application required

FIAT — Application required

FRANKLIN — All models except 1933 and 1934 Olympic Six

FRAZER NASH — Application required

GRAHAM PAIGE — Custom bodied only, and individual application is required

HISPANO SUIZA — All

HORCH — All

HOTCHKISS — Application required

HUDSON — Custom bodied only, and individual application is required

HUMBER — Application required

INVICTA — All

ISOTTA FRASCHINI — All

ITALA — All

JAGUAR — See SS Jaguar

JENSEN — Application required

JORDAN — Speedway Series 'Z' only

KISSEL — 1925 and 1926 — all models, 1927 — 8-75, 1928 — 8-90 and 8-90 White Eagle, 1929 — 8-126 and 8-90 White Eagle, 1930 — 8-126, 1931 — 8-126

LAGONDA — All except Rapier

LANCHESTER — Application required

LANCIA — Application required

LaSALLE — 1927 through 1933 only

LINCOLN — All L, K, KA and KB, 1941 — 168 H, 1942 — 268 H

LINCOLN CONTINENTAL — All

LOCOMOBILE — All models 48 and 90, 1927 — 8-80, 1928 — 8-80, 1929 — 8-80

MARMON — All 16-cylinder, 1925 — 74, 1926 — 74, 1927 — 75, 1928 — E 75, 1930 — Big 8, 1931 — 88 and Big 8

MAYBACH — All

McFARLAN — All

MERCEDES BENZ — All 230 and up, and S, SS, SSK, SSKL, Grosser and Mannheim, except application required for 1946-1948

MERCER — All

MG — 6-cylinder models with custom bodies considered on individual application

MINERVA — All except 4-cylinder

MOON — Custom bodies only, and individual application is required

PACKARD — All sizes and eights 1925 through 1934, All twelve-cylinder models, 1935 Models 1200 through 1208, 1936 Models 1400 through 1408, 1937 Models 1500 through 1508, 1938 Models 1603 through 1608, 1939 Models 1703 through 1708, 1940 Models 1803 through 1808, 1941 Models 1923, 1904, 1905, 1906, 1907 and 1908, 1942 Models 2023, 2004, 2005, 2006, 2007 and 2008, 1946 and 1947 Models 2106 and 2126, Custom bodied cars in other series require application

PEERLESS — 1926-1928, Series 60, 1930 and 1931, Custom 8, 1932, Deluxe Custom 8

PEUGEOT — Applciation required

PIERCE-ARROW — All

RAILTON — Application required

RENAULT — 45 H.P. — application required for others

REO — 1931 through 1933 Royale 8-35, Royale 8-52, and Royale Custom 8 only

REVERE — All

RILEY — Application required

ROAMER — 1925 — 8-88, 6-54e and 4-75, 1926 — 4-75e and 8-88, 1927, 1928, 1929 — 8-88, 1929 — 8-125, 1930 — 8-125

ROHR — All

ROLLS-ROYCE — All, except application required for 1946-1948

RUXTON — All

SQUIRE — All

S.S. JAGUAR — SS1, SS90, SS100 — application required for 1946-1948

STEARNS KNIGHT — All

STEVENS DURYEA — All

STEYR — Application required

STUTZ — All

SUNBEAM — 8-cylinder and 3-litre twin-cam only

TALBOT 105, 110, 150c models only

TATRA Application required

TRIUMPH — Dolomite 8 and Gloria 6 models only

VAUXHALL — 25/70 and 30/98 only

VOISIN — All

WILLS SAINT CLAIRE — All 1925 and 1926 models

HOW TO USE THIS BOOK

YEAR	MODEL	① ENGINE	BODY	F	G	E

DUESENBERG (US 1920-1937)

1920	Model A	Straight 8	Roadster	10000	20000	40000
②	③	4.2 Litre ④	⑤	⑥	⑦	⑧

1 Country of origin and production dates
2 Year car was manufactured
3 Model number or name
4 Engine type and size
5 Body style
  Condition (Price listed to nearest dollar)
6 E - Excellent
    Car restored to top condition, or an unrestored car needing no restoration work. A potential prize winner.
7 G - Good
    Average condition, serviceable, and attractive. Suitable for everyday fun and use.
8 F - Fair
    Running and drivable but needing some repair to be either mechanically dependable, or cosmetically presentable.

NOTE: We have elected not to include "parts cars", or "basket case" cars in this guide due to the wide variance in value due to completeness, and severity of damage.

COUNTRY OF ORIGIN ABBREVIATIONS

A-Austria
AUS-Australia
B-Brazil
CDN-Canada
CH-China
CS-Czechoslovakia
D-Deutschland (Germany)
DK-Denmark
E-Spain
F-France
GB-Great Britain
H-Hungary
I-Italy
IRL-Ireland
IND-India
J-Japan
N-Norway
NF-NewFoundland
NL-Netherlands
M-Mexico
P & PL-Poland
RA-Romania
S-Sweden
SU-Soviet Union
SW-Switzerland
US-United States

GENERAL ABBREVIATIONS

AC-Air Conditioning
BG-Buggy
bhp-Brake Horsepower
BR-Brougham
BT-Boattail
CB-Cabriolet
CC-Cycle Car
CONT-Continental
CP-Coupe
CV-Convertible
CY-Cylinder
DC-Dual Cowl
DD-Dos-a-dos
DH-Drop Head
DL-Delivery
DLX-Deluxe
DS-Dual Sidemount Spare Tires
EL-Electric
FH-Fixed Head
FI-Fuel Injection
CB-See Green Book for actual bid
GP-Grand Prix
GT-Gran Turismo
GTS-Gran Turismo Sport
HT-Hardtop
LD-Landau
LHD-Left Hand Drive
LM-Limousine
LR-Lorrie
LTD-Laundalet
MAG-Magnesium
ohc-Overhead Cam
OHV-Overhead Valve
PH-Phaeton

Ps-Passenger
PS-European Horsepower Rating
PU-Pickup Truck
RC-Racing Car
RDT-Roadster
RHD-Right Hand Drive
RN-Runabout
RP-Replica
RS-Rumble Seat
S-Seats
SC-Supercharged
SD-Sedan
SL-Saloon Sedan
SM-Side Mount
SPEC-Special
SP-Sport
SP DLX-Special Deluxe
SPD-Speedster
SS-Super Sport
SV-Side Valve
SW-Station Wagon
TC-Town Car
TK-Truck
TN-Tonneau
TR-Touring Car
UTL-Utility
VERT-Verticle
VT-Voiturette
VV-Vis-a-vis
WB-Wheelbase
WS-Windshield
2 Dr-Two Door
4 Dr-Four Door

Auburn — *1933 "Boattail Speedster"*

YEAR	MODEL	ENGINE	BODY	F	G	E
A.A.A. (D 1919-22)						
1919		EL	Lorrie	3750	4500	7500
1922		EL	Lorrie	1700	3250	6500
A.A.A. (F 1920)						
1920	4 Dr.	EL	Saloon Sedan	3800	4650	7700
A.A.G. (D 1900-01)						
1900		1 CY 5 Ps.	Voiturette	1500	3000	4800
1901		1 CY 5 Ps.	Voiturette	1500	3000	4800
ABADAL (1912-13 1930)						
1912	SP	4 CY	Touring Car	4300	6200	7950
1930	Standard	6 CY	Sedan	1500	2200	4000
ABARTH (I 1950-71)						
1950	Tipo 207/A		Spyder	1250	2500	5500
1951		Fiat 600	Sport	1250	2500	5500
1952	Open		2 Seats	1250	2500	5500
1957		2.2 Litre	Coupe	1000	2000	4800
ABBEY (GB 1922)						
1922	10.8 hp	4 CY	2 Seats	2500	3750	6000
ABBOTT-DETROIT (1909-18)						
1909	5 Ps.	4 CY	Touring Car	1950	3200	6400
1911	5 Ps.	6 CY	Touring Car	2100	3400	6700
1913	5 Ps.	8 CY	Touring Car	2200	3600	6900
1918	5 Ps.	8 CY	Touring Car	2400	4800	8600

YEAR	MODEL	ENGINE	BODY	F	G	E
A.B.C. (US 1906-10)						
1906	High Wh.	2 CY	Buggy	2300	4300	6800
1910	High Wh.	2 CY	Buggy	2200	4400	7000
A.B.C. (GB 1920-29)						
1920		1203cc	Cycle Car	1400	2600	3800
1929		1203cc	Cycle Car	1000	2000	4000
ABERDONIA (GB 1911-15)						
1912-15	Park Royal	4 CY	Landau	2300	4100	7300
ABINGDON (GB 1902-03)						
1902	Meredith	2 CY	Tonneau	3000	5000	8000
1903	Abingdon	1 CY	Voiturette 2 Passenger	2500	4500	7500
1922	Dorman	4 CY	Dickey	3000	5000	8000
ABLE (F 1920-25)						
1920-25		4 CY	2 Seats	1800	2700	5000
A.C. (GB 1908-to date)						
1910	Sociable	1 CY	2 Passenger	2000	4000	8000
1913		4 CY 1,1000 Fivet	Light	2100	4000	8200
1927		2 Litre	2 Seats	1800	3600	6800
1936	SP	80 bhp	Roadster	2300	4600	8500
1937	Model 1680	60 bhp	Touring Car	2000	4000	6300
1938		70 bhp	Cabriolet	2200	4200	6800
1947		74 bhp	Saloon Sedan	1600	2800	5000
1957	2 Litre	6 CY	Convertible	1700	2800	5200
1958		85 bhp AC	Roadster	1800	2900	5400
1965	Cobra 289	V8	Roadster	5000	9000	18500
1966	Cobra 427	V8 7 Litre	Roadster	7500	18000	30000
ACADEMY (GB 1906-1908)						
1906	14/20 hp	White & Poppe	Touring Car	2000	4000	7500
ACADIA (US 1904)						
1904	2 S	Single Chain Drive	Runabout	1800	3600	7800
ACCLES-TURRELL (GB 1900-02)						
1900	10/15 hp	flat-twin	2 Seats	1800	2800	5000
1903	8 hp	flat-twin	2 Seats	1900	2900	5200
ACCUMULATOR (GB 1902-03)						
1902		EL	2 Seats	2000	4000	6800
ACE (AUS 1904)						
1904		10 hp	2 Seats	1750	3400	7250

26

YEAR MODEL	ENGINE	BODY	F	G	E
ACE (GB 1912-14)					
1912	4 CY	2 Seats	1900	3800	7500
ACE (US 1920-22)					
1920	4 CY	2 Seats	1800	3700	7400
1921	6 CY	2 Seats			
ACHILLES (GB 1903-08)					
1903 2 Ps.	DeDion 1 CY	Coupe	2000	4000	8000
1904-08 2 Ps.	DeDion 2 CY	Coupe	2200	4400	8500
ACME i (US 1903-10)					
1903	2 CY	Touring Car	1800	3000	6000
1905	4 CY	Touring Car	2000	3200	6200
1910	6 CY	Touring Car	2200	3400	6600
ACME (US 1908-09)					
1908 High Wh.		Motor Buggy	1600	3200	6000
ACME (CDN 1910-11)					
1910	30 hp	Touring Car	1400	2600	5000
ADAMS (GB 1903-06)					
1903	2 CY	Touring Car	1800	2600	4000
1905-06	2 CY	Touring Car	1900	2700	4000
ADAMS or Adams-Hewitt until 1907 (GB 1905-14)					
1905	1 CY	Touring Car	1800	3000	7500
1914 35/40 hp	V-8	Touring Car	2200	3600	8000
ADAMS (US 1911)					
1911 C	4 CY	5 Passenger	1700	3200	7800
	4 Stroke	Touring Car			
ADAMS-FAREWELL (US 1904-13)					
1904	3 CY Radial	Brougham-Convertible	2200	4900	9000
1906 40/45 hp	5 CY	Touring Car	2500	5000	9500
1907 40/45 hp	5 CY	Touring Car	2500	5000	9500
1908 40/45 hp	5 CY	Touring Car	2500	5000	9500
1909 40/45 hp	5 CY	Touring Car	2500	4800	9000
1910 40/45 hp	5 CY	Touring Car	2200	4800	9000
1911 40/45 hp	5 CY	Touring Car	2200	4800	9000
1912 40/45 hp	5 CY	Touring Car	2200	4800	9000
1913 40/45 hp	5 CY	Touring Car	2200	4800	9000
ADAMSON (GB 1912-24)					
1912 Alpha	2 CY	Cycle Car	1800	3600	5000
1914 8 hp	4 CY	Cycle Car	2000	3800	5400

YEAR	MODEL	ENGINE	BODY	F	G	E
ADELPHIA (US 1920)						
1920	Rt.-Hand Drive	4 CY		1700	3400	5000
ADEM (I 1912)						
1912	17.9 hp	4 CY Monobloc		1400	2800	4800
ADER (F 1900-07)						
1900		900cc V-twin	Limousine	2000	4000	8000
1902		12 hp V-twin	Limousine	2200	4400	8200
1903		16 hp V-4	Limousine	2400	4800	8400
1905		20 hp Chain-dr.	Limousine	2800	5200	9000
A.D.K. (B 1924-31)						
1924	42 hp	4 CY 2 Litre		1700	2800	5000
1931	2.2 Litre	Straight-8		1400	2500	4500
ADLER (D 1900-39)						
1900	3½ hp	1 CY DeDion	Voiturette	2000	4000	8000
1905		V-twin	Voiturette	2100	4200	8400
1913	tandem		2 Seats	2200	4400	8800
1913	19/45 PS	4 CY	Touring Car	2200	4400	8800
1913	30/70 PS	4 CY	Roadster	2500	5000	9500
1925	6/25	6 CY	Touring Car	3500	6200	10000
1930		Straight-8	Sport Roadster	5000	8500	14000
1934	CVT	8 CY	Landau	4000	8000	12500
1936		8 CY	Sport Touring Car	4000	8000	12500
1936	4 Dr.	8 CY	Phaeton	5000	10000	15000
1937	2 Dr.	8 CY	Roadster	5000	10000	15000
ADRIA (US 1921-22)						
1921	Supreme	4 CY	Touring Car	1500	2800	5500
1921	Supreme		Touring Car	1500	2800	5500
ADVANCE (US 1909-11)						
1909-11	Open	2 CY	Buggy	1200	2500	4500
A.E.C. (Anger) (US 1913-14)						
1913	Open	6 CY	T-head	1500	2600	4500
1914	Open	6 CY	L-head	1500	2600	4500
A.E.M. (F 1926-27)						
1926	Town car	EL	front-wh. drive	2000	3700	5500
1927	Electro-cyclette	EL	Brougham	2100	3900	6000
AERO (CS 1929-47)						
1929	Type 500	1 CY 2 Stroke		1200	2800	5000
	Type 20	2 CY		1500	3000	5500

YEAR	MODEL	ENGINE	BODY	F	G	E
1932	Type 30	2 CY	2 Passenger	1500	3000	5500
1937	Type 30	4 CY	Drop Head Coupe	1800	3700	6500
1947	Type 30	4 CY	Drop Head Coupe	1200	2800	5000

AEROCAR i (US 1906-08)

1906	A	4 CY	Touring Car	1700	3200	5000
1907	F	4 CY	Touring Car	1800	3400	5500
1908	F	4 CY	Touring Car	1800	3400	5500

AERO ii (GB 1919-20)

1919-20		5/7 hp flat-twin	Cycle Car	1000	2500	4000

AERO iii (US 1921)

1921	2 Ps.	2 CY 6 hp	Roadster	2200	3500	5700

AEROCARENE (F 1947)

1947		648cc V-twin	Coupe	350	750	1400

AEROFORD (GB 1920-25)

1920-25 SD		2 CY 2 Stroke	Saloon Sedan	1200	2400	4000

A.F.A. (E 1943)

1943	5 hp	EL	Cabriolet	2000	4000	6500

A.G. (I 1925-27)

1927	Cozette-blown	1100cc	Sport	3500	7500	14000

AGA (D 1919-28)

1921	6/20 PS	1420cc	2 Seats	1800	3100	6900
1924	6/30 PS Targe Florio	1½ Litre	Sport	3500	7500	14000
1926	10/45 PS	6 CY	2 Seats	2000	4000	8000

AGERON (F 1908-10)

1908-10	10/12 hp	4 CY	2 Seats	1800	3000	6000

A.G.R. (GB 1911-12)

1911	12 hp	4 CY	Touring Car	1800	2800	5800

AILLOUD (F 1897-1904)

1897	Small	Air-cooled	2 Seats	2000	4000	8000
1900	5 hp	2 CY	2 Seats	2400	4300	8800
1904	14 hp	4 CY	2 Seats	2800	5600	10000

AIREDALE (GB 1919-24)

1919	Tiny CC			800	2400	4000

YEAR	MODEL	ENGINE	BODY	F	G	E
1921	11.9 hp	4 CY	Touring Car	1400	2600	4500
1922	12/24 hp	4 CY	Coupe	1000	2000	4000

AIRPHIBIAN (US 1950-56)

1950		165 bhp	aircraft-auto	2500	4800	10000

AIRWAY (US 1949-50)

1949	2 Ps.	Air-cooled	Minicar	1000	2000	4500

AJAMS (F 1919-20)

1919	6/8 cu	4 CY	Cycle Car	1200	2500	4800

AJAX (US 1901-03)

1901	RN	Exec	Open 2 Passenger	1800	3800	9000

AJAX (CH 1906-1910)

1906		4 CY		1200	2400	5000
1907	16 hp	4 CY	Laundalet	1500	2800	6000
1907	24 hp four	4 CY	Laundalet	1800	3000	6500
1907	24 hp six	4 CY	Laundalet	1800	3000	6500
1908	16 hp	4 CY	Laundalet	1500	2800	6000

AJAX (F 1913-14)

1913-14	12 hp	4 CY	Cycle Car	800	1600	3200

AJAX (US 1914-15)

1914-15		6 CY	Small	1000	2000	4000

AJAX Nash (US 1925-26)

1925	3 Litre	6 CY	Sedan	1000	2000	4500
1925	5 Ps.		Touring Car	1500	3200	6500
1926	4 Ps.		Roadster	1800	3800	8000

A.J.S. (GB 1930-33)

1930	9 Open	4 CY SV	2 Passenger	1400	2500	5000
	Open	4 CY SV	4 Passenger	1600	2700	5400
	4 Dr.	4 CY SV	Saloon Sedan	1500	2600	5200

ALAN (1923-25)

1923-25	6/30 PS	Proprietary	Touring Car	1800	3600	6000

ALAND (US 1916-17)

1916	2.5 Litre	4 CY	2 Passenger	1700	3800	7800
1917		4 CY	5 Passenger	1800	4000	8000

ALATAC (B 1913-14)

1913	9/12 cu	4 CY	Malicet-Blin	1800	3600	5000

YEAR	MODEL	ENGINE	BODY	F	G	E
	12/16 cu	4 CY	Malicet-Blin	2000	3800	5200

ALBA (A 1906-08)

YEAR	MODEL	ENGINE	BODY	F	G	E
1906	25 hp	4 CY	2 Seats	1400	2800	5000
1908	45 hp	4 CY	2 Seats	1800	3000	6000

ALBA (F 1913-28)

YEAR	MODEL	ENGINE	BODY	F	G	E
1913		4 CY	2 Seats	1200	2800	5000
1921	10 cu	4 CY	2 Passenger Coupe	1000	2200	4800
1926	SP	Ohv	Sport	2000	4000	7000

ALBANI (AUS 1921-22)

YEAR	MODEL	ENGINE	BODY	F	G	E
1921-22	Six 25 hp	6 CY	5/6 Passenger Touring Car	1400	2500	5000

ALBANY (GB 1903-05)

YEAR	MODEL	ENGINE	BODY	F	G	E
1903	12 hp	Steam	Tonneau	2800	5000	10000
1904	10 hp	1 CY	Petrol	1000	2000	4000
1905	16 hp	2 CY	Petrol	1500	3000	5000

ALBANY (US 1907-08)

YEAR	MODEL	ENGINE	BODY	F	G	E
1907	6/7 hp	1 CY Air-cool	Surrey	1800	3000	5000
1908	18/20 hp	2 CY Air-cool	Runabout	2000	3500	5800

ALBANY (GB 1971-to date)

YEAR	MODEL	ENGINE	BODY	F	G	E
1971	RP		2 Passenger Runabout	2000	3000	6200
1972	RP	Triumph Spitfire	Replica Roadster	2000	3000	6500

ALBATROS (F 1912)

YEAR	MODEL	ENGINE	BODY	F	G	E
1912	Small	4 CY	2 Seats	1700	2600	6000

ALBATROS (GB 1923-24)

YEAR	MODEL	ENGINE	BODY	F	G	E
1923	8 hp	Coventry-Climax	Open 2 Passenger	1400	2800	6000
	10 hp	Coventry-Climax	Open 4 Passenger	1700	3200	7000

ALBERT (GB 1920-24)

YEAR	MODEL	ENGINE	BODY	F	G	E
1920	12 hp	4 CY	2 Seats	1200	2400	5600
	14 hp	4 CY	Open	1400	2900	6000
1921	11.9 hp	4 CY	Touring Car	1400	2900	6200

ALBION (GB 1900-13)

YEAR	MODEL	ENGINE	BODY	F	G	E
1900	BG	2 CY	Open	1000	2000	5500
1904	16 hp	16 rt.-twin	Open	1200	2400	6000

YEAR	MODEL	ENGINE	BODY	F	G	E
1906	24/30 hp	4 CY Chain-drive	Touring Car	1400	2800	6200
1913	15 hp	4 CY monobloc	Touring Car	1200	2400	6000

ALBRUNA (GB 1908-12)
1908	1.4 Litre	4 CY monobloc	2 Seats light	1200	2600	6000

ALCO (US 1905-13)
1905	24 hp	4 CY Chain-drive	Open	2500	4500	9000
1905	60 hp	6 CY	Open	2400	5800	12000
1910	5 Ps.		Touring Car	2400	5800	12000
1913	5 Ps.		Touring Car	3200	7000	14500

ALCYON (F 1906-28)
1906	1.4 Litre	4 CY	Voiturette	1400	2800	6500
1907	1 Litre	1 CY	Voiturette	1200	2400	6400
1909	1.9 Litre	Zurcher	Voiturette	1200	2400	6400
1911	3 Litre	Ohv	Coupe	1800	3400	7000
1912	3 Litre	16-Valve	Racing	4000	9500	22000

ALDA (F 1912-22)
1912	15 hp	4 CY	Open	1500	2700	5500
1914	15 hp	4 CY	Open	1500	2700	5500
1921	18/35 hp	4 CY	Touring Car	2000	3600	7200
1922	20.1 hp	4 CY	Touring Car	1700	2900	6000

ALDO (US 1910-11)
1910	Dbl.-chain drive	2 CY	2 Passenger	1700	3500	6200

ALES (J 1921)
1921	Water-cooled	4 CY	Touring Car	2000	3500	7000
1921	Air-cooled	4 CY	Touring Car	2100	3600	7200

ALESBURY (GB 1907-08)
1907	8/10 hp	2 CY Stevens	2 Seats	1200	2400	6000

ALEX (GB 1908)
1908	14/18 hp	4 CY	Rubery Owen	1300	2600	6200

ALEXANDRA (GB 1905-06)
1905-06 SD		EL	Brougham	1400	2800	7000

ALEXIS (GB 1961-to date)
1961	Formula Jr.	Cosworth Ford	Racing Car	3300	6000	11000

YEAR	MODEL	ENGINE	BODY	F	G	E
1967	Formula Ford Russell		Racing Car	3500	6300	11500
1968	Mark 14		Racing Car	3000	5800	10400
1969	Mark 15		Racing Car	3200	6000	11000
1970	Mark 18		Racing Car	3600	6400	11700
1973	Mark 23		Racing Car	3800	6800	12000

ALFA (I 1907)

YEAR	MODEL	ENGINE	BODY	F	G	E
1907	Steam	4 CY	Open	2700	4200	8800

ALFA-ROMEO (I 1910-to date)

YEAR	MODEL	ENGINE	BODY	F	G	E
1910	24 hp	4 CY 4.1 Litre	Sport	2200	4400	8000
1911	12 hp	2.4 Litre 4 CY	Touring Car	2300	4600	8400
1912			Touring Car	2300	4600	8400
1913	40/60 hp	6.1 Litre	Sport	3700	7200	13500
1914	GP	4½ Litre 4 CY	Sport	3300	6700	12500
1921	ES-SP	3 Litre 6 CY	Racing Car	3700	7400	13500
1921	G-1	6 CY	Racing Car	3700	7400	13500
1922	RL	3 Litre 6 CY	Touring Car	3400	6800	13000
1923	RM	2 Litre 4 CY	Sport	2800	5600	8700
1923	PI	6 CY	Sport	3200	6400	12500
1924	P2	Straight-8 SC	Sport	3000	6000	13000
1925	RLSSS	3 Litre 22/90 hp	Drop Head Coupe	2800	5600	11500
1926	RLT	3 Litre 21/70 hp	Touring Car	2900	5800	12000
1926	GS 1750	6 CY 1500cc	Sport	2800	5600	11500
1931		Straight-8 SC 2.3 Litre	2 Seats	2700	5400	11000
1932	BP3 GP 1750	2.65 Litre	Roadster	3600	7200	15000
1933	Bogato	2.6 Litre	Roadster	3700	7400	16500
1933	8 C 2300	2.6 Litre	Touring Car	3300	7600	15000
1934	1750	2.9 6 CY SC	Roadster	3900	7800	16000
1935	P3	3.8	Touring Car	3650	7300	14000
1936	GP	Straight-8	Roadster	3700	7400	15800
1937	8 C	2.9 Litre 8 CY	Cabriolet	3500	7000	15000
1938	GP	V-12	Racing Car	4800	9600	28000
1939	GP 2500	V-12	Roadster	4300	8600	26500
1939	Tipo 158	1½ Litre	Racing Car	3750	7500	17500
1943		8 CY 1½ Litre	Racing Car	3500	7100	17000
1947	6 C -2500	2½ Litre	Sport Convertible	3000	6200	12000

YEAR	MODEL	ENGINE	BODY	F	G	E
1950	2500		Cabriolet	2400	4800	9400
1950	1900	4 CY	Saloon Sedan	2200	4400	8000
1951	'159'	6 CY	Sport	2400	4800	9700
1953		3 Litre	Sport	3000	6000	9500
			Racing Car			
1954	Giuletta	1300cc	Racing Car	3000	6000	9500
1957		3 Litre	Coupe	1500	3000	6000
1959		3 Litre	Coupe	1500	3000	6000
			Touring Car			

ALFI (D 1922-24)

YEAR	MODEL	ENGINE	BODY	F	G	E
1922		EL	Racing Car	3400	5400	10200
1922	4/14	Petrol	Racing Car	3100	5200	10000
1923	5/20	Petrol	Racing Car	3600	5600	10500
1924	7/35	Petrol	Racing Car	3800	5800	11000

ALFI (D 1927-28)

YEAR	MODEL	ENGINE	BODY	F	G	E
1927	3 Wheel	DKW	Coupe	3300	5300	8000
1928	SP	2/10 PS	Open 2 Seats	3800	6400	11500

ALLARD (GB 1899-1902)

YEAR	MODEL	ENGINE	BODY	F	G	E
1899	Express	1 CY	Voiturette	2200	4000	7000
1900	Charette	1 CY	Voiturette	2400	4500	7500
1902	9 hp	1 CY	Voiturette	2400	4500	7500

ALLARD (GB 1937-60)

YEAR	MODEL	ENGINE	BODY	F	G	E
1937		12 CY	2 Passenger	3800	9800	23000
1946	M	V-8	Drop Head	3200	6000	12000
			Coupe			
1950	J.2	3.9 Litre Ohv	Roadster	3000	6000	15000
1952	K2	V-8	Roadster	3100	6400	16000
1952	L-2X	V-8	Roadster	3200	6800	17000
1955	Clipper	V-8	3 Wh.	2800	5500	9800
1957	3.4 Litre		Coupe	2400	4800	9000

ALLARD-LATOUR (F 1899-1902)

YEAR	MODEL	ENGINE	BODY	F	G	E
1899	BG	Chair-drive	Open	1400	2800	6400

ALL-BRITISH (GB 1906-08)

YEAR	MODEL	ENGINE	BODY	F	G	E
1906		8 CY	Open	1500	2900	6600

ALLDAYS (GB 1898-1918)

YEAR	MODEL	ENGINE	BODY	F	G	E
1898	Traveller	4 hp DeDion 1 CY	Quadri-cycle	1600	3000	6600
1903	Shaft-driven	1 CY	light	1700	3200	6800
1905	10/12	V-twin	Open	1700	3200	6800
1906	16 hp	4 CY	Open	1900	3600	7000
1911	30/35 hp	6 CY	Open	2200	4200	8000

YEAR	MODEL	ENGINE	BODY	F	G	E
1912	30/35 hp	6 CY	Limousine	2300	4500	8500
1913	990cc	V-twin	Cycle Car	2400	4800	9000

ALLEN (US 1913-14)

1913	Air-cooled	2 CY	2 Seats	1400	2800	6400
1914	Water-cooled	4 CY	2 Seats	1500	3000	6800

ALLEN (US 1914-1922)

1914	3.1 Litre	4 CY	Open	2000	4000	8300
1920	3.1 Litre	4 CY	Touring Car	2000	4000	8400

ALLEN-KINGSTON (US 1907-09)

1907	48 hp	T head	Boattail	3100	7300	14000

ALLIANCE (D 1904-05)

1904		2 CY	Open	1250	2600	6300
1905	Open	4 CY	Open	1400	2700	6600

ALLIANCE (F 1905-08)

1905	10/12	2 CY	Open	1400	2400	4800
1905	12/14	4 CY	Open	1500	2700	5000

ALLRIGHT (D 1908-11)

1908	Chain-drive	2 CY	Voiturette	1250	2400	5000
1911	Chain-drive	4 CY	Open	1500	3000	6000

ALLSTATE (US 1952-53)

1952	2 Dr.	4 CY Willys	Coupe	600	1200	3000
1953	2 Dr.	6 CY Willys	Coupe	800	1600	3200

ALL-STEEL (US 1915-16)

1915		4 CY	Platform Backbone	1200	2600	6800

ALLWIN (GB 1920)

1920	Chain-drive	Air-cooled	Cycle Car	1300	2400	5600

ALMA (1926-29)

1928	Six	6 CY Vaslin	Coupe	1400	2600	6200

A.L.P. (B 1919-21)

1919	Decolonge	4 CY	light	1200	2300	5400

ALPHI (F 1929-31)

1929	2 Ps.	6 CY	Sport	1800	3800	8800
1929	1½ Litre	6 CY	Racing Car	2000	4200	9500
1931	2.6 Litre	6 CY	Touring Car	1400	2400	8000
1931	5 Litre	8 CY	Touring Car	1600	2800	8500

ALPINE (F 1955-to date)

1955	Mille Miles	4 CV	2/4 Sport Coupe	2200	3700	8000

YEAR	MODEL	ENGINE	BODY	F	G	E
1957	Dauphine	845cc	Coupe	2300	3800	8100
1961	2 + 2	twin-cam	Gran Turismo Coupe	2400	4000	8800
1961	Aerodynamic	77 bhp	Berlinette	2600	5000	9800
1966	Berlinette	996cc	Coupe	2200	4800	7100
1967	F3	V-8	Sport	2400	5000	7800
1971	A310 2 + 2	1,605cc	Touring Car Coupe	2000	4000	6600

ALSACE (US 1920-21)

1920	Rt. hand	4 CY	Saloon Sedan	1600	3000	7000

ALTA (GB 1931-54)

1931	Open	Twin-cam	Roadster	3000	8000	19000
1935	Chain-driven	1,496cc	Racing Car	3200	9000	20000
1945	G.P.	2 Litre		2600	5800	12000
1951	2 Litre		Racing Car	2600	5700	10000
1953	2 Litre		Saloon Sedan	2600	4000	6800

ALTA (GR 1968-70)

1968	3 Wheel	1 CY		1800	3000	6000

ALTENA (NL 1904-07)

1905	8 hp	Twin		1000	1800	4000
1906	12/15 hp	4 CY		1100	1900	4100
1906	24/28 hp	4 CY		1200	2100	4400
1907	40 hp	4 CY		1400	2600	5400

ALTER (US 1914-17)

1914	22 hp	4 CY	Open	1000	1600	4100
1916	3.3 Litre	6 CY	5 Seats	1200	2000	5000
1917		4 CY	5 Seats	1100	1800	4400

ALTMANN (D 1905-07)

1905	Steam	3 CY	Open	1400	2600	7500

ALVA (F 1913-23)

1913		4 CY	Touring Car	1200	2200	4800
1916		Ohc	Touring Car	1400	2600	5500

ALVE CHURCH (GB 1911)

1911	Air-cooled	2 CY	Cycle Car	1000	2000	4800

ALVIS (GB 1920-67)

1920	10/30 hp	4 CY 1460cc	2 Seats	2750	6000	10000
1921	10/30 hp	4 CY	4 Seats	3000	6250	10500
1922	Duck's Back	4 CY 12/40 hp	Super Sport	3250	7000	12000
1925	12/50 hp	1598cc	Touring Car	3000	6000	9000
1928	Beetle-back	6 CY	Sport	4250	9000	14000

YEAR	MODEL	ENGINE	BODY	F	G	E
1929	Silver Eagle	16/95 hp 6 CY	Saloon Sedan	4000	8000	12500
1932	Speed Twenty	2,511cc 6 CY	Touring Car	5000	10000	15000
1933	Firefly	4 CY 1½ Litre	Sport	3500	7000	12000
1935	Speed Twenty-five	3571cc	Saloon Sedan	3500	7250	13500
1938	Silver Crest	4.3 Litre 2,762cc	Saloon Sedan	3000	6000	12000
1946	TA-14	4 CY 1892cc	Saloon Sedan	2000	4000	6000
1950	TA-21	6 CY	Sport Roadster	2500	5000	7500
1954	TB-21	V-8	Saloon Sedan	1000	2500	6000
1955	TC-21	V-8	Saloon Sedan	1000	2500	6000
1959	TD-21	V-8	Saloon Sedan	1000	2500	6000
1960	TD-21	V-8	Convertible	2500	4250	8000

A.M. (F 1906-15)

1906	12 ph	4 CY	Open	1100	2200	5000
1906	12 hp Abeille	2 CY	Open	1000	1800	4000

AMALGAMATED (US 1917-19)

1917	Six	Cylindrical Cam		1600	2800	5800

AMAZON (GB 1921-22)

1921	6/9 hp	flat-twin	light	1000	2200	5000

AMBASSADOR (US 1922-26)

1922	R	Continental	Touring Car	1200	2400	6000
1924	D-1	Continental		1200	2400	6000

AMCO (US 1919-20)

1919	Rt. hand	4 CY	Touring Car	1200	2400	6000
1919	Lft. hand	4 CY	Touring Car	1300	2600	6500

AMEDEE BOLLEE (F 1885-1922)

1885		Steam		1500	3800	8900
1896	6 hp	2 CY	Vis-a-vis	1400	3400	7800
1898	8 hp	2 CY	Racing Car	1500	3700	8400
1899	20 hp	4 CY	Racing Car	1800	4000	9500
1912	30 hp	4 CY	Touring Car	1400	2800	6000
1914	Chain-driven	4 CY	Touring Car	1400	2800	6000

AMERICA (US 1911)

1911	4 hp	L-head 4 CY	2 Passenger	1200	2600	9500

AMERICA (E 1917-22)

1917	Type A	Valveless		1400	2600	5500

YEAR	MODEL	ENGINE	BODY	F	G	E
	Type B	4 CY	light	1600	3200	6800
	Type C	4 CY	1 Seat	1400	3000	6000

AMERICAN (US 1902-03)
1902	5 hp	1 CY	Runabout	1000	2600	5500

AMERICAN (US 1904)
1904	4 S	Shaft	Runabout	800	2000	4800
1904	4 S	Shaft	Touring Car	1000	2400	5000

AMERICAN (US 1914)
1914	Water-cooled	4 CY		1100	2400	5500
1914	Chain-drive	3 CY	Cycle Car	800	2000	4800

AMERICAN (US 1916-24)
1916		Rutenber	Sedan	500	1800	4000

AMERICAN AUSTIN (US 1930-41)
1930	Seven	Mirror-image	Sedan	1000	2200	4800
1933	2-75	Mirror-image	Roadster	2000	6400	12000
1940	4 S	800cc	Convertible	2200	5800	10000
1940		800cc	Roadster	2000	6400	11500
1940		800cc	Touring Car	1800	3000	8400

AMERICAN ELECTRIC (US 1899-1902)
1899	4 S	EL	Dos-a-dos	1200	2500	5400
1902	4 S	EL	Dos-a-dos	1400	2600	5900

AMERICAN JUVENILE ELECTRIC (US 1907)
1907	2 S	EL	Sedan	1200	2900	5900

AMERICAN MERCEDES (US 1904-07)
1904			Touring Car	12500	25000	50000
1904			Tonneau	12000	24000	45000

AMERICAN MOTOR SLEIGH (US 1905)
1905		1 CY	Open	800	2200	5800

AMERICAN POPULAIRE (US 1904)
1904	4 S	2 CY	Tonneau	1200	2650	6000

AMERICAN SIMPLEX (US 1906-10)
1906	40 hp	4 CY		1400	1800	4000
1910	50 hp	4 CY	Open	1600	2800	7000
1910	50 hp	4 CY	Closed	1200	2200	6000
1910	50 hp	4 CY	Touring Car	1500	2500	6500

AMERICAN STEAM CAR (US 1929-31)
1929	Open	20 hp		2000	4500	9000

YEAR	MODEL	ENGINE	BODY	F	G	E

AMERICAN STEAMER (US 1922-24)

YEAR	MODEL	ENGINE	BODY	F	G	E
1922		2 CY	Touring Car	2000	4500	9500
1923		2 CY	Roadster	2200	5000	10500
1924		2 CY	Coupe	1600	3000	8400
1924		2 CY	Sedan	1400	2800	8000

AMERICAN TRI-CAR (US 1912)

YEAR	MODEL	ENGINE	BODY	F	G	E
1912	2 S	2 CY Air-cool	3 Wheeler	1200	2800	8000

AMERICAN UNDERSLUNG (US 1906-14)

YEAR	MODEL	ENGINE	BODY	F	G	E
1907	2 S	4 CY T-head	Roadster	1000	2000	7500
1909	4 S	4 CY T-head	Roadster	1600	2800	8800
			Touring Car			
1913	644	6 CY	Touring Car	1250	2200	7750

AMERICAN VOITURETTE (US 1913)

YEAR	MODEL	ENGINE	BODY	F	G	E
1913	2 S	4 CY SV	Roadster	1300	2300	8000

AMERICAN WALTHAM (US 1898-1899)

YEAR	MODEL	ENGINE	BODY	F	G	E
1899	Steam	2 CY	Buggy	2000	4000	10000

AMES (US 1910-1915)

YEAR	MODEL	ENGINE	BODY	F	G	E
1910	5 S	4 CY	Touring Car	1400	2400	7500
1911	2 Ps.	4 CY	Roadster	1600	2800	4500

A.M.G. (S 1903)

YEAR	MODEL	ENGINE	BODY	F	G	E
1903		2 CY	Wooden	1000	2500	8000

AMHERST 40 (CDN 1911-12)

YEAR	MODEL	ENGINE	BODY	F	G	E
1912	40		Touring Car	1200	2500	7000

AMILCAR (F 1921-39)

YEAR	MODEL	ENGINE	BODY	F	G	E
1921		4 CY	Sport Voiturette	4000	8000	12000
1924	Grand SP	1074cc	Coupe	3600	7000	10000
1925	CGS	9 hp	Touring Car	3500	6500	9000
1927	C6 Course	6 CY	Sport Roadster	6000	9800	18000
1930	C8		Touring Car	3400	8000	14000
1936	Pegase	14 CV	Drop Head Coupe	3700	7400	10300
1939	Compound	1185cc 4 CY	Saloon Sedan	3000	6000	9500
1939		4 CY	Sport Saloon Sedan	3200	6800	10000

AMIOT-PENEAU (F 1898-1902)

YEAR	MODEL	ENGINE	BODY	F	G	E
1900	EL	Auge	Avant-train	1700	4000	8000

AMO (SV 1927)

YEAR	MODEL	ENGINE	BODY	F	G	E
1927	35 bhp	4 CY	Touring Car	1200	2500	7500

AMOR (D 1924-25)

YEAR	MODEL	ENGINE	BODY	F	G	E
1924	4/16 PS	4 CY	Sedan	800	1800	4500

YEAR	MODEL	ENGINE	BODY	F	G	E
1925	4/16 PS	4 CY	Sedan	800	1800	4500

AMPERE (F 1906-09)

1908	10/16 hp	4 CY	Touring Car	1300	2800	7200

AMPHICAR (D 1961-68)

1961	Amphibian	4 CY	Cabriolet	1000	2500	5000

AMPLEX (US 1910-1915)

1910	40 hp	2 Stroke	Limousine	1700	3000	7500

AMX (US 1968-70) 2 Passenger

1968	2 Ps	390V8	Coupe	1000	2300	3500
1969	2 Ps	390V8	Coupe	950	2200	3300
1970	2 Ps	401V8	Coupe	750	2000	3000

A.N. (F 1921-23)

1921		2 CY	Cycle Car	1000	2700	5000

ANASAGASTI (R.A. 1911-15)

1911	12 hp	4 CY Ballots	Malicet	1200	2700	8000

ANCHOR (US 1910-11)

1910	BG		Hi Wh.	1200	2600	6000

ANDERHEGGEN (NL 1901-02)

1901	4 S	4 hp Water-cooled	Vis-a-vis	1600	3200	10000

ANDERSON (US 1907-26)

1907	Air-cooled	2 CY	Hi Wh.	1000	2500	6000
1916	25.3 hp	6 CY	Touring Car	1250	2700	8000
1920		6 CY	Saloon Sedan	1200	2200	6500
1924	Model 41-E	6 CY	Touring Car	1250	2500	5000

ANDINO (RA 1967 to date)

1967	GT	4 CY Renault	Coupe	1000	2000	4000

ANDRE (GB 1933-34)

1933	V-6	V-twin J.A.P.	Runabout	2000	4500	9500

ANDRE PY (F 1899)

1899	3 Wh.	1 CY	Voiturette	1200	2500	7000

ANGELI (F 1926-27)

1926	7 hp	4 CY	Saloon Sedan	1250	2500	6500

ANGLADA (E 1904-07)

1904	24 hp	4 CY	Cycle Car	1000	2000	4500

YEAR	MODEL	ENGINE	BODY	F	G	E
ANGLO-DANE (DK 1902-17)						
1902	4½ hp	1 CY	Laundalet	1200	2200	4800
ANGUS-SANDERSON (GB 1919-27)						
1919	14.3 hp	4 CY	2 Seats	1400	2800	6000
1923	8 hp	4 CY	2 Seats	1000	2200	5000
1927		4 CY	Touring Car	1200	2400	5500
ANHUT (US 1909-10)						
1909	2 S	6 CY CHV	Open	1400	2800	3200
1910	4 S	6 CY CHV	Open	1500	3000	6200
ANKER (D 1918-20)						
1918	2 S	4 CY	Open	1200	2200	6000
ANNA (US 1912)						
1912	2 S	2 CY	Democrat	1400	2800	7000
ANN ARBOR (US 1911-12)						
1911	Car to pick up truck covers on			1000	2000	5800
1912	Car to pick up truck covers on			1200	2500	5000
ANSALDO (I 1919-36)						
1919	4 A	4 CY Ohc	Touring Car	1400	2800	6000
1923	6 A	6 CY	Touring Car	1600	3200	7400
1923	4 C	6 CY	Touring Car	1600	3200	7400
1931	3½ Litre	8 CY	Saloon Sedan	1600	3000	6500
ANSBACH (D 1910)						
1910	Kauz	4 CY	Small Private	1000	2000	4800
ANSTED (US 1926-27)						
1926		6 CY	Touring Car	1200	2500	6000
1927		6 CY	Sedan	800	1800	4000
ANTOINE (B 1900-02)						
1900	4 hp	1 CY	Voiturette	1100	2200	5000
1902	4 hp	1 CY	Tonneau	1400	2800	6500
ANTOINETTE (F 1906)						
1906	32 hp	V-8	Saloon Sedan	1200	1800	4000
ANZANI (I 1923-24)						
1923	Air-cooled	2 CY	Cycle Car	1000	2000	4000
A.P.A.L. (B 1964-69)						
1964	2 S	129cc VW	Gran Turismo Coupe	1600	3200	6500

YEAR	MODEL	ENGINE	BODY	F	G	E
APOLLO (US 1906-07)						
1906	5 Ps.	4 CY Water-cooled	Roi-des-Belges	1200	2500	3500
APOLLO (D 1910-26)						
1910	B 4/12 PS	960cc	Roadster	1400	2800	7000
1924	4/20 PS	960cc	Sport	1500	3000	8000
APOLLO (US 1962-64)						
1962	2 Ps.	V-8	Gran Turismo Coupe	1800	3500	7000
APPERSON (US 1902-26)						
1902	16 hp	4 CY	Limousine	1250	2500	8000
1914	Jack Rabbit	6 CY	Touring Car Open	1500	3000	10000
1920	33.8 hp	V-8	Touring Car	1400	2800	9000
1923	5 Ps.	V-8	Touring Car	1350	2750	8500
1925	Straight Away	8 CY	Phaeton	3000	6000	12000
APPLE (US 1917-18)						
1917	Apple 8	V-8	Touring Car	1400	3000	9000
AQUILA ITALIANA (I 1906-17)						
1906	30/45 hp	6 CY	2 Seats	1500	3000	8000
1913	12 hp	6 CY	Coupe	1200	2400	6200
ARAB (GB 1926-28)						
1927	2 Litre	4 CY	Coupe	1200	2000	4800
ARABIAN (US 1917)						
1917	17.5 hp	4 CY Water-cooled	2 Passenger Coupe	1100	1800	4000
ARBEE (GB 1904)						
1904	6 hp	1 CY	Coupe	1100	2500	5000
ARBEL (F 1957)						
1957		EL	Coupe	1400	2700	5000
ARBENZ (US 1911-18)						
1911	48 hp	4 CY	Touring Car	1200	2500	6000
ARCHER (GB 1920)						
1920	8/10 hp	2 CY	Tandem	1300	2500	5500
ARDEN (GB 1912-16)						
1913	10 hp	2 CY	2 Passenger	1200	2200	5800
1914	Alph	4 CY	4 Passenger	1400	2800	6500

YEAR	MODEL	ENGINE	BODY	F	G	E
ARDENT (F 1900-01)						
1900	4 Ps.	V-twin	Vis-a-vis	1200	2600	6800
ARDITA (I 1918)						
1918		SV 4 CY		1100	2000	4500
ARDSLEY (US 1905-06)						
1905	30/35 hp	4 CY	7 Passengers	1500	3500	10000
ARGEO (D 1925)						
1925	3Wheel	2 Stroke	Cycle Car	1200	2500	6000
ARGO (US 1912-14)						
1913	4 Ps.	EL	Open	1400	2700	6800
1914	22 hp	2 CY	Touring Car	1200	2500	6200
ARGON (GB 1908)						
1908	25 hp	6 CY	Touring Car	1300	2600	6500
ARGONAUT (US 1959-63)						
1959	State	12 CY Ohc	Limousine	1800	4000	11000
ARGONNE (US 1918-20)						
1918	2 Ps.	4 CY	Roadster	1400	2800	8500
ARGUS (D 1902-10)						
1902		6 CY		1000	2000	4800
ARGYLL (GB 1899-1932)						
1899		2 CY	Open	1200	2500	7500
1905	16/20 hp	4 CY	Touring Car	1400	3000	9000
1911	15 hp	6 CY	Touring Car	1200	2800	8000
ARIANE (F 1907)						
1907	6 hp	1 CY	2 Seats	1000	2000	4800
ARIEL (GB 1898-1915, 1922-25)						
1906	35 hp	4 CY	Touring Car	1600	3000	10000
1924	10 hp	4 CY	Touring Car	1200	2400	7500
ARIEL (US 1905-07)						
1905	30 hp	Single Over-head Cam	Touring Car	1800	3600	11000
ARIES (F 1903-38)						
1905	30 hp	4 CY	Touring Car	1400	2500	8000
1908		6 CY	Touring Car	1600	3200	8500
1922	CC2	6 CY	Sport	1800	3800	9000
1929	CC4S	6 CY	Sport	1800	3800	9000
1934	9 CV	4 CY	Saloon Sedan	1400	2500	7000

YEAR	MODEL	ENGINE	BODY	F	G	E

ARIMOFA (D 1921-22)

1921	4/12 PS		2 Passenger	1000	2000	5000

ARISTA (F 1912-15)

1912	6 hp	1 CY	Coupe	1000	2000	4800

ARISTA (F 1956-63)

1956	Passy	42 bhp	2 Seats	1200	2500	5000
1956	Passy	848cc	Coupe	1000	2000	4000

ARMAC (US 1905)

1905			Roadster	1250	2400	5000

ARMADALE (GB 1906-07)

1906	3 Wheel	1 CY	Tri-car	1000	2200	7000
1907	16 hp	4 CY	Tri-car	1400	3000	9000

ARMOR (F 1925-28)

1925		1 CY	Cycle Car	1000	2000	4800

ARMSTRONG (GB 1913-14)

1913	8 hp	2 CY Air-cool	Cycle Car	1000	1800	4500

ARMSTRONG SIDDELEY (GB 1919-60)

1919		4 CY	Coupe	1000	1800	4800
1929			Cab			
1930	12 hp	4 CY	Coupe	1200	2400	5000
1935	30 hp	4 CY	Sedanca de Ville	1500	2700	5800
1939	7 Ps.		Limousine	1500	3000	6000
1952	Hurricane	2.3 Litre	Drop Head Coupe	1400	2200	4800
1955		4 CY	Limousine	1600	3000	6000
1956		4 CY	Limousine	1600	3000	6000
1960	Star Sapphire	4 Litre	Saloon Sedan	1200	2000	4700

ARMSTRONG-WHITWORTH (GB 1906-15)

1906	4 CY	T-head	Limousine	1200	2200	6000
1913	30/40 hp	6 CY	Limousine	1600	2800	7000

ARNO (GB 1908)

1908	35 hp	4 CY	Touring Car	1200	2500	6000

ARNOLD (GB 1896-98)

1896		Dynamotor	Limousine	1000	2000	4800

ARNOLT (US 1953-64)

1955	GT	1,917cc Bristol	Coupe	1800	4000	9000

YEAR	MODEL	ENGINE	BODY	F	G	E
ARNOTT (GB 1951-57)						
1955	A30	1,100cc Austin A 30	Sport	1250	2800	5900
ARO (R 1971 to date)						
1971	2½ Litre	4 CY Ohv	Cross-Country	1600	2800	5000
ARROLL-JOHNSTON, ARROLL-ASTER (GB 1897-1931)						
1897	10 hp	flat-twin	Dog cart	1250	2500	5000
1914		3 CY	Dog cart	1250	2500	5000
1922	15.9 hp	4 CY	Sport	1400	3000	6000
1927	17/50 hp	6 CY	Sport	1800	3600	7200
1930	23/70 hp	Straight-8	Saloon Sedan	2400	5500	9000
ARROS (F 1906)						
1906	2 S	6 hp	Voiturette	1200	2200	4800
ARROW (US 1914)						
1914	Friction Drive	4 CY	Cycle Car	1000	2000	4000
ARROW (US 1914)						
1914	Belt-drive	Water-cooled 4 CY	2 Seats	1000	1800	3800
ARROWBILE (US 1937-38)						
1937	Aerobile	Flat-6	3 Wheeler	1400	3400	7000
ARTES (E 1966 to date)						
1966	RC	1,100cc Gordini	Gran Turismo Coupe	2200	4000	7500
ARZAC (F 1927)						
1927	4-Wh. Drive	2 CY	Cycle Car	1000	1800	3800
A.S. (F 1924-28)						
1924	SP	Twin R-8	Voiturette	1400	2800	6000
A.S. (PL 1927-30)						
1927	S-1	4 CY	Touring Car	1200	2600	5800
1930	S-2	4 CY	Touring Car	1300	2700	6000
A.S.A. (I 1962-67)						
1962	91 bhp	4 CY	Gran Turismo Coupe	2000	4000	6500
1967	Rorrbar	6 CY	Gran Turismo Spyder	2400	4500	7000
ASAHI (J 1937-39)						
1937		2 CY	2 Seats	1000	2000	4000

YEAR	MODEL	ENGINE	BODY	F	G	E
ASARDO (US 1958)						
1958	SP	Giulia	Coupe	1600	3000	7000
ASCORT (AUS 1959-69)						
1959	2 S	Corvair	Gran Turismo Coupe	1600	2800	5000
ASCOT (GB 1928-30)						
1928			Saloon Sedan	1000	2000	4500
1930	18/50 hp	6 CY	Saloon Sedan	1400	2400	4800
ASDOMOBIL (D 1913)						
1913	Open		3 Wheel	1000	1800	4000
ASHEVILLE (US 1914-15)						
1914	7 hp	Indian Air-Cool	Cycle Car	1200	2600	5000
ASHLEY (GB 1958-61)						
1958			Coupe	1000	2000	4000
1961	Sportiva	100 E	Coupe	1000	2000	4000
1961	GT 4 S	100 E	Saloon Sedan	1200	2400	4800
ASHTON-EVANS (GB 1919-28)						
1919		4 CY	2 Seats	1000	2000	4500
1923	11/16 hp	4 CY	2 Seats	1200	2400	5000
ASQUITH (GB 1901-02)						
1901	4 Ps.	1 CY	Tonneau	1100	2600	5500
A.S.S. (F 1919-20)						
1919	2 Stroke	2 CY	Open	1000	1800	4200
ASTAHL (D 1907)						
1907	6 hp	1 CY		1000	2000	4000
1907	10 hp	4 CY		1400	2600	5000
ASTATIC (F 1920-22)						
1920	12 hp	SV S.C.A.P.	Coupe	1300	2500	5000
ASTER (F 1900-1910)						
1900	12 hp	Aster	Quadricycle	800	1800	3700
1903	12 hp	Aster	Quadricycle	1000	2000	4000
ASTER (GB 1922-30)						
1922	18/50 hp	2618cc	Saloon Sedan	1100	1900	4000
ASTON (US 1908-09)						
1908	25 hp		Custom	1400	3000	8000
1909	40 hp		Custom	1800	5000	9000

YEAR	MODEL	ENGINE	BODY	F	G	E
ASTON MARTIN (GB 1922 to date)						
1922		1½ Litre	Sport	3000	7500	15000
1923		1½ Litre	Sport	3000	7500	15000
1931		1½ Litre	Saloon Sedan	3500	7000	12000
1931	LeMans	1½ Litre	Touring Car	4500	9000	15000
1932	LeMans	1½ Litre	Roadster	7000	12500	25000
1935		2 Litre	Roadster	8000	13000	26000
1936		2 Litre	Roadster	8000	13000	26000
1936		2 Litre	Sport Touring Car	7000	12000	24000
1937		2 Litre	Touring Car	6000	11000	18000
1938		2 Litre	Roadster	7000	11000	20000
1939		2 Litre	Sport Roadster	7000	12000	24000
1949		2.6 Litre 6 CY	Coupe	2000	4000	7000
1950	DB2	6 CY	Coupe	2000	4000	7000
1952	DB3 LeMans	2.9 Litre	Sport	3000	6000	9000
1952	DB3	2.9 Litre	Coupe	2000	4000	6800
1953	DB	2.9 Litre	Coupe	2400	5000	8000
1956	DB2	2.5 Litre	Coupe	1500	3000	6000
1957	DB 2/4	2.9 Litre	Convertible	2200	4500	7000
1958	DB	3.7 Litre	Coupe	1500	3000	6000
1958	MK III	2.9 Litre	Coupe	1500	3000	6500
1958	Mark III BD 2/4	3 Litre 6 CY	Coupe	1400	3000	6700
ASTRA (F 1922)						
1922	Friction Drive	2 CY 2 Stroke	Cycle Car	800	1800	3600
ASTRA (R 1922-24)						
1922	45/60 hp	4 CY		1000	2000	3500
ASTRA (B 1930)						
1930		1,100cc S.C.A.P.	Coupe	1400	2800	5800
ASTRA (GB 1956-59)						
1956	2 S	2 CY 2 Stroke	Coupe	1400	2800	5800
ASTRAL (GB 1923-24)						
1923	SP	4 CY	4 Passenger	1400	3000	6000
ATLANTA (GB 1916-17)						
1916	9 hp	4 CY	Coupe	1000	1800	9000
ATLANTA (GB 1937-39)						
1937	1½ Litre	4 CY Ohc	Sport	1400	3200	6800
1938		V-12	Saloon Sedan	2800	6800	12000
1938	2 Dr.	V-12	Drop Head Coupe	2500	6400	11000

47

YEAR	MODEL	ENGINE	BODY	F	G	E
ATLANTIC (D 1921-23)						
1921	2 S	2 CY	Tandem	1200	2600	5000
ATLAS (US 1907-11)						
1907		4 CY 2 Stroke	Taxi	800	1800	4000
ATLAS (F 1951)						
1951	Minicar	1 CY	2 Passenger	800	1600	3800
ATLAS-KNIGHT (US 1911-13)						
1911	5 Ps.	Knight	Touring Car	1400	2800	6500
	7 Ps.	Knight	Touring Car	1500	3000	7000
ATHMAC (GB 1913)						
1913	10/12 hp	4 CY Ohc	Cycle Car	800	1800	4000
ATHOLL (GB 1907-08)						
1907	25 hp	4 CY	Touring Car	1400	2800	6000
ATKINSON & PHILIPSON (GB 1896)						
1896			Mail Coach	1200	3200	8000
A.T.L.A. (F 1958)						
1958	300 SL	Renault	Coupe	2000	4000	7500
ATOMETTE (GB 1922)						
1922	2½ hp	Villiers		1100	2400	4800
ATOMO (I 1947-48)						
1947	2 Ps.	250cc	Open 3 Wheel	1400	2800	5500
A.T.S. (I 1962-64)						
1962	2½ Litre	V-8	Gran Turismo Coupe	1600	2900	6000
ATTERBURY (US 1911)						
1911			2 Seats	1000	3000	6000
ATTILA (D 1900-01)						
1900	3 Wheel	Aster 2½ hp	2 Passenger	800	2200	4800
ATVIDABERG (S 1910)						
1910		2 CY	Buggy	1000	2000	4000
AUBURN (US 1900-37)						
1903	Open	1 CY	Runabout	4200	7000	10500
1904	Open	2 CY	Touring Car	3000	4200	7000
1905	Open	2 CY	Touring Car	3000	4200	7000
1906	Open	2 CY	Touring Car	3000	4200	7000

YEAR	MODEL	ENGINE	BODY	F	G	E
1907	Open	4 CY	Touring Car	3800	5000	8000
1908	Open	4 CY	Touring Car	3800	5000	8000
1909	Open	4 CY	Touring Car	3800	5000	8000
1910	Open	4 CY Rutenber	Touring Car	3800	5000	8000
1912		6 CY	Touring Car	4200	6000	9000
1914	L/R hand Steering	6 CY Teetor	Roadster	4400	6200	9500
1915		6 CY Continental	Touring Car	4200	6000	9000
1917		6 CY Rutenber	Touring Car	4200	6000	9000
1919	Beauty Six	6 CY	Touring Car	4200	6000	9000
1920	6-66 A	6 CY	Roadster	4400	6200	9500
1921	6-51	6 CY	Sport	4600	6600	9800
1922	6-43	6 CY	Touring Car	4400	6200	9500
1923	6-43	6 CY Continental	2 Door Sedan	2800	5600	8800
1923	6-63 Supreme	6 CY Weidely	Touring Car	4000	6800	10200
1924	6-43	6 CY	Sedan	3000	5500	8800
1925	8-88	8 CY	Roadster	5500	12000	18000
1925		6 CY	Sedan	3000	5500	8800
1925		4 CY	Sedan	2200	4000	6800
1926		4 CY	Sedan	2200	4000	6800
1927	8-77	8 CY	3 Door Roadster	5000	9000	15000
1927		8 CY	Sport Touring Car	4500	8500	14000
1927		8 CY	Cabriolet	5000	9000	15000
1927	8-88	8 CY L-head Lycoming	Roadster	5200	9800	15500
1927	8-88	8 CY L-head Lycoming	Sedan	3500	6000	9000
1928	2 S	8 CY L-head Lycoming	Boattail Speedster	7500	18000	30000
1928	8-90	8 CY L-head	Cabet	3500	6200	9400
1928		8 CY	Phaeton	5500	11000	18000
1928	76	8 CY	4 Door Sedan	3000	6000	9000
1928	76-6	6 CY	4 Door Sedan	3100	6100	9200
1929	2 Ps.	8 CY	Boattail Speedster	8500	19500	32000
1929		8 CY	Roadster	5000	8800	15000
1929		8 CY	Cabet	4000	7000	12000
1929	8-90	8 CY	Club Sedan	3000	6000	9000

YEAR	MODEL	ENGINE	BODY	F	G	E
1929	6-80	6 CY 3.1 Litre	Coupe	3100	6100	9200
1930	8-125	8 CY	Convertible Sedan	4400	8500	14000
1930	BT	8 CY	Speedster	9000	20000	33500
1930		8 CY	Cabet	4000		
1930		8 CY	Phaeton	5500	11500	16500
1930		8 CY	Sedan	2800	5600	9000
1931	8-98	8 CY	Speedster	10000	23000	35000
1931		Straight-8	Cabet	4500	9000	13500
1931		8 CY	Phaeton	5500	10500	18000
1931		8 CY	Brougham	5000	10000	17000
1931		8 CY	Sedan	4000	6000	9000
1931	RS	8 CY	Coupe	4200	8400	9400
1931	Business	8 CY	Coupe	4400	8800	9800
1932	BT	V-12	Speedster	12500	25000	44000
1932		V-12	Cabet	9000	20000	35000
1932		V-12	Sedan	6000	9000	14000
1932	BT 8-100	V-8	Speedster	8000	18000	36000
1932		V-12	Coupe	6200	9500	15000
1932		V-8	Cabet	5000	9000	20000
1932	5 Ps.	V-8	Phaeton Convertible	6500	13500	27000
1932	RS	V-8	Coupe	2500	5500	10500
1932		V-8	Brougham	3500	6500	12500
1932	Business	V-8	Coupe	3000	6000	9500
1932	8-100	V-8	Sedan	2700	5000	9000
1932		V-12	Phaeton	10000	22500	40000
1932		V-12	Convertible Sedan	8000	18000	37500
1933		V-8	Phaeton	6500	12000	28000
1933		V-8	Cabet	5500	9500	22000
1933		V-8	Sedan	4000	7000	10500
1933		V-8	Brougham	4500	8000	12500
1933	RS	V-8	Coupe	4250	7500	11000
1933	BT	V-12	Speedster	13500	28000	46000
1933		V-12	Phaeton	12000	22000	40000
1934	652	6 CY	4 Door Convertible	10000	20000	30000
1933		V-12	Sedan	2500	4500	8500
1934	BT	V-12	Speedster	14000	29000	48000
1934		V-12	Saloon Sedan	2000	4700	9000
1934		V-12	Phaeton	13000	24000	42000
1934	12-50	V-12	Convertible Coupe	8000	17000	29000
1934		6 CY	Sedan	3200	6700	10000
1934	8-50	8 CY	Cabet	5800	13000	21000
1934	8-50	4½ Litre Straight-8	Phaeton	7000	14000	24000

YEAR	MODEL	ENGINE	BODY	F	G	E
1935	2 Dr.	6 CY 85 hp	Brougham	5000	8000	12500
1935	653 5 Ps.	6 CY	4 Dr. Sedan	4000	6500	9500
1935	851	V-8 SC	Sedan Convertible	5500	9000	14000
1935	2 Ps.	V-8 SC	Coupe	4000	6800	10000
1935	BT 851	V-8 SC	Speedster	12500	25000	40000
1935	851	V-8 SC	Cabet	7000	11000	18500
1935	8-98	V-8 SC	Phaeton Convertible	8000	12500	20000
1935	851	V-8 SC	Phaeton Sedan	7500	11750	19000
1936	CV	V-8 SC	Coupe	9500	14000	27000
1936	BT 852	V-8 SC	Speedster	12500	25000	40000
1936		V-8 SC	Cabet	10000	15000	28000
1936		V-8 SC	Sedan	6500	12500	18000
1936		6 CY	Cabet	6000	12000	17000
1936	852	8 CY	Roadster	7500	15000	20000
1936	BT	8 CY	Boattail Speedster	11000	18000	34000
1936	852	8 CY	Phaeton	10000	16000	32000

AUBURN (US 1967 to date)

YEAR	MODEL	ENGINE	BODY	F	G	E
1967	866 GP	Ford V-8	Speedster	7000	11000	13500
1968	BT	Ford V-8	Speedster	7500	11500	14000
1969	BT	Ford V-8	Speedster	8000	12000	14500
1970	BT	Ford V-8	Speedster	8500	12500	15000
1970	BT	Pontiac	Speedster	7000	10000	13000
1971	BT	Lincoln	Speedster	9500	13000	16000
1971	BT	Pontiac	Speedster	8000	11000	13500
1972	BT	Lincoln	Speedster	10500	14000	17500
1972	BT	Pontiac	Speedster	8500	11500	14000

AUDAX (F 1914)

YEAR	MODEL	ENGINE	BODY	F	G	E
1914		4 CY	Coupe	1000	2000	4000

AUDI (D 1910-39)

YEAR	MODEL	ENGINE	BODY	F	G	E
1910	B	2,612cc 10/28 PS	Sport Touring Car	3500	7000	12000
1912	C	14/35 PS	Sport Touring Car	3750	7500	12500
1914	D	18/45 PS	Coupe	2000	4000	8000
1916	E	22/50 PS	Coupe	2500	5000	9000
1924	M	6 CY	Cabriolet	3500	7000	12000
1928	R	8 CY	Cabriolet	4000	8500	14000
1937	Zwickau	8 CY	Drop Head Coupe	3000	5500	11000
1939	Dresden	6 CY	Saloon Sedan	2700	5250	10000

YEAR	MODEL	ENGINE	BODY	F	G	E
AUDIBERT-LAVIROTTE (F 1894-1901)						
1894		2 CY	Sedan	800	1600	3800
1901		4 CY	Sedan	1000	2000	4800
AUDINEAU (F 1897)						
1897		Pygnee	Voiturette	1000	2000	5000
AUGE (F 1898-1901)						
1898	Cyclope	2 CY	Dos-a-dos	1000	2000	4000
AULTMAN (US 1901-02)						
1901	2 S	Steam	Buggy	1100	2400	5000
AUREA (I 1920-33)						
1920	Open	4 CY	Touring Car	1200	2200	4800
1923	10/15 hp	1½ Litre	2 Seats	1000	2000	4500
1930	10/15 hp	1½ Litre	Touring Car	1200	2400	5000
AURORA (US 1906-08)						
1906		30 hp	Touring Car	1200	2400	5000
1908		30 hp	Runabout	1400	3000	6800
AURORA (US 1958)						
1958	Safety	Cadillac	4 Door Sedan	1200	2400	4800
	Safety	Lincoln	4 Door Sedan	1200	2400	4800
	Safety	Chrysler	4 Door Sedan	1200	2400	4800
AUSFORD (GB 1947-48)						
1947		Ford-ten	Sport	1000	2000	4500
AUSONIA (I 1903-06)						
1903		EL	Sedan	800	2200	4800
AUSTIN (US 1901-21)						
1901		2 CY	Touring Car	1200	2400	5000
1915	48 hp	12 CY	Touring Car	2400	4800	14000
AUSTIN (GB 1906-to date)						
1906	25/30 hp	4 CY	Limousine	3500	7500	13000
1908		6 CY	Touring Car	4000	8800	15500
1910	Ten	4 CY	Touring Car	3550	7000	13000
1914		4 CY	Touring Car	3500	7000	13000
1916	Twenty		Limousine	2000	4000	8800
1921	Twelve	1661cc 4 CY	Touring Car	2400	5000	7800
1922	Seven	747cc	Limousine	2000	4000	6000
1929		6 CY	Sport Supercharged	3000	6000	8000
1929	Seven Fabric		Saloon Sedan	2000	4000	6000
1932	Ten	1.1 Litre	Saloon Sedan	2000	4000	6000
1937	Cambridge Ten	900cc	Saloon Sedan	1900	3800	5800

YEAR	MODEL	ENGINE	BODY	F	G	E
1945	Sixteen	4 CY 2.2 Litre	Saloon Sedan	1800	3600	5500
1947	Sheerline	6 CY 4 Litre	Saloon Sedan	2200	4400	6500
1947	Princess	6 CY 4 Litre	Saloon Sedan	2200	4400	6500
1948	Devon	4 CY	Saloon Sedan	1800	3600	5800
1949	A 90	4 CY	Convertible	2200	4000	6000
1954	A 40	1½ Litre 4 CY	Coupe	1500	3000	5500
1955	A 50	1½ Litre	Convertible	2200	4000	6000

AUSTIN-AMERICAN (US 1931-1940)

1931	Bantam		Coupe	1000	2000	3000
1931	Bantam		Roadster	1100	2200	3750
1932			Roadster	1200	2400	3850
1933			Roadster	1300	2600	4000
1934			Roadster	1400	2800	4200
1935			Roadster	1500	3000	4500
1936			Roadster	1600	3200	4500
1937			Roadster	1500	3000	4600
1938			Roadster	1400	2800	4500
1939			Roadster	1300	2600	4400
1940			Roadster	1200	2400	4300

AUSTIN (AUS 1959-to date)

1959	A 95	6 CY	Saloon Sedan	1250	2400	5800
1959	Mini 850	4 CY	Saloon Sedan	1000	2000	5000

AUSTIN-HEALEY (GB 1953-71)

1953	100-6	4 CY A 90	Roadster	1100	2200	5000
1954		6 CY	Roadster	1300	2800	6000
1957			Roadster	1200	2400	5000
1959	3000		Roadster	1200	2400	5000
1959	Sprite	948cc	Roadster	1000	2000	4000
1967	3000	6 CY	Roadster	1250	2500	5250

AUSTRALIAN SIX (AUS 1919-24)

1919		6 CY	Touring Car	1200	2400	5000
1920	Open	6 CY	2 Seats	1200	2400	5000
1921		6 CY	Sedan	800	1600	3200

AUSTRALIS (AUS 1901-06)

1901	3 hp	1 CY	2 Seats	800	1700	4000
1906	7 hp	2 CY	Tonneau	1000	2100	4800

AUSTRO (A 1913-14)

1913	6 hp	N.S.U.	Cycle Car	800	1600	3000

AUSTRO-DAIMLER (A 1899-1936)

1899	Open		Touring Car	1000	2000	4000

YEAR	MODEL	ENGINE	BODY	F	G	E
1910	22/80 PS	L-head	Touring Car	1100	2200	4500
1914	ADV	6 CY	Town Car	1100	2400	4800
1932	ADR-8	8 CY	Drop Head Coupe	1200	2600	6800

AUSTRO-FIAT (A 1921-36)

1922	C1	4 CY	Touring Car	1200	2500	5000

AUSTRO-RUMPLER (A 1920-22)

1920	1	3/10 PS	Cycle Car	700	1700	3200

AUTOCAR (RA 1950-62)

1950	2 Dr.	Jeep	Saloon Sedan	1000	1500	2500

AUTOBLEU (F 1955-58)

1955	Closed	4 CV	Coupe	800	1100	2200
1956	Closed	4 CV	Coupe	800	1100	2200

AUTO-BUG (US 1909-10)

1909	22 hp	2 CY	2 Seats	1200	2000	5000
	22 hp	2 CY	4 Seats	1400	2400	5400

AUTOCAR (US 1897-1911)

1897	4 Wheeler	1 CY	Buggy	1200	2000	5000
1901	4 Wheeler	2 CY	Buggy	1300	2100	5400
1905	4 Wheeler	4 CY	Buggy	1400	2200	6000

AUTOCRAT (GB 1913-26)

1913	9 hp	2 CY	Coupe	1000	2000	4500
1919	12 hp	4 CY	Coupe	1200	2400	5000

AUTOCYCLE (US 1907)

1907	6 hp	Air-cool	Open	1000	1800	3800

AUTODYNAMICS (US 1964-to date)

1964	D-7	Hustler VW	Sport	1800	2800	5000

AUTOETTE (US 1910-13)

1901		1 CY	Cycle Car	800	1600	3400
1910		1 CY	Roadster	1000	2000	4500

AUTOETTE (US 1913)

1913	9 hp	Air-cool	Cycle Car	1000	2000	4000
1926	Closed	EL	Sedan	1600	3400	6300

AUTOGEAR (GB 1922-23)

1922	Open	V-twin	3 Wheeler	1000	1800	4800
1922	7 hp	Flat-twin	2 Seats	800	1600	2400

AUTOGNOM (D 1907)

1907	Open			700	1400	3200

YEAR	MODEL	ENGINE	BODY	F	G	E
AUTO LEGER (F 1904-07)						
1904	9 hp	2 CY	2 Seats	800	1600	3800
1907	9 hp	2 CY	4 Seats	1000	2000	4500
AUTOLETTE (NL 1905-06)						
1905	4 hp	1 CY	Voiturette	800	1600	3800
	12 hp	2 CY	Voiturette	1200	2600	5800
AUTO-LUX (I 1937)						
1937	Closed	EL	3 Wheeler	1700	3800	6000
AUTOMATIC (US 1921)						
1921	Closed	EL	2 Seats light	1500	3200	8000
AUTO-MIXTE (B 1906-12)						
1906	24 hp	4 CY	Closed	1000	2000	4000
AUTOMOBILETTE (F 1911-24)						
1911	6/8 hp	2 CY	Cycle Car	800	1600	3500
1914	10 hp	4 CY	moncar	1000	2000	4400
AUTOMOTETTE (F 1898-99)						
1898	3 Wheeler	1 CY	4 Seats	1000	2000	4900
AUTOMOTO (F 1901-07)						
1901	4½ hp	1 CY	Voiturette	1000	1800	6000
1903	24 hp	4 CY	Tonneau	1250	2500	5200
AUTOMOTOR (US 1901-04)						
1901	5 S	4 CY	Roi-des-Belges	1000	2500	6500
AUTO PRATIQUE (F 1912-13)						
1912	5 hp	1 CY	Cycle Car	700	1400	3000
AUTORETTE (F 1913-14)						
1913		2 CY	Cycle Car	800	1600	3200
AUTO SANDAL (J 1954)						
1954	Minicar	1 CY	2 Seats	1000	1800	3200
AUTO TRI-CAR (US 1914)						
1914	3 Wheel	1 CY	Cycle Car	1000	1800	4000
AUTOTRIX (GB 1913)						
1913		2 CY	Open	900	1700	4000
1913	3 Wheeler	1 CY	Open	800	1600	3200
AUTO UNION (D 1958-62)						
1958		3 CY	Coupe	1000	1800	4000
AUTOVIA (GB 1937-38)						
1937	2.8 Litre	V-8	Saloon Sedan	1100	2000	4200

YEAR	MODEL	ENGINE	BODY	F	G	E
AUTRAM (F 1924)						
1924		4 CY	Conventional	1000	2000	4000
A.V. (GB 1919-26)						
1919	Mono	Motor-cycle	1 Seat	700	1400	3000
1920	Bicar	8 hp	2 Seats	1000	2000	3000
AVANTI II (US 1965-to date)						
1965	Closed	5.7 Litre	Coupe	1800	3000	6800
AVERAGE MANIS RUNABOUT (US 1907-08)						
1907	14 hp	Air-cooled	Runabout	1000	1800	4900
AVERIES (GB 1911-15)						
1911		1 CY	2 Seats	800	1400	3600
1913	8/10 hp	4 CY	2 Seats	1000	2000	4000
AVERLY (F 1899-1901)						
1899	Closed	EL	light	1200	3800	4800
AVIA (CS 1956-57)						
1956		2 CY	3 Seats	1200	2400	4600
AVIA (GB 1961)						
1961		Triumph Herald	Coupe	1100	2800	4800
AVIETTE (GB 1914-16)						
1914	1 S	1 CY	Cycle Car	800	1800	3600
	2 S	1 CY	Cycle Car	1000	2000	3900
AVIS (A 1925-27)						
1925		2 CY	Coup de Ville	800	1600	4000
1927		4 CY	Coup de Ville	1100	2200	4900
AVOLETTE (F 1956-57)						
1956	3 Wheeler	1 CY	Open	1000	1800	5000
AVON (GB 1903-12)						
1903	3 Wheeler	1 CY		1000	1800	4000
1905	4 Wheeler	1 CY		1200	2000	4400
AVRO (GB 1919-20)						
1919	10 hp	4 CY	Touring Car	800	1600	3800
A.W. (PL 1939)						
1939	32 hp	4 CY	Sedan	650	1250	3000
A.W.S. (D 1949-51)						
1949	2 Stroke	4 CY	Station Wagon	1000	2500	4000
A.W.S. (D 1971-to date)						
1971	Closed	Goggomobil 247cc	Small City Car	800	1800	3500

Buick — 1940 "Limited Limousine" Appeared in the original movie of The Godfather

YEAR	MODEL	ENGINE	BODY	F	G	E
BABCOCK (US 1906-12)						
1906	Closed	EL	2 Seats	1300	2900	7000
BABCOCK (US 1909-13)						
1909		2 CY	Motor Buggy	1000	1800	4000
	5 S	4 CY	Touring Car	1200	2600	6000
BABY BLACK (GB 1922)						
1922		2 Stroke	Cycle Car	1000	2000	4400
B.A.C. (GB 1921-23)						
1921	9.5 hp	5 V Peters	Touring Car	1100	2100	4500
BACHELLE (US 1901-02)						
1901	SD	EL	2 Seats	1000	1900	5000
BADENIA (D 1925)						
1925	2 Litre	6 CY	Sedan	800	1800	3800
BADGER (US 1909-12)						
1908		Steam	Open	1500	3500	9000
1909	45 hp	4c T-head		1250	2800	8500
BADGER (US 1910-12)						
1910	30 hp	4 CY	Touring Car	1500	3500	8800
1912	30 hp	4 CY	Roadster	1700	3800	9800
BADMINTON (F/GB 1907-08)						
1907	14/20 hp	4 CY	Touring Car	1000	1800	4500

YEAR	MODEL	ENGINE	BODY	F	G	E
1908	30 hp	4 CY	Touring Car	1400	2400	6800

BAER (D 1921-24)

YEAR	MODEL	ENGINE	BODY	F	G	E
1921	18 bhp	2 CY		850	1800	4800

BAGULEY (GB 1911-21)

YEAR	MODEL	ENGINE	BODY	F	G	E
1911	16/20 hp	4 CY	Coupe	1200	2000	4000
1914	16/20 hp		Limousine	1400	2400	4600

BAILEY (US 1907-10)

YEAR	MODEL	ENGINE	BODY	F	G	E
1907	20/24 hp	4 CY	5 Seats	1250	2200	6900

BAILEY (US 1907-15)

YEAR	MODEL	ENGINE	BODY	F	G	E
1911	5 Ps.	EL	Victoria Phaeton	2600	7200	14000
1913		EL	2 Seats Runabout	1200	2400	8000

BAILEY & LAMBERT (GB 1903-05)

YEAR	MODEL	ENGINE	BODY	F	G	E
1903	6½ hp	DeDion Bouton	light	1000	2400	5000

BAILLEAU (F 1901-14)

YEAR	MODEL	ENGINE	BODY	F	G	E
1901	2¾ hp	DeDion	Voiturette	1000	1800	6000
1906	16 hp	4 CY	Voiturette	1000	2000	6000
1907	6 hp	1 CY	Voiturette	800	1600	3800

BAILLE-LEMAIRE (F 1898-1902)

YEAR	MODEL	ENGINE	BODY	F	G	E
1898	8 hp	2 CY	Open	800	1700	3900

BAILLEREAU (F 1908)

YEAR	MODEL	ENGINE	BODY	F	G	E
1908	Open	1 CY	Voiturette	900	1800	5500

BAILLEUL (F 1904-05)

YEAR	MODEL	ENGINE	BODY	F	G	E
1904	14/16 hp	4 CY	Touring Car	1000	1900	5900

BAINES (GB 1900)

YEAR	MODEL	ENGINE	BODY	F	G	E
1900	2½ hp	DeDion Bouton	Cycle Car	800	1900	4000

BAJA (A 1920-24)

YEAR	MODEL	ENGINE	BODY	F	G	E
1920	Single S	1 CY	Cycle Car	900	1750	4000
1923	Single S	V-twin	Cycle Car	1400	3200	9500

BAKER (US 1899-1924)

YEAR	MODEL	ENGINE	BODY	F	G	E
1899	3/4 hp	1 CY	Buggy	950	1400	4000
1903		EL	Runabout	1200	1600	8000
1910	2 S	EL	Phaeton	2200	4000	11500
1913			Coupe	2300	4000	9500
1917		Steam	Roadster	2200	4000	9200

YEAR	MODEL	ENGINE	BODY	F	G	E
BAKER-BELL (US 1913)						
1913	2 S	4 CY	Roadster	1200	2400	6000
BAKER & DALE (GB 1913)						
1913		2 CY	Cycle Car	1000	2000	5000
BALBOA (US 1925)						
1925	5 S	Rotary Valve	Touring Car	2000	4200	10000
1926		Rotary Valve	Brougham	1800	3700	8000
BALDNER (US 1901-03)						
1901	20 hp		Touring Car	1800	3600	8000
1903	12 hp		Runabout	1400	2900	6000
BALDWIN (US 1899-1902)						
1899	Steamer		2 Seats	1200	2400	6000
BALL (US 1902)						
1902		Steam	7 Seats	1800	3800	9000
BALLOT (F 1919-32)						
1922		2 Litre	Brougham	900	1800	4000
1926		2 Litre	Cabriolet	1100	2200	5000
1930	RH-3	3 Litre	Saloon Sedan	1200	2300	5100
BALZER (US 1894-1900)						
1894	10 hp.		Open	1000	2300	
BAMBI (E 1952)						
1952	3 Wheeler	125cc	Open 2 Seats	1250	2800	5800
BAMBINO (NL 1955-56)						
1955	3 Wheeler	1 CY	Open Coupe 2 Seats	1000	2000	4500
BANDINI (I 1947-56)						
1947	SD			800	1800	4000
1956	SP	750cc	Racing Car	2200	4900	12000
BANKER (US 1905)						
1905	5 S Side Entrance	4 CY SV	Tonneau	1400	2900	7000
1905		4 CY SV	Limousine	1000	2000	4500
BANKER JUVENILE ELECTRIC (US 1905)						
1905	2 S	EL	Roadster	1800	3800	7900
BANNER BOY BUCKBOARD (US 1958)						
1958	2¾ hp	1 CY		660	1800	3000

YEAR	MODEL	ENGINE	BODY	F	G	E
BANTAM (GB 1913)						
1913	8 hp	V-twin	Cycle Car	900	1900	4000
BANTAM (US 1914)						
1914		V-twin	Cycle Car	1000	2400	5400
BARADAT-ESTEUE (E 1922)						
1922		Torus		1000	2000	4000
BARBARINO (US 1924-25)						
1924		4 CY LeRvi	Custom Order	800	1800	3800
BARCAR (GB 1904-06)						
1904	10 hp	3 CY		1000	1800	3800
BARCLAY (GB 1933)						
1933	4 Dr.	10 hp	Saloon Sedan	800	1700	3700
BORDON (F 1899-1903)						
1899	4/5 hp	1 CY	Open	700	1600	3800
1902	7 hp	1 CY	Tonneau	1100	2200	4200
BARISON (I 1923-25)						
1923	2½ Litre	4 CY	Open	1000	2000	3500
BARLEY (US 1922-24)						
1922		6 CY	Touring Car	1000	2200	5000
1923	Standard	6 CY	Sedan			
BARNARD (GB 1921-22)						
1921	Open	4 CY	Racing Car	1200	2400	5000
BARNARD (GB 1966-to date)						
1967	Farm Six	110cc	Racing Car	1800	4000	9500
BARNES (GB 1904-06)						
1904	12 hp	4	4 Seats	1400	2200	4800
BARNES (US 1910-12)						
1910	Air-cooled	4 CY	Roadster	1300	2600	5000
BARNHART (US 1905)						
1905	44 hp	4 CY	Touring Car	1500	3000	8000
BAROSSO (I 1923-24)						
1923	Open	495cc	Cycle Car	800	1800	3200
BARRE (F 1900-30)						
1902	8 hp	2 CY	Tonneau	1000	2000	3500
1924	10/20 hp	4 CY	Touring Car	1200	2500	5000

YEAR	MODEL	ENGINE	BODY	F	G	E
BARRINGTON (GB 1932-36)						
1932	Open	3 CY	2 Seats	1000	2200	3800
BARRIQUAND (ET Schmitt F 1905)						
1905	4 Litre	4 CY	Open	800	2400	3900
BARRON-VIALLE (F 1923-29)						
1923	2.7 Litre	Straight-8	Open	800	1800	4200
BARROWS (US 1897-98)						
1897	3 Wheeler	EL	2 Seats	1600	3800	8800
BARLTLETT (CDN 1914-17)						
1914		LeRoi	Touring Car	1100	2400	5500
1917		LeRoi	Roadster	1300	2800	7800
BARTON (US 1903)						
1903	Steam	2 CY	Tonneau	1400	3000	9500
BASSETT (GB 1899-1901)						
1899	4 hp	Schwanemeyer	Open	900	2200	5000
BASSON'S STAR (US 1956)						
1956	3 Wheel	1 CY	Minicar	1000	3000	9000
BASTIN (B 1908-09)						
1908		4 CY	Open	800	1700	4000
BAT (GB 1904-09)						
1904		Motorcycle	Tri-car	700	1500	2800
BATES (US 1903-05)						
1903	4 S	3 CY	Touring Car	1200	2800	7000
BATEUP (AUS 1939)						
1939	16 hp	4 CY	Open	900	1800	4000
BATTER (GB 1935-38)						
1935		V-8	Coupe	1000	2000	5000
1936		3.6 Liter	Sport	1400	2900	7900
BAUCHET (F 1901-03)						
1901	5/7 hp	2 CY	4 Seats Tonneau	800	1800	3900
BAUDIER (F 1900-01)						
1900	3S	DeDion	Voiturette	950	1850	5000
BAUGHAN (GB 1920-29)						
1920	2S	V-twin	Cycle Car	800	1800	4400
BAYLISS-THOMAS (GB 1922-29)						
1922	Open	13/20 hp	2 Seats	900	1800	4000

YEAR	MODEL	ENGINE	BODY	F	G	E
BAYSTATE (US 1906-24)						
1906	5.8 Litre	4 CY	7 Seats	1500	4000	9500
1922	Open	6 CY	Touring Car	1200	3400	5000
1924		8 CY	Sedan			
BEACH (US 1962-to date)						
1962-66	Formula Vee	RC		1800	4200	8000
BEACON (GB 1912-24)						
1912	Mark VI	V-twin	2 Sport	1200	4000	10000
BEAN (GB 1919-29)						
1922	11.9 hp	4 CY	2 Sport	1000	1800	3850
1924		4 CY	Saloon Sedan	1200	2200	4400
1927	18/50 hp.	4 CY	Saloon Sedan	1400	2500	4800
1929	14/70 hp	4 CY	Saloon Sedan	1600	2900	6900
BEARDMORE (GB 1920-28)						
1920	Open		Touring Car	1200	2200	5000
1923	Type D	12.8 hp	Touring Car	1300	2400	5400
BEARDSLEY (US 1915-17)						
1915		EL	Sedan	1800	4000	9000
BEATRIX (F 1907)						
1907	30/40 hp	6 CY	Touring Car	2000	5000	12500
BEATTIE (GB 1969-to date)						
1969	RD		Sport	1400	2900	6500
BEAUFORD (D 1901-06)						
1901		2 CY	Open	800	1700	3900
1902	12 hp	2 CY	Touring Car	1200	1900	4900
1903	24 hp	2 CY	Touring Car	1600	2700	5500
BEAUMONT (F 1913)						
1913	10 hp	4 CY	Open	800	1700	4400
BEAVER (US 1916-23)						
1916		6 CY	Open	1000	2800	6800
B.E.B. (D 1922-23)						
1922	2 S	EL	Cycle Car	1250	2900	5000
BECHEREAU (F 1924-25)						
1924	Open	Salmson	Light Streamline	800	1900	4800
BECK (F 1920-22)						
1920		4 CY		900	1750	4500

YEAR	MODEL	ENGINE	BODY	F	G	E
BECKMANN (D 1900-26)						
1900		1 CY DeDion	Voiturette	1000	2000	5000
1901	24 PS	4 CY	Tonneau Limousine	1400	2600	5800
BEDELIA (F 1910-25)						
1910	10 hp	V-twin	Cycle Car	850	1800	4900
BEDFORD (GB 1904)						
1904	2 S	4 CY	Rai-des-Belges	900	2000	5000
BEEBE (US 1906)						
1906	30 hp	2 CY	Open	1400	3800	9000
BEESTON (GB 1899)						
1899	3½ hp	Open		800	1800	4800
B.E.F. (D 1907-13)						
1907	3 Wheeler	EL	2 Seats	1100	2600	5200
BEGG (US 1918-23)						
1918		6 CY	Open	1400	3000	6000
BEGOT ET MAZURIE; BEGOT ET CAIL (F 1900-02)						
1900	4 hp	1 CY	Voiturette	1000	2000	4800
BEISEL (US 1914)						
1914	1½ Litre	4 CY	Cycle Car	1000	2500	5800
BEKKA (F 1907)						
1907	12/16 hp	4 CY		800	1700	4000
B.E.L. (US 1921)						
1921		4 CY		1000	3200	5800
BELDEN (US 1908-11)						
1908	Open	6 CY		1000	2000	5500
BELGA (B 1920-21)						
1920	10 hp	Ballot	Open	1000	2000	3800
BELGICA (B 1902-09)						
1902	8 hp	1 CY	Cycle Car	900	1800	4000
1905	24 hp	4 CY	Cycle Car	1300	2900	5800
BELL (GB 1905-14)						
1905	16 hp	4 CY	Laundalet	1000	2000	5000
BELL (US 1915-21)						
1916	16	Continental	Touring Car	1400	3800	8000

YEAR	MODEL	ENGINE	BODY	F	G	E
BELL (1916-18)						
1916		4 CY	Touring Car	1000	2500	6000
BELL (GB 1920)						
1920	3 Wheeler	J.A.P.	Cycle Car	900	1800	4000
BELL (F 1924-25)						
1924		4 CY	Cycle Car	850	2800	4000
BELLANGER (F 1912-25)						
1912	3.2 Litre	4 CY	Touring Car	1000	2000	4800
BELLE (CHŒGB 1901-03)						
1901	6 hp	1 CY	Tonneau	1200	2700	5000
BELLE FONTAINE (US 1908)						
1908	8-8	4 CY	Ro-des-Belges	1450	3000	6800
BELMOBILE (US 1912)						
1912	2 S	20 hp	Roadster	1300	3000	6500
BELMONT (US 1909-12)						
1909		30 hp	Touring Car	1500	3500	8800
BELMONT (US 1916)						
1916	6 S	EL	Limousine	1400	3000	6500
BELSIZE (GB 1897-1925)						
1900	Marshall	2 CY	Vis-a-vis	900	1800	4000
1906	20 hp	4 CY	Vis-a-vis	1400	2500	8800
1913	18/22 hp	4 CY	Cabriolet	1000	2000	4000
1924	2½ Litre	4 CY	Sedan	800	1800	3800
BENDIX (1907-10)						
1907	30 hp	4 CY	Sedan	1800	5200	9000
BENHAM (US 1914-17)						
1914		Continental	Sedan	1200	2800	6000
BEN HUR (US 1916-18)						
1916	2 Ps.	6 CY	Roadster	1800	3750	9800
BENJAMIN, BENOVA (F 1921-31)						
1921	8 hp	4 CY	Coupe	800	1800	4000
BENNER (US 1908-10)						
1908	25/30 hp	6 CY	Touring Car	1800	3800	8800
BENOIS et DAMAS (F 1903-04)						
1903	8 hp	2 CY	Coupe	1000	2000	4800
1904	12 hp	4 CY	Coupe	1400	2800	5800

YEAR	MODEL	ENGINE	BODY	F	G	E
BENTALL (GB 1906-13)						
1906	16/20 hp	4 CY	Touring Car	1450	2900	6000
BENTLEY (GB 1920-to date)						
1920		3 Litre	Sport	3000	6000	14500
1924	Speed Model	3 Litre	4 Seats Sport	4400	8600	10500
1925	Red Label	3 Litre	Roadster	3500	8400	18000
1925		3 Litre	Sport Touring Car	5000	9500	19000
1926	2-L	3 Litre	Convertible Coupe	2100	5200	9500
1926	2 Ps.	3 Litre	Coupe	2300	5000	10000
1927	4 Ps.	3 Litre	Touring Car	8000	18000	38000
1928	4 Ps.	3 Litre	Touring Car	8000	18000	38000
1929		4½ Litre	Speedster	6000	1000	25000
1929		4½ Litre	Touring Car	7000	8000	23000
1929	5 Ps.	4½ Litre	Saloon Sedan	2750	4000	9500
1930	Speed 6	4½ Litre	Saloon Sedan	2650	3400	7500
1931		8 Litre 6 CY	Cabet	6500	14000	29500
1931		4½ Litre	Touring Car	6000	11500	23000
1934	Dual Cowl	4½ Litre	Phaeton	6500	11500	28000
1934		4½ Litre	Convertible Coupe	2500	6000	14000
1934		4½ Litre	Saloon Sedan	2400	3500	7000
1934	5 Ps.	4½ Litre	Sedan	2500	3800	7500
1934	Dual Cowl	3½ Litre	Phaeton	7500	14500	31000
1934		3½ Litre	Drop Head Coupe	3900	7500	14500
1935		4½ Litre	Cabet	4500	7500	21500
1935	Speed 6	4½ Litre	Touring Car	4500	7000	19000
1935	DH	3½ Litre	Coupe	4500	7000	21000
1936		4½ Litre	Sedanca Coupe	5500	11500	24000
1936		4½ Litre	Sport Saloon Sedan	2500	4500	7500
1936		4½ Litre	Cabet	3800	8000	19000
1936		4½ Litre	Convertible Victoria	3500	7500	16000
1937	5 Ps.	4½ Litre	Saloon Sedan	1800	3200	7000
1937		4½ Litre	Cabet	4000	8500	26000
1937	Continental	4½ Litre	Cabet	3000	7500	16000
1937		4½ Litre	Sport Saloon Sedan	2400	4500	9000
1937		4½ Litre	Coupe	2400	3800	8500
1938		4½ Litre	Saloon Sedan	1800	3000	7500
1938		4½ Litre	Drop Head Coupe	6000	13500	34000
1939	5 Ps.	4½ Litre	Coupe	2000	4500	10500
1939	5 Ps.	4½ Litre	Cabet	3400	7000	26000
1940	MK-V	4½ Litre	Convertible	3250	6500	12500
1947	Franay	4½ Litre	Convertible	3500	7000	13000
1948	MK-VI	4½ Litre	Saloon Sedan	2600	5100	8200
1949	Park Ward	4½ Litre	Convertible	4500	8700	14000

YEAR	MODEL	ENGINE	BODY	F	G	E
1950	MK-VI	4½ Litre	Saloon Sedan	2400	3900	8000
1951	MK-VI	4½ Litre	Saloon Sedan	2400	3900	8000
1952	James Young	4.6 Litre	Coupe	4200	8300	12000
1952	MK-VI	4.6 Litre	Saloon Sedan	2400	4400	7500
1952	Park Ward	4.6 Litre	Convertible (Left Hand Drive)	4600	7500	23900
1952	Park Ward	4.6 Litre	Convertible (Right Hand Drive)	3300	5900	12500
1953	Sun Roof	4.6 Litre	Saloon Sedan	2500	4300	8200
1953	Park Ward	4.6 Litre	Convertible	3300	6000	11800
1953	R	4.6 Litre	Sport Saloon Sedan	3500	5400	11000
1954	R Type 4 Dr.	4.6 Litre		2750	5400	9500
1954		4.6 Litre	Convertible	3800	7250	13250
1954	R Type 2 Dr.	4.6 Litre	Continental	7500	13000	25000
1954	R Type	4.6 Litre	Sun Roof Saloon Sedan	2700	5300	10500
1955	S-1 Continental	4.9 Litre	Fast Back	4250	9000	13500
1955	R Type 2 Dr.	4.9 Litre	Special	3500	7500	14000
1955	R Type	4.9 Litre	Saloon Sedan	2200	4800	9250
1956	S I 4 Dr.	4.9 Litre	Saloon Sedan	2400	5200	8000
1956	ST 4 Dr.	6.2 Litre	Freestone & Webb Saloon Sedan	3300	7400	12200
1956	5 Ps. SL		Hooper	2800	5600	9000
1957	S I SL		Mulliner	3100	6300	10500
1958	S I CV LHD			5700	10000	18500
1958	S I SL			3100	6000	15000
1958	S I Continental		Park Ward Coupe	3400	7500	13000
1959	Park Ward		Coupe	3400	7500	13000
1959	S I		Limousine	2600	5400	10000
1959	S I LHD			2600	5400	10000
1960	S-2 4 Dr.	8 CY	Saloon Sedan	2600	5400	10250
1960	Continental CV		Left Hand Drive	5000	9500	16000
1960	S II Continental		Coupe	2800	6000	10800
1961	Continental		Coupe	3200	6800	13000
1961	S II CV		Coupe Left Hand Drive	3200	7000	14500
1962	S II 4 Dr.		Saloon Sedan	2600	5100	10250
1962			Drop Head Coupe	3200	7100	14500
1962	S III LHD		Saloon Sedan	3300	6100	12500
1963	S III RHD		Saloon Sedan	2400	4600	9500
1964	S III Continental		Convertible	8500	20000	28000
1964	LHD	8 CY	Saloon Sedan	3600	7200	13000
1965	S III		Saloon Sedan	3500	6000	12000

YEAR	MODEL	ENGINE	BODY	F	G	E

BENZ (D 1885-1926)

1885	0.9 PS	1 CY	3 Wheel	2500	5000	10000
1903	Parsifal	10/12 PS 2 CY	Tonneau	3000	6000	12500
1910	8/20 PS	2 Litre	Tonneau	3500	7500	15000
1911	39/100 PS	10.1 Litre	Touring Car	8000	15000	30000
1912	200 hp	22 Litre	Racing Car	35000	60000	125000
1914		4 CY	Touring Car	5500	12000	21000
1914	25/55 PS	6 CY	Limousine	3000	15000	30000
1918	6/18 PS	4 CY	Racing Car	15000	27500	50000
1923	Teardrop	6 CY	Racing Car	25000	50000	100000
1906	Daimler Benz		Touring Car	10000	22000	47000
1908		12 Litre	Racing Car	15000	35000	59000
1912			Touring Car	4000	7500	16000

BENZ SOHNE (D 1906-26)

1906	10/22 PS	4 CY	Tonneau	1000	2000	4000

BERARD (F 1900-01)

1900		2 CY	Open	800	1700	3900

BERG (US 1902-05)

1902	15 hp	4 CY	Open	1250	2800	5000

BERGANTIN (RA 1960-62)

1960	Willys Jeep		Sedan	1000	2000	4000

BERGDALL (US 1908-13)

1910		4 CY	Touring Car	1200	2400	6000
1913	30 hp	4 CY	Limousine	1200	2200	5400

BERGE (F 1923)

1923	SP	7/10 Fivet	4 Seats	1000	2000	5000

BERGER (D 1901-02)

1901	Open		2 S	800	1800	3900

BERGMANN (D 1907-22)

1907	2.6 Litre	4 CY	Open	800	1900	3600

BERKELEY (GB 1956-67)

1956		692cc	Open	1000	2000	5800

BERKSHIRE (US 1905-13)

1905	35 hp	4 CY	Roadster	1300	2900	6200

BERLIET (F 1895-1939)

1902	Open	4 CY	Touring Car	900	1900	4500
1906	60 hp	4 CY	Roadster	1000	2200	4800
1923	VL	16 CV	Touring Car	900	1750	3500

YEAR	MODEL	ENGINE	BODY	F	G	E
1932		6 CY	Coupe	600	1500	3000
1933	944	6 CY	Saloon Sedan	500	1250	2500

BERWICK (US 1904)

1904	2 S	EL	Runabout	1200	2700	6800

BESST (AUS 1926-27)

1927	19.6 hp	4 CY	Touring Car	1000	1800	4900

BEST (US 1899)

1899	7 hp	2 CY	7 Passenger Touring Car	1250	2800	7000

BEST (F 1921)

1921	2 Litre	4 CY	Touring Car	850	1800	5800

BERSEY (GB 1895-1899)

1895	9 hp	Twin	Voiturette	1000	1900	5600

BERTA (RA 1967-to date)

1967		6 CY	Sport	1700	3800	7000
1970		V-8	Sport	2000	4000	7800

BERTOLET (US 1908-12)

1908	2 S	4 CY	Roadster	1400	3000	6000
1910	5 S	4 CY	Touring Car	1200	2500	5500

BERTRAND (F 1901-02)

1901	4½ hp	Aster	Voiturette	800	1400	3800

BERNA (CH 1902-07)

1902	Ideal	4 CY	Vis-a-vis	1000	2000	5200

BERNADET (F 1946-50)

1946	5 CV	4 CY	2 Seats	800	1800	3900

BERNARDI (I 1899-1901)

1899	6 hp		3 Wheel	900	2000	4500

BERRET (F 1899-1903)

1899		3 CY	Open	1000	2200	4750

BEVERLY-BARNES (GB 1924-31)

1924	24/80 hp	Straight-8	Vanden Plas	1800	4000	10000

B.F. (D 1922-26)

1922	Open	3 CY	Racing Car	1000	1900	4000

B.G.S. (F 1899-1906)

1899	Open	EL	Phaeton	1400	3200	8000

YEAR	MODEL	ENGINE	BODY	F	G	E

BIANCHI (I 1899-1939; 1957-to date)

YEAR	MODEL	ENGINE	BODY	F	G	E
1899		1 CY DeDion		1100	2250	4500
1907	E	11.4 Litre 70 hp	Sport	1800	3750	7500
1916	42-70 hp	4 CY	Sport Touring Car	1500	2750	5500
1922	GP	4 CY	Sport	1100	2250	4500
1923	16	4 CY	Sport	750	1400	2800
1928		Straight-8	Touring Car	750	1500	3000
1930		2.9 Litre	Touring Car	750	1500	3000
1933	S8 bis	2.9 Litre	Sport Saloon Sedan	650	1250	2500
1934	S9	1½ Litre	Sport Saloon Sedan	650	1250	2500
1939		4 CY	7 Seats	1100	2250	4500
1955		Fiat 2 CY	Convertible	350	700	1250
1957		4 CY	Convertible	350	700	1250

BIDDLE (US 1915-23)

YEAR	MODEL	ENGINE	BODY	F	G	E
1915	Open	4 CY	Roadster	1500	3200	7000

BIELKO A-50 "SQUIRREL" (SU 1956)

YEAR	MODEL	ENGINE	BODY	F	G	E
1956	22 hp	2 CY	Sedan	700	1400	2800

BIENA (D 1923)

YEAR	MODEL	ENGINE	BODY	F	G	E
1923	Open	2 CY	Cycle Car	900	1800	3900

BIFORT (GB 1914-15)

YEAR	MODEL	ENGINE	BODY	F	G	E
1914		10½ hp	Duple	1000	2200	5800

BIGNAN (F 1918-1930)

YEAR	MODEL	ENGINE	BODY	F	G	E
1918	17 CV	3½ Litre	Sport	1400	2800	6200
1921	50 bhp	4 CY	Voiturette	1700	3400	7000
1924	11 CV	2 Litre	Saloon Sedan	1200	2600	5500
1927	60 bhp	Straight-8	Touring Car	2000	4800	10000

BIJOU (GB 1901-04)

YEAR	MODEL	ENGINE	BODY	F	G	E
1901	5 hp	1 CY	Open	800	2000	5200

BIJI T VUUP (NL 1902-05)

YEAR	MODEL	ENGINE	BODY	F	G	E
1902	6½ hp	2 CY	4 Seats Tonneau	1000	2200	5500

BILLARD (F 1922-25)

YEAR	MODEL	ENGINE	BODY	F	G	E
1922	1 S	2½ hp	Cycle Car	900	2000	4000

BILLIKEN (US 1914)

YEAR	MODEL	ENGINE	BODY	F	G	E
1914	2 S	4 CY	Cycle Car	1000	2000	4900

BILLINGS (GB 1900)

YEAR	MODEL	ENGINE	BODY	F	G	E
1900	2 S	2½ hp	Voiturette	800	1600	4000

YEAR	MODEL	ENGINE	BODY	F	G	E
BINNEY-BURNHAM (US 1901-02)						
1901	Steam	2 CY	4 Seats	1400	3800	9000
BIRCH (US 1917-23)						
1917	Gas	6 CY	Open	1200	2700	6250
BIRMINGHAM (US 1921-22)						
1921	Gas	6 CY	Touring Car	1600	3600	9000
BISCUTER (E 1951-58)						
1951	2 S	1 CY	Coupe	600	1400	2800
BISHOP (GB 1925)						
1925	Open	22.4 hp	2 Seats	1000	2000	4000
BJERING (N 1918-20)						
1918	Open	V-4	Cycle Car	800	1800	3800
BLACK (US 1903-09)						
1903	10 hp	2 CY	Hi-wheel	1200	2600	6000
BLACKBURN (GB 1919-25)						
1919	20 hp	4 CY	Touring Car	1000	2000	4800
BLACKHAWK (US 1902-03)						
1902	2 Litre		Phaeton	2400	4800	7500
BLACK PRINCE (GB 1920)						
1920		2¾ hp	Cycle Car	1000	1700	3900
BLAKE (GB 1900-03)						
1900	7 hp	4 CY	Vis-a-vis	1250	1850	4400
1901	4 hp	2 CY	Tonneau	1000	1500	4000
BLEICHERT (D 1936-39)						
1936	Closed	EL	2 Seats	1700	3600	5400
BLERIOT (F 1921-22)						
1921	8/10 hp	2 CY	Cycle Car	800	1400	3000
BLERIOT-WHIPPET (GB 1920-27)						
1920	8.9 hp	V-twin	2 Seats	1200	2700	4700
BLISS (US 1901)						
1901	Open	Steam		1700	4000	8600
BLISS (US 1906)						
1906	5 Litre	4 CY	Tonneau	1400	2900	5600
B.L.M. (US 1906-07)						
1906	T-head	24 hp	Runabout	1400	2900	6700

70

YEAR	MODEL	ENGINE	BODY	F	G	E
BLOMSTROM (US 1907-09)						
1907	5 S	4 CY	Touring Car	1250	2600	5200
	3 S	4 CY	Runabout	1600	2900	6000
BLOOD (US 1903-05)						
1903	5 S	2 CY	Tonneau	1300	2700	5800
B.M.A. HAZELCAR (GB 1952-57)						
1952	1½ hp	EL	2 Seats	950	1900	3400
B.M.C. SPORTS (US 1952)						
1952	RD	8 CY	Sport	1200	2700	5750
B.M.F. (D 1904-07)						
1904	Oryrex	Friction Drive	Open	980	1750	3900
B.M.W. (D 1928-to date)						
1932	320 PS	1971cc	Touring Car	1450	3600	7200
1935	315	1½ Litre	Cabriolet	1250	3300	6000
1953	Type 328	80 bhp	Drop Head Coupe	1100	2400	4800
1965	2000 CS	120 bhp	Coupe	1400	2900	4900
1972		6 CY	Touring Car Saloon Sedan	1200	2400	4700
B.M.W. (US 1949-to date)						
1949		EL	Roadster	1600	3600	7250
B.M.W. (ZA 1968-to date)						
1968	2 Litre	4 CY	Coupe	1000	2000	3000
B.N.I. (1924-25)						
1924		4 CY	Touring Car	1200	2400	5000
B.N.C. (F 1923-31)						
1923		4 CY SV	Voiturette	1100	2200	4600
1925		4 CY SV	Touring Car	1200	2400	5000
1927	ST Hubert	1100cc	Sport	1400	2800	5800
BOB (D 1920-25)						
1920	5/25 hp		Racing Car	1300	2900	6800
BOBBI-KAR (US 1945-47)						
1945		Air-cool	Minicar	600	1300	2800
BOBBY-ALBA (F 1920-24)						
1920	6 CV	4 CY SV	Coupe	1100	2400	4900
BOBSY (US 1962-to date)						
1962	Single Seat	Formula V	Racing Car	2200	5800	9800

YEAR	MODEL	ENGINE	BODY	F	G	E

BOCAR (US 1958-60)

| 1958 | SP-4 | Corvette | 2 Seats | 1600 | 2800 | 4600 |

BOCK & HOLLENDAR (A 1899-1910)

| 1899 | | 2 CY | Voiturette | 1000 | 1800 | 4950 |
| 1903 | 16 hp | 4 CY | Voiturette | 1200 | 2000 | 5150 |

BOES (D 1903-06)

| 1903 | | 2 CY | Racing Car | 1400 | 2700 | 6200 |
| | | 4 CY | Racing Car | 1600 | 2900 | 6700 |

BOISSAYE (F 1904)

| 1904 | 12/15 hp | Mutel | | 850 | 1800 | 3700 |

BOTEL (F 1938-49)

| 1938 | Open | 2 CY | 2 Seats | 1400 | 2700 | 6300 |

BOLER (GB 1971-to date) REPLICA

| 1971 | T-bone | | Model T Ford | 1700 | 3600 | 5900 |

BOLIDE (F 1899-1907)

| 1899 | 8 hp | 2 CY | Racing Car | 1100 | 2400 | 4400 |
| 1907 | 40 hp | 4 CY | Racing Car | 1700 | 3750 | 8900 |

BOLIDE (US 1969-to date)

| 1969 | SP | Ford V-8 | Coupe | 1600 | 2900 | 5200 |

BOLSOVER (GB 1907-09)

| 1907 | Steam | 3 CY | Open | 1500 | 3000 | 7400 |

BOLTE (US 1901)

| 1901 | Open | 4 hp | 2 Passenger | 1250 | 2500 | 5000 |

BOLWELL (AUS 1963-to date)

| 1963 | 2 S | Ford V-8 | Coupe | 1200 | 2900 | 4750 |

BON-CAR (GB 1905-07)

| 1905 | Bonne-car | Steam | Open | 1650 | 3950 | 7000 |

BOND (GB 1922-28)

| 1922 | 23.4 hp | 4 CY | Touring Car | 1200 | 2600 | 5400 |

BOND (GB 1948-61)

| 1948 | C | 500cc | 1 Seat | 1750 | 3600 | 5200 |

BOND (GB 1949-to date)

1949	3 Wheel	1 CY	Cycle Car	1000	2400	4800
1951	3 Wheel	197cc		1000	2400	4800
1963	GT	875cc	Coupe	1000	2400	4800
1970	Bug	4 CY 700 ES	Coupe	1000	2400	4800

YEAR	MODEL	ENGINE	BODY	F	G	E
BONNEVILLE (F 1897-1900)						
1897	Open	DeDion	Tube frame	1000	2400	5600
BORBEIN (US 1903-07)						
1903	Open	Various	4 Seats	1100	2600	5400
BORCHARDING (D 1925)						
1925	2 S		Cycle Car	800	1700	3400
BORDEREL-CAIL (F 1905-08)						
1905	15/18 hp	4 CY	Limousine	1800	4200	9600
BORDWARD (D 1939-61)						
1939	Hansa 1100	6 CY		1250	2750	5850
1951	Hansa	1½ Litre	Cabriolet	1400	3600	7500
1953	1500 Rennsport	1½ Litre	Coupe	1000	2400	5300
1957	Isabella PS	1½ Litre	Coupe	800	1800	3700
1960		6 CY	Limousine	1000	2000	4200
BORGWARD (MEX 1967-to date)						
1967	Grosse	2230cc	Sport	1400	3600	7750
BORITTIER (F 1899)						
1899	2 S	DeDion	Voiturette	1100	2600	5800
BORLAND (US 1903-16)						
1903	22hp	EL	Limousine	1600	3700	7000
BOSS (US 1903-07)						
1903	7/8 hp	2 CY	Open	1200	2700	6800
BOSTON (US 1906-07)						
1906	BR	EL	Sedan	1750	4000	8800
BOSTON & AMESBURY (US 1904)						
1904	2 S	2 CY	Roadster	1400	2800	6000
BOSTON HIGH WHEEL (US 1907)						
1907	12 hp	2 CY	High Wheel	1100	2700	6000
BOTY'S (F 1907)						
1907	6.2 hp	1 CY	Voiturette	1000	2000	4000
BOUHEY (F 1898-1902)						
1898	10/8 hp	2 CY	Phaeton	1000	2200	4400
BOULET (F 1902-03)						
1902	9 hp	1 CY	Quadricycle	800	1600	3000
BOUND (GB 1920)						
1920	Closed	3½ hp Precision	Monocar	1200	2500	5000

YEAR	MODEL	ENGINE	BODY	F	G	E
BOURASSA (CDN 1899-1926)						
1899	Open	Small	Runabout	1100	2400	5200
BOUR-DAVIS (US 1915-22)						
1915	SD	6 CY Cont.	Coupe	1000	2500	5850
BOURGEOIS-MAGNIN (F 1920)						
1920	Open	6 hp	2 Passenger	800	1800	3600
	Open	12 hp	6 Passenger	1400	2800	5600
BOURGUIGNONNE (F 1899-1901)						
1899	Open	1 CY	Voiturette	850	1900	3900
BOURSAND (F 1897-99)						
1897	Open	402cc 1 CY	Vis-a-vis	1200	2700	5400
BOVY (B 1908-1914)						
1908	BR	2 CY	Laundalet	1200	2750	5500
BOWEN (GB 1905-06)						
1905	6 hp	1 CY	2 Seats	1000	2200	5000
BOWEN (GB 1906-08)						
1906	9 hp	V-twin	2 Seats	1100	2400	5600
BOWIN (AUS 1968-to date)						
1968	FVA	1.6 Litre	Racing Car	1700	4000	8600
BOWMAN (US 1921-22)						
1921	Open	Bowman	Roadster	1250	2900	5800
BOWSER (GB 1922-23)						
1922	2 Dr.	Flat-twin Koh-i-Moor	Sedan	1000	2000	3800
BOW-V-CAR (GB 1922-23)						
1922	10 hp	V-twin	2 Seats	1400	2600	5500
BOYER (F 1898-1906)						
1898	TR	1 CY	Open	800	1800	3600
1901	Open	1 CY	Voiturette	1000	2000	4200
1902	12 hp	4 CY	dbl. Phaeton	1400	3000	6400
1903	24 hp	4 CY	Touring Car	1200	2400	4400
BOZIER (F 1906-1920)						
1906	4½ hp	1 CY DeDion	Voiturette	1200	2400	5000
1911	24 hp	4 CY DeDion	Voiturette	1600	3000	6200
B.P.D. (GB 1913)						
1913	8 hp	J.A.P. V-twin	Cycle Car	800	1600	3200

YEAR	MODEL	ENGINE	BODY	F	G	E
BRABHAM (GB 1962-to date)						
1962	Open	Rear	Racing Car	2400	5000	10000
BRADBURY (GB 1901-02)						
1901	4½ hp	1 CY	Voiturette	1000	1800	3900
BRADLEY (US 1920-21)						
1920	5 S	4 CY Lycoming	Touring Car	1450	3600	6000
BRADWELL (GB 1914)						
1914	Open	3½ hp	Cycle Car	850	1800	3700
BRAMWELL (US 1902-04)						
1902	Open	2 CY	2 Seats	1000	2200	4000
BRAMWELL-ROBINSON (US 1899-1901)						
1899	3 hp	1 CY	3 Wheel	800	2400	4900
BRANDT (F 1948)						
1948	Closed	4 CY	Saloon Sedan	450	1250	2500
BRASIE (US 1914-17)						
1914	2 S	4 CY	Roadster	1200	2500	5000
BRASIER (F 1897-1930)						
1897	2 S	1 CY	Open	800	1600	3000
1900	6 hp	2 CY	Voiturette	1000	2000	4000
1905	16 hp	4 CY	Touring Car	1200	2400	4800
BRASIER (F 1897-1930)						
1897	2 S	1 CY	Open	800	1600	3000
1900	6 hp	2 CY	Voiturette	1000	2000	4000
1905	16 hp	4 CY	Touring Car	1200	2400	4800
1911	11 hp	4 CY	Coupe	1100	2300	4650
1927	TD-4CV	4 CY	Saloon Sedan	1400	2900	5800
BRAUN (A 1899-1910)						
1899	Open	Air-cool 3½ hp	Voiturette	800	1900	3900
BRAVO (F 1900)						
1900	6 S	8 hp	Waggonette	1000	2000	3000
BRAZIER (US 1902-04)						
1902	18 hp	2 CY	Waggonette	1000	2200	3700
BRECHT (US 1901-03)						
1901	BR	2 CY	Coupe	1200	2400	5500
BREESE (F 1911)						
1911	Open	4 CY	Sport	1000	2000	4000

YEAR	MODEL	ENGINE	BODY	F	G	E
BREGUET (F 1907, 1942)						
1907	30 hp	6 CY	Coupe	1200	2500	5000
1942	2 S	EL	Coupe	1250	2800	5700
BREMS (DK 1900-07)						
1900	3.8 hp	2 CY	Vis-a-vis	800	1800	3800
BRENNABOR (D 1908-34)						
1908	Open	Fafnir	3 Wheel	850	1900	4000
1909	Open	4 CY	2 Seats	900	1900	3800
1914	3/16 PS	1½ Litre	3 Seats	950	2000	4000
1931	Juwel 6	6 CY	Saloon Sedan	1200	2600	4500
BRENNAN (US 1907-08)						
1907	2 Dr.	4 CY	Coupe	1000	2000	4000
BREW-HATCHER (US 1904-05)						
1904	2 S	2 CY	Tonneau	1200	2400	4850
BREWSTER (US 1915-25; 1934-36)						
1915	26 hp	4 CY	Town-Carriage	2200	6500	12000
1934	Town Car	Gas	Open front	3200	7400	14000
BRIDGWATER (GB 1904-06)						
1904	16/20 hp	Ballot	Custom	1250	2500	5000
BRIERRE (F 1900-01)						
1900	3½ hp	1 CY	Voiturette	950	1750	3400
BRIEST-ARMAND (F 1897-98)						
1897	Open	1 CY	6 Seats	850	1800	3600
BRIGGS & STRATTON (US 1919-24)						
1919	Flyer 2½ hp	1 CY	Buckboard	950	1800	3000
BRIHAM (GB 1966-68)						
1966	SP	Formula 4	3 Seats	2000	4000	6000
BRILLIE (F 1904-07)						
1904	18/24 hp	4 CY	Open	850	1800	3900
1906	35/45 hp		Open	1250	2800	6000
BRISCOE (US 1914-21)						
1914	Open	4 CY	Roadster	1450	3600	7200
1916	Open	V-8	Roadster	1850	4200	9000
BRISTOL (GB 1902-08)						
1902	10 hp	2 CY	Tonneau	1000	2000	4500
1905	16/20 hp	4 CY	Tonneau	1250	2500	5200

YEAR	MODEL	ENGINE	BODY	F	G	E

BRISTOL (GB 1947-to date)

YEAR	MODEL	ENGINE	BODY	F	G	E
1947	400	6 CY	Coupe	1250	2400	4800
1947	401	6 CY	Saloon Sedan	1350	2900	5400
1947	402	6.3 Litre	Cabriolet	1400	3000	5950
1955	405 4 Dr.	6 CY	Saloon Sedan	1200	2200	4200

BRIT (GB 1902-05)

1902	1.5 hp	1 CY	2 Seats	800	1800	3900

BRITANNIA (GB 1896-1908)

1896	SD	EL	Landau	1000	2200	5000
	24/40 hp	4 CY	Limousine	1200	2400	4800

BRITANNIA (GB 1957-61)

1957	SP	Ford Zephyr	Gran Turismo	1000	2000	4000

BRITISH (GB 1905-07)

1905	A	2 CY 6 hp	2 Seats	1200	2400	4400
	B	4 CY 10/12 hp	4 Seats	1400	2800	5000

BRITISH ENSIGN (GB 1913-23)

1919	Open	6.7 Litre	6 Seats	1200	2400	5000
1921	Open	38.4 hp	Touring Car	1400	3000	6000
1926	Open	4 CY	Runabout	1200	2400	5000

BRITISH SALMSON (GB 1934-39)

1934	S4C	4 CY	Touring Car	1100	2200	4400
1934	12/70		Sport	1200	2600	5000
1939	20/90 hp	4 CY	Drop Head Coupe	1000	2000	4000

BRITON (GB 1908-28)

1910	10 hp	4 CY	2 Seats	1000	2000	4000

BROADWAY (GB 1913)

1913	8 hp	Fifnir Air-cool	Cycle Car	850	1650	3800

BROC (US 1909-16)

1909	2 Dr.	EL	Sedan	1250	2600	5800

BROCKLEBANK (GB 1927-29)

1927	15 hp.	6 CY	Saloon Sedan	1000	1800	3800

BROCK SIX (CDN 1921)

1921	5 S	55 bhp Cont. Real Seal	Touring Car	1000	2000	4000

BROCKVILLE-ATLAS (CDN 1911-14)

1911	"30"	4 CY	Coupe	800	1600	3400

BROGAN (US 1946-48)

1946	2 Ps.	10 hp	3 Wheel	1000	2000	4000

YEAR	MODEL	ENGINE	BODY	F	G	E
BROMPTON (GB 1921)						
1921	Open	Mag V-twin	Cycle Car	850	1800	3900
BROOKE (GB 1901-13)						
1901	10 hp	3 CY	Open	1000	2000	4000
1905	35 hp	4 CY	2 Seats	1500	3000	6000
1906	25/30 hp	6 CY	4 Seats	1200	2400	4800
BROOKE-SPACKE (US 1919-21)						
1919	Open	2 CY	Cycle Car	1000	1800	3800
BROOKS (GB 1902)						
1902	Open	2 CY 12 hp	4 Seats	1000	2000	4000
BROOKS (CDN 1923-26)						
1923	4 Dr.	2 CY Steam	5 Seats	1000	2200	6500
BROOKS AND WOOLAN (GB 1907-10)						
1907	15.9 hp	White and Poppe	Custom Touring Car	1000	2000	4000
BROTHERHOOD (GB 1904-07)						
1904	12/16 hp	4 CY	Touring Car	1000	2000	4000
BROUGH (GB 1899-1908; 1913)						
1900	Open	DeDion	Tonneau	1000	2000	4000
1913	Open	V-twin	Cycle Car	800	1600	3200
BROUGH SUPERIOR (GB 1935-39)						
1935	4 S	V-8	Drop Head Coupe	1200	2400	5000
1936	4 Dr.	6 CY	Saloon Sedan	1000	2000	4000
1936	SP	6 CY	2 Seats	1400	2800	5600
1938	Zephyr	V-12		1800	4800	9000
BROUHOT (F 1898-1910)						
1898	Open	2 CY	Touring Car	900	1800	3900
1908	Open	4 CY T-head	2 Seats	800	1600	3200
BROWN (GB 1901-11)						
1901	6 hp	1 CY	Tonneau	800	1600	3200
1905	18/20 hp	4 CY	Touring Car	1200	2400	5200
1906		2 CY	Coupe	700	1400	3000
BROWN (US 1914)						
1914	Open	2 CY Spacke	Cycle Car	850	1750	3900
BROWNIE (US 1916-17)						
1916	38 bhp	4 CY	Small	1000	2000	4000
BROWNIEKAR (US 1908-10)						
1908	3 hp	1 CY	2 Seats	900	1800	3250

YEAR	MODEL	ENGINE	BODY	F	G	E
BRULE-PONSARD (F 1900-01)						
1900	4½ hp	Rozer 3 CY	Avant train	700	1300	2200
BRUNAU (CH 1907)						
1907	14/18 hp	4 CY	Coupe de Ville	700	1400	2800
	20/24 hp	4 CY	Limousine	900	1800	3600
BRUNNER (US 1909-10)						
1909	16 hp	2 CY	Open	1000	2000	4000
BRUNSWICK (US 1916)						
1916	Open	4 CY	2 Seats	900	1700	3800
BRUSH (GB 1902-04)						
1902	10 hp	Abeille 2 CY	2 Seats	1200	2600	5400
BRUSH (US 1907-13)						
1907	12 hp	1 CY	2 Seats Runabout	1400	2800	5600
1912	12 hp	1 CY	Laundalet	1500	3000	6000
BRUTSCH (D 1951-57)						
1951	1 S	49cc	3 Wheel	700	1400	2800
BRYAN (US 1918-23)						
1918	Open	Steam	Touring Car	1500	3400	8500
B.S.A. (GB 1907-26; 1933-36)						
1922	10 hp	V-twin	Coupe	900	1800	3600
1935	Light Six	6 CY	Coupe	1000	2000	4000
B.S.A. (GB 1929-40)						
1929	Open	1 Litre	3 Wheel	800	1600	3700
1935	Scout	9 hp	Sport	1100	2400	4900
BUAT (F 1901-06)						
1901	Open	1 CY DeDion		700	1400	3800
BUC, BUCCIALI (F 1923-33)						
1923	1.3 Litre	2 CY	Racing Car	1000	2000	4600
1929	TAV-30		Coupe	750	1600	3800
BUCHET (F 1911-29)						
1913	12/20 hp	4 CY	2 Seats	1000	2200	4400
1922	10/18 hp	4 CY	Touring Car	800	1600	3200
BUCKAROO (US 1957)						
1957	Open	Air-cool	Cycle Car	800	1700	3950
BUCKINGHAM (GB 1913-23)						
1913	8 hp	1 CY	Cycle Car	700	1400	3200

79

YEAR	MODEL	ENGINE	BODY	F	G	E

BUCKINGHAM (AUS 1933-23)

1933	21.7 hp	4 CY	Coupe	650	1200	2700
1933	21.7 hp	4 CY	Sedan	650	1100	2400

BUCKLE (AUS 1957-60)

1957	2 Dr.	Ford Zephyr	Coupe	750	1400	2800

BUCKLER (GB 1947-62)

1947	Mark VI	1,098cc	4 Seats	1200	2400	4800
1955	Mark X	2 Litre	Sport	1400	2800	5700

BUCKLES (US 1914)

1914	2 S	2 CY Spacke	Cycle Car	800	1650	3900

BUCKMOBILE (US 1903-05)

1903	2 S	2 CY 15 hp	Roadster	900	1800	3900

BUFFALO (US 1900-02)

1900	7 hp	1 CY	Runabout	850	1750	3600

BUFFALO (US 1901-06)

1901	4 S	EL	Touring Car	1100	3200	5500
1904	2 S	EL	Runabout	1250	3600	7600
1904	6 S	EL	Touring Car	1100	3200	5600

BUFFAUD (F 1900-02)

1900	Open	Steam	Lorrie	800	1800	4200

BUFFUM (US 1901-07)

1902	6 hp	4 CY	Racing Car	1000	2500	6000

BUGATTI (I 1909-1956)

1909	Deutz	1,327cc 4 CY	Racing Car	4500	9000	17500
1910	Type 13	1,327cc 4 CY	2 Seats	5000	10000	18500
1911	Type 13	850cc 4 CY	Racing Car	5000	10000	20000
1912	Baby Peugeot	850cc 4 CY	Racing Car	5000	10000	20000
1913	Black Bess	4 CY 5 Litre	Open 2 Seats	7500	15000	30000
1913	Type 13	4 CY	Racing Car	6000	12000	23000
1914	Type 22	4 CY	Racing Car	6500	12500	25000
1914	Type 13	4 CY	Racing Car	7000	13000	26000
1915	Type 25/26	4 CY 1.5 Litre	Racing Car	10000	19000	27500
1916	Type 13	4 CY	Racing Car	4500	9000	17500
1917	Type 22	250 hp 8 CY	Racing Car	9000	18000	25000
1918	Type 13	500 hp 16 CY 29 Litre	Racing Car	17500	25000	50000
1919	Type 30	Straight-8	Racing Car	7500	15000	30000
1919	Type 22/23	4 CY	Racing Car	5000	10000	20000
1920		8 CY	Racing Car	10000	20000	40000
1921	Type 22	4 CY		5000	10000	20000

YEAR	MODEL	ENGINE	BODY	F	G	E
1921	Type 23	4 CY	Racing Car	4500	9000	17000
1921	Type 23	4 CY	Super Sport	3500	7500	15000
1922	Type 30	8 CY 2 Litre	Racing Car	4500	9000	17500
1922	Type 13	4 CY	Sport	4750	9500	18500
1922	Type 28	8 CY 3.1 Litre	Sport	6500	12500	25000
1922	Type 29/30	8 CY 2.1 Litre	Sport	5000	10000	20000
1923	Type 30	8 CY 2.1 Litre	Touring Car	5500	11000	22500
1923	Type 23	8 CY	Touring Car	5500	11000	22500
1923	Type 32	8 CY 2.1 Litre	Grand Prix Racing Car	5000	10000	20000
1924	Type 33	8 CY 2.1 Litre	Touring Car	6000	12000	23000
1924	Type 35	8 CY 2 Litre	4 Passenger Touring Car	5500	11000	22500
1924	Type 35-A	8 CY 2 Litre	Grand Prix Racing Car	4500	9000	17500
1924	Type 35	8 CY 2 Litre	Grand Prix Racing Car	4500	9000	17500
1925	Type 37	4 CY	Grand Prix Racing Car	4750	9500	18500
1925	Type 30	8 CY	Sedan	5000	10000	20000
1925	Type 23	8 CY	Saloon Sedan	4500	9000	18500
1926	Type 35-B	8 CY 2.3 Litre	Grand Prix Racing Car	5500	11000	22500
1926	Type 35-T	8 CY 2.3 Litre	Grand Prix Racing Car	5000	10000	20000
1926	Type 38	8 CY 2 Litre	Touring Car	6000	12000	23000
1926	Type 39	8 CY 1.5 Litre	Grand Prix Racing Car	5000	10000	20000
1926	Type 40	4 CY 1.5 Litre	Grand Prix Racing Car	5000	10000	25000
1926	Type 36	8 CY 1.1 Litre SC	Racing Car	4500	9000	17500
1926	Type 39-C	8 CY 1.5 Litre	Touring Car	4500	9000	17500
1926	Type 39-D	8 CY 1.5 Litre	Touring Car	4500	9000	17500
1927	Type 44	8 CY 3 Litre	Touring Car	7000	14000	28000
1927	Type 43	8 CY 2.3 Litre	Supercharged	7500	15000	30000
1927	Type 41 Royale	Straight-8 12.7 Litre	Touring Car	7800	17500	35000
1927	Type 35-C	8 CY 2 Litre		7000	14000	28000
1927	Type 37-A	4 CY	Grand Prix Racing Car	5000	10000	20000
1927	Type 38-A	8 CY 2 Litre	Touring Car	9000	17500	33000
1927	Type 38-A	8 CY 2 Litre	Grand Sport	7500	15000	30000
1927	Type 39-A	1.5 Litre 8 CY	Grand Prix	5000	10000	20000
1928	Type 35-B	8 CY 2.3 Litre	Supercharged Racing Car	5500	11000	22500

YEAR	MODEL	ENGINE	BODY	F	G	E
1928	Type 40	Torpedo	Roadster	7000	14000	25000
1928	Type 40	4 CY 1½ Litre	2 Seats	7000	14000	25000
1928	Type 44	8 CY 3 Litre	Touring Car	7000	14000	28500
1928	Type 43	8 CY 2.3 Litre		7500	15000	30000
1929	Type 43	8 CY 2.3 Litre	Supercharged Sport	5500	11000	22500
1929	Type 44	3 Litre	Saloon Sedan	4500	9000	18500
1929	Type 35-B	Straight-8 SC 2.3 Litre	Racing Car	5000	10000	21000
1929	Type 46	Straight-8 5.3 Litre	Touring Car	9000	18000	35000
1929	Type 50	Straight-8 4.9 Litre	Racing Car	5000	10000	20000
1929	Type 46-S	5.3 Litre SC	Touring Car	9000	18000	36000
1930	Type 46-S	5.3 Litre	4 Passenger Touring Car	8000	16000	31000
1930	Type 46	5.3 Litre	Saloon Sedan	4500	9000	18500
1930	Type 35-B	2.3 Litre SC	Racing Car	4000	8000	16000
1930	Type 49	3.3 Litre	Touring Car	6000	12000	24000
1930	Type 50	8 CY 5 Litre	Sport	9000	18000	26000
1930	Type 40-A	4 CY 1.6 Litre	Touring Car	5500	11000	22000
1931	Type 55	8 CY 2.3 Litre	Super Sport Roadster	5500	11000	22500
1931	Type 51-A	8 CY SC 1.5 Litre	Grand Prix Racing Car	6000	12000	25000
1931	Type 54	8 CY SC 4.9 Litre	Grand Prix Racing Car	7000	14000	28000
1931	Type 40-A	4 CY 1½ Ltr.	2 Seats	5500	11000	22500
1931	Type 40-A	4 CY 1.6 Litre	Touring Car	6000	12000	23000
1931	Type 46-S	8 CY 5 Litre	Touring Car	7500	15000	30000
1931	Type 51	8 CY SC 2.3 Litre	Grand Prix Racing Car	5000	11000	22500
1931	Type 41	8 CY 12 Litre	Royale Racing Car	7500	15000	30000
1932	Type 46	8 CY 5 Litre	Sport Saloon Sedan	6500	11000	22000
1932	Type 50-T	Straight-8 200 hp	Sport Racing Car	7500	14000	28000
1932	Type 50-T	4.9 Litre 8 CY	Touring Car	6500	12500	25000
1932	Type 53	8 CY 4.9 Litre	Touring Car	7000	14000	28000
1932	Type 55	8 CY 2.3 Litre	2 Passenger Roadster	7000	14000	28500
1932	Type 50	5 Litre 8 CY	Sport Racing Car	7500	15000	30000
1932	Type 54	8 CY 5 Litre	Grand Prix Racing Car	7500	15000	30000
1932	Type 57	8 CY 3 Litre	Touring Car	8000	16000	32500

YEAR	MODEL	ENGINE	BODY	F	G	E
1933	Type 59	Straight-8 2.8 Litre	Grand Prix Racing Car	7500	15000	30000
1933	Type 54	5 Litre	Grand Prix Racing Car	8000	16000	32000
1933	Type 60	8 CY 4 Litre	Racing Car	8500	17000	34000
1933	Royale	8 CY 4 Litre	Limousine	150000	400000	1000000
1934	Type 57	Straight-8	Convertible	10000	20000	40000
1934	Type 57	Straight-8 3 Litre	Sport Saloon Sedan	10000	19000	35000
1934	Type 57	Straight-8 3 Litre	Roadster	10000	19000	35000
1937	Type 57-C	Straight-8 3.3 Litre	Sport	10000	20000	40000
1934	Type 57-S	Straight-8 3.3 Litre	Speedster	15000	30000	60000
1934	Type 57-SC	Straight-8 3.3 Litre	Grand Prix Racing Car	19000	27500	55000
1934	Type 57	Straight-8 3.3 Litre	Touring Car	9000	17500	35000
1935	Type 57 SC	8 CY	Sport	5000	11000	22500
1935	Type 57	8 CY 3 Litre	Saloon Sedan Convertible	10000	19000	38500
1935	Type 57 Ventoux	8 CY	Coupe	7500	15000	30000
1935	Type 57-S	8 CY	Touring Car	10000	20000	40000
1935	Type 57-T	8 CY	Racing Car	8000	15000	30000
1935	Custom Alum.	8 CY	Coupe	8000	16000	32000
1935	Type 57-S	8 CY	Sport	6000	12000	24000
1936	Type 57-S	Straight-8 3.3 Litre	Sport	5000	11000	22500
1936	Type 57 SC	Straight-8 3.3 Litre	Grand Prix Racer	7500	15000	30000
1936	Type 57-C	Straight-8	Grand Prix Racer	7500	14000	28500
1936	Type 57-S	Straight-8 3.3 Litre	Grand Prix Racing Car	7500	15000	30000
1936	Type 57-G	Straight-8 3.3 Litre	Grand Prix Racing Car	7500	15000	30000
1937	Type 57	8 CY 3.3 Litre	Atalante Coupe	9000	18000	35000
1937	Type 57	8 CY 3.3 Litre	2 Passenger Speedster	9000	18000	35000
1937	Type 44	8 CY 3.3 Litre	Speedster	6500	12500	25000
1937	Electron	8 CY 3.3 Litre	Coupe	15000	30000	60500
1937	Type 57-S	8 CY 3.3 Litre	Grand Prix Racing Car	7500	15000	30000

YEAR	MODEL	ENGINE	BODY	F	G	E
1937	Type 59	8 CY 3.3 Litre	Grand Prix Racing Car	7500	15000	30000
1938	Type 57-C	8 CY 3.3 Litre	Grand Prix Racing Car	7000	14000	28000
1938	Type 57-C	8 CY 3.3 Litre	Atalante Coupe	8000	16000	32000
1938	Type 50-B	8 CY 4.7 Litre	Racing Car	7500	15000	30000
1938	Type 64	8 CY 4.5 Litre	Racing Car	7000	14000	28000
1938	Type 50-B/III	8 CY 3 Litre SC	Racing Car	7000	14000	27500
1938	Type 57-C	8 CY 3 Litre SC	Touring Car	9000	18000	35000
1938	Type 61	Experimental		10000	19000	38000
1939	Type 57-C	8 CY	Convertible Roadster	7500	15000	30000
1939	Type 57	8 CY 3.3 Litre	Coupe	7000	13000	26000
1939	Type 57-C	8 CY 3.3 Litre SC	Grand Prix Racing Car	7000	14000	28000
1939	Type 57	8 CY 3.3 Litre	Sport Sedan	5000	10000	20000
1939	Type 57-S	8 CY 3.3 Litre	Roadster	8000	16000	32500
1940	Type 57-C	Straight-8 3.3 Litre	Convertible Roadster	6250	12500	25000
1940	Type 57	Straight-8 3.3 Litre	Touring Car	6000	11000	22500
1940	Type 57	St.-8 3.3 Litre	Saloon Sedan	4500	9000	18000
1940	Type 57	St.-8 3.3 Litre	Cabet	5000	10000	19500
1940	Type 57-C	St.-8 3.3 Litre	Grand Touring Car	6500	12500	25000
1940	Type 57-C	St.-8 3.3 Litre	Grand Sport	7000	13000	26000
1941	Type 68	370cc 4 CY	Roadster	4000	7500	15000
1941	Type 57	8 CY	Convertible	5000	10000	20000
1941	Type 57	8 CY 3.3 Litre	Touring Car	7000	14000	28000
1941	Type 57-C	8 CY 3.3 Litre	Grand Sport	6000	12500	25000
1942	Type 68	4 CY 370cc	Roadster	3500	7000	14500
1942	Type 70	4 CY	Racing Car	4500	9000	18000
1942	Type 71	8 CY 18.5 Litre	Racing Car	7500	15000	30000
1943	Type 72	1 CY 127cc	2 Seats	4500	5000	10000
1943	Type 73	4 CY 1.4 Litre	4 Seats	3250	6500	12500
1943	Type 73-A	4 CY 1.4 Litre	2 Seats	3250	6500	12500
1943	Type 73-B	4 CY 1.4 Litre	2 Seats	3500	7000	13000
1944	Type 75	1 CY 170cc	Racing Car	3750	6500	12500
1944	Type 76	8 CY 5.1 Litre	Racing Car	5000	10000	20000
1945	Type 74	2 CY	Racing Car	2300	4500	9000
1945	Type 77	8 CY	Racing Car	4500	9000	18500
1945	Type 101	Straight-8	Racing Car	4500	9000	18500
1946	Type 73	4 CY 1½ Litre	Touring Car	2500	5000	9500
1946	Type 73	4 CY ½ Litre	Racing Car	2000	4000	8000
1946	Type 73-C	4 CY ½ Litre	Racing Car	2000	4100	8200
1946	Type 79/80	8 CY 4.5 Litre	Racing Car	2250	4500	9500
1946	Type 101	Straight-8	Convertible	2500	5000	10500

YEAR	MODEL	ENGINE	BODY	F	G	E
1947	Type 57	8 CY	Sport Sedan			8000
1947	Type 64	4½ Litre	Racing Car			7500
1947	Type 101	8 CY 3 Litre	Racing Car			9000
1947	Type 101	8 CY 3 Litre	Convertible Coupe			12500
1947	Type 101	8 CY 3 Litre	Close-Coupled Sedan			8000
1948	Type 102	1½ Litre	Sedan			7000
1949	Type 101	8 CY 3.3 Litre	Racing Car			9000
1949	Type 102	8 CY 1.5 Litre	Sport			8000
1949	Type 101	8 CY 3 Litre	Convertible Coupe			12500
1950	Type 101	8 CY 3.3 Litre	Racing Car			9000
1950	Type 102	8 CY 1.2 Litre	Racing Car			7000
1950	Type 101	8 CY 3 Litre	Sport			6500
1951	Type 101	8 CY 3.3 Litre	Racing Car	2000	3750	7500
1951	Type 101	8 CY 3.3 Litre	Convertible Coupe	2500	5000	9800
1951	Type 101	8 CY 3.3 Litre	Close-Cpld. Sedan	1800	3500	7000
1951	Type 101-C	8 CY 3.3 Litre	Roadster Convertible	2500	5000	10500
1952	Type 102	4 CY 1½ Litre	Racing Car	2000	4000	7500
1952	Type 101	8 CY 3.3 Litre	Convertible Coupe	2500	5000	10000
1952	Type 101-C	8 CY	Roadster Convertible	3000	6000	12500
1952	Type 57	8 CY	Sport Sedan	2000	4000	8000
1953	Type 101	8 CY 2½ Litre	Grand Prix Racing Car	1600	3250	6500
1953	Type 57	8 CY	Roadster	2250	4500	9500
1953	Type 101	8 CY	Convertible Coupe	2250	4250	8500
1953	Type 57	8 CY	Touring Car	2000	4000	8000
1954	Type 101	8 CY 2½ Litre	Grand Prix Racing Car	1500	3000	6000
1954	Type 101	8 CY 2½ Litre	Convertible Coupe	2000	4000	8000
1954	Type 57	8 CY 2½ Litre	Grand Prix Racing Car	2000	3750	7500
1954	Type 57	8 CY 2½ Litre	Sport	2000	3750	7800
1955	Type 251	Straight-8 2½ Litre	Grand Prix Racing Car	1750	3250	6500
1955	Type 101	Straight 8 2½ Litre	Sport	2000	4000	7800
1955	Type 101	Straight-8 2½ Litre	Coupe	1800	3500	6900
1955	Type 101	Straight-8 2½ Litre	Convertible Coupe	2000	4000	8000

YEAR	MODEL	ENGINE	BODY	F	G	E
1956	Type 251	Straight 8 2½ Litre	Grand Prix Racing Car	1800	3500	7000
1956	Type 101	8 CY	Sport	1900	3750	7800
1956	Type 101	8 CY	Coupe	1800	3500	7000
1956	Type 101	8 CY	Racing Car	1700	3300	6500

BUGATTI-GULINELLI (I 1901-03)

1901	Closed	4 CY 3,054cc	Coupe	5500	9750	22000

BUGETTA (US 1969-to date)

1969	4 Ps.	Ford 4.9 Litre	Sport	2200	4600	8200

BUGGYCAR (US 1907-09)

1907	Open	2 CY Air-cool	2 Seats Buggy	1200	2000	5000

BUGMOBILE (US 1909)

1909	2 S	2 CY 15 hp	Hi-wheel	1000	2000	4800

BUICK (US 1903-to date)

1903	Model B	flat-twin 2.6 Litre	Touring Car Runabout	3700	6500	12500
1904	Model B	2 CY	Touring Car	3750	6500	12500
1905	Model C	2 CY	5 Passenger Touring Car	3500	5500	11000
1905		2 CY	Chain drive	3800	6000	12000
1906	Model G	2 CY	Runabout	3600	5700	11500
1906	Model F	2 CY	Touring Car	3600	5900	12000
1907	Model G	4 CY	Runabout	3100	5100	10600
1908	Model D	4 CY	Roadster	3600	5800	11500
1908	Model E	4 CY	Runabout	2500	5200	10500
1908		2 CY	Touring Car	2800	5200	10500
1909	18 hp	4 CY	Roadster	2900	5600	12200
1909	Model 10	4 CY	Roadster	2800	5100	10500
1909		4 CY	Touring Car	3100	5400	11000
1910	Model 14	2 CY	Roadster	2900	5100	10500
1910		2 CY	Roadster	3200	5400	12000
1910	Model 10	2 CY	Surrey	2400	4200	9000
1910	Model 10	2 CY	Touring Car	3000	6000	13000
1910		2 CY	Runabout	2300	4900	10500
1910	Model 14-B	2 CY	Raceabout Chain drive	2700	5200	11000
1911	Model 33	4 CY	Touring Car	2600	5000	10500
1911	Model 33	4 CY	Roadster	2400	4700	10250
1912	Model 35	6 CY	Touring Car	2600	5200	11750
1912		6 CY	Roadster	2800	5500	12000
1912		4 CY	Touring Car	2800	5500	12000
1913	7 Ps.	6 CY	Touring Car	3000	6300	14000

YEAR	MODEL	ENGINE	BODY	F	G	E
1913	McLghln		Touring Car	2100	4200	9000
1914	Model 24	6 CY	Roadster	1800	3800	8250
1914	B-25	4 CY	Touring Car	2250	4200	9000
1914	B-37		Touring Car	2000	4000	8750
1914	B-55	6 CY	Touring Car	2250	4200	9000
1915	7 Ps.	6 CY	Touring Car	3000	6000	11500
1915	C-54	4 CY	Roadster	2200	4000	8750
1915	C-25	4 CY	Touring Car	2300	4250	9000
1916	D-35	6 CY	Touring Car	1950	3750	9200
1916	D-45	6 CY	Touring Car	2000	3900	9250
1916	D-49	6 CY	Touring Car	2100	4000	9500
1916	D-55	4 CY	Roadster	1800	3600	8000
1916	D-45	6 CY	Coupe	1200	3100	6500
1916	D-45	6 CY	Sedan	1000	2700	6000
1917	D-45	6 CY	Touring Car	2000	3900	9250
1917	D-34	6 CY	Roadster	1800	3500	8200
1917	D-34	6 CY	Touring Car	2100	4100	8000
1917	D-44	4 CY	Roadster	1500	3100	7000
1918	SD	6 CY	Sedan	900	1600	3500
1918	7 Ps.	6 CY	Touring Car	2200	4100	8500
1918	E-44	6 CY	Roadster	1500	2900	6500
1919	H-45	6 CY	Touring Car	2100	4300	8500
1919	H-44	6 CY	Roadster	1500	2900	6500
1920	K-50	6 CY	Touring Car	1600	3100	6800
1920	K-45	4 CY	Touring Car	1300	2600	6100
1920	K-46	6 CY 24 hp.	2 Seats Roadster	1500	3000	6600
1921	21-49	6 CY	7 Passenger Touring Car	2200	4000	8300
1921	21-44	6 CY	Roadster	2300	4100	8400
1921	21-46	6 CY	Coupe	1300	2600	5250
1922	4 Ps. 20-48	6 CY	Coupe	1300	2600	5250
1922	22-44	6 CY	Sport Roadster	1600	3300	7500
1922	22-36 4 Ps.	6 CY	Opera Coupe	1500	3000	6000
1923	23-44	4 CY	Roadster	1600	3200	6500
1923	23-54	6 CY	Sport Touring Car	2600	5100	10500
1923	23-44	6 CY	Sport Roadster	2100	4200	9250
1923	23-35	4 CY	Touring Car	1300	2700	5250
1923	Victoria	4 CY	Coupe	1300	2600	5500
1924	Master	6 CY	Touring Car	2600	5100	10000
1924	24-35	4 CY	Touring Car	1500	3000	6000
1924	2 Ps.	4 CY	Coupe	1200	2400	5000
1924	2 Dr.	6 CY	Sedan	1300	2500	4750
1924	25-55	6 CY	Sport Touring Car	2600	5250	10500
1925	5 Ps.	6 CY	Coach	1300	2600	5200

YEAR	MODEL	ENGINE	BODY	F	G	E
1925	Standard Six	6 CY	Sedan	1200	2100	4500
1925	24-51	6 CY	Brougham	1600	3200	6500
1925	Standard Six	6 CY	Touring Car	1800	3600	7000
1925	Standard Six	6 CY	Coupe	1300	2600	5500
1925	Master Six	6 CY	Roadster	2600	5100	10500
1926	Model 20	6 CY	Coach	1300	2600	5250
1926	4 Dr. Model 50	6 CY 4.4 Litre	Sedan	1200	2400	5000
1926	2 Dr.	6 CY	Sedan	1300	2600	5500
1926	26-54	6 CY	Sport Roadster	2600	5100	10000
1926	2 Ps.	6 CY	Coupe	1300	2600	5500
1926	5 Ps.	6 CY	Touring Car	1800	3600	7250
1926	Master Six	6 CY	Roadster	2600	5100	10500
1927	Master 6	6 CY	Roadster	2600	5100	10500
1927	Master 6	6 CY	Roadster	1300	2600	5750
1927	Master 6	6 CY	Sedan	1200	2600	5500
1927	27-54-C	6 CY	Convertible Coupe	2300	4200	9600
1927	27-54	6 CY	Sport Roadster	2100	4200	9500
1928	Standard Six	6 CY	Roadster	2100	4200	9500
1928	Master 6	6 CY	Roadster	2500	4500	10500
1928	28-26 S Country	6 CY	Club Coupe	1800	3600	7500
1928	28-47	6 CY	Club Sedan	1350	2600	5500
1928	2 Ps. 28-26	6 CY	Coupe	1100	2200	4750
1928	28-54	6 CY	Sport Roadster	2350	4500	9500
1929	Big Six	6 CY	Roadster	3400	6800	15000
1929	Big Six	6 CY	Cabet	3000	6000	14000
1929	Big Six	6 CY	Coupe	1400	2600	5750
1929	Standard 2 Dr.	6 CY	Sedan	1000	2100	4000
1929	Master Six	6 CY	7 Passenger Sedan	1300	2600	5500
1929	Light Six	6 CY	Roadster	1800	4300	9750
1929	Big Six	6 CY	Phaeton	2200	4800	11750
1929	Master Six-44	6 CY	Roadster	2100	4400	10500
1930	Model 30 2 Dr.		Sedan	800	1800	4000
1930	30-60	6 CY	Sedan	900	2200	4750
1930	RS	6 CY	Coupe	900	2200	4750
1930	30-64	6 CY	Sport Roadster	1900	4000	8500
1930	60	6 CY	Phaeton 7 Passenger	2000	4200	9250
1930	30-46-S	6 CY	Sport Coupe	1100	2600	5250
1931	94	8 CY	Roadster	2000	4000	8000
1931	850 4 Dr.	8 CY	Sedan	1700	2000	4500
1931	67 4 Dr.	8 CY	Sedan	1700	2000	4500
1931	56-C	8 CY	Rumble Seat Coupe	1200	2300	5200
1931	850 2 Dr.	8 CY	Sedan	800	1750	4250

YEAR	MODEL	ENGINE	BODY	F	G	E
1931	56-C	8 CY	Cabet	1600	3600	8000
1931	90 7 Ps.	8 CY	Coupe	1800	4000	8500
1931	80 4 Dr.	8 CY	Sedan	1900	3800	8000
1931	90-L	8 CY	Limousine	1400	3000	6500
1932	56-C	8 CY	Convertible Coupe	1800	4000	8750
1932	90	8 CY	Phaeton	4200	7800	18000
1932	67	8 CY	Sport Sedan	1300	2600	6000
1932	90	8 CY	Sedan	1600	3200	7000
1932	90	8 CY	Victoria	1800	3800	8000
1932	87	8 CY	Cabet	3000	6200	12000
1932	90	8 CY	Rumble Seat Coupe	2250	4100	9500
1932	96 C	8 CY	Cabriolet Side Mount	2800	5500	11000
1933	50 4 Dr.	8 CY	Sedan	1100	2100	5000
1933	98 2 Dr.	8 CY	Victoria	1400	2400	5500
1933	60	8 CY	Phaeton	1800	3900	8500
1933	68-C	8 CY	Convertible Phaeton	2000	4100	9250
1933	60	8 CY	Cabet	1300	3100	7000
1933	RS	8 CY	Coupe	1600	3400	7800
1933	90	8 CY	7 Passenger Sedan	1200	3100	6500
1934	2 Dr.	8 CY	Sedan	900	1800	4200
1934	50 4 Dr.	8 CY	Sedan	800	1400	3500
1934	98-C	8 CY	Convertible Sedan	2300	4900	10000
1934	40	8 CY	Cabet	1200	2500	5800
1934	40 2 Ps.	8 CY	Coupe	1000	2000	5000
1934	50	8 CY	Victoria Coupe	1100	2400	5500
1934	98	8 CY	Sedan	1100	2400	5500
1935	Limited	8 CY	Convertible Phaeton	3500	7000	12500
1935	98 C	8 CY	Convertible Sedan	3100	5500	11750
1935	40 2 Ps.	8 CY	Coupe	700	1300	4250
1935	60	8 CY	Cabet	1400	3200	7500
1935	96-C	8 CY	Convertible Coupe	2400	4600	8900
1935	8-50-66	8 CY	Sport Coupe Rumble Seat	1300	2800	5750
1936	Special Series	8 CY	Sport Coupe	1100	2100	4500
1936	Century	8 CY	Convertible Sedan	1900	4100	8500
1936	Special	8 CY	Cabet	1300	2600	5500
1936	Limited	8 CY	Sedan	1100	2200	4500
1936	Century-4 Dr.	8 CY	Sedan	1100	2200	4500
1936	Century	8 CY	Opera Coupe	1100	2200	4500
1936	Roadmaster	80-C	Convertible Sedan	2000	4250	9000
1937	7 Ps.	8 CY	Limousine	2000	4000	7500
1937	Century	8 CY	Sedan	1300	2600	5500

YEAR	MODEL	ENGINE	BODY	F	G	E
1937	Special	8 CY	Convertible Sedan	2000	4100	8500
1937	Roadmaster	8 CY	Convertible Sedan	2600	5000	10500
1937	Roadmaster	8 CY	Sedan	1100	2000	4750
1937	Century	8 CY	Convertible Coupe	1600	3100	7000
1937	Century	8 CY	Convertible Sedan	3000	5000	10000
1937	Special	8 CY	2 Dr. Sedan	900	1600	4250
1938	Roadmaster	8 CY Dynaflash	Sedan	1300	2300	5000
1938	Roadmaster	8 CY Dynaflash	Sedan Convertible	1800	4750	10250
1938	Special 4 Dr.	8 CY Dynaflash	Sedan	900	1800	4500
1938	Century	8 CY Dynaflash	Convertible Sedan	1600	3800	9250
1938	Century 4 Dr.	8 CY Dynaflash	Sedan	1300	2700	5500
1938	Special	8 CY Dynaflash	Convertible Coupe	1300	3250	7000
1938	Special	8 CY Dynaflash	2 Passenger Coupe	900	1800	4500
1939	61 Century 4 Dr.	8 CY	Sedan	1200	2300	6000
1939	Century 4 Dr.	8 CY	Sedan	1300	2300	6000
1939	Century	8 CY	Convertible Coupe	1600	3200	7500
1939	Century	8 CY	Club Coupe	1000	1800	4500
1939	Special 4 Dr.	* CY	Sedan	1300	2300	5000
1939	41-C	8 CY	Convertible Phaeton	2200	3800	8000
1939	Y-Job	8 CY	Convertible	7500	15000	30000
1940	Super	Dynaflash 8 CY	Coupe	1100	2700	4750
1940	Super	Dynaflash 8 CY	Convertible Coupe	2300	4200	8000
1940	Super	Dynaflash 8 CY	Station Wagon	2600	5600	10000
1940	Super 4 Dr.	Dynaflash 8 CY	Sedan	900	1750	3750
1940	Special 2 Ps.	Dynaflash 8 CY	Coupe	700	1000	2950
1940	Century	Dynaflash 8 CY	Cabet	1500	3200	6250
1940	Cenury 4 Dr.	Dynaflash 8 CY	Convertible	1400	3000	7250
1940	Limited	Dynaflash 8 CY	Convertible Sedan	3400	9000	17000
1940	Limited	Dynaflash 8 CY	6 Passenger Saloon Sedan	1000	1800	4250
1941	Limited	Fireball 8 CY	Formal Limousine	1200	2400	5000
1941	Limited	Fireball 8 CY	Formal Sedan	1200	2400	5000
1941	Limited	Fireball 8 CY	Convertible Sedan	4300	7500	19000
1941	Roadmaster	Fireball 8 CY	Convertible Sedan	4000	7000	18000
1941	Special	Fireball 8 CY	Convertible Coupe	1400	2800	6500
1941	Special 2 Dr.	Fireball 8 CY 44-C	Sedan	900	1500	4250
1941	Super 4 Dr.	Fireball 8 CY	Sedan	900	1500	4250
1941	Roadmaster	Fireball 8 CY	Sedan	800	1500	3950
1941	Special	Fireball 8 CY	Coupe	900	1700	3500
1942	Roadmaster 2 Dr.	Fireball 8 CY	Sedan	900	1750	4250
1942	Special 4 Dr.	Fireball 8 CY	Sedan	850	1500	3950

YEAR	MODEL	ENGINE	BODY	F	G	E
1942	Limited	Fireball 8 CY	Limousine	1500	3400	7000
1942	Roadmaster	Fireball 8 CY	Convertible	1600	3600	7500
1942	Roadmaster	2 Dr.	Fastback	1000	1700	4000
1946	Super	8 CY	Convertible	1500	2800	6950
1946	Roadmaster	8 CY	Convertible	1200	2000	5250
1946	Roadmaster 2 Dr.	8 CY	Sedan	850	1500	3750
1946	Super	8 CY	2 Door Sedan	900	1800	4500
1946	Super	8 CY	Convertible Coupe	1500	3200	6500
1947	Super	8 CY	Convertible	1700	4800	7000
1947	Roadmaster 2 Dr.	8 CY	Sedan	700	1800	4000
1947	Roadmaster	8 CY	Convertible	1800	4900	8500
1947	Special	8 CY	2 Door Sedan	450	950	1800
1948	Roadmaster	8 CY	Convertible	2000	5000	9000
1948	Roadmaster	8 CY	Sedan	900	1800	4600
1948	Super	8 CY	Convertible	1800	3000	6500
1949	Super Sedanet			400	900	2250
1949	Roadmaster 2 Dr.	8 CY	Hardtop Coupe	800	1700	3500
1949	Roadmaster	8 CY	Convertible Coupe	1700	4300	8200
1949	Super	8 CY	Convertible	1600	3100	7500
1949	Super	8 CY	Estate Wagon	1500	3000	6500
1950	Super 4 Dr.	8 CY	Sedan	300	700	1400
1950	Roadmaster	8 CY	Convertible	600	1200	2500
1950	Estate Wagon	8 CY		1100	2000	4750
1951	Roadmaster	8 CY	Station Wagon	1200	2100	5000
1951	Roadmaster	8 CY	2 Door Hardtop	400	900	2000
1951	Roadmaster	8 CY	Convertible	600	1200	2500
1951	Super	8 CY	Convertible	650	1250	2750
1953	Roadmaster	V-8	Estate Wagon	800	1900	4500
1953	Skylark	V-8	Convertible	2500	5000	10000
1954	Skylark	V-8	Convertible	2900	5500	11000
1954	Special	V-8	Convertible	650	1300	2750
1954	Special	V-8	2 Door Hardtop	350	800	1600
1955	Roadmaster	8 CY	Sedan	300	750	1500
1955	Roadmaster	8 CY	Convertible	800	1500	3250
1955	Roadmaster	V-8	Coupe	300	600	1400
1955	Century	V-8	Station Wagon	700	1400	2500
1955	Special	V-8	Convertible	500	1200	2500
1956	Century Deluxe	V-8	Hardtop	700	1550	2500
1956	Roadmaster	8 CY	Convertible	800	1500	3400
1956	Century	V-8	Convertible	1000	1900	3750
1956	Special	V-8	Convertible	700	1000	2500
1956	Century	8 CY	Sport	400	900	2000

YEAR	MODEL	ENGINE	BODY	F	G	E
1957	Roadmaster	8 CY	2 Door Hardtop	450	950	2100
1957	Roadmaster	V-8	Convertible	450	950	2100
1957	Century Caballaro	8 CY	4 Door Wagon	500	1150	2750
1957	Special	8 CY	Convertible	400	800	2100
1958	Limited	8 CY	Convertible Coupe	1750	2400	5500
1958	Limited 775	8 CY	Sedan	600	1200	3000
1958	Roadmaster	8 CY	2 Door Convertible	600	1200	3000
1958	Lido	8 CY	Coupe	400	800	2200
1958	Special		Convertible	400	800	2250
1959	La Sabre	V-8	4 Door Sedan	200	400	1100
1959	Invicta	V-8	Hardtop Coupe	250	450	1200
1959	Electra	V-8	Convertible	500	1100	3000
1959	Invicta	V-8	Convertible	400	1100	2500
1959	La Sabre	V-8	Station Wagon	350	800	2250
1960	Electra	V-8	Convertible	500	1100	2500
1963	Riviera	V-8	2 Door Hardtop	500	1800	3000
1964	Riviera	V-8	2 Door Hardtop	450	1750	2900
1965	Riviera GS	V-8	2 Door Hardtop	1100	2000	3500
1965	Skylark GS	V-8	Convertible	600	1000	1960
1966	Riviera GS	V-8	2 Door Hardtop	350	1100	2000
1969	Wildcat	V-8	Convertible	700	1500	2500
1971	GS 455	V-8	2 Door Hardtop	500	950	1700

BULLOCK (AUS 1901)

1901	Open	Water-cooled	Voiturette	800	1400	3200

BULLY (D 1933)

1933	3 Wheel	200cc 1 CY	2 Seats Coupe	900	1800	3700

BURDICK (US 1909-10)

1909	C 8 Seater	6 CY	Touring Car	1100	2400	5000

BURG (US 1910-13)

1910	5 S	4 CY	Touring Car	1200	2500	5200
1910	2 S	4 CY	Roadster	1400	2800	6000

BURGERS (NL 1898-1900)

1898	Open	DeDion	Light	1250	2250	4700

BURKE (GB 1906-07)

1906	20/30 hp	4 CY	Open	1400	2200	3750

BURLAT (F 1904-05)

1904	20 hp	Horiz. Rotary	Open	1000	2000	4000

BURNEY (GB 1930-33)

1930	Streamline	Alvis 12/75 hp	Saloon Sedan	1750	3900	9000

YEAR	MODEL	ENGINE	BODY	F	G	E

BURNS (US 1908-11)

1908	Open	2 CY Air-cool	High Wheel	1400	2850	5700

BURROWES (US 1905-08)

1908	E	4 CY L-head	Open	1200	2600	5200

BURROWS (US 1914)

1914	9 hp	2 CY	2 Seats Cycle Car	1000	2000	3750

BUSH (US 1916-24)

1916	Open	Lycoming 4 CY	Speedster	1500	3000	5900
1916	2 S	Cont. 6 CY	Open	1750	3750	7250

BUSSON (F 1907-08)

1908	7/9 hp	2 CY	Voiturette	950	1800	3600

BUTTERFIELD (GB 1961-63)

1961	GT	997cc Cooper	2 Seats	1100	2400	4900

BUTTEROSI (F 1919-24)

1919	12 hp	4 CY 1,327cc	Saloon Sedan	1200	2400	4800

BUTZ (D 1934)

1934	2 S	400cc 2 CY	Coupe	850	1700	

BYRIDER (US 1908-09)

1908	BR	EL	2 Seats	1400	2800	5600

B.Z. (D 1924-25)

1924	2 S	B.M.W. 494cc	Cycle Car	800	1400	2800

B - Z - T (US 1914)

1914	2 S	V-twin 12/14 hp	Cycle Car	1000	2200	4800

C

Cadillac — 1905 "Roadster"

YEAR	MODEL	ENGINE	BODY	F	G	E
CABAN (F 1926-32)						
1926	43 hp	4 CY Ruby	Saloon Sedan	700	1250	2500
1929	6 CV	4 CY Ruby		900	1750	3500
1930	60 hp	K	Sport	900	1800	3600
CADILLAC (US 1903-to date)						
1901		1 CY	Tonneau Roadster	2500	4600	9250
1902	Rear entry	1 CY	Roadster	2250	4300	9000
1903	Chain drive	1 CY	Roadster	2900	5100	12000
1903	Model A	1 CY	Roadster	2800	4900	10500
1903	Rear entry	1 CY	Touring Car	3100	5400	12500
1904		1 CY	Roadster	2900	5000	11000
1905		1 CY	Roadster	3400	6500	13500
1906	Model K	1 CY	Runabout	3200	5700	11500
1906		4 CY	Roadster	3500	6900	14000
1907		4 CY	Roadster	3000	6100	12500
1907		1 CY	Roadster	3300	6250	13000
1908		1 CY	Runabout	3300	6250	13000
1909		4 CY	Touring Car	5200	9000	20000
1910		4 CY	Town Car	3900	7200	15250
1910		4 CY	Touring Car	4600	8500	18000
1911	Model 30	4 CY	Touring Car	5500	10000	22000
1911		4 CY	Touring Car	6000	11000	24000
1912		4 CY	Opera Coupe	3000	5000	12000
1912		4 CY	Torpedo Roadster	4000	8000	16000
1913		4 CY	Touring Car	4500	8000	19000
1913	7 Ps.	4 CY	Touring Car	4500	8000	19000
1914	5 Ps.	4 CY	Touring Car	3500	6100	16000
1914	7 Ps.	4 CY	Touring Car	4900	8500	20000
1915	7 Ps.	V-8	Touring Car	4900	8500	20000
1915		V-8	Sport Phaeton	4900	8500	20000
1915	2 Dr.	V-8	Touring Car	3900	7500	19000
1916		V-8	Touring Car	3900	7500	19000
1917	5 Ps.	V-8	Touring Car	2500	4900	11000
1918	7 Ps.	V-8	Touring Car	2500	4900	11000
1919	5 Ps.	V-8	Touring Car	2250	4300	10500
1920	7 Ps.	V-8	Touring Car	2250	4000	9500
1920		V-8	Roadster	2400	4500	10500
1920	5 Ps.	V-8	Touring Car	2100	4100	9000
1921	7 Ps.	V-8	Touring Car	2300	4300	9500
1922	5 Ps.	V-8	Phaeton	2800	5100	12500
1922	7 Ps.	V-8	Limousine	2250	3900	8000
1922	7 Ps.	V-8	Touring Car	2600	4300	10500
1922	5 Ps.	V-8	Club Sedan	2250	3900	8000
1923		V-8	Sport Roadster	2800	5200	13000

YEAR	MODEL	ENGINE	BODY	F	G	E
1924	V-63	V-8	Phaeton	5500	9500	20000
1924	5 Ps.	V-8	Touring Car	4200	8000	16000
1924	7 Ps.	V-8	Limousine	2100	3900	9000
1924		V-8	Sport Roadster	3500	7000	13000
1924		V-8	Sport Phaeton	5750	9800	21000
1925	2 Ps.	V-8	Coupe	1800	3400	7800
1925	5 Ps.	V-8	Coupe Sedan	1400	3000	6000
1925	7 Ps.	V-8	Limousine	1700	3500	8000
1925	7 Ps.	V-8	Touring Car	3500	7500	16000
1925	Dual Cowl	V-8	Phaeton	5500	11000	25000
1926	5 Ps.	V-8	Sedan	1200	2400	6000
1926	2 Ps.	V-8	Roadster	4200	7900	16000
1925		V-8	Sport Touring Car	4500	9500	17000
1925		V-8	Roadster	3500	6500	13750
1926	7 Ps.	V-8	Touring Car	3800	7800	16000
1926	Dual Cowl	V-8	Phaeton	5800	10500	26000
1926	7 Ps.	V-8	Limousine	1500	2900	7000
1926	2 Dr.	V-8	Sedan	1250	2600	6500
1927	Dual Cowl	V-8	Phaeton	8500	15000	33000
1927	7 Ps.	V-8	Touring Car	6000	10500	21000
1927		V-8	Victoria Coupe	3000	4000	8000
1927	5 Ps.	V-8	Sedan	3000	4000	8000
1927	Town SD	V-8	Sedan	3400	4700	11000
1928	SM	V-8	Cabet	7500	15000	25000
1928	Dual Cowl	V-8	Phaeton	11000	16000	32000
1928	7 Ps.	V-8	Touring Car	6000	9000	18000
1928	5 Ps.	V-8	Sedan	3500	4500	8500
1928	7 Ps.	V-8	Limousine	3500	4500	8500
1928		V-8	Sport Roadster	6000	11000	23000
1928	Town SD	V-8		3500	5000	11000
1929		V-8	Sport Roadster	6500	12000	24000
1929		V-8	Cabet	4500	8000	16000
1929	Dual Cowl	V-8	Phaeton	13000	18000	33000
1929		V-8	Rumble Seat Coupe	4500	6000	12500
1929	7 Ps.	V-8	Sedan	2500	4000	8000
1929	5 Ps.	V-8	Victoria	3200	4500	9000
1929	5 Ps.	V-8	Sedan	3000	3500	6000
1929	7 Ps.	V-8	Touring Car	6000	9000	19000
1929	Town SD	SM		3500	6000	13500
1930		V-8	Rumble Seat Coupe	3500	5000	11000
1930	5 Ps.	V-8	Sedan	3000	6000	9000
1930	Dual Cowl	V-8	Phaeton	11000	18000	33000
1930		V-8	Cabet	5000	9000	18000
1930	7 Ps.	V-8	Touring Car	7000	12000	24000
1930		V-8	Sport Roadster	16000	19000	39000

YEAR	MODEL	ENGINE	BODY	F	G	E
1930	7 Ps.	V-8	Sedan	3000	4000	8250
1930		V-16	Sedan Club	5000	6000	12000
1930		V-16	Coupe	6000	9000	18000
1930		V-16	Convertible Sedan	18000	28000	50000
1930	7 Ps.	V-16	Sedan	6000	9000	16000
1930		V-16	Sport Roadster	18000	41000	85000
1931		V-8	Convertible Coupe	6000	10000	19000
1931		V-8	Phaeton	11000	17000	38000
1931		V-8	Cabet	8000	11000	21000
1931		V-8	Roadster	11000	17000	38000
1931		V-8	Convertible	6000	10000	19000
1931		V-8	Rumble Seat Coupe	4000	6000	12500
1931		V-8	Club Sedan	3000	4000	8500
1931		V-8	Town Sedan	3000	4000	8500
1931		V-12	Roadster	17000	35000	70000
1931	7 Ps.	V-12	Touring Car	10000	22000	50000
1931	Dual Cowl	V-12	Phaeton	23000	42000	80000
1931		V-12	Cabet	12500	23500	47500
1931		V-12	Phaeton	17500	19000	75000
1931	5 Ps.	V-12	Sedan	3800	7000	12500
1931	7 Ps.	V-12	Sedan	4300	7500	13000
1931	Dual Cowl	V-16	Phaeton	28000	45000	85000
1931		V-16	Roadster	28000	45000	80000
1931		V-16	Convertible Sedan	16000	30000	54000
1931		V-16	Convertible Coupe	16000	31000	56000
1936		V-16	Town Car	10000	15000	23000
1931	7 Ps.	V-16	Sedan	7500	10000	17500
1931	5 Ps.	V-16	Sedan	7500	10000	16000
1932		V-8	Club Sedan	3500	5000	13500
1932		V-8	Cabet	6000	11000	21000
1932		V-8	Roadster	11000	21000	42000
1932		V-8	Phaeton	11000	15000	34000
1932	5 Ps.	V-8	Sedan	2500	4000	8500
1932		V-8	Rumble Seat Coupe	4500	7500	13000
1932	Dual Cowl	V-12	Phaeton	14000	22000	47000
1932		V-12	Roadster	14000	26000	51000
1932		V-12	Phaeton	14000	26000	48000
1932	5 Ps.	V-12	Sedan	6500	9500	13000
1932		V-12	Cabet	9000	17000	34000
1932		V-16	Cabet	16000	26000	53000
1932		V-16	Convertible Sedan	17000	27000	56000
1932		V-16	Roadster	27000	47000	85000
1932	7 Ps.	V-16	Sedan	6000	11000	20000
1933		V-8	Convertible Sedan	6000	10000	27500
1933	5 Ps.	V-8	Sedan	3000	5000	10000

YEAR	MODEL	ENGINE	BODY	F	G	E
1933		V-8	Convertible Coupe	5500	9000	22000
1933		V-12	Rumble Seat Coupe	5500	7500	15000
1933		V-12	Town Car	5000	7000	13000
1933	Fleetwood	V-12	Convertible Sedan	6500	12000	27500
1933	5 Ps.	V-12	Sedan	5000	5200	11000
1933	5 Ps.	V-16	Coupe	5000	11000	24000
1934		V-8	Convertible Sedan	4500	10000	21000
1934		V-8	Cabet	4000	9500	20000
1934		V-8	Rumble Seat Coupe	3000	5000	11000
1934	5 Ps.	V-8	Sedan	2500	3800	8000
1934	370 D	V-12	Convertible Sedan	6000	13000	30000
1934	5 Ps.	V-12	Sedan	3000	4800	11000
1934	Model 452-D	V-16	Cabet	7500	13000	26000
1934	154 WB	V-16	Side Mount Sedan	6000	9000	19000
1935		V-8	Convertible Coupe	3250	7500	15000
1935		V-8	Club Sedan	3000	4500	9000
1935	SM	V-8	Town Sedan	3250	4750	9500
1935		V-8	Cabet	4500	9000	18500
1935		V-8	Rumble Seat Coupe	3500	5500	11000
1935	2 Dr. 2 Ps.	V-12	Victoria	4000	6000	12000
1935	Series 370E	V-12	Convertible Sedan	8000	15000	33000
1935		V-12	Rumble Seat Coupe	4500	6500	13000
1935	5 Ps.	V-12	Sedan	3000	5000	10000
1935	Fleetwood	V-12	Limousine	2500	4000	9500
1935	Town CB	V-16	Side Mount	9000	14500	35000
1936	Model 70	V-8	Convertible Coupe Side Mount	4500	8500	21000
1936		V-8	Cabet	4500	9000	18500
1936	Series 70 5 Ps.	V-8	Rumble Seat Coupe	4000	5500	9000
1936	Series 70	V-8	Side Mount Sedan	3500	5000	7500
1936	Series 70	V-8	Convertible Sedan	4500	8500	16000
1936	60	V-8	Convertible Sedan	2900	5600	11000
1936	60	V-8	Convertible Coupe	2000	4000	8000
1936	60	V-8	Club Coupe	1500	2800	5500
1936	12-80	V-12	Rumble Seat Coupe	3500	5500	12500
1936	Fleetwood	V-12	Convertible Sedan	6000	11000	18000
1936	7 Ps.	V-12	Limousine	2500	5000	10000
1937	60	V-8	Rumble Seat Convertible Coupe	2500 2500	5000 5000	11000 11000
1937		V-8	Cabet	2500	5000	11000
1937	60	V-8	Sedan	2000	4000	7000
1937	60	V-8	Convertible Sedan	3500	7000	14000
1937	Imperial	V-12	Town Sedan	3000	6000	12000
1937	12-85	V-12	Convertible Sedan	6500	12500	25000
1937	12-85	V-12	Formal Sedan	4000	8000	16000

YEAR	MODEL	ENGINE	BODY	F	G	E
1938	61	V-8	2 Passenger Coupe	4000	8000	17500
1938	61	V-8	Convertible Coupe	2500	5000	10000
1938	6-85	V-8	Convertible Sedan	4000	8000	16000
1938	5 Ps. 61	V-8	4 Door Sedan	1750	3500	7000
1938	75	V-16	Convertible Sedan	12500	25000	50000
1938	7 Ps.	V-16	Sedan	7500	15000	30000
1938		V-16	Formal Sedan	7500	15000	31000
1938	75	V-8	Convertible Sedan	5000	10000	20000
1938	60 Special	V-8	Sedan	2500	5000	10000
1939	60 Special	V-8	Opera Coupe	2500	5000	10000
1939	75	V-8	Limousine	2100	4250	8500
1939	75 Formal	V-8	4 Door Sedan	1750	3500	7000
1939	61	V-8	Sedan	1000	2000	40000
1939		V-16	Convertible Sedan	12500	25000	50000
1939		V-16	Formal Sedan	7500	15000	30000
1939	7 Ps.	V-16	Limousine	5000	10000	20000
1939	2 Ps.	V-16	Coupe	7500	15000	30000
1940	75	V-8	Touring Car Sedan	2000	4000	8000
1940	75	V-8	Convertible Sedan	3750	7500	14000
1940		V-8	Formal Sedan	2100	4250	8500
1940	2 Ps.	V-16	Coupe	7500	15000	30000
1940	7 Ps.	V-16	Limousine	6000	12500	25000
1940	62	V-8	Sedan	1600	3000	6000
1940	60 Special	V-8	4 Door Sedan	2500	5000	10000
1940	62	V-8	Convertible Sedan	3000	6000	12000
1940		V-8	Club Coupe	1500	3250	6500
1940	60	V-8	Cabet	2500	5000	11000
1941	75 7 Ps.	V-8	Sedan	1100	2250	4500
1941	Fleetwood	V-8	Limousine	1100	2250	4500
1941	Fleetwood	V-8	5 Passenger Sedan	1250	2500	5000
1941	4 Dr.	V-8	Convertible	5000	10000	20000
1941	60 Special	V-8	Sedan	2100	4250	8500
1941	63 4 Dr.	V-8	Sedan	1500	3000	6000
1941	2 Dr.	V-8	Fast Back	1250	2500	5000
1942	75	V-8	Formal Sedan	1000	2100	4200
1942	Fleetwood	V-8	Limousine	1500	3200	6200
1942	4 Dr. 61	V-8	Sedan	1100	2250	4500
1942	2 Dr. 62	V-8	Fast Back	1200	2400	4800
1942	4 Dr.	V-8	Fast Back	1200	2400	4800
1946	61 Sedan	V-8	Fast Back	900	1750	3500
1946	62	V-8	Club Coupe	750	1250	2500
1946	62	V-8	Convertible	1500	2750	5500
1946	60 Special	V-8	Sedan	1500	3000	6000

YEAR	MODEL	ENGINE	BODY	F	G	E
1946	Derham	V-8	Limousine	3250	4500	9000
1947	62 4 Dr.	V-8	Sedan	1800	2750	4500
1947	62	V-8	Sedanette	900	1750	3500
1947	62	V-8	Convertible	1500	3100	6200
1947		V-8	Club Coupe	750	1500	3000
1948	Fleetwood	V-8	Limousine	1750	3250	6500
1948	62	V-8	Convertible	1250	2500	5000
1948	61	V-8	Sedan	750	1500	3000
1948	60 Special	V-8	Sedan	1100	2250	4500
1949	62	V-8	Convertible	1750	3500	7000
1949		V-8	Club Coupe	1750	2500	4000
1949	75	V-8	Limousine	650	1250	2500
1950		V-8	Convertible	1000	2000	4000
1950	Fleetwood 60 Special	V-8	Sedan	900	1800	3600
1950		V-8	2 Door Hardtop	750	1500	3000
1951	Fleetwood 60 Special	V-8	Sedan	800	1650	3250
1951	Fleetwood 75	V-8	Limousine	500	1100	2250
1951	62	V-8		600	1250	2500
1951	CP de Ville	V-8	2 Door Hardtop	800	1600	3600
1952	CP de Ville	V-8	2 Door Hardtop	850	1650	3650
1953	Fleetwood	V-8	Sedan	900	1750	3300
1953	Eldorado	V-8	Convertible	1500	3000	6000
1953	62 2 Dr.	V-8	Hardtop Coupe	650	1250	2500
1954	Eldorado	V-8	Convertible	1250	2500	5000
1954	Fleetwood	V-8	4 Door Sedan	750	1500	3000
1954	2 Dr. 62	V-8	Hardtop	650	1250	2500
1955	7 Ps.	V-8	Limousine	550	1100	2200
1955	Fleetwood 60	V-8	Special Sedan	750	1500	3000
1955	62	V-8	Convertible Coupe	900	1850	3600
1956	Eldorado	V-8	Convertible	1250	2500	4850
1956	Eldorado	V-8	Seville Coupe	1200	2300	4700
1956	62	V-8	Sedan	750	1400	2800
1957	Eldorado	V-8	Brougham	1500	3250	6500
1957	Eldorado	V-8	Seville	900	1750	3500
1957	Eldorado	V-8	Convertible	900	1900	3750
1957	Fleetwood	V-8	Limousine	550	1100	2250
1958	Eldorado	V-8	Brougham	2100	4250	8500
1958	Eldorado	V-8	Convertible	1000	1900	3850
1958	Eldorado	V-8	Seville	900	1700	3350
1958	62 2 Dr.	V-8	Hardtop	1100	2250	2500
1959	Eldorado	V-8	Brougham	1900	2750	5500
1959	Eldorado 2 Dr.	V-8	Hardtop	900	1750	3500
1959	Eldorado 2 Dr.	V-8	Convertible	1000	2000	4000

YEAR	MODEL	ENGINE	BODY	F	G	E
1959	Fleetwood	V-8	4 Dr. Hardtop	900	1750	3500
1959	62	V-8	Convertible Coupe	900	1800	3600
1960	Eldorado	V-8	Convertible	900	1950	3750
1960	Fleetwood Special 60	V-8	4 Door Hardtop	750	1500	3000
1961	Eldorado	V-8	Convertible	750	1500	3000
1961	Fleetwood	V-8	Limousine	700	1250	2500
1964	CP de Ville	V-8	2 Door Hardtop	540	1000	1750
1965	de Ville	V-8	Convertible	750	1350	2000
1966	El Dorado	V-8	Convertible	800	1450	2500
1968	El Dorado	V-8	2 Door Hardtop	450	1100	1750
1971	El Dorado	V-8	Convertible	1300	2500	4500
1976	El Dorado	V-8	Convertible	5600	10000	16000

CADIX (F 1920-23)

1920	1½ Litre	Ballot	4 Seats	1150	2300	4700

CAFFORT (F 1920-22)

1920	Air-cooled	flat-twin	Coupe	850	1400	2950

CALCOTT (GB 1913-26)

1913	10.5 hp	flat-twin air-cooled	2 Seats	1000	2000	4000

CALDWELL VALE (AUS 1913)

1913	Open	30 hp	Touring Car	800	1650	3750

CALEDONIAN (GB 1899-1906)

1900	Open	DeDion	Voiturette	1000	2000	4000

CALIFORNIA (US 1900-02)

1900	Open	Steam	Touring Car	1800	4000	1000
1900	BR	EL	2 Door Sedan	1400	3600	7800

CALIFORNIA (US 1913)

1913	Open	2 CY Air-cool	Cycle Car	1000	1800	3900

CALIFORNIAN (US 1920-21)

1920		6 CY Beaver	Open	2200	5400	9700

CALL (US 1911)

1911	Open	30 hp	Roadster	1750	3800	6750

CALORIC (US 1904)

1904	9 hp	3 CY	Closed Coupe	1000	2000	4500

CALTHORPE (GB 1904-32)

1910	12/14 hp	4 CY	Touring Car	1200	2750	5950
1915	SP	4 CY 10 hp	2 Seats	1000	2400	4900

YEAR	MODEL	ENGINE	BODY	F	G	E
CALVERT (US 1927)						
1927		6 CY	Open	1400	2800	5750
CAMBER (GB 1966-69)						
1966	Constructors	B.M.C. Car	Closed Coupe	1250	2750	5200
CAMBIER (F 1897-1905)						
1900	8 hp	2 CY	Voiturette	850	1700	3950
CAMBRO (GB 1920)						
1920	Open	2 CY 192cc	1 Seat	900	1800	3600
CAMERON (US 1902-21)						
1904	9 hp	1 CY	2 Seats	1200	2400	4950
1908	C	6 CY A	Touring Car	1300	2600	5500
1916	7 Ps.		Touring Car	1400	2800	6250
1920	7 Ps.		Touring Car	1500	3000	7000
1921	7 Ps.		Touring Car	1500	3000	7000
CAMPBELL (AUS 1901)						
1901	4 S	Steam	Dos-a-dos	1000	1950	4700
CAMPBELL (US 1918-19)						
1918	Open	4 CY	Touring Car	1400	3000	8800
CAMPION (GB 1913-14)						
1913	8 hp	J.A.P. Air Cooled	Cycle Car	800	1700	3800
CANADIAN (CDN 1921)						
1921	Open	Continental	Touring Car	1200	2600	5900
CANADIAN BABY CAR (CDN 1914)						
1914	Open	J.A.P. 2 CY	Cycle Car	800	1600	3700
CANADIAN STANDARD (CDN 1912-13)						
1912	Open	4 CY	Touring Car	1100	2700	5400
C & H (GB 1913)						
1913	6 hp	Fafnir	Cycle Car	900	1800	3700
CANNON (US 1902-06)						
1902	Open	2 CY	Tonneau	1200	2700	5500
CANNON (GB 1953-to date)						
1953	Trials		Racing Car	1650	3700	8000
CANTERBURY (GB 1903-06)						
1903	4 S	12 gp Aster	Tonneau	1000	2000	4250
1904	28 hp	4 CY	2 Seats	1500	3200	7000

YEAR	MODEL	ENGINE	BODY	F	G	E
CANTONO (I, US 1900-11)						
1900	F.R.A.M.	2 CY	Laundalet	850	1700	3750
CAP (B 1914)						
1914	Open	Air-cooled J.A.P. V-twin	2 Seats Tandem	850	1700	4000
CAPEL (GB 1900-01)						
1900	3 S	2 CY	Vis-a-vis	1200	2200	5000
1900	4 hp	2 CY	Voiturette	1200	2300	5500
CAPITOL (US 1902)						
1902	Steam	2 CY bhp	Open	1400	2800	7250
CAPS (US 1905)						
1905	2 S	14 hp	Runabout	1100	3000	6000
1905	Side Entry	14 hp	Tonneau	1200	3250	7400
C.A.R. (I 1906)						
1906	Open		Touring Car	800	1600	3700
1906	Open		Voiturette	900	1800	4000
C.A.R. (I 1927-29)						
1927	Open	1,095cc	Touring Car	1400	3200	6200
CARCANO (I 1898-1901)						
1900	Open	3 hp	Voiturette	850	1700	3700
CAR DE LUXE (US 1906-10)						
1906	7 S	4 CY 60 hp	Touring Car	3200	6850	15000
CARDEN: NEW CARDEN (GB 1913-25)						
1913	4 hp	1 CY	1 S	850	1600	3750
1920	7 hp	Flat-twin	2 S	1100	2400	5000
1924	3 S		Touring Car	1200	2800	6000
CARDWAY (US 1923-25)						
1923	6 CY	Continental	Touring Car	3000	6500	10000
CAREY (US 1906)						
1906		5 CY Rotary		3900	8500	15000
CARHARTT (US 1910-11)						
1910	25/30 hp		Runabout	3000	6500	10000
1910	30/35 hp		Touring Car	3100	6600	10500
CARLETTE (GB 1913)						
1913	8 hp	J.A.P. V-twin	Cycle Car	1000	2500	4750
CARLTON (GB 1901-02)						
1901	24 hp	4 CY		2200	3900	8000

YEAR	MODEL	ENGINE	BODY	F	G	E
CARLTON (NZ 1928)						
1928	4 CY			1250	2750	5500
CARNATION (US 1912-14)						
1912	4 CY	Air-cooled	Cycle Car	1300	2800	5700
CARON (F 1900-01)						
1900	5 hp	2 CY	Voiturette	2250	3800	7500
1900	5 hp	2 CY	Vis-a-vis	2250	3800	7500
CARPEVIAM (GB 1903-05)						
1903	3½ hp	1 CY	3 Wheel	2000	3000	4500
CARRICO (US 1909)						
1909	2 CY	Air-cooled	Buggy	1500	3000	6500
CARROLL (US 1912-20)						
1912		4 CY		1450	2950	6000
CARROLL (1920-22)						
1920	5 Ps.	6 CY Beaver	Open Touring Car	1750	3500	7500
CARROW (GB 1919-23)						
1919		4 CY	2 Seats	775	1050	3750
1920	4 S	4 CY Dorman	Touring Car	800	1700	3800
CARTER (GB 1913)						
1913	6.2 hp	4 CY	Cycle Car	750	1600	3500
CARTERCAR (US 1906-16)						
1906		2 CY	Roadster	1950	4100	6000
1912	Model R		Roadster	2000	4200	7500
1912	Model 5-A		Touring Car	2200	4500	8750
1915			Touring Car	2100	4300	8200
CARTERET (F 1922)						
1922	4 CY Ruby 904cc	Light		750	1500	3000
CARTERMOBILE (US 1924-25)						
1924	Herschell-Spillman	4 CY	Open	1400	2900	5000
CARTER TWIN-ENGINE (US 1907-08)						
1907	5 S	4 CY 24 hp	Open	1600	3200	6500
C.A.S. (CS 1920)						
1920	Coventry	650 cc	Cycle Car	700	1450	3000
CASE (CDN 1907)						
1907	A	4 CY 20/24 hp		1700	3300	6800

YEAR	MODEL	ENGINE	BODY	F	G	E

CASE (US 1910-27)

YEAR	MODEL	ENGINE	BODY	F	G	E
1913			Touring Car	3200	6000	14000
1914	30 hp	4 CY	Touring Car	3200	6000	14000
1916	7 Ps.		Touring Car	2600	5000	11000
1926		6 CY	Touring Car	2500	4700	9850

CASSELL (GB 1900-03)

1900		4 CY Aster		200	400	800

CASTLE THREE (GB 1919-22)

1919	3 Wheel	4 CY	Cycle Car	750	1500	3000

CASTRO (E 1901-04)

1903	14 hp	4 CY	Tonneau	2050	4100	8500

C.A.T. (F 1911)

1911	2 S	4 CY	Open Coupe	850	1700	3800

CAUSAN (F 1923-24)

1923		1 CY 350cc	Cycle Car	750	1500	3000

CAVAC (US 1910)

1910	2 S	4 CY Water-Cooled	Roadster	1100	2200	4500

C.B. (US 1917-18)

1917	65 hp	12 CY	Light	4200	8000	17500

C.C.C. (GB 1906-07)

1906		1 CY		750	1500	3000
		4 CY		850	2000	4000

C. DE L. (US 1913)

1913		40 hp		1200	2300	4500
1913		60 hp		1250	2500	4900

CEGGA (CH 1960-67)

1960			Coupe	1450	2800	5000
1960		V-12 Ferrari	Sport	1600	3250	7500

CEIRANO (I 1901-1904)

1901		1 CY DeDion	Light	1400	2900	6000

CEIRANO (I 1919-31)

1925	S 150	10 hp	Saloon Sedan	900	1900	4000

CELER (GB 1904)

1904	8 hp	V-twin	2 Seats	1000	2100	4500

CERITAS (A 1901-03)

1901		2 CY	Voiturette	1200	2400	5000

YEAR	MODEL	ENGINE	BODY	F	G	E
CELTIC (GB 1904-08)						
1904	4 CY	Aster	Cont.	1000	2100	4500
CELTIC (F 1908-13; 1927-29)						
1908	12 hp	4 CY	Conventional	1000	2000	4000
CEMSA (I 1946-50)						
1947	Caproni F11	4 CY	Saloon Sedan	500	1000	2000
CENTAUR (GB 1900-01)						
1900	4 S	4½ hp 1 CY	Dos-a-dos	1100	2200	4500
CENTAUR (US 1903)						
1903	2 S	EL	Runabout	2000	3500	6000
CENTAUR (GB 1965-to-date)						
1965	Formula 3		1 Seat	650	1200	2500
1968	Mark 7		Midget Racing Car	500	1000	2000
1971	Mark 12			1000	2000	4500
CENTRAL (US 1905-06)						
1905		Rotary Steam	Steamer	3500	7500	15000
CENTRON (GB 1970-to-date)						
1970	GT	VW	Coupe	1300	2100	4000
CENTURY (GB 1899-1907)						
1900	2 S	1 CY 2¼ hp	Tricar	700	1550	3300
1904		8/10 hp	2 Seats	800	1650	3800
CENTURY (US 1899-1903; 1911-15)						
1899	4¾ hp	2 CY	Steamer	10000	28000	40000
1903		Petrol	Underslung	1250	2500	5500
CENTURY (GB 1928-29)						
1928	Open	Austin 7	2 Seats	750	1500	3000
CERTUS (GB 1908)						
1908		Aster 4 CY	Convertible	1000	2000	4000
CERTUS (D 1928-29)						
1928		8/80 PS		900	1500	3000
CESAR (F 1906)						
1906	7 hp	1 CY		800	1700	3500
	12 hp	4 CY		850	1900	3800
C.E.Y.C. (E 1922-26)						
1922		972cc 4 CY	3 Seats	800	1700	3500
C.F.B. (1920-21)						
1920	8 hp	V-twin Air-cool	Light	800	1700	3500

YEAR	MODEL	ENGINE	BODY	F	G	E
C.F.L. (GB 1913)						
1913		Air-cool flat-twin	Cycle Car	800	1700	3500
C.G. (F 1967-to-date)						
1967		944cc	Roadster	900	1400	2500
	85 hp	1,204cc	Coupe	900	1400	2500
C.G.E. (F 1941-46)						
1941	Open	EL	2 Seats	800	1400	2500
1943	Closed	EL	Coupe	800	1400	2500
C.G.V.; CHARRON (F 1901-30)						
1901				1250	2600	5000
CHABOCHE (F 1901-06)						
1901	6 hp	Steam	Vis-a-vis	5000	10000	20000
1903		20 hp	Limousine	3000	6500	12500
		20 hp	Coupe de Ville	3100	6600	13000
		12 hp	dbl. Phaeton	3100	6600	13000
		30 hp	Racing Car	3500	6800	15000
CHADWICK (US 1904-16)						
1904		4 CY		2200	4100	8000
1907	Great Six	11.2 Litre	Touring Car	2600	5200	10000
1911	5 S		Tonneau	2600	5200	10000
CHAIKA (GAZ M-13) Seagull (SU 1958-65)						
1958	195 hp	V-8	Sedan	750	1200	2500
CHAINLESS (F 1900-03)						
1900	8 hp	Bucket	Voiturette	1550	3250	6500
1901		16 hp	Tonneau	1450	3000	5900
CHALFANT (US 1906-12)						
1906	5 S	2 CY 22 hp	Touring Car	1250	2500	4900
CHALMERS; CHALMERS-DETROIT (US 1908-24)						
1909	Model 30	4 CY	Touring Car	2500	5000	9500
1910	30 hp	4 CY	Roadster	2750	5500	10000
1910		4 CY	Touring Car	2900	5500	10000
1911	Model 30	4 CY	Speedster	2400	6000	12500
1911	Model 30	4 CY	Touring Car	2800	5750	11500
1911	Model 30	4 CY	Roadster	2800	5750	11500
1912		4 CY	Touring Car	2750	5500	10000
1913	Torpedo	6 CY	Roadster	2900	6000	12500
1915	26-B	6 CY	Touring Car	2750	5500	10000
1917		6 CY L-head	Touring Car	2500	5000	9500
1918	5 Ps.	6 CY	Touring Car	2400	4900	9300

106

YEAR	MODEL	ENGINE	BODY	F	G	E
1921		6 CY	Touring Car	2250	4500	7500
1923		6 CY 25 hp	Sedan	1200	2250	4500

CHAMBERS (GB 1904-25)
1908	7 hp	flat-twin	Touring Car	1200	2250	4500
1920	12/16 hp	4 CY	Touring Car	1250	2500	4800

CHAMBON (F 1912-14)
1912	6 S	4 CY	Touring Car	1200	2250	4500

CHAMEROY (F 1907-1911)
1907		1 CY	Voiturette	1500	3000	6000

CHAMPION (US 1908-09; 1916-17)
1908	10/12 hp	2 CY	High Wheel	1750	3250	6500
1908	2 S	2 CY	Roadster	1500	3000	5000
1916	2 S	4 CY L-head	Roadster	1200	2250	4500
1923		Lycoming 4 CY	Touring Car	1100	2100	4200
1947		250cc T.W.N.	2 Seats	700	1100	2000

CHAMPROBERT (F 1902-05)
1902	8 hp	DeDion		1000	2250	4500
1904	16 hp	DeDion-Aster		1250	2500	4900

CHANDLER (US 1913-29)
1913	33 hp	8 CY	Saloon Sedan	2500	4000	8000
1918		6 CY	Roadster	3000	6000	12500
1922	7 Ps.	6 CY	Touring Car	3500	7500	14500
1924		6 CY	Touring Car	3000	5000	12000
1926	Big Six	6 CY	Roadster	3000	6000	12500
1927	5 Ps.	6 CY	Sedan	1800	3000	6000
1928	Dual Cowl	8 CY	Phaeton	4000	7500	15000
1929	5 Ps.	8 CY	Sedan	1700	3000	6000

CHANNON (GB 1903-07)
1905	10 hp	2 CY		750	1600	3500

CHAPEAUX (F 1940-41)
1940		EL	2 Seats Coupe	1500	3000	6000

CHAPMAN (US 1899-1901)
1899		EL	Light	1500	3000	6000

CHAPUIS-DORNIER (F 1919-21)
1919		4 CY		1200	2000	4000

CHARENTAISE (F 1899)
1899	2 S	1 CY 2¼ hp	Voiturette	1600	3200	8000

YEAR	MODEL	ENGINE	BODY	F	G	E
CHARLES RICHARD (F 1901-02)						
1901	4 hp	1 CY	Light	900	1700	3500
	8 hp	2 CY	Lorrie	1000	2000	4000
CHARLES TOWN-ABOUT (US 1958-59)						
1958		EL		800	1900	3500
CHARLON (F 1905-06)						
1905	9 hp	1 CY	Convertible	1000	2200	4500
CHARRON-LAYCOCK (GB 1920-26)						
1921	2 S	4 CY 1,46cc	Roadster	850	1600	3500
CHARTER (US 1903)						
1903	4 S	Mixed vapor	Tonneau	2200	4000	8000
	Rear entry					
CHARTER OAK (US 1916-17)						
1916	Open	Herschell-Spillman 6 CY		1250	2700	5300
CHASE (US 1907-12)						
1907	2 S	2 CY Air-cool	Runabout Hi. Wheel.	1250	2700	5300
CHATEL-JEANNIN (D 1902-03)						
1902	6½ hp	1 CY	2 Seats	800	1600	3200
	12 hp	2 CY	Convertible	950	1800	4000
CHATER-LEA (GB 1907; 1913-22)						
1907	Open	2 CY	Light	950	1800	3700
1913	8 hp	4 CY	2 Seats	1100	2400	5000
CHATHAM (CDN 1907-08)						
1907	22 hp	2 CY	Touring Car	1000	1850	4000
1908		4 CY Reeves	Touring Car	1200	2400	5500
CHAUTAUQUA (US 1913-14)						
1913	2 S	2 CY 12 hp	Cycle Car	850	1750	3850
CHECKER (US 1959-to-date)						
1959	Superba	Cont. Six	9 Passenger Sedan	400	1200	3000
1959	Marathon	Cont. Six	9 Passenger Sedan	400	1200	3000
CHELSEA (US 1914)						
1914	2 S	4 CY	Cycle Car	950	1800	4400
CHELSEA (GB 1922)						
1922	2 S	EL	Coupe	1000	2000	5500

YEAR	MODEL	ENGINE	BODY	F	G	E
CHENHALL (GB 1902-06)						
1902	Open	1 CY	2 Seats	800	1600	3800
CHENU (F 1903-07)						
1903	9 hp	1 CY	Open	850	1750	4000
	12 hp	2 CY	Open	1000	2500	5800
	40 hp	4 CY	Open	1800	4400	15000
CHESWOLD (GB 1911-15)						
1911	15.9 hp	4 CY	5 Seats Touring Car	1000	2000	5000
CHEVROLET (US 1911-to-date)						
1911		6 CY 4.9 Litre	2 Seats	1850	3750	7500
1912	Classic Six	6 CY 30 hp	Touring Car	2000	3900	7800
1913	Baby Grand	4 CY	Roadster	1850	3750	7500
1913		4 CY	Touring Car	2000	3900	7800
1914	Baby Grand	4 CY	Touring Car	2000	3900	7800
1915	3 Dr.	4 CY	Touring Car	1800	3650	7200
1915	Baby Grand	4 CY	Touring Car	1850	3750	7500
1915	Amesbury	4 CY	Roadster	1800	3650	7200
1915	Baby Grand	4 CY	Roadster	1850	3750	7500
1916	490	4 CY	Touring Car	1100	2250	4500
1916	Special	6 CY	Roadster	1800	3650	7700
1916		6 CY	Speedster	2000	4100	8200
1917	Model D	V-8	Roadster	2000	4100	8200
1917	490	V-8	Touring Car	2000	4000	8100
1917	M-3	V-8	Speedster	2000	4000	8000
1918	490	4 CY	Touring Car	1250	2500	5000
1918	490	4 CY	Roadster	1200	2400	4800
1918	490	4 CY	Coupe	1100	2250	4500
1919	490	4 CY	Touring Car	1250	2500	5000
1919	490	4 CY	Roadster	1200	2400	4800
1919	Baby Grand	V-8	Touring Car	1500	2900	5800
1920	490	4 CY	Touring Car	900	1700	3400
1920	490	4 CY	Roadster	900	1750	3500
1920	490	4 CY	Sedan	750	1500	2900
1920	490	4 CY	Coupe	750	1500	3000
1921	490	4 CY	Touring Car	800	1650	3300
1921	490	4 CY	Roadster	850	1700	3400
1921	49	4 CY	Coupe	700	1400	2800
1922	FB	4 CY	Sport Touring Car	1300	2650	5300
1923	FB	4 CY	4 Door Sedan	900	1650	3300
1923	B	4 CY	Coupe	650	1250	2500
1923	B	4 CY	Touring Car	700	1400	2800
1924	Superior	4 CY	Roadster	1350	2750	700

YEAR	MODEL	ENGINE	BODY	F	G	E
1924	Superior	4 CY	Coupe	600	1100	2300
1924	Superior	4 CY	Touring Car	650	1250	2500
1924	4 Dr.	4 CY	Sedan	600	1200	2400
1925	Superior	4 CY	Roadster	700	1350	2750
1925	Superior K	4 CY	Touring Car	700	1400	2800
1925	Superior	4 CY	Sedan	650	1250	2500
1926	Superior V	4 CY	Roadster	850	1650	3300
1926	Superior V	4 CY	Coupe	650	1250	2500
1927	AA	4 CY	Roadster	1000	2100	4200
1927	2 Dr. AA	4 CY	Sedan	750	1500	3000
1927	AA	4 CY	Touring Car	1000	2100	4300
1928	AB	4 CY	Roadster	1150	2250	4500
1929	AC	6 CY	Touring Car	1400	2850	5700
1929	AC Imperial	6 CY	Landau Sedan	1150	2350	4750
1929	AC	6 CY	Roadster	1150	2300	4600
1929	AC 4 Dr.	6 CY	Sedan	800	1600	3200
1929	AC	6 CY	Cabet	1100	2200	4400
1930	AD 5 Ps.	6 CY	Victoria Coupe	900	1750	3500
1930	AD	6 CY	Roadster	1150	2300	4600
1930	AD	6 CY	Coupe	750	1500	3000
1930	AD	6 CY	Phaeton	1400	2850	5750
1930	AD	6 CY	Sedan	800	1650	3300
1930	AD	6 CY	Coach	750	1500	3000
1930	AD	6 CY	Sport Roadster	1000	2100	5200
1931	Independence AE	6 CY	Special Sedan 4 Door	1000	1900	3850
1931	AE	6 CY	Sport Roadster	1500	3200	6400
1931	AE	6 CY	Cabriolet	1500	3000	5900
1931	AE	6 CY	Coach	900	1750	3300
1931	AE 2 Dr.	6 CY	Convertible Sedan	1850	3750	7500
1931	AE 2 Dr.	6 CY	Sedan	850	1750	3300
1931	AE	6 CY	Rumble Seat Coupe	1300	2600	5200
1932	BA Deluxe	6 CY	Coupe 5 Window	1400	2850	4700
1932	BA Deluxe	6 CY	Special Sedan	1000	2000	4000
1932	BA Deluxe	6 CY	Sport Roadster	2250	4500	9000
1932	BA Standard	6 CY	Roadster	1750	3950	7900
1932	BA Deluxe	6 CY	3 Window	1250	3450	4900
1932	BA Deluxe 2 Dr.	6 CY	Landau Sport Side Mount Phaeton	3000	6000	12500
1933	Eagle	6 CY	Sport Roadster	2250	4500	9000
1933	Eagle	6 CY	Sport Phaeton	2350	4750	9500
1933	2 Dr.	6 CY	Sedan	900	1800	3600

1933	4 Dr.	6 CY	Sedan	850	1700	3400
1933	2 Dr.	6 CY	Cabet	2750	5500	10000
1933	2 Dr.	6 CY	Rumble Seat Coupe	900	1800	3700
1934	Standard 3-W	6 CY	Coupe	1000	1900	3800
1934	Standard	6 CY	Roadster	2100	4250	8500
1934	Standard	6 CY	Phaeton	2200	4400	8800
1934	Master 2 Dr.	6 CY	Sedan	900	1800	3600
1934	Master 2 Dr.	6 CY	Sedan	1000	2000	4000
1935	Standard	6 CY	Roadster	1000	2000	8000
1935	Standard	6 CY	Coupe	950	1900	3800
1935	Master 2 Dr.	6 CY	Sedan	750	1500	3000
1935	Master	6 CY	Cabet	2250	4500	9000
1935	Standard 4 Dr.	6 CY	Sedan	850	1650	3300
1936	Standard 2 Dr.	6 CY	Sedan	600	1200	2450
1936	Standard 2 Dr.	6 CY	Coupe	700	1400	2850
1936	Master 4 Dr.	6 CY	Sedan	600	1200	5500
1937	Master 2 Dr.	6 CY	Sedan	850	1650	3300
1937	Master Deluxe	6 CY	Coupe	900	1750	3500
1937	Master Deluxe	6 CY	Cabet	1900	3750	7500
1937	Master Deluxe	6 CY	Sport Coupe	1000	2000	3950
1937	Master 4 Dr.	6 CY	Sedan	750	1500	3000
1938	Master	6 CY	Coupe	900	1750	3500
1938	Master Deluxe	6 CY	Coupe	900	1800	3600
1938	Master Deluxe	6 CY	Sedan Delivery	900	1750	3500
1938	Master Deluxe	6 CY	Cabet	1650	3750	7500
1939	Master 85 2 Dr.	6 CY	Sedan	750	1350	2700
1939	Master Deluxe	6 CY	Sport Coupe	850	1700	3450
1939	4 Dr.	6 CY	Sedan	900	1750	3500
1939	Master Deluxe	6 CY	2 Dr. Town Sedan	750	1500	3000
1940	Special Deluxe	6 CY	Convertible Cabet	1500	3000	6500
1940	Master Deluxe	6 CY	Coupe	900	1750	3300
1940	Master 95	6 CY	Coupe	650	1300	2750
1940	Special Deluxe	6 CY	4 Dr. Sedan	800	1600	3100
1941	Special Deluxe	6 CY	Cabet	1750	3400	6800
1941	S. Dlx. 4 Dr.	6 CY	Sedan	750	1500	3000
1941	Special Deluxe	6 CY	Club Coupe	750	1500	3100
1941	Master Deluxe	6 CY	2 Passenger Coupe	700	1400	2800
1942	Fleetline 2 Dr.	6 CY	Aero Sedan	850	1700	3400
1942	Master Deluxe	6 CY	Coupe	800	1000	2000
1942	Special Deluxe	6 CY	4 Door Sedan	500	1000	2200
1942	Special Deluxe	6 CY	Convertible	1250	2500	5000
1946	Fleetmaster	6 CY	Convertible	1650	2300	4600

1946	Fleetline	6 CY	Aero Sedan	859	1750	3500
1946	Fleetline	6 CY	Town Sedan	800	1650	3300
1946	Fleetline	6 CY	Sport Coupe	400	800	1600
1946	Stylemaster	6 CY	2 Door Sedan	350	750	1500
1946	Stylemaster	6 CY	4 Door Sedan	400	850	1700
1946	Stylemaster	6 CY	Sport Coupe	700	1400	2050
1947	Fleetmaster	6 CY	Convertible	1200	2300	4600
1947	Fleetmaster	6 CY	2 Door Sedan	450	850	1700
1947	Fleetline	6 CY	Town Sedan	850	1750	3300
1948	Stylemaster	6 CY	4 Door Sedan	400	800	1600
1948	Fleetmaster	6 CY	Town Sedan	850	1750	3300
1949	Styleline Dlx.	6 CY	Convertible	750	1500	3000
1949	Styleline Dlx.	6 CY	4 Door Sedan	400	750	1500
1949	Styleline Dlx.	6 CY	Station Wagon	750	1400	2800
1950	Belair	6 CY	Hardtop	500	1000	2000
1950	Fleetline Dlx.	6 CY	2 Door Sedan	470	850	1650
1950	Fleetline Dlx.	6 CY	4 Door Sedan	450	950	1850
1951	Fleetline Dlx.	6 CY	4 Door Sedan	400	850	1650
1951	Styleline Dlx.	6 CY	Convertible	800	1600	3200
1951	Styleline Dlx.	6 CY	Station Wagon	550	1150	2300
1951	Belair	6 CY	Hardtop Coupe	650	1350	2750
1952	Deluxe	6 CY	Convertible	800	1600	3200
1952	Deluxe	6 CY	Hardtop Coupe	700	1400	2800
1952	Fastback	6 CY	2 Door Sedan	400	850	1750
1953	Belair	6 CY	Convertible	650	1350	2750
1953	Corvette	6 CY	Convertible	3000	6000	12500
1953	Belair	6 CY	Sport Coupe	500	1000	2000
1953	210	6 CY	Club Coupe	450	900	1750
1954	Corvette	6 CY	Convertible	2750	5500	10000
1954	Belair	6 CY	Convertible	1250	2500	3900
1954	Belair	6 CY	Sport Coupe	800	1400	2500
1955	Belair 2 Dr.	265 V-8	2 Door Hardtop	1250	2000	3500
1955	Corvette	265 V-8	Convertible	3500	7000	12000
1955	Belair	265 V-8	Convertible	1000	2000	3900
1955	150 2 Dr.	265 V-8	Sedan	400	800	1600
1955	Nomad	265 V-8	Station Wagon	1700	3400	6800
1955	Delray	265 V-8	Club Coupe	600	1200	2400
1956	Nomad	265 V-8	Station Wagon	1000	2100	4200
1956	Belair	265 V-8	4 Door Sedan	400	800	1500
1956	Belair	265 V-8	Convertible Coupe	900	1800	3600
1956	Corvette	265 V-8	Convertible	2000	4250	6500
1956	Belair	265 V-8	2 Door Sport Hardtop	750	1500	2750
1956	210 Del Rey	265 V-8	2 Door Sedan	700	1400	1850
1957	Nomad	283 V-8	Station Wagon	1500	2750	5500

YEAR	MODEL	ENGINE	BODY	F	G	E
1957	Belair 4 Dr.	283 V-8	Sedan	450	900	1850
1957	El Morocco	283 V-8	2 Door Hardtop	1000	2000	4000
1957	El Morocco	283 V-8	4 Door Hardtop	1000	1900	3800
1957	Corvette	283 V-8	Convertible	2500	6000	12500
1957	Belair	283 V-8	Convertible	1200	2500	5500
1958	Belair	283 V-8	2 Door Hardtop	450	900	1700
1958	Corvette	283 V-8	Convertible	1500	3200	6500
1958	Impala	348 V-8	Sport Coupe	750	1500	3000
1958	Impala	348 V-8	Convertible	750	1400	2850
1958	Biscayne 4 Dr.	6 CY	Sedan	250	650	1050
1958	Belair	283 V-8	4 Door Hardtop	350	900	1500
1959	El Camino	283 V-8	Pickup Truck	750	1400	2750
1959	Corvette	283 V-8	Convertible	1500	2700	5200
1959	Impala	283 V-8	Sport Coupe 2 Door	750	1250	2500
1959	Impala	283 V-8	Convertible	750	1900	2800
1959	Belair 4 Dr.	230 6 CY	4 Door Sedan	200	650	1000
1960	Impala	283 V-8	2 Door Hardtop	650	1200	2550
1960	Impala	283 V-8	Convertible	650	1250	2500
1960	Corvette	283 V-8	Convertible	1600	2200	5500
1961	Impala	283 V-8	2 Door Hardtop	650	1250	2000
1961	Impala	283 V-8	Convertible	700	1550	2500
1961	Corvette	283 V-8	Convertible	1200	2500	5300
1961	Corvair Monza	6 CY	Coupe	500	800	1800
1962	Impala SS	327 V-8	Convertible	650	1250	2500
1962	Impala	327 V-8	2 Door Hardtop	500	1000	2000
1962	Corvette	327 V-8	Convertible	1500	3250	6500
1962	Belair	327 V-8	2 Door Hardtop	450	900	1850
1962	Corvair Monza	6 CY	Station Wagon	500	1000	2000
1963	Impala SS	327 V-8	Convertible	750	1200	2500
1963	Corvette	327 V-8 FI	Convertible	2500	4500	9000
1963	Corvair Monza Spyder	6 CY Turbo	Convertible	650	1250	2500
1964	Impala SS	327 V-8	2 Door Hardtop	650	1250	2500
1964	Corvette	327 V-8	Coupe	1350	2750	5500
1964	Corvair Monza Spyder	6 CY	Coupe	650	1250	2500
1964	Chevelle Nomad	327 V-8	2 Door Station Wagon	650	1000	2000
1965	Impala SS	327 V-8	Convertible	700	1100	2000
1965	El Camino	327 V-8	Pickup Truck	900	1750	2500
1965	Corvette	327 V-8 FI	Coupe	3500	5500	10000
1966	Caprice	396 V-8	2 Door Hardtop	750	1200	1850
1967	Corvette	427 V-8	Convertible	2250	3250	5750

YEAR	MODEL	ENGINE	BODY	F	G	E
1967	Impala SS	427 V-8	2 Door Hardtop	1000	1800	2200
1970	Impala	350 V-8	Convertible	800	1450	2000
1975	Caprice Classic	350 V-8	Convertible	2000	3000	4500
1975	Corvette	350 V-8	Convertible	4000	5500	8500

CHEVROLET (RA 1962-to-date)

1962		6 CY	Sedan	600	950	2500
1972	4 Dr. Super SP	6 CY	Sedan	950	1600	3600

CHEVROLET (BR 1964-to-date)

1964	C-141	6 CY	Station Wagon	400	850	2400
1969		4 CY	Sedan	500	1100	2000
1969		6 CY	Coupe	600	1300	2500

CHEVRON (GB 1961-to-date)

1961	2 S	Holbay-Ford	Racing Car	850	2900	6500
1966	GT	B.M.W.	Coupe	1250	2500	5000
1967	SP	Martin V-8	1 Seat	1000	2000	4000
1971	B-19 Spyder	V-8 Repco	Racing Car	1500	3200	6800
1973	B-23	2 Litre	Sport Racing Car	1700	3200	6000

CHIC (AUS 1923-29)

1923	14/40 hp	4 CY Meadows	Touring Car	800	1700	3000

CHICAGO (US 1905-07; 1915-16)

1905	Steamer	V-4	Roi-des Belges	2000	6750	11000
1915		EL	Coupe	1500	4000	8900

CHICAGOAN (US 1952-54)

1952	2 S	6 CY Willys	Sport	950	1800	4000

CHICAGO MOTOR BUGGY (US 1908)

1908	Open	14 hp Air-cool	High Wheel	1250	2500	5000

CHILTERN (GB 1919-20)

1919	Open	Dorman	Semi Sport	1400	3800	8000

CHIRIBIRI (I 1913-27)

1913	8/10 hp	4 CY	Light	850	1700	3400
1915	10/12 hp	1,300cc	Cycle Car	900	1800	3600
1920	Open	12/16 hp	Touring Car	1000	2000	4000
1921	Monza Normalle	12/16 hp	Sport	1200	2400	4800
1921	Monza Special	1½ Litre	Special	1000	2000	4000
1925	Tipo Milano	10.4 hp	Saloon Sedan	900	1800	3600

CHIYODA (J 1932-35)

1932	HF		7 Seats Touring Car	1000	2400	5000
1933	H 4 Dr.		Sedan	800	1700	4000
1933	HS		7 Seats 6 Wheels	1500	3800	9000

YEAR	MODEL	ENGINE	BODY	F	G	E

CHRISTCHURCH-CAMPBELL (GB 1922)

YEAR	MODEL	ENGINE	BODY	F	G	E
1922	10.8 hp	Coventry-Simplex		950	1800	4000
1922	11.9 hp	Dorman	Open	1000	2000	5000

CHRISTIANE HUIT (F 1928-29)

YEAR	MODEL	ENGINE	BODY	F	G	E
1928	Open	Straight-8	Sport	1000	2000	4000

CHRISTIE (US 1904-10)

YEAR	MODEL	ENGINE	BODY	F	G	E
1904	30 hp	4 CY	Racing Car	3000	5000	13000
1905	50 hp	4 CY	Touring Car	4000	8000	15000
1907	60 hp	V-4 19,618cc	Racing Car	5000	10000	25000

CHRITON (GB 1904)

YEAR	MODEL	ENGINE	BODY	F	G	E
1904	10 hp	4 CY	2 Seats	1000	2000	4000
1904	30 hp	6 CY	2 Seats	1500	3000	7000

CHRYSLER (1923-to-date)

YEAR	MODEL	ENGINE	BODY	F	G	E
1924	70	6 CY	Sedan	1250	2500	4800
1925		6 CY	Sport Phaeton	2300	4500	9500
1925		4 CY	Sedan	1000	2000	4000
1925		4 CY	Touring Car	1700	3500	6800
1926	Model 80	6 CY	Victoria Coupe	2000	4100	8000
1926	Model 80 5 Ps.	6 CY	Sedan	1900	4000	7500
1926	Model 50	6 CY	Coupe	1250	2500	4700
1926		6 CY	Phaeton	2700	5600	12500
1926		6 CY	Roadster	2500	5000	10000
1926	Model 80	6 CY	Sport Roadster	6000	12500	22500
1927	Model 50	6 CY	Rumble Seat Roadster	1600	3500	7500
1927	Model 70	6 CY	Rumble Seat Coupe	1600	3500	7800
1927	Model 52	6 CY	4 Door Sedan	1000	1900	4000
1927	70	6 CY	Roadster	2500	5000	10000
1927	Imperial 7 Ps.	8 CY	Touring Car	4550	11500	21500
1927	Imperial	8 CY	Sport Roadster	4500	12000	22000
1927	Imperial	8 CY	Victoria Coupe	2400	5250	10000
1928		6 CY	Rumble Seat Coupe	1600	3200	6500
1928	Model 62	6 CY	Business Coupe	1300	2500	5000
1928	2 Dr.	6 CY	Sedan	1200	2200	4500
1928	Model 72	6 CY	Coupe	2100	4000	7500
1928	Model 72	6 CY	Roadster	3100	6000	12500
1928	Imperial 5 Ps.	6 CY	Touring Car Sedan	2350	4850	9800
1928	Imperial	6 CY	Sport Roadster	6500	12500	25000
1928	Imperial 5 Ps.	6 CY	Club Sedan	2300	4800	9750
1928	Imperial 5 Ps.	6 CY	Victoria Coupe	2500	5000	10000
1928	Imperial 5 Ps.	6 CY	Sedan	2250	4750	9500
1929	Model 65	6 CY	Roadster	3200	6500	12500

YEAR	MODEL	ENGINE	BODY	F	G	E
1929	Model 75	6 CY	Roadster	4500	8000	17500
1929	Model 75	6 CY	Sedan	1600	3200	6500
1929	Model 65	6 CY	Rumble Seat Coupe	1850	3600	7200
1929	Model 75	6 CY	Club Sedan	1750	3500	7000
1929	Model 75	6 CY	Cabet	2300	4500	8500
1929	Model 80 5 Ps.	8 CY	Sedan	3200	6000	11000
1929	Model 80	8 CY	Sport Roadster	6500	12000	25000
1930	Model 77	6 CY	Coupe	2000	4500	7500
1930	Model 77	6 CY	Roadster	3800	7500	15000
1930	Model 77	6 CY	Phaeton	4000	8000	17500
1930	Imperial 80	6 CY	5 Passenger Sedan	7500	15000	30000
1930	Imperial 80	6 CY	Sport Roadster	16500	22500	35000
1930	Model 66	6 CY	Sport Phaeton	4000	8500	16000
1930	Imperial 80	6 CY	Rumble Seat Coupe	3500	6500	12500
1930	Model 66	6 CY	Sedan	1500	2750	5500
1930	Model 77	6 CY	Sedan	1750	3250	6500
1931	C.D.	8 CY	Roadster	6000	11000	18500
1931	5 Ps.	6 CY	Town Cabet	3000	6000	12500
1931		8 CY	Limousine	3500	7500	14000
1931	C. G. Short Coupled	8 CY	Sedan	8500	17500	35000
1931	LeBarron Dual Cowl	8 CY	Phaeton	18000	37500	65000
1931	CDV	8 CY	Cabet	3000	6000	12500
1931		8 CY	Convertible Sedan	12500	25000	47500
1931	CG	8 CY	Rumble Seat Coupe	7500	15000	30000
1931		6 CY	Roadster	3300	6500	13000
1931		8 CY	Sport Sedan	2000	4000	8000
1932		8 CY	Convertible Coupe	3650	7250	52000
1932	7 Ps.	8 CY	Sedan	3500	7500	14000
1932	CG	8 CY	Phaeton	7500	15000	30000
1932		8 CY	Roadster	15000	27500	55000
1932	CQ	8 CY	Convertible Sedan	11000	22500	45000
1932	Waterhouse	8 CY	Convertible Victoria	17000	30500	59000
1932	CH 4 Dr.	8 CY	Sedan	3400	7400	13500
1932		6 CY	Rumble Seat Coupe	1750	3500	7500
1933	CQ	8 CY	Convertible Coupe	4500	9000	18000
1933	5 Ps.	6 CY		1750	3500	7500

YEAR	MODEL	ENGINE	BODY	F	G	E
1933	CQ	6 CY	Sedan	1750	3500	7500
1933		6 CY	Cabet	2600	5000	10000
1933	Deluxe	8 CY	Sedan	3500	7000	14000
1934		6 CY	Cabet	1500	3250	6500
1934		6 CY	Sedan	750	1750	3850
1934	CA	6 CY	Sedan	950	2100	4200
1934	CW	8 CY	Convertible Sedan	12100	24000	58000
1934		6 CY	Coupe	1100	2125	4250
1934	CW	8 CY	Club Sedan	3150	7250	14500
1934	CU Airflow	8 CY	Sedan	1500	3250	6500
1935		6 CY	Sedan	950	1900	3800
1935		6 CY	Grand Prix	1050	2200	4250
1935	Airflow 4 Dr.	8 CY	Sedan	1500	3100	6000
1936		6 CY	4 Door Sedan	1000	1950	3750
1936		6 CY	Coupe	1050	2100	4000
1936	Imperial Airflow	8 CY	4 Door Sedan	2100	4250	8000
1936	C-8	8 CY	Cabet	2250	4500	9000
1937	Imperial Airflow	8 CY	4 Door Sedan	1400	3200	6000
1937	Imperial Airflow	8 CY	Coupe	2700	3700	6500
1937	Airstream	6 CY	Convertible Sedan	2700	5500	10000
1937	Airstream	6 CY	Sedan	850	1600	3000
1938	Imperial	8 CY	Convertible Sedan	2700	5500	10000
1938	Imperial	8 CY	Sedan	1300	2500	4900
1939	Imperial	8 CY	Opera Coupe	1150	2100	4200
1939	New Yorker	8 CY	Opera Coupe	1100	2000	4000
1939	Imperial	8 CY	Limousine	1300	2500	4800
1939	Royal 4 Dr.	6 CY	Sedan	800	1500	2800
1940	Windser 2 Dr.	6 CY	2 Door Sedan	725	1225	2250
1940	Windser	6 CY	4 Door Sedan	750	1250	2300
1940	New Yorker	8 CY	4 Door Sedan	770	1300	2500
1941	Highlander	6 CY	Sedan	800	1375	2700
1941	Imperial	8 CY	4 Door Sedan	800	1400	2750
1941	New Yorker	8 CY	Club Coupe	770	1300	2500
1941	Saratoga	6 CY	4 Door Sedan	750	1200	2250
1941	Royal	6 CY	Coupe	750	1200	2250
1941	Thunderbolt	8 CY	Roadster	10000	25000	40000
1942	Royal 4 Dr.	6 CY	Sedan	700	1200	2250
1942	Saratoga	8 CY	Coupe	900	1300	2500
1942	Imperial Crown	8 CY	Limousine	1300	2500	4500
1942	Town & Ctry	8 CY	Sedan Station Wagon	2300	4200	8000
1946	Royal 4 Dr.	6 CY	Sedan	650	1000	2000

YEAR	MODEL	ENGINE	BODY	F	G	E
1946	Town & Ctry	8 CY	Sedan	2950	4950	8400
1946	Crown Imperial	8 CY	8 Passenger Sedan	1150	2200	4000
1947	Windsor	6 CY	Convertible	1250	2000	3600
1947	Town & Ctry.	8 CY	Sedan	2150	3750	7250
1947	New Yorker	8 CY	2 Passenger Coupe	1000	1800	2750
1947	Royal	6 CY	4 Door Sedan	650	1000	2000
1947	Town & Ctry.	8 CY	Convertible	3250	5000	8850
1948	Royal 2 Ps.	6 CY	Coupe	750	1300	2500
1948	Windsor	6 CY	Convertible	1200	2000	3600
1948	Windsor	6 CY	Sedan 4 Door	750	1400	2000
1948	New Yorker	8 CY	Sedan	900	1500	2800
1949	Town & Ctry.	V-8	Convertible	2100	3800	5950
1949	New Yorker	V-8	Convertible	1000	2000	3900
1949	NY Highlander	V-8	4 Door Sedan	650	1100	2200
1949	NY	V-8	Club Coupe	1000	2000	3000
1949	Crown Imperial	V-8	Limousine	2200	3500	5600
1950	Windsor	V-8	Station Wagon	900	1500	2000
1950	Windsor	V-8	Club Coupe	800	1200	2250
1950	NY	V-8	Convertible	1000	2000	3850
1950	T & C	V-8	2 Door Hardtop	2000	3500	5000
1951	Windsor Newport		2 Door Hardtop	700	1100	2250
1951	NY Highlander	V-8	Club Coupe	650	1250	2500
1951	NY	V-8	Convertible	900	1750	3600
1952	NY	V-8	Convertible Coupe	850	1500	3250
1952	Imperial	V-8	Sedan	600	1100	2250
1952	Windsor	V-8	2 Door Hardtop	600	1100	2250
1953	Imperial	V-8	2 Door Hardtop	1400	2800	4500
1953	Windsor	V-8	Convertible	850	1500	3250
1953	Windsor	V-8	4 Door Sedan	500	1000	1800
1954	Imperial	V-8	Sedan	600	1100	2250
1954	NY 2 Dr.	V-8	Hardtop	800	1500	2700
1954	NY	V-8	Convertible	950	1750	3500
1955	Windsor Del.	V-8	2 Door Hardtop	950	1100	1850
1955	Imperial 4 Dr.	V-8	Sedan	750	1300	2500
1955	300	V-8	Coupe	1300	2500	5000
1955	Nassau 2 Dr.	V-8	Hardtop	700	1300	2500
1955	NY St. Regious	V-8	2 Door Hardtop	950	1750	3500
1956	300-B	V-8	Coupe	1300	2400	4800
1956	Windsor	V-8	Sedan	350	750	1500
1956	New Yorker	V-8	Convertible	950	1750	3500
1957	300-C	V-8	Convertible	1100	1900	3600

YEAR	MODEL	ENGINE	BODY	F	G	E
1957	New Yorker	V-8	4 Door Sedan	600	1000	2000
1958	Windsor	V-8	Convertible	700	1300	2500
1958	300-D	V-8	2 Door Hardtop	1000	1800	3500
1958	Imperial	V-8	2 Door Hardtop	750	1400	2750
1959	Windsor	V-8	4 Door Sedan	450	900	1600
1959	300-E	V-8	2 Door Hardtop	1000	1800	3500
1959	New Yorker	V-8	2 Door Hardtop	500	1000	2000
1959	Imperial Crown	V-8	4 Door Sedan	600	1100	2250
1959	Saratoga	V-8	4 Door Sedan	400	850	1850
1961	300-G	413 V-8	2 Door Hardtop	750	1750	3800
1962	Imperial Crown	V-8	2 Door Hardtop	500	1600	3000
1965	Imperial Crown	V-8	Convertible	750	1750	3500
1967	300	V-8	Convertible	350	1000	1850
1970	300-Hurst	440 V-8	2 Door Hardtop	1000	1950	3500

CHRYSLER (AUS 1928-to-date)

1928	4 Dr.	6 CY	Richards	600	1800	4000
1956	Royal	6 CY	Sedan	400	850	2000

C.H.S. (F 1948)

1948	Open	1 CY 330cc	2 Seats	600	1200	3000

CHURCH-FIELD (US 1912-13)

1912	BR	EL	Sedan	2000	4800	8800

C.I.D. (F 1912-14)

1912	Baby	1 CY 8 hp Buchet	Light	700	1600	3200

C.I.E.M. (CH 1904-06)

1904	8 hp	V-twin	Open	800	1600	3200
1904	16 hp	V-4	Open	900	1800	3600
1905	16/24 hp	V-twin	Open	950	2000	4000

CINCINNATI (US 1903-05)

1903	Steamer	2 CY	2 Seats	2200	5500	12000

CINO (US 1909-13)

1909	5 S	4 CY	Touring Car	1100	2400	6000
1913		4 CY	Roadster	1250	2800	6500

C.I.P. (I 1922-24)

1922	Open	4 CY 1,075cc	Light	800	1700	3200

CISITALIA (I 1946-65)

1946	CP	60 bhp	1 Seat	1200	2500	5000
1948	2 Dr.	1,090cc	Coupe	900	1800	3600
1948	Open	6-bhp	Touring Car	1400	3000	7000
1950	2 Dr.	1,100cc	Coupe	900	1800	3600

YEAR	MODEL	ENGINE	BODY	F	G	E
1952	SP	DeDion	Saloon Sedan	1200	2400	4800
1961	Tourism Spec.	Fiat 600	Coupe	950	2100	4200

CITO (D 1905-09)

1905		2 CY Aster	Open	800	1600	3200
1906		4 CY Fafnir	Open	900	1800	3600
1908	8/20 PS	4 CY	Open	900	1800	3600

CITROEN (F 1919-to-date)

1919	Type A	10 hp 4 CY	Touring Car	900	2000	4000
1922	Type B	1½ Litre	Clover Leaf	750	1500	3600
1924		5 CV	Town Coupe	600	1250	2500
1925		4 CY	Saloon Sedan	750	1500	2900
1927		4 CY	Touring Car	750	1500	3500
1930	C-6	20 hp 4 CY	Saloon Sedan	650	1250	2500
1931		4 CY	Saloon Sedan	650	1250	2500
1932	Ten	4 CY	7 Seats	800	1700	3500
1934	Four	4 CY	Saloon Sedan	750	1500	3000
1935	Six	6 CY	Sport	800	1600	3300
1936		V-8	Saloon Sedan	650	1250	2500
1936		V-8	Sport	750	1500	3000
1936		11 CV	7 Seats	650	1250	2500
1939		6 CY	Sport	750	1500	3000
1949		2 CV	Saloon Sedan	350	750	1500
1951		2 CV	Saloon Sedan	350	750	1500
1955	11 CV	4 CY	4 Door Saloon Sedan	500	1000	2000
1959	D519	6 CY	4 Door Saloon Sedan	700	1200	2150
1971	SM		Coupe	1750	3500	7500

CITY & SUBURBAN (GB 1901-05)

1901	2 Dr. SD	EL	2 Seats Voiturette	950	2000	4250
1903	2 Dr. CP	EL	Runabout	1000	2300	5250
1903	2 Dr. CP	EL	Laundalet	1100	2500	6000
1903	2 Dr. CP	EL	Shooting-Brake	900	2000	4250

CIVELLI De BOSCH (F 1907-09)

1907	8/10 hp	2 CY	Open	850	1800	4000
1908	16/25 hp	4 CY	Open	950	2000	5000
1909	40/50 hp	6 CY	Open	1250	2800	7000

CLARENDON (GB 1902-03)

1902	2 S	1 CY 12 hp	Voiturette	900	1850	3750

YEAR	MODEL	ENGINE	BODY	F	G	E
CLARIN MUSTAD (NF 1916-35)						
1916	6 Wheeler	4 CY	Limousine	2000	6000	12000
1916	Open	4 CY	Touring Car	1000	2000	5000
1917		6 CY	Limousine	1000	2200	5200
1935	1 S	6 CY	Coupe	800	1400	3000
CLARK (US 1900-12)						
1900	20 hp	4 CY	Steamer	2000	5500	11000
1910	30/40 hp	4 CY Water-cool	Touring Car	1400	2800	6500
1912	High Wheeler	2 CY 14 hp	3 Seats	850	1650	3800
CLARK (GB 1901)						
1901	2¾ hp	DeDion	Voiturette	850	2000	4800
CLARK-HATFIELD (US 1908-09)						
1908	High Wheeler	2 CY 16 hp	2 Passenger	1500	2500	5000
CLARKMOBILE (US 1903-06)						
1903	2 S	1 CY 7 hp	Roadster	950	1800	4200
CLARKSON (GB 1899-1902)						
1899	Steam	Compound Para-ffin-fuelled	6 Seats Baroche	1200	3000	7500
1899	2 S	Steam	Victoria	1000	2600	6800
1900	Clemsford	2 CY 12 hp	Side-facing Seat Station Wagon	1000	2000	5000
CLASSIC (US 1916-17)						
1916	4 S	4 CY Lycoming	Touring Car	1000	2000	5500
1917	5 S	4 CY Lycoming	Touring Car	1100	2200	6000
CLASSIC (F 1925-29)						
1925	Open	2,116cc Sergant	Touring Car	800	1600	3700
1925	2 Dr.	2,116cc Sergant	Touring Car	900	1800	4200
CLAUDE DELAGE (F 1926)						
1926	Open	1,843cc Sergant	Touring Car	1200	2500	6000
CLAVEAU (F 1926-50)						
1926	Open	1,100cc Flat-4	3 Seats	800	1600	3200
1927	5 S	1½ Litre	Saloon Sedan	700	1400	2800
1932	4 CV	498cc V-twin	2 Seats	600	1250	2700
1946	5 S	V-8 twin	Saloon Sedan	700	1400	2900
C.L.C. (F 1911-13)						
1911	6 hp	1 CY	Open	800	1800	3800
1912	10 hp	4 CY	Open	950	2000	4000

121

YEAR	MODEL	ENGINE	BODY	F	G	E
CLECO (GB 1936-40)						
1936	2 Dr.	EL	Saloon Sedan	1000	2500	5000
CLEM (F 1912-14)						
1912	Open	4 CY 7 hp Fondu	2 Seats	800	1600	3700
1914	8/10 hp	1,320cc	Large	1200	2500	5000
CLEMENT; CLEMENT-BAYARD (F 1899-1922)						
1899				1750	3500	7000
CLEMENT (GB 1908-14)						
1908	10/12 hp	Twin	4 Seats	1000	2000	4100
1908	18-28 hp	4 CY	2 Seats	1200	2400	5200
1913	All-weather	4 CY 16/20 hp	Touring Car	1400	3000	7000
CLEMENT-ROCHELLE (F 1927-30)						
1927	2 Dr.	1,100cc Ruby	Saloon Sedan	850	1700	3400
1927	DH	1,100cc Ruby	Coupe	900	1800	3800
1927	SP	1,100cc Ruby	2 Seats Doorless	1000	2000	4000
CLESSE (F 1907-08)						
1907	6.2 hp	1 CY	Voiturette	700	1500	3200
CLEVELAND (US 1899-1926)						
1899	Stanhope	E	2 Seats	1000	2400	5000
1914	2 Ps.	4 CY en bloc	Cycle Car	1000	2400	5000
1920	Open	6 CY ohv	Roadster	1400	3200	7000
1922	Open	6 CY ohv	Roadster	1300	3000	6800
1923	4 Dr.	6 CY ohv	Sedan	1200	2700	5700
1924	Open	6 CY ohv	Touring Car	1400	3200	7000
1925	Open	6 CY ohv	Touring Car	1400	3200	7000
1926	5 Ps.	6 CY ohv	Sedan	1200	2700	5700
CLEVELAND (F 1904-09)						
1904	18 hp	4 CY	Touring Car	1000	2000	3800
CLIMAX (GB 1905-07)						
1905	10/12 hp	Aster-twin	Open	950	2000	4800
1906	14 hp	4 CY White & Poppe	Open	1000	2200	5500
CLIMBER (US 1919-23)						
1919	4 Ps.	6 CY Herschell-Spillman	Open	1300	2800	6000
CLINTON (CDN 1912)						
1912	Open	4 CY	Touring Car	1000	2200	5000
1912	Open	4 CY	Convertible	1000	2400	5500

YEAR	MODEL	ENGINE	BODY	F	G	E

CLIPPER (US 1955-56)

1955	DeLuxe	V-8	Sedan	500	1000	3200
1956	Super DeLuxe	V-8	Sedan	700	1500	3000
1956	Custom	V-8	Sedan	600	1250	2500

CLOUGHLY (US 1902-03)

1902	8 hp	2 CY	4 Seats Sedan	1000	2500	5850

CLOUMOBIL (D 1906-08)

1906	Open	4 CY	Voiturette	800	1600	3900
1906	Open	EL	3 Wheel	1000	2500	5000

CLOYD (US 1911)

1911	5 S	4 CY 40 hp Water-cooled	Touring Car	1300	2800	6500
1911		4 CY 40 hp	Runabout	1600	3500	8000
1911		4 CY 40 hp	Roadster	1700	3800	9000

CLUA (E 1958-59)

1958		2 CY 497cc	2 Seats	800	1600	3400
1958	SP	2 CY	Coupe	800	1600	3400

CLUB (US 1910-11)

1910	40/50 hp	4 CY	Limousine	3000	6800	16000
1910	7 S	4 CY	Touring Car	2500	5500	12000
1910		4 CY	Torpedo	3400	7500	17500
1910	Club	4 CY	Runabout	2200	4800	9800

CLUB (D 1922-24)

1923	5/18 PS	4 CY Atos	2 Seats	900	1800	3800

CLULEY (GB 1922-28)

1922	11.9 hp	4 CY	2 Seats	900	1800	3900
1923	10.4 hp	4 CY	Touring Car	1000	2000	4200

CLYDE (GB 1901-30)

1901	3½ hp	Simms		800	1600	3400
1908	12/14 hp	3 CY	Touring Car	1000	2200	5000
1924	8 hp	2 CY	2 Seats	800	1600	3200

CLYMER (US 1908)

1908	Open	12 hp	2 Seats	1100	2500	6000

CLYNO (GB 1922-30)

1922	Royal	4 CY Coventry-Climax	Sport	850	1650	4000
1927		10.8 hp	Touring Car	900	1800	4500
1928	Olympic	12/35 hp	Saloon Sedan	700	1500	3800

YEAR	MODEL	ENGINE	BODY	F	G	E
C.M. (F 1924-30)						
1929	Open	142cc 1 CY	Cycle Car	700	1400	3600
C.M.N. (I 1919-23)						
1919	Open	4 CY	4 Seats	750	1500	3000
1922	Tipo 7	6 CY	Sport	900	1850	3700
C.M.V. (E 1944-46)						
1944	2 Dr.	EL	2 Seats	1200	2800	5800
COADOU-FLEURY (F 1921-35)						
1921	Open	4 CY Ruby	Cycle Car	900	1700	3400
1927	2 Dr.	B-2 Citroen	Coupe	800	1500	3200
COATES-GOSHEN (US 1908-10)						
1908	32 hp	4 CY Ruten		1100	2250	4500
COATS (US 1922-23)						
1922		3 CY	Touring Car	1000	2000	4000
COCHOT (F 1899-1901)						
1899	2 S Tandem	2½ hp	Voiturette	1100	2250	4500
1900	Side-by-Side Tandem	2½ hp	Voiturette	1250	2500	5000
COEY (US 1913-17)						
1913	Bear	22 hp	Cycle Car	900	1750	3500
1917	Flyer A	6 CY	Touring Car	1100	2250	4500
COGGSWELL (US 1911)						
1911	5 S	4 CY	Touring Car	1250	2500	4800
COGNET DE SEYNES (F 1912-26)						
1912	6/10 hp	4 CY 1,124cc	Touring Car	1000	1900	3800
COHENDET (F 1898-1914)						
1898	3 hp	2 CY	2 Seats	1100	2000	4000
1903		4 CY	Tonneau	1200	2100	4250
1906		1 CY 703cc	Voiturette	1000	1900	3800
COLANI (D 1964-68)						
1964	2 S	1.2 Litre	Sport	800	1600	3200
		1.2 Litre	Roadster	750	1500	3000
		1.2 Litre	Coupe	700	1400	2800
COLBURN (US 1906-11)						
1906	40 hp	4 CY	Roadster	1250	2750	5500
	40 hp	4 CY	Touring Car	1400	2800	5600
COLBY (US 1911-14)						
1911	Foredoor	40 hp L-head	5 Seats	1500	3000	6000

YEAR	MODEL	ENGINE	BODY	F	G	E
COLDA (F 1921-22)						
1921		4 CY Sergant	4 Seats	700	1400	2800
COLDWELL (GB 1967-to-date)						
1967	GT	2 Litre	Sport Racing Car	750	1300	2500
COLE (US 1909-25)						
1909	14 hp	Flat-twin	High Wheeler	2000	3500	6500
1916	5 Ps.	V-8	Touring Car	2500	5000	10500
1917	5 Ps.	V-8	Touring Car	2500	5000	10000
1917	7 Ps.	V-8	Touring Car	3000	6000	11000
1920		V-8	Touring Car	2500	5000	10000
1921	5 Ps.	V-8	Touring Car	2250	4500	9500
COLEMAN (US 1933)						
1933			Closed	1000	1900	3800
COLE-WIEDEMAN (GB 1905-06)						
1905	14 hp	4 CY White & Poppe	Touring Car	1000	2000	4000
COLIBRI (D 1908-11)						
1908	8 hp	2 CY 860cc	2 Seats	850	1600	3200
1910	10 hp	4 CY 1,320cc	Roadster	950	1800	2500
COLIN (F 1934)						
1934		2 CY 500cc	Saloon Sedan	500	1000	2000
COLLINET (US 1921)						
1921		4 CY Wisconsin		1500	3000	6000
COLLINS (US 1920)						
1920	29 hp	6 CY		1800	3500	7000
COLLIOT (F 1900-01)						
1900	4 hp	V-twin	Small	750	1500	3000
COLOMBE (F 1920-25)						
1920	Model T	Ford		750	1400	2800
1923	Single Seat	1 CY 345cc	3 Wheel	500	1000	2000
COLOMBO (I 1922-24)						
1922		1,300cc 4 CY	3 Wheel	500	1000	2050
COLONIAL (US 1912-22)						
1912	Closed	EL	5 Seats	1750	3500	6500
1912	2 S	EL	Roadster	2500	5000	10000
1917		6 CY	Touring Car	1750	3500	7500
1920	HT CVT	Straight-8	Touring Car	2100	4250	8500
1922	29 hp	6 CY Beaver	Open Roadster	2500	5000	10000

YEAR	MODEL	ENGINE	BODY	F	G	E

COLT (US 1907, 1958)

YEAR	MODEL	ENGINE	BODY	F	G	E
1907	2 S	40 hp 6 CY	Runabout	1750	3400	6800
1958		1 CY	2 Seats	350	700	1200

COLTMAN (GB 1907-13)

YEAR	MODEL	ENGINE	BODY	F	G	E
1907	Side Entrance	4 CY 20 hp	Touring Car	1000	1900	3800

COLUMBIA (US 1897-1913-1924)

YEAR	MODEL	ENGINE	BODY	F	G	E
1898		2 CY	Runabout	1500	2900	5800
1904	Dogcart	EL		1650	3250	6500
1904		EL	Victoria	1600	3250	6500
1905		EL	Roadster	2500	5000	10500
1905		2 CY	Roadster	2000	4000	8000
1911	4 Ps.	Knight	Touring Car	2350	4750	9500
1911		Knight	Touring Car	2100	4250	8500
1914	Side-by-Side	2 CY	Cycle Car	1000	1900	3750
1914	Couplette	EL	3 Seats	1500	3000	6000
1915	4 S	EL	Brougham	1600	3250	6500
1919	Six	Cont. 6 CY	Touring Car	2100	4250	8500
1921		Cont. 6 CY	Touring Car	2100	4250	8500
1923	5 Ps.	6 CY	Sedan	1500	3000	6000
1925	5 Ps.	Cont. 6 CY	Sedan	1500	3000	6000

COLUMBUS (US 1903-13)

YEAR	MODEL	ENGINE	BODY	F	G	E
1903	Open	EL		2500	5000	10000
1909		4 CY		1200	2400	4500
1913		6 CY		1600	3250	6500

COMET (US 1906-48)

YEAR	MODEL	ENGINE	BODY	F	G	E
1906	2 S	4 CY 25 hp	Runabout	900	1800	3600
1908		4 CY 25 hp	Roadster	900	1750	3500
1914	2 S Tandem	2 CY Air-cool	Cycle Car	750	1650	3250
1914		4 CY 25 hp	Roadster	1500	2750	3500
1914	5 S	4 CY 25 hp	Touring Car	1250	2500	5000
1917		6 CY Cont.		1750	3500	7500
1946		6 CY Cont. 4½ hp	3 Wheel	350	650	1250

COMET (CDN 1907-08)

YEAR	MODEL	ENGINE	BODY	F	G	E
1907		4 CY	Tonneau	1200	2250	4500

COMET (GB 1921-37)

YEAR	MODEL	ENGINE	BODY	F	G	E
1921	10 hp	4 CY	Sport	900	1750	3500
1935	2 S	4 CY ohv	Sport	900	1750	3500
1935		4 CY	Saloon Sedan	700	1400	2800
1935		4 CY	Drop Head Coupe	750	1500	3250

YEAR	MODEL	ENGINE	BODY	F	G	E

COMMERCE (US 1924)

YEAR	MODEL	ENGINE	BODY	F	G	E
1924	Model 20 Deluxe	4 CY	Sedan	800	1600	3200

COMMONWEALTH (US 1903-22)

YEAR	MODEL	ENGINE	BODY	F	G	E
1903		Vertical 1 CY	4 Seats	1200	2400	4800
1903		Vertical 1 CY	2 Seats	1250	2500	5000
1917	20 hp	4 CY	Touring Car	1100	2250	4500
1919	Victory Six	6 CY	Touring Car	1500	3000	6000
1920	20 hp	4 CY	Touring Car	1100	2250	4500

COMPOUND (US 1904-08)

YEAR	MODEL	ENGINE	BODY	F	G	E
1906	16 hp	3 CY	Touring Car	1500	3000	6000

CONDOR (CH 1922)

YEAR	MODEL	ENGINE	BODY	F	G	E
1922		4 CY MAG	2 Seats	750	1500	3000

CONDOR (GB 1960)

YEAR	MODEL	ENGINE	BODY	F	G	E
1960	Formula Jr.	Triumph-Herald		450	900	1800

CONE (GB 1914)

YEAR	MODEL	ENGINE	BODY	F	G	E
1914	4½ hp	1 CY Air-cool	Cycle Car	750	1500	3000

CONNAUGHT (GB 1949-57)

YEAR	MODEL	ENGINE	BODY	F	G	E
1949	L-Series	1,767cc 14 hp	Sport	1100	2250	4500
1953	A-Series	Lea-Francis	Racing Car	1000	1900	3800

CONOVER (US 1906-08)

YEAR	MODEL	ENGINE	BODY	F	G	E
1906	5 S	4 CY 35/40 hp	Tonneau	1100	2250	4500
1906		4 CY 35/40 hp	Runabout	1250	2500	5000

CONRAD (US 1900-04)

YEAR	MODEL	ENGINE	BODY	F	G	E
1900	Steamer	2 CY		2600	5000	10000
1903	Steamer	2 CY 12 hp		2500	4500	9000

CONRERO (I 1953-60)

YEAR	MODEL	ENGINE	BODY	F	G	E
1953		1,100 Fiat	Michelotti	450	900	1800
1953		Peugeot 203	Michelotti	500	1000	2000
1953	GT	Alfa Romeo 1,900cc	Coupe	500	1000	1900

CONSTANTINESCO (F 1926-28)

YEAR	MODEL	ENGINE	BODY	F	G	E
1926	5 CV	2 CY	2 Seats Voiturette	500	1000	2000

CONTINENTAL (US 1907-to-date)

YEAR	MODEL	ENGINE	BODY	F	G	E
1907	2 S	2 CY 12 hp	Roadster	1800	2650	5280
1907	3 S	4 CY	Runabout	1800	2250	5500
1907	6 S	4 CY	Touring Car	1900	3250	6500
1909	5 S	4 CY L-head	Touring Car	1900	3250	6500
1914		4 CY T-head	Cycle Car	1900	3250	6500

YEAR	MODEL	ENGINE	BODY	F	G	E
1933	Beacon	6 CY	Roadster	2000	3500	7500

CONVAIR (GB 1958-59)
1958	Kit-Built Car			750	1250	2500

CONVAIRCAR (US 1947)
1947	2 Dr.	Crosley	Sedan	400	900	1800

CONY (J 1952-67)
1952	2 Dr.	2 CY 354cc	Sedan	250	500	1000
1952		2 CY	Station Wagon	250	500	1000

COOK (I 1900)
1900	3½ hp	1 CY Aster	2 Seats	750	1500	3000

COOPER (GB 1909-69)
1909	22 hp	4 CY	Touring Car	1100	2250	4500
1911	20 hp	4 CY	Limousine	1750	3250	5500
1919	11 hp	3 CY	2 Seats	1000	1900	3800
1921	Janvier	1½ Litre	Racing Car	1100	2250	4500
1927		J.A.P. 500cc	1 Seat	850	1650	3250
1933		4 CY	2 Seats	900	1750	3500
1938		4 CY	Sport	900	1750	3500
1949	1,422	Vauxhall	Racing Car	1000	2000	3900
1952	Mark V	Bristol 2 Ltr.	Racing Car	1250	2500	5000
1952	Mark VI	M.G. 500cc	Racing Car	1250	2500	5000
1954	Mark VIII	J.A.P.	Racing Car	1100	2250	4500
1957		1,100cc	Sport	1250	2500	5000
1958		2 Litre	Racing Car	1350	2750	5500
1959		2,462cc	Racing Car	1500	3000	6000

COG (F 1920)
1920	CC		Torpedo	700	1400	2800

CORBIN (US 1903-12)
1903		4 CY Air-cool		1200	2400	4800
1910	32 hp	4 CY	Touring Car	1250	2500	5000

CORBITT (US 1912-13)
1912	Model A	4 CY	2 Seats Roadster	1250	2450	4500
1912	Model C	4 CY	5 Seats Touring Car	1000	2000	4800

CORD (US 1929-37; 1964-to-date)
1929	L-29	Lycoming Straight-8	Sedan	5000	10000	20000
1929	L-29	LC St.-8	Convertible Phaeton	17500	35000	75000
1929	L-29	LC St.-8	Cabet	15000	30000	60000
1930	L-29	LC St.-8	8 Door Phaeton	15000	32500	75000

YEAR	MODEL	ENGINE	BODY	F	G	E
1930	L-29	LC St.-8	Town Car	20000	42500	85000
1930	L-29	LC St.-8	Club Sedan	7500	15000	30000
1930	L-29	LC St.-8	Cabet	15000	30000	60000
1930	L-29	LC St.-8	Convertible Sedan	15000	32500	65000
1930	L-29	LC St.-8	Coupe	15000	30000	60000
1931	L-29	LC St.-8	Speedster	17500	32500	65000
1931	L-29	LC St.-8	Cabet	17500	30000	60000
1931	L-29	LC St.-8	Sedan	7500	15000	30000
1931	L-29	LC St.-8	Club Sedan	17500	35000	32000
1931	L-29	4.9 Litre LC St.-8	Sedanca de Ville	17500	35000	70000
1931	L-29	LC St.-8	Brougham	12500	25000	55000
1931	L-29	LC St.-8	Convertible Coupe	15000	30000	60000
1935	810		Beverly Sedan	5000	10000	20000
1935	810	LC V-8	Convertible Phaeton	8000	17500	35000
1935	810	LC V-8	Westchester Sedan	4000	8000	15000
1935	810	LC V-8	Sportsman	7500	15000	30000
1936	810	LC V-8	Phaeton	8000	17500	35000
1936	Sportsman 810	LC V-8	Convertible Coupe	7500	15000	30000
1936	Westchester 810	Ford 8 CY	Sedan	4000	8000	16000
1936	Beverly 810	Ford 8 CY	4 Door Sedan	5000	10000	20000
1937	Beverly 812	LC V-8	Sedan	5000	11000	22000
1937	Sportsman 812	LC V-8	Convertible Coupe	8000	17000	32000
1937	812	LC V-8 SC	Convertible Coupe	9000	19000	38000
1937	Winchester 812	LC V-8 SC	Sedan	4500	9000	18000
1937	Custom	8 CY	Berline	11000	22000	45000
1964	2 S	Chev. Corvair	Convertible	1800	3000	6500
1967		Ford V-8	2 Seats			
1968	Warrior	V-8	Roadster Convertible	1800	3000	6500
1971	Warrior	Ford V-8		1800	3000	6500
1971	Royale	Chrysler Magnum V-8		1800	3000	6500
1969	Royalite 810	V-8	Convertible Coupe	2500	3500	6500
1969	Royale de Ville	V-8	Coupe	1500	3000	6000
1970	Royale	V-8	Convertible	1500	3000	6000
1970		V-8	Roadster Convertible	1500	3000	6000

YEAR	MODEL	ENGINE	BODY	F	G	E

CORINTHIAN (US 1922-23)

1922	4 CY	Herschell-Spillman		1250	2500	5000

COMERY (F 1901)

1901			Light	740	1500	3000

CORNELIAN (US 1914-15)

1914		4 CY Sterling	Cycle Car	800	1600	3200

CORNILLEAU (F 1912-14)

1912	8/10 hp	2 CY	Convertible	800	1600	3250
	12 hp	4 CY	Convertible	900	1750	3500

CORNILLEAU STE BEUVE (F 1904-09)

1904	20/30 hp	4 CY		900	1750	3500

CORNISH-FRIEDBERG (C.F.) (US 1908-09)

1908	3 S	4 CY Water-cool	Roadster	1250	2500	5000
1908	5 S	4 CY Water-cool	Touring Car	1200	2400	4800

CORNU (F 1906-08)

1906		Two 1 CY Buchet	Voiturette	1000	1900	3800

CORONA (D 1904-09)

1904		1 CY Fafnir	3 Wheel	1000	1900	2800
1905	6/8 PS	1 CY	Voiturette	1100	2000	3500
1907	9/11 PS	2 CY .	Tonneau	1200	2250	4500

CORONA (GB 1920-23)

1920	9 hp	Bovier flat-twin	2 Seats	900	1750	3500
1923	9.8 hp	4 CY Coventry Climax	2 Seats	1000	2000	3900

CORONA (F 1920)

1920		V-12		2000	4000	7500

CORONET (GB 1904-06; 1957-60)

1904	16 hp	4 CY	4 Seats Tonneau	1300	2500	5000
1957		328cc Anzani 2 CY	3 Wheel	400	900	1800

CORRE LaLICORNE (F 1901-50)

1901	3 hp	1 CY DeDion	2 Seats	1250	2500	5000
1904	8 hp	1 CY	Touring Car	1200	2400	4800
1905	10 hp	2 CY	Touring Car	1000	2100	4200
1906	16 hp	4 CY	2 Seats	1000	2000	4000
1906		10.6 Litre	Racing Car	3000	6000	12000

YEAR	MODEL	ENGINE	BODY	F	G	E
1906	8/9 hp	2 CY	Tonneau	1000	2000	4000
1909	R	4 CY	Laundalet	1250	2500	5000
1910		1 CY 673cc	2 Seats	850	1650	3250
1914		Chapuis Dornier	2 Seats	1100	2250	3500
1917	S	5.5 Litre	Racing Car	1500	3000	6000
1919		7 CV	Racing Car	1750	3250	6500
1923		9/12 CV	Racing Car	3250	4500	7000
1925		6 CY	Sport	1500	3000	6000
1926	10 hp	4 CY	Touring Car	1100	2250	4500
1929	Femina	5 CV	Cabet	900	1750	3500
1930	4-D	5 CV	Saloon Sedan	750	1250	2500
1931		6/8 CV	Racing Car	1250	2500	5000
1937	DV-4	2.2 Litre	Racing Car	1000	2000	4000
1939		6 CV	Saloon Sedan	650	1250	2500
1949		14 CV	Sport	750	1500	2900

CORREJA (US 1908-15)

1908		33 hp	Runabout	1600	3200	6400

C.O.S. (D 1907)

1907	14 PS	4 CY		900	1600	3200
1907	20 PS	6 CY		1100	2250	4500

COSMOPOLITAN (HAYDOCK) (US 1907-10)

1907		1 CY Air-cool	High Wheeler	1600	3250	6500

COMOS; C.A.R. (GB 1919-20)

1919		3 CY Air-cool	Light	1000	1900	2800

COSTIN (GB 1971-72)

1971	GT	2.3 Litre ohc	2 Seats	600	1200	2400

COTAY (US 1920-21)

1920	11 hp	4 CY Cameron	2 Seats	1100	2250	4500

COTE (F 1900-13)

1900	3 hp	2 CY Water-Cooled	Voiturette	1000	1900	3800
1908		4 CY	Voiturette	1000	2150	4300

COTTA (US 1901-03)

1901	6 hp	2 CY	Steam	2100	4250	9500

COTTEREAU (F 1908-1910)

1898		Air-cool V-twin		800	1600	3200
1900	3½ hp	2 CY	Racing Car	1100	2250	4500
1903	5 hp	1 CY Populaire	Tonneau	1100	2250	4500
1910	9 hp	1 CY	Voiturette	1100	2100	4250

YEAR	MODEL	ENGINE	BODY	F	G	E

COTTIN-DESGOUTTES (F 1905-33)

YEAR	MODEL	ENGINE	BODY	F	G	E
1905	20/40 hp	4 CY		800	1600	3250
1911	40 hp	6 CY	Touring Car	1100	2250	4500
1920		14 CV	Touring Car	1100	1750	3250
1927	SanSecousses	12 CV	Saloon Sedan	1100	1900	2800

COTTON (GB 1911)

1911	24 hp	White & Poppe	4 CY	1000	2000	4000

COUGAR (GB 1972-to-date)

1972	Formula Ford		1 Seat	1000	1750	3500

COUNTRY CLUB (US 1904)

1904	16 hp	Horizontal 2 CY		1000	2000	4000

COUNTRY (GB 1907)

1907		4 CY	Medium	1000	1750	3500

COURIER (US 1904-24)

1904	2 S	1 CY	Roadster	1100	2250	5500
1909	25 hp	4 CY	Touring Car	1650	3250	6500
1912	25 hp	4 CY	Roadster	1750	3500	7000
1922		6 CY Falls	Roadster	1100	2250	4500

COURIER (F 1906-08)

1906	8/10 hp	2 CY Gnome		1000	2100	4200
1908	25 hp	6 CY Mutel		1200	2250	4500

COVENTRY-PREMIER (GB 1919-23)

1919	3 Wheeler	V-twin	Cycle Car	750	1500	3000
1921	8 hp	4 CY Singer	Racing Car	800	1600	3250

COVENTRY-VICTOR (GB 1926-38)

1926	3 Wheel	Proprietary	Cycle Car	900	1600	3200
1932	Luxury Sport	1000cc		1000	1750	3500

COVERT (US 1901-07)

1901	Steam	2 CY	Runabout	2100	4250	8500
1904	Model A	1 CY 6½ hp	2 Seats	1250	2500	4500

COWEY (GB 1913-15)

1913	12/14 hp	Chapuis-Dornier	2 Seats	1200	2250	4500

COYOTE (US 1909-10)

1909	2 Seats	8 CY 60 hp	Roadster	1750	3500	7500

C.P.T. (US 1906)

1906		22 hp	Runabout	1500	3000	6500

CRAIG-DORWALD (GB 1902-12)

1902	5 hp	1 CY	Light			3600

YEAR	MODEL	ENGINE	BODY	F	G	E
1903	Traveller's	2 CY 16 hp	Barouche			3800

CRAIG-TOLEDO (US 1906-07)

1906	3 S		Runabout	1650	3250	6500

CRAMPIN-SCOTT (GB 1900-01)

1900	6 hp	1 CY		750	1500	3200

CRANE (US 1912-15)

1912	46 hp	4 CY		1200	2400	4800

CRANE & BREED (US 1912-17)

1912	48 hp	6 CY		1650	3250	6500

CRANE-SIMPLEX (US 1912-24)

1912		50 hp	Touring Car	5000	10000	19000
1913		50 hp	Touring Car	5000	10000	20000
1915	Model 5	6 CY 46 hp	Touring Car	5000	10000	20000
1916		6 CY	Town Car	3500	7000	14000

CRAWFORD (US 1905-23)

1905		Chain-drive		1600	3250	6500
1922	Six	Cont. 6 CY	Touring Car	1100	2250	4500

CRAWSHAY-WILLIAMS (GB 1904-06)

1904	20/24 hp	4 CY Simms		850	1650	3500

CREANCHE (F 1899-1906)

1899	4 hp	DeDion	Voiturette	800	1600	3200

CRENMORE (GB 1903-04)

1903		2 CY Vertical		1100	2250	4500
1904	Steam	12 hp	Limousine	1650	3250	6500

CRESCENT (1907, 1913-14)

1907			Touring Car	1650	3250	6500
1907			Runabout	1750	3500	7000
1913	Ohio	4 CY	5 Seats	1650	3250	6500
1913	Royal	6 CY		1750	3500	7000

CRESCENT (GB 1911-15)

1911	7/9 hp	2 CY	Cycle Car	900	1750	3250
1913		Blumfield V-twin	Cycle Car	1000	1900	3500

CRESPELLE (F 1906-23)

1906		1 CY Aster	Sport	750	1500	3000
1913		4 CY	Racing Car	1000	1900	3800

CRESTMOBILE (US 1900-05)

1902	8 hp	DeDion	2 Seats	1250	2400	4800

YEAR	MODEL	ENGINE	BODY	F	G	E
CREWFORD (GB 1920-21)						
1920		Model T	4 Seats	800	1600	3200
CRICKET (US 1914)						
1914		2 CY	Cycle Car	800	1600	3200
CRIPPS (GB 1913)						
1913	7 hp	J.A.P.	Cycle Car	800	1600	3200
CRITCHLEY-NORRIS (GB 1906-08)						
1906	40 hp	4 CY Crossley		900	1800	3600
CROESUS JR (US 1907)						
1907	2 S	4 CY	Roadster	1100	2250	4500
1907	7 S	4 CY	Touring Car	1050	2100	4250
CROFTON (US 1959-61)						
1959	Bug	4 CY	Small	900	1800	3600
CROISSANT (F 1920-22)						
1920			Cycle Car	900	1800	3200
1921		4 CY S.P.A.P.	Large	1400	2400	4800
CROMPTON (US 1903-05)						
1903		4 CY Horiz	2 Seats	1300	2300	4800
CROMPTON (GB 1914)						
1914	5/6 hp	J.A.P.	2 Seats Cycle Car	800	1650	3250
1914	8 hp	J.A.P.	Monocar	750	1300	2600
CROSLEY (US 1939-52)						
1939	580cc Twin	Waukesha	Sedan	450	900	1850
1939	722cc Cobra	4 CY	Station Wagon	500	1000	2000
1948		4 CY	Convertible	500	1000	2000
1949	SS	750cc 4 CY	Sport	800	1900	2750
1949	Hot Shot	750cc 4 CY	2 Seats Doorless	650	1250	2500
1950		750cc 4 CY	Station Wagon	400	800	1600
CROSSLE (GB 1959-to-date)						
1959		Ford V-8	1 Seat	650	1250	2500
1967		Ford 1,598cc	Sport	750	1500	3000
1969	16 F		Sport	800	1600	3250
1969	20 F		Sport	900	1750	5500
1972	22 F 2		Sport	1100	2250	4500
1972	23 F		Sport	1100	2250	4500
CROSSLEY (GB 1904-37)						
1904	22 hp	4 CY	2 Seats	900	1750	3500
1906	28 hp	4 CY	Coupe	750	1500	3000

YEAR	MODEL	ENGINE	BODY	F	G	E
1910	40 hp	4 CY	Touring Car	900	1750	3500
1912	15 hp	4 CY	Coupe	750	1500	3000
1920	25/30 hp	4 CY	Touring Car	900	1750	3500
1921	19.6 hp	4 CY	Sport	800	1600	3200
1923		2.4 Litre 4 CY	Sport	800	1600	3200
1926		2.6 Litre	Saloon Sedan	750	1400	2800
1928	20.9 hp	3.2 Litre	Sport	750	1500	3000
1934		2 Litre	Saloon Sedan	500	1100	2200
1936	Regis Ten	2.6 Litre	Saloon Sedan	500	1100	2200
1937	Ten	1100cc	2 Seats	900	1750	3500

CROSVILLE (GB 1906-08)

YEAR	MODEL	ENGINE	BODY	F	G	E
1906	20 hp	4 CY	Touring Car	900	1800	3600
1906	20 hp	4 CY	Coupe de Ville	1100	2100	4250

CROUAN (F 1897-1904)

YEAR	MODEL	ENGINE	BODY	F	G	E
1897	10 hp	2 CY		1200	2400	4800
1900	16 hp	2 CY		1150	2300	4600
1901	5 hp	1 CY	Voiturette	1000	1900	3800
1903	6 hp	2 CY	Voiturette	1000	2000	4000
1903	16 hp	4 CY	Voiturette	1000	2100	4250

CROUCH (US 1897-1900)

YEAR	MODEL	ENGINE	BODY	F	G	E
1897	8 hp	V-twin	Steam-Carriage	2500	5000	10000

CROUCH (GB 1912-28)

YEAR	MODEL	ENGINE	BODY	F	G	E
1912	Carette		3 Wheel Cycle Car	550	1150	2300
1913	Snub-nose	Coventry-Simplex V-twin	4 Seats	850	1650	3250
1922		Coventry-Simplex V-twin	2 Seats	900	1700	3400
1924	Super Sport	4 CY Azani	Sport	700	1300	3600

CROW (CDN 1915-18)

YEAR	MODEL	ENGINE	BODY	F	G	E
1915				1000	2000	4000

CROWDEN (GB 1898-1901)

YEAR	MODEL	ENGINE	BODY	F	G	E
1898		10 hp	Dog Cart	1000	2000	4000
1900	5 hp	1 CY	Dog Cart	1000	1750	3500

CROWDUS (US 1901-03)

YEAR	MODEL	ENGINE	BODY	F	G	E
1901		EL	Runabout	2100	4250	8500

CROWDY (GB 1909-12)

YEAR	MODEL	ENGINE	BODY	F	G	E
1909	10/30 hp	4 CY	Touring Car	950	1800	3500
1910	39 hp	4 CY	Touring Car	1000	1850	3600
1910	29 hp	6 CY	Touring Car	1100	2000	4000

YEAR	MODEL	ENGINE	BODY	F	G	E
CROW-ELKHART (US 1909-24)						
1909	30 hp	4 CY	Touring Car	3000	6000	12000
1913			Roadster	2750	5500	11000
1913	7 Ps.		Touring Car	3250	7500	15000
1915		25 hp	Coupe	2250	4500	8500
1918		25 hp	Roadster	3000	6000	12500
CROWN (GB 1903)						
1903		5 hp	3 Wheel	1000	1900	3800
CROWN (US 1905-14)						
1905	Side Entry	4 CY	5 Seats	1200	2350	4750
1907	High Wheel	2 CY 12 hp	2 Seats	1500	3000	6000
1913	2 S	4 CY	Cycle Car	750	1300	3250
CROWTHER/CROWTHER-DURYEA (1915-16)						
1915		4 CY	2 Seats	1250	2300	4500
CROXTED (GB 1904-05)						
1904	8/10 hp	2 CY	2 Seats	900	1800	3600
1905	20 hp	4 CY	2 Seats	1200	2300	4600
CROXTIN (US 1911-14)						
1911	German 45	4 CY Rutenber	Convertible	1000	2000	4000
1911	French Six	6 CY	Convertible	1100	2300	4600
1911	French 30	4 CY	Convertible	1000	2100	4250
CROXTIN-KEETON (US 1909-10)						
1910	40 hp	Rutenber	Touring Car	1000	1900	3800
C.R.S. (GB 1960-61)						
1960	Ford Parts			750	1400	2800
CRUISER (US 1917-19)						
1917			Roadster	1200	2250	4500
CRYPTO (GB 1904-05)						
1904	2 CY	Tony Huber		1000	1900	3800
CRYSTAL CITY (US 1914)						
1914	4 CY	Water-cooled	2 Seats	1200	2250	4500
C.S.C. (GB 1955)						
1955		Austin	2 Seats	500	1000	2000
CSONKA (H 1906-12)						
1906	4 hp	1 CY		1150	2300	4650
1906	8/9 hp	4 CY		1100	2250	4500
1908	20/28 hp	4 CY		1200	2400	4800

YEAR	MODEL	ENGINE	BODY	F	G	E
CUB (US 1914)						
1914		2 CY Deluxe V	Cycle Car	800	1650	3250
CUBITT (GB 1920-25)						
1920	16/20 hp	4 CY	Touring Car	900	1800	3500
CUBSTER (US 1949)						
1949		6.6 hp		350	650	1250
CUDELL (D 1898-1908)						
1898		DeDion	3 Wheel	1000	2000	4000
1901	3.5 PS	DeDion	Voiturette	1200	2400	4800
1905	Phonix	35/40 PS	Limousine	1200	2400	4800
CULVER (US 1905-16)						
1905	High Wheel	2 CY Air-cool	2 Seats	1600	3250	6500
1916	Youth	1 CY Air-cool		1000	2000	4000
CUMBRIA (GB 1913-14)						
1913	6/8 hp	V-twin J.A.P.	Cycle Car	800	1600	3250
1913	8/10 hp	J.A.P.	2 Seats	800	1600	3250
1914		4 CY	Light	900	1750	3500
CUNDALL (GB 1902)						
1902	7 bhp	2 CY Horiz.		1000	1650	3500
CUNNINGHAM (US 1907-36/1951-55)						
1907	40 hp	4 CY	Limousine	3750	7500	15000
1912	40 hp	V-6	Limousine	4000	8000	16000
1914		6 CY	Touring Car	4500	9000	12500
1925		V-8	Touring Car	3250	6500	12500
1927	7 Ps.	V-8	Sedan	2500	5000	10000
1927	7 Ps.	V-8	Limousine	2250	5500	11000
	SP	V-8	Touring Car	9000	18000	36000
1929		6 CY	Roadster	10000	20000	40000
1935		Ford V-8	Town Car	5000	10000	20000
1951	C-1	Chrysler 200 hp	Roadster	2250	4500	9000
1953	C-3	Chrysler 200 hp	Coupe	2500	5000	10000
CURTIS (US 1921)						
1921		4 CY Herschell-Spillman		1000	2000	4000
CURTISS (US 1920-21)						
1920		OX-5	Custom	2000	4000	8000
CUSTOKA (US 1971-to-date)						
1971	GT	1,584cc VW	Coupe	650	1250	2500
1971	Porsche	1,679cc 4 CY	Coupe	750	1400	2800

YEAR	MODEL	ENGINE	BODY	F	G	E

CUTTING (US 1909-12)

YEAR	MODEL	ENGINE	BODY	F	G	E
1909	Model A	40 hp	Roadster	2200	4400	8800
1910	60 hp	Wisconsin	Touring Car	2250	4500	9000

C.V.I. (US 1907-08)

1907		4 CY	Touring Car	1200	2400	4800
1907		4 CY	Roadster	1250	2500	5000

C.V.R. (F 1906-07)

1906	12/16 hp	Mutel		1000	1900	3800
1906	40/50 hp	6 CY		1000	2000	4000

C.W.S. (PL 1922-29)

1922	61 hp	4 CY	Touring Car	800	1600	3200
1923		8 CY	Sedan	750	1400	2800
1924		8 CY	Sport	1500	2750	3400

CYCLAUTO (F 1919-23)

1919		2 CY 496cc	3 Wheel	900	1750	3300
1919	Ruby	4 CY 904cc	3 Wheel	800	1600	3200

CYCLEPLANE (US 1914-15)

1914		1 CY Deluxe	Cycle Car	800	1600	3200
1914		2 CY Deluxe	Cycle Car	900	1700	3400

CYCLOMOBILE (US 1920)

1920	2 S	2 CY V-type Spacke	Roadster	1000	2000	4000

CYKLON (D 1902-29)

1904	Cyklonette	1 CY 450cc	3 Wheel	750	1500	3100
1905	10 PS	2 CY 1,290cc	4 Seats	850	1750	3500
1926	Schebera	5/18 PS	2 Seats	900	1800	3600

CYRANO (F 1899-1900)

1899		1 CY Horiz.	Voiturette	1000	1900	3800
1900	2 S	2 CY	Vis-a-vis	1000	1950	3900
1900	4 S	2 CY	Vis-a-vis	1000	2000	4000

Duesenberg — *1929 "Dual Cowl Phaeton J101"*

YEAR	MODEL	ENGINE	BODY	F	G	E
D.A.C. (US 1922-23)						
1923		V-6 Air-cool	Touring Car	1200	2400	4800
D.A.F. (NL 1958-to-date)						
1958		600cc 22 hp	flat-twin	250	500	1000
1965		Formula 3	Racing Car	450	900	1750
1966	Daffodil	764cc	Saloon Sedan	250	500	1000
1969	SP	4 CY Renault	Coupe	350	700	1400
1972	Marathon 65	1,440cc	Coupe	450	900	1800
1973	Marathon 66	Renault	Saloon Sedan	650	1250	2500
DAGMAR (US 1922-27)						
1923		Cont. 6 CY	Touring Car	2500	4500	9500
1924		6 CY	Petite Sedan	1600	3250	6500
1924	6-70	34 hp 6 CY	Touring Car	2250	4500	9500
1925	25-70	Cont.	Sedan	1600	3250	6500
1926	Model 70	6 CY	Victoria	2000	4000	8000
1926	7 Ps.	Cont.	Sedan	2200	4450	8900
DAGSA (E 1951-52)						
1951	4 S	4 CY 500cc	Saloon Sedan	450	600	1200
DAIHATSU (J 1954-to-date)						
1954	Bee	2 CY 540cc	3 Wheel	350	750	1500
1954	4 Dr.	2 CY 540cc	Saloon Sedan	175	350	750
1963		4 CY 797cc	Saloon Sedan	200	400	800
1966	Campagno Berlina	958cc	Saloon Sedan	250	400	800

YEAR	MODEL	ENGINE	BODY	F	G	E
1967		4 CY 1,261cc	Racing Car	300	750	1500.
1973	4 S	2 CY 356cc	Saloon Sedan	200	400	500

DAIMLER (D 1886-1890)

1886		1 CY	Racing Car	2250	4500	7000
1893	4 PS	V-twin	2 Seats	2250	4500	7000
1899	4/9 PS	4 CY	Victoria	1750	3500	6500

DIAMLER (GB 1896-to-date)

1896	Crawford	2 CY	Waggonette	1500	3250	6500
1899	12 hp	4 CY	Phaeton	2000	4000	8000
1904	35	4 CY	Racing Car	2500	5000	10000
1904	28 hp	4 CY 9¼ Ltr.	Laundalet	2000	4000	8000
1909		Knight	Touring Car	2500	5000	10000
1920	7 Ps.	6 CY	Touring Car	3250	6500	12500
1921	45	6 CY	Touring Car	3000	6000	12000
1922	20	4 CY	Sedan	1000	2000	4000
1923		6 CY	Touring Car	2500	5000	10000
1924	35 hp	6 CY	Touring Car	2250	4500	9500
1925	7 Ps.	6 CY	Limousine	1750	3500	6500
1927	Double Six	12 CY	Touring Car	2250	4500	9500
1930	25/85 hp	6 CY	Sport Saloon Sedan	1750	3500	7000
1933	15	6 CY	Touring Car	2000	4000	8000
1936		6 CY	Limousine	1350	2700	5500
1938	7 Ps.	Straight-8	Limousine	1250	2500	5000
1949		8 CY	Limousine	1250	2500	5000
1950	Conquest	8 CY	Saloon Sedan	1300	2600	5500
1951	Conquest Century	8 CY	Saloon Sedan	1300	2600	5500
1952		6 CY	Cabet	1250	2500	5000
1952	7 Ps.	8 CY	Limousine	1250	2500	5000
1954		8 CY	Sedan	1100	2250	4500
1955	2 S	V-8	Sport	1100	2250	4500
1959		V-8	Roadster	1100	2250	4500

DAINO (I 1923-24)

1923		4 CY	Light	750	1500	2800

DAINOTTI (I 1922-23)

1922		8 CY	Sport	1000	2000	4000

DALAT (VN 1971-to-date)

1971	Open	Citroen 602cc	Jeep	350	750	1500

DALGLEISH-GULLANE (GB 1907-08)

1907	8 hp	1 CY DeDion	2 Seats	1000	2000	4000

YEAR	MODEL	ENGINE	BODY	F	G	E
DALHOUSIE (GB 1906-10)						
1906		4 CY	1 Seat	1000	1900	3800
1906		4 CY	2 Seats	1000	2000	4000
1907		4 CY	4 Seats	1000	2000	4000
DALILA (F 1922-23)						
1922		4 CY Ruby	Light	750	1500	2900
DALLISON (GB 1913)						
1913		Precision Air-cool	Cycle Car	800	1500	3000
1913		Precision Water-Cooled	Cycle Car	900	1600	3100
DALTON (US 1911-12)						
1911	20 hp	4 CY	Cycle Car	800	1600	3250
DANA (DK 1908-14)						
1908	6 hp	Peugeot Air-cool	Cycle Car	1100	2200	4400
D & V (US 1903)						
1903	16 hp	3 CY	Tonneau	1600	3250	6500
DANDY (GB 1922-25)						
1922	8.9	2 CY	Light	800	1600	3200
DANGEL (F 1969-to-date)						
1969	2 S	Renault 1,255cc	Sport	450	900	1800
DANIELS (US 1915-24)						
1915		Herschell-Spillman V-8	Speedster	10000	20000	39000
1917	5 Ps.	Herschell-Spillman V-8	Sedan	4000	7500	15000
1920	Submarine	30.2 hp	Speedster	9000	17500	35000
1922		39.2 hp	Sedan	3000	6000	12000
DANSK (CHRISTIANSEN/DANSK FABRIKAT) (DK 1901-08)						
1901		2 hp	2 Seats	1100	2250	4500
1902	4 S	6 hp	Vis-a-vis	1200	2400	4800
D'AOUST (B 1912-27)						
1912	10/14 CV	4 CY	Sport	1000	2100	4250
1924	6 CV		2 Seats	1000	2000	4000
1924		Hispano-Suiza V-8	Racing Car	1750	3400	6800
DARBY (US 1909-10)						
1909	20 hp	2 CY	Hi-Wheel	1750	3250	6500
1909		2 CY	4 Seats	1250	2500	5000

YEAR	MODEL	ENGINE	BODY	F	G	E

DAREN (GB 1968-to-date)

YEAR	MODEL	ENGINE	BODY	F	G	E
1968	Mark 2	Martin V-8	Sport	550	1100	2250
1970	Mark 3	Vegantune Ford 1600	Sport	650	1250	2500
1972	Mark 4	FVC	Sport	750	1400	2800
1973	Mark 5	BDA	Sport	750	1500	3000

DARLING (US 1917)

YEAR	MODEL	ENGINE	BODY	F	G	E
1917	5 S	Cont. 6 CY	Touring Car	1750	3500	7000

DARMONT (F 1924-39)

YEAR	MODEL	ENGINE	BODY	F	G	E
1924	Etoile de France	Air-cooled	3 Wheel	500	1000	2000
1936	Speciale	V-twin 1,100cc	Sport	550	1100	2100

DARNVAL (F 1972-to-date)

YEAR	MODEL	ENGINE	BODY	F	G	E
1972		Renault	Coupe	600	800	1600

DARRACQ/TALBOT (F 1896-1959)

YEAR	MODEL	ENGINE	BODY	F	G	E
1896		EL	Coupe	1250	2500	5000
1900	5 hp	1 CY	Voiturette	1250	2500	5000
1901	6½ hp	1 CY	Tonneau	1300	2600	5500
1902		1 CY	Runabout	1300	2750	4500
1903	2 CY		Racing Car	900	1750	3500
1905		4 CY	Racing Car	1200	2400	4800
1907	8 hp	2 CY	2 Seats	2000	2250	4500
1913	70 hp	8 CY	Sport	2000	4000	8000
1914	12/16 hp	4 CY	2 Seats	2250	4500	7000
1920		Straight-8	Racing Car	1750	3500	7500
1921	15 hp	3.2 Litre	Touring Car	1750	3500	7500
1924	15/40 hp	6 CY	Sport	1750	3500	7500
1928	12/32	6 CY	Saloon Sedan	1000	2000	4000
1930	TL 20/98	8 CY	Saloon Sedan	1000	2000	4000
1935	17 CV	3 Litre	Touring Car	1250	2500	5000
1938		4½ Litre	Grand Prix Racing Car	1100	2250	4500
1949		4½ Litre	Sport Saloon Sedan	2000	4000	8000
1955	Logo	2½ Litre	Coupe	3000	6000	12500
1956		Maserati 250	Racing Car	1750	3500	7500
1959		Ford V-8	Coupe	2000	4000	8000

DARRIN (US 1946/1953-58)

YEAR	MODEL	ENGINE	BODY	F	G	E
1946		Willys	Convertible	1600	3250	6500
1954		Willys	Sport	2100	4250	8500
1958	Flintridge	Cadillac V-8	Sport	1650	3250	7500

DARROW (US 1902-03)

YEAR	MODEL	ENGINE	BODY	F	G	E
1902	2 S	3½ Thomas	Runabout	1100	2250	4500

YEAR	MODEL	ENGINE	BODY	F	G	E
DART (US 1914)						
1914	2 S	2 CY	Cycle Car	900	1750	3500
DART (CDN 1914)						
1914	2 S	Spacke V-twin	Cycle Car	900	1800	3600
DASSE (B 1894-1924)						
1894		1 CY Horiz	3 Wheel	1600	3250	6500
1896		2 CY	Convertible	1250	2500	5000
1922	12/14	4 CY	Convertible	1000	2000	4000
DASTLE (GB 1967-to-date)						
1967	Type 3		Midget Racing Car	350	750	1550
1970	Type 6	Formula Ford	Racing Car	900	1750	3500
1972	Type 9	Formula 3	Racing Car	1100	2250	4500
DAT/DATSUN/DATSON (J 1912-30/31/32-to-date)						
1912		4 CY	2 Seats	650	1300	2600
1915	Model 31	4 CY	2 Seats	600	1250	2500
1916	Model 41	4 CY	Saloon Sedan	500	1000	2000
1920	Model 41	4 CY	Saloon Sedan	450	900	1750
1930	Model 91	4 CY	Sedan	450	900	1800
1932	10 hp	4 CY	Phaeton	600	1250	2500
1933		4 CY	Coupe	350	750	1500
1934		4 CY	Roadster	450	1250	2500
1935		4 CY	2 Seats	500	1000	2000
1936	15 hp	4 CY	Sedan	300	625	1250
1938	7 hp	4 CY	Saloon Sedan	300	625	1250
1941		4 CY	Sport	500	1000	2000
1950		850cc 4 CY	Saloon Sedan	250	500	1000
1952	2 S	988cc 4 CY	Sport	500	1000	2000
1953	4 S	988cc 4 CY	Sport	500	1000	2000
1956		4 CY	Saloon Sedan	250	500	1000
1959		4 CY	Saloon Sedan	250	500	1000
1967	2000	4 CY	Roadster	350	1000	2000
1969	240-Z	6 CY	Coupe	1700	2200	3500
D'AUX (F 1924)						
1924		350cc 1 CY Causan	Cycle Car	800	1600	3250
DAVID (E 1913-22/1950-56)						
1914		4 CY	Cycle Car	800	1600	3250
1918		Hispano Suiza	Saloon Sedan	700	1400	2800
1918		Hispano Suiza	Sport	750	1500	3000
1950	3 Wheeler	1 CY 345cc	Cycle Car	350	650	1250

YEAR	MODEL	ENGINE	BODY	F	G	E
DAVIS (US 1908-49)						
1908		4 CY Hercules	Touring Car	1200	2400	4800
1914		2 CY Spacke	Cycle Car	900	1800	3600
1914	Tandem	2 CY Spacke	2 Seats	750	1400	4800
1918		6 CY	Touring Car	1750	3500	7000
1920			Roadster	1800	3600	7250
1948	3 Wheeler	Cont. 4 CY	Coupe	2000	4000	8000
DAVIS (CDN 1923)						
1923		Sterns-Knight	Convertible Coupe	3500	6250	12500
DAVRIAN (GB 1967-to-date)						
1970	Imp	4 CY	Coupe	450	900	1800
1923		VW 4 CY		550	1100	2200
DAVY (GB 1909-11)						
1909	Canadian Canoe	4 CY Hewitt		1100	2250	4500
DAWSON (GB 1897-1921)						
1897		1 CY		1100	2250	4500
1920	11.9 hp	4 CY	Saloon Sedan	1200	2400	2800
DAWSON (US 1900-05)						
1900	Steam	2 CY	Runabout	2250	4500	8900
1904	4 S	2 CY 16 hp	Touring Car	1100	2250	4500
DAY-LEEDS (GB 1913-24)						
1913		2 CY	Cycle Car	800	1600	3200
1920	2 S	4 CY 10 hp	Coupe	700	1300	2400
DAYTON (US 1909-15)						
1909		2 CY	High-Wheel	1900	3750	6950
1911		EL		1800	3500	7000
1913	Side-by-Side	2 CY Spacke	Cycle Car	900	1750	3500
1913	Tandem 2 S	2 CY Spacke	Cycle Car	1000	1800	3600
DAYTON (GB 1922)						
1922	4 hp	1 CY	Cycle Car	800	1600	3250
DAYTONA (US 1956)						
1956	No doors	2 hp Briggs & Stratton	2 Seats	250	500	1000
DAY UTILITY (US 1911-14)						
1911	5 S	4 CY	Touring Car	1100	2250	4500
D.B. (F 1938-61)						
1938		11 CV		650	1250	2500
1947	2 Litre			600	1200	2400
1949	Formula III	55,00cc Panhard	1 Seat	550	1100	2200

YEAR	MODEL	ENGINE	BODY	F	G	E
1952	G.P. Formula	750cc	Coupe	700	1400	2800
1958	Rallye	850cc Panhard	Coupe	900	1800	3600

DEAL (US 1905-11)
1905	Motor BG		4 Seats	1100	2250	4500

DEASY (GB 1906-11)
1906		4 CY				
1908	35 hp	12 Litre "45"	Cabriolet	800	1600	3250
1911	18/28 hp	1,944cc "12"		750	1500	3000

DE BAZELAIRE (F 1907-28)
1907	10/14 hp	2 CY 1,100cc	Racing Car Voiturette	1050	2000	4000
1908	12/14 hp	L-head 2 CY	Racing Car Voiturette	1100	2100	4200
1910		6 CY	Racing Car Voiturette	1250	2300	4600
1925		4 CY S.P.A.C.	Racing Car Voiturette	1000	1800	3600

DE BOISSE (F 1900-04)
1900	Open 2 S	1 CY Water-	3 Wheel	800	1600	3200
1901	6 hp	DeDion	Racing Car	900	1800	3600
1904	12 hp	DeDion 2 CY		1000	2000	4000

DE BRUYNE (GB 1968)
1968	GT	Chev. V-8	Saloon Sedan	1200	2400	4800
1968		Clev. V-8	Coupe	1650	3250	6500

DECAUVILLE (F 1898-1910)
1898	3½ hp	2 CY Air-cool	Voiturette	1100	2250	4500
1900	8 hp	2 CY Air-cool	Voiturette	1000	2100	4200
1909	60 hp	2 CY	Voiturette	1200	2400	4800
1909	16/20 hp	2 CY	Touring Car	1100	2250	4500

DE CEZAC (F 1925-27)
1925		Ballot 1,685cc		900	1800	3600
1925		C.I.M.A. 1,200cc		800	1600	3250

DECHAMPS (B 1899-1906)
1899	6 hp	2 CY	4 Seats	850	1700	3400
1901	20 hp	4 CY	Racing Car	900	1800	3600
1902	9 hp	2 CY	Tonneau	900	1800	3600
1904	25 hp	4 CY	Tonneau	1000	1900	3800

DECKER (US 1902-03)
1902	7 hp	1 CY	Roadster	1000	2100	4250

145

YEAR	MODEL	ENGINE	BODY	F	G	E
DECKERT (F 1901-06)						
1901	6 hp	1 CY	Convertible	900	1700	3400
1901	16 hp	2 CY	Convertible	1000	1900	3800
1901	20 hp	4 CY	Racing Car	1000	1900	3800
DECOLON (F 1957)						
1957	3 Wheel	200cc	2 Seats	750	1300	2500
DE COSMO (B 1903-08)						
1903	24/30 hp	4 CY	Touring Car	1000	2000	3800
1906	45/55 hp	6 CY	Touring Car	1200	2250	4500
DE CROSS (US 1913-14)						
1913		2 CY Air-cooled	Cycle Car	1250	2400	4800
DE DIETRICH; LORRAINE-DETRICH; LORRAINE (F 1897-1934)						
1897		2.3 Litre Twin	Petit Duc	1700	3250	6500
1902		4 CY	Touring Car	1100	2250	4500
1904		12.8	Racing Car	1400	3800	7600
1906	DH	3 Litre	Racing Car	1000	2000	4000
1907		60 hp	2 Seats	1100	2250	4500
1907		4 CY	6 Wheel	1750	3500	7000
1911		8.3 Litre	Racing Car	1250	2500	5000
1919		6 CY	Racing Car	1200	2400	4800
1923		15 CV	Touring Car	950	1900	3800
1929	12 CV	4 CY	Racing Car	900	1750	3500
1934	20 CV	4.1 Litre	Touring Car	1200	2400	4800
DE DIETRICH (D 1897-1904)						
1897		2 CY	2 Seats		2250	4500
1902		7.3 Litre	Armoured Wood Frame		2000	4000
DE DION-BOUTON (F 1883-1932)						
1883		Steam	3 Wheel	2500	5000	10000
1900	3½ hp	1 CY	Voiturette	2250	4500	9000
1901	3¾ hp	1 CY	Roadster	4000	8000	10000
1901		1 CY	Touring Car	2500	5000	10500
1902	8 hp	1 CY	Touring Car	2750	5500	11000
1903	Rear Entry	1 CY	Touring Car	3000	6000	11000
1900		4.4 Litre	Touring Car	2500	5000	10000
1910		1.8 Litre	Roadster	1900	3750	7500
1914	18 hp		Limousine	1750	3250	6500
1915	EZ	14.8 Litre	Roadster	2100	4250	8500
1923		8 CY	Touring Car	1900	3750	7500
1924	JK	4 Litre	Roadster	1500	3000	6000
1926	JP	1328cc	Touring Car	1100	2250	4500
1930	LA	11 CV	Coupe	1000	2000	4000

YEAR	MODEL	ENGINE	BODY	F	G	E
DEEMSTER (GB 1914-24)						
1914	10 hp	4 CY 1,100cc	Racing Car	1100	2250	4500
1922	12 hp	Anzani		1000	2000	4000
DEEP SANDERSON (GB 1960-69)						
1960	301	BMC Mini-Engine	Coupe	600	1200	2400
1969		Martin V-8	Coupe	1000	1800	3600
DEERE (US 1906-07)						
1906	25/30 hp	4 CY	4 Seats	1500	3000	6000
DEERING MAGNETIC (US 1918-19)						
1918		Dorris 6 CY		1600	3250	6500
DEGUINGAND (F 1927-30)						
1927	5 CV	735cc 4 CY	Small	600	1200	2400
DEHN (D 1924)						
1924	2½ 8 PS	1 CY Air-cool	2 Seats	750	1400	2800
DELACOUR (F 1914-20)						
1914	10 hp	4 CY	Light	775	1400	3800
1916	12 hp	4 CY	Light	800	1450	3900
1918	7 hp	4 CY	Light	750	1300	3600
DELAGE (F 1905-54)						
1905	6½	1 CY	Runabout	2000	4000	8000
1906	6	1 CY	Touring Car	2000	4000	8000
1907	8	2 CY	Racing Car	2250	4500	9500
1908	9	4 CY	Coupe	1750	3250	6500
1909	"12"	1.4 Litre	Touring Car	2000	4000	8000
1912		6 CY	Touring Car	2250	4500	9500
1914		EL	Town Car	1900	3750	7500
1919		6 CY	Racing Car	2500	5000	10000
1921	CO	4 CY 3 Litre	Saloon Sedan	2100	4250	8500
1923	GL	40/50 hp	Saloon Sedan	2100	4250	8500
1924	1	6 CY	Sprint	3750	7500	15000
1924	11	6 CY	Sprint	3750	7500	15000
1925		V-12	Racing Car	5000	10000	20000
1926	DI	4 CY	Touring Car	4500	9000	18000
1927	DM	3.2 Litre	Coupe	3750	7500	15000
1928	DR	2.5 Litre	Saloon Sedan	3000	6000	12000
1933	D 6-11	6 CY 2.1 Litre	Drop Head Coupe	3000	6000	12500
1932	D 8	4 Litre	Convertible Coupe	3750	7500	15000
1934	D 8-15	Straight-8	Racing Car	2500	5000	10000
1936	DI-12	4 CY	Cabriolet	3250	6500	13000
1937		4 CY	Cabet	4500	9500	18000

YEAR	MODEL	ENGINE	BODY	F	G	E
1943	D8-100	4.3 Litre 8 CY	Saloon Sedan	1750	3500	7000
1946	D8-120	4.7 Litre 8 CY	Drop Head Coupe	2000	4250	8500
1949	D 6	3 Litre	Saloon Sedan	1100	2250	4500

DELAHAYE (F 1894-1954)

YEAR	MODEL	ENGINE	BODY	F	G	E
1894		1 CY	Touring Car	1250	2500	5000
1900	6 hp	1 CY	2 Seats	1100	2250	4500
1902	4½ hp	Twin	Roadster	1500	3000	6000
1903	Type 10-B	4 CY	Roadster	1500	3500	7000
1904	Type 15-B	2.7 Litre	Roadster	1250	3250	6500
1907		8 Litre	Roadster	1750	3750	7500
1908	Type 32	1.9 Litre	Touring Car	1100	2250	4500
1911	Type 44	V-6	Touring Car	1750	3250	6500
1914		1.6 Litre	Coupe	1100	2250	4500
1916		5.7 Litre	Phaeton	1750	3750	7500
1917		4 CY	Convertible	1750	3250	6500
1925	Type 87	1.8 Litre	Saloon Sedan	1100	2250	4500
1927	Type 82	4 CY	Roadster	2100	4250	8500
1928		6 CY	Convertible	3750	7500	13000
1030	TY 109	6 CY	Roadster	3100	6250	12500
1932	126	6 CY	Convertible Coupe	3750	7500	15000
1933			Drop Head Coupe	2100	4250	8500
1934	Super 12	4 CY	Roadster	2250	4500	9000
1935	Superlux	6 CY	Roadster	3250	6750	17500
1935		6 CY	Convertible Coupe	3250	6750	17500
1936	Type 135	6 CY	Town Car	4500	9000	18000
1936	Type 135	6 CY	Cabet	3250	6750	17500
1937	Competition	6 CY	Roadster	3250	6750	17500
1937	Type 148	6 CY	Cabet	4500	9000	18000
1937	des Alpes	6 CY	Convertible Coupe	4500	9000	18000
1938	Type 145	4½ Litre V-12	Roadster	6500	12500	25000
1939		V-12	Roadster	5000	10000	20000
1939	Type 165	V-12	Roadster	5000	10000	20000
1939	Type 135	3½ Litre	Drop Head Coupe	3750	7500	15000
1939	Type 135 M	V-12	Roadster	5000	10000	20000
1940		6 CY	Convertible	3750	10000	20000
1940		6 CY	Convertible	3750	7500	15000
1943	Type 135 SM	6 CY	Roadster	3100	6250	12500
1946		6 CY	Roadster	2350	4750	9500
1947		6 CY	Convertible	2500	5000	10000
1948	Type 175	6 CY 4½ Litre	Sport	2350	4750	9500
1949		6 CY	Roadster	2100	4250	8500
1950		6 CY	Convertible	2100	4250	8500

YEAR	MODEL	ENGINE	BODY	F	G	E
1951	Type 235	3½ Litre	Drop Head Coupe	2100	4250	8500
1951	Type 178	6 CY	Roadster	2000	4000	8000
1952	Type 180	6 CY	Roadster	1900	3750	7500

DE LA MYRE-MORY (F 1911-14)
1911	4 S	4 CY 10 hp	Torpedo	1200	2400	4800

DE LANSALUT (F 1899)
1899	2½ hp	1 CY Air-cool	Voiturette	1000	2000	4000

DELAUGERE (F 1901-26)
1901		1 CY 475cc	Runabout	900	1800	3500
1905	15 hp	4 CY	Runabout	900	1800	3600
1912		6 CY		1000	1900	3800
1920		4 CY		800	1600	3200

DELAUNAY-BELLEVILLE (F 1904-50)
1904	16, 24 or 40 hp	T-head	Roadster	2100	4250	8500
1909	10 CV	6 CY		2000	4000	8000
1912	SMT	70 hp	Limousine	2100	4250	8500
1924	15.9 hp	6 CY	Drop Head Coupe	2500	4750	9500
1928	Greyhound	21 hp 6 CY	Saloon Sedan	2000	4000	8000

DELARAUD (F 1927-28)
1927		6 CY	Coupe	750	1500	3000

DELCAR (US 1947-49)
1947	6 S	4 CY	Station Wagon	350	750	1500

DELECROIX (B 1899)
1899	3½ hp	1 CY Vertical	4 Seats	1000	2100	4200

DELFOSSE (F 1922-26)
1922		4 CY Altos	Sport	750	1500	2900
1923		2 CY Altos	Sport	600	1200	2400

DELIN (B 1899-1901)
1899	2¼ hp	DeDion	Voiturette	1000	2000	4000
1901	3½ hp	DeDion	Light	900	1800	3600

DELLA FERRERA (I 1924)
1924		4 CY 707cc	Cycle Car	750	1300	2600

DELLING (US 1923-27)
1023	Steamer	2 CY		2100	4250	8500

DELLOW (GB 1949-59)
1949	2 S	Ford Ten	Sport Doorless	600	1250	2400
1952	Mark II	10 hp	Sport	700	1300	2600
1956	Mark VI		Sport	750	1400	2800

149

YEAR	MODEL	ENGINE	BODY	F	G	E
DEL MAR (US 1949)						
1949	5 S	4 CY Cont.	Sedan	500	1000	1800
1949	5 S	4 CY Cont.	Convertible	500	1000	2000
DELPEUCH (F 1922-25)						
1922	5 S Open	4 CY 15 CV	Touring Car	750	1500	2800
DELTA (F 1905-15)						
1905	6 hp		2 Seats	700	1400	2800
1905	24 hp		2 Seats	800	1750	3500
1913	10/12 hp	4 CY	2 Seats	800	1650	3250
DELTA (DK 1918)						
1918		4 CY		1000	2000	3900
DELTA (US 1923-25)						
1923		6 CY Cont.		1000	1800	3600
DE LUCA (I 1906-10)						
1906	16/24 hp	4 CY		1000	2100	4250
1906	42/65 hp	4 CY		1100	2250	4500
DE MARCAY (F 1920-21)						
1920		Anzani V-twin	Cycle Car	700	1400	2800
DEMARS (US 1905-06)						
1905	1½ hp	EL		1900	3750	7300
DEMATI (B 1937-39)						
1937		J.A.P. V-twin	2 Seats	800	1600	3250
1937		4 CY Ruby	Saloon Sedan	600	1200	2300
DEMEESTER (F 1906-14)						
1906		4 CY 1,104cc	2 Seats	1200	2400	4800
1912	16 hp	4 CY Sinpar		900	1800	3600
DEMISSINE (B 1901-03)						
1901		EL	Light	1200	2400	4800
DEMOCRATA (BR 1963-67)						
1963		Chev. V-8	Coupe	600	1200	2400
DEMOT (US 1909-11)						
1909	2 S	2 CY Water-Cooled	Roadster	700	1400	4800
DEMOTTE (US 1904)						
1904		10 hp	Runabout	1200	2400	4800
1904		4 CY	Touring Car	1100	2250	4500

YEAR	MODEL	ENGINE	BODY	F	G	E

DENNIS (GB 1899-1915)

YEAR	MODEL	ENGINE	BODY	F	G	E
1899	3½ hp	DeDion	2 Seats	1000	1900	3800
1901	8 hp	DeDion		900	1800	3600
1903	10 hp	2 CY		1000	1950	3900
1906	30/35 hp	White & Poppe	Touring Car	1100	2100	4250
1911	2 S	V-twin	Cycle Car	800	1600	3250
1912	24 hp	V-twin	Laundalet	900	1750	3500

DENZEL (A 1948-60)

1948	2 S	Porche	Sport	1600	3200	6400

DeP (GB 1914-16)

1914	10 hp	4 CY Dorman	Light	1000	1600	3200

DERAIN (US 1908-11)

1908		4 CY Air-cool	7 Passenger	1250	2500	4900

DERBY (F 1921-36)

1921		V-twin		700	1400	2800
1923		4 CY Chapuis-Dernier		750	1500	2900
1925		8 hp Ruby	2 Seats	750	1500	3000
1928		6 CY	Touring Car	900	1750	3500
1931	L2	6 CV 4 CY		750	1500	2900
1933	L8	11 CV		600	1250	2500
1934		V-8	2 Seats	500	1000	2100

DERBY (CDN 1924-27)

1924		6 CY Cont.	2 Seats	1000	2000	4000

DER DESSAUER (D 1912-13)

1912	8/22 PS		Sport	1000	2000	4000
1912	26 PS		Sport	1000	1900	3800

DEREK (GB 1925-26)

1925	9/20 hp	Chapuis-Dornier	2 Seats	800	1600	3250
1925	10/20 hp	Chapuis-Dornier	4 Seats	900	1700	3400

DeRAINCEY (F 1899-1901)

1899		2 CY	2 Seats	1100	2200	4300

DeSALVERT (F 1904-06)

1904	24/30 hp	4 CY	Convertible	1200	2400	4800

DeSANCTIS (I 1958-66)

1958		Fiat 750		300	600	1200
1959		Fiat 1100		300	600	1200
1960	FJ			250	500	1000

YEAR	MODEL	ENGINE	BODY	F	G	E
DESBERON (US 1903-04)						
1903	LHD	4 CY	5 Seats	1750	3500	7000
DESCHAMPS (F 1913)						
1913	6 hp	1 CY	Cycle Car	750	1500	3000
DeSCHAUM (US 1909)						
1909		2 CY Horiz.	Hi-Wheel	1650	3250	6500
DESHAIS (F 1950-51)						
1950		Flat-twin	2 Seats	350	750	1400
DeSHAW (US 1906-09)						
1906	12/14 hp	3 CY	Custom	1500	3000	5500
DESMOULINS (F 1920-23)						
1920		Ballot 1,131cc	Touring Car	750	1500	3000
1920		Ballot 1,590cc	Sport	800	1600	3500
DeSOTO (US 1913-60)						
1913	55 hp	6 CY	Touring Car	1750	3500	7000
1916	Six-55	6 CY	Touring Car	1500	3250	5500
1928	5 Ps.	3.2 Litre 6 CY	Sedan	1000	1750	3800
1928		3.2 Litrre 6 CY Sport	Roadster	2500	6000	12500
1928	2 Dr.	3.2 Litre 6 CY	Sedan	1000	1700	3500
1929	Model L.	6 CY	4 Door Sedan	1000	1750	3800
1929		6 CY	Rumble Seat Coupe	1250	2500	5000
1929		6 CY	Sport Roadster	3000	6000	12500
1929		6 CY	Roadster	2500	5000	10000
1930		8 CY 3.4 Litre	Sport Roadster		6250	12500
1930		8 CY 3.4 Litre	Rumble Seat Coupe		3750	7500
1930		6 CY	Sedan		2000	4000
1931		6 CY	Rumble Seat Coupe	1850	3750	7500
1931	Model SAX	3.2 Litre	Sedan	1000	2000	4000
1931		8 CY	Sport Roadster	3100	6250	12500
1932		6 CY	Rumble Seat Sport Roadster	3100	6250	13500
1932		6 CY	Town Sedan	1250	2500	5000
1932		6 CY	Rumble Seat Coupe	1750	3250	7500
1932	Model SC	6 CY	Roadster	3100	6250	12600
1932		6 CY	Convertible Sedan	4500	7000	13500
1932	Model SC	3.3 Litre	Convertible	3000	6250	12500
1932	Custom SC	6 CY	Roadster Convertible	3500	7000	13000
1933		6 CY	Sport Coupe Side Mount	2100	4250	8500

YEAR	MODEL	ENGINE	BODY	F	G	E
1933		6 CY	Sedan	1200	2400	4500
1933		6 CY	Cabet	3500	7000	14000
1934	Airflow	6 CY 4 Litre	Sedan	1600	2300	5500
1934	Airflow	6 CY 4 Litre	Coupe	1500	2500	5000
1935	Airflow	6 CY 4 Litre	Sedan	1600	2300	5500
1935		6 CY	Convertible	1300	2750	5800
1936	Model 52	6 CY	Coupe	800	1650	3800
1936		6 CY	Sedan	750	1500	3000
1936		6 CY	Convertible Sedan	1900	3750	7500
1936	Airflow	6 CY 4 Litre	Sedan	1350	2700	5200
1937		6 CY	Convertible	1250	2500	5000
1937		6 CY	Sedan	700	1400	2800
1937		6 CY	Rumble Seat Coupe	750	1500	3000
1938		6 CY	Sedan	700	1200	2200
1938		6 CY	Convertible	1100	2300	4200
1939		6 CY	7 Seats	750	1400	2800
1939		6 CY	Convertible	1250	2500	5000
1940	2 Ps.	6 CY	Coupe	900	1750	3500
1940	4 Dr.	6 CY	Sedan	700	1250	2500
1941	2 Ps.	6 CY	Coupe	900	1750	3500
1941		6 CY	Sedan	650	1250	2500
1941		6 CY	Convertible Coupe	1100	2250	4500
1942	2 Dr.	6 CY	Sedan	650	1200	2300
1942	2 Ps.	6 CY	Coupe	700	1350	2700
1942		6 CY	Club Coupe	650	1250	2500
1942	Model S-10	6 CY V-8	4 Door Sedan	650	1250	2500
1946		6 CY	4 Door Sedan	500	1000	2000
1946		6 CY	Coupe	600	1100	2200
1947	Suburban	6 CY	8 Passenger Sedan	700	1300	2600
1947		6 CY	Convertible	1200	2300	4650
1947		6 CY	3 Passenger Coupe	600	1200	2400
1948	Suburban	6 CY	9 Passenger Sedan	650	1300	2650
1948	4 Dr.	6 CY	Sedan	600	1200	2300
1948	2 Ps.	6 CY	Coupe	600	1200	2400
1948	2 Dr.	6 CY	Sedan	500	1000	2000
1948			Convertible Coupe	1150	2350	4700
1949		6 CY	Limousine	650	1250	2500
1949	2 Dr.	6 CY	Club Coupe	650	1250	2500
1949		6 CY	Convertible	900	1800	3650
1949		6 CY	Sedan	550	1100	2200
1949		6 CY	Business Coupe	500	1000	2100

YEAR	MODEL	ENGINE	BODY	F	G	E
1950	4 Dr.	6 CY	Sedan	500	1000	2000
1950		6 CY	Convertible	900	1750	3400
1950		6 CY	Station Wagon	700	1400	3800
1951	Custom 4 Dr.	6 CY	Sedan	900	1650	3300
1952		V-8 4½ Litre	Convertible Coupe	800	1600	3250
1952		V-8 4½ Litre	Club Coupe	500	1000	2000
1952	Model S-17	V-8	4 Door Sedan	500	1000	1950
1953		V-8	Convertible	750	1500	3000
1953		V-8	Sedan	450	900	1750
1954	2 Dr.	V-8	Hardtop	550	1100	2250
1954	4 Dr.	V-8	Sedan	450	900	1800
1955	Fireflite	V-8 CY	4 Door Sedan	450	900	1750
1955	Fireflite Sportsman	V-8 CY 4.8 Litre	2 Door Hardtop	550	1100	2250
1955	Fireflite	V-8 CY	Convertible	750	1500	3000
1956		V-8	Convertible Coupe	750	1500	3000
1956	Fireflite 4 Dr.	8 CY 4.8 Litre	Sedan	450	900	1750
1957	Adventurer	V-8	Hardtop	850	1750	3500
1957		V-8	Convertible	750	1500	3000
1957		V-8	Sedan	350	750	1400
1958	Fireflite	V-8 CY 4.8 Litre	Convertible	750	1500	3250
1958	Adventurer	V-8	2 Door Hardtop	550	1100	2200
1959	Fireflite	V-8	Convertible	750	1500	3000
1960	Fireflite	V-8	Convertible	700	1400	2800
1961	Adventurer	V-8	2 Door Hardtop	500	1000	2000
1962	Adventurer	V-8	2 Door Hardtop	550	1100	2250

DESSAVIA (D 1907)

1907			2 Seats	1000	2000	4000

DE TAMBLE (US 1908-13)

1908		2 CY	Runabout	2200	4250	8500
1909	30 hp	4 CY	Roadster	2100	4200	8400
1909	Model K	4 CY	7 Seats Touring Car	2000	4000	8000

D. et B. (F 1896-1902)

1896		4 CY Pierre Gautier		1050	2100	4250
1900	6 hp	2 CY Pierre Gautier		1100	2200	4400
1901	16 hp	4 CY	6 Seats	1000	1900	3800

DeTOMASO (I 1959-to-date)

1959	Isis Formula Jr	Fiat	Racing Car	1000	1900	2800

YEAR	MODEL	ENGINE	BODY	F	G	E
1965	Vallelunga	British Ford Cortina	Gran Turismo Coupe	900	1750	3500
1966	Panpero	British Ford Cortina		900	1750	3500
1968	Mangusta	Ford V-8		3500	7000	13000
1969	Mustela	BR Ford V-6	Racing Car	1100	2250	4500
1970	4 Dr.	Cosworth Ford	Sport Saloon Sedan	1000	2000	4000
1971	Pantera	330 bhp		2500	5000	10500
1973	Longchamp		Gran Turismo Sport Coupe	4500	9000	17500

DETROIT (US 1899-1914)

1901		2 CY	Touring Car	1750	3250	6500
1904	Rear Entry	2 CY 15 hp	Tonneau 5 Seats	1250	2500	5000
1905	2 S	2 CY	Runabout	1200	2350	4750
1907	5 S	2 CY	Touring Car	1200	2400	4800
1914	Little Detroit	4 CY	Cycle Car	1100	2250	4500

DETROIT-DEARBORN (US 1910-11)

1910	Minerva	4 CY 35 hp	Touring Car Torpedo	2100	4250	8500
1911	Nike	4 CY 35 hp	Roadster	1650	3250	7500

DETROIT ELECTRIC (US 1907-38)

1909		EL	Brougham	3000	6000	12000
1914		EL	Brougham	2500	5000	11000
1915		EL	Brougham	2500	5000	10000
1916		EL	Coupe	1850	3750	7500
1920		EL	Coupe	1850	3750	7500
1923		EL	Brougham	2100	4250	8500

DETROITER: BRIGGS-DETROITER (US 1912-17)

1913	3 Dr.	4 CY 35 hp	Touring Car	2500	5000	10000
1917	5 S	V-8	Touring Car	3000	6000	12500

DETROIT-OXFORD: OXFORD (US 1905-06)

1905	Doorless	2 CY 16 hp	5 Seats	1500	3250	6500

DETROIT STEAM CAR (US 1922-23)

1922		4 CY Steam		3000	5000	10500

DEUTSCHLAND (D 1904-05)

1904	Steam	4 CY		2000	4000	8000

DEUTZ (D 1907-11)

1907		4 CY		1100	2250	4500
1910	"21"	4 CY		1200	2400	4800

DE VAUX (US 1931-32)

1931	6175	6 CY	Cabriolet	1900	3750	7500

YEAR	MODEL	ENGINE	BODY	F	G	E
1931	6-75	6 CY	Coupe	1100	2100	4200
1931	4 Door	6 CY	Sedan	1000	2000	4000

DE VECCHI (I 1905-17)

1905	15 hp	4 CY		800	1600	3200
1914	20/30 hp	4 CY		750	1300	2600
1914	25/30 hp	4 CY		750	1500	2900

DE VO (US 1936)

1936	5 S	4 CY	Sedan	750	1500	3000

D.E.W. (D 1927)

1927		EL	Saloon Sedan	900	1750	3500

DEWALD (F 1902-26)

1902		4 CY		1000	2000	4000
1919		Straight-8		1250	5000	2500

DE WANDRE (B 1922-25)

1922	3 S	4 CY	Roadster	1400	2800	5600
1922		4 CY	Touring Car	1200	2400	4800
1922		4 CY	Saloon Sedan	800	1600	3200
1922		4 CY	Town Laundalet	1400	2750	5500

DEWCAR (GB 1913-14)

1913	1 S	1 CY Precision	Cycle Car	800	1600	3200
1913	8 hp	2 CY Precision	2 Seats	750	1500	3000

DEXTER (F 1906-09)

1906	50/60 hp	4 CY	Racing Car	1100	2250	4500
1906	100 hp	6 CY	Racing Car	1500	3000	6000

DEY (US 1917)

1917	3 S	EL	Runabout	1250	2400	4800

DEY-GRISWOLD (US 1895-1898)

1895		EL		1500	2750	5500

D.F.P. (F 1906-26)

1906		1 CY	Voiturette	1000	1900	3800
1908		4 CY Chapuis-Dornier	Voiturette	1050	2000	3900
1910	10/12 hp	L-head	Voiturette	1100	2100	4000
1911	25/30 hp	6 CY	Voiturette	1200	2200	4250
1914	12/40 hp		Sport	1250	2300	4400
1924	12 hp		Touring Car	1000	1900	3800

D.F.R. (F 1924)

1924		3 hp	Cycle Car	700	1400	2800
1924		6 hp	Cycle Car	750	1500	3000

YEAR	MODEL	ENGINE	BODY	F	G	E
DHUMBERT (F 1920-30)						
1920	10 hp	4 CY		700	1400	2800
1930		6 CY		750	1500	3000
DIABLE (F 1921-24)						
1921		2 CY	3 Wheel	450	900	1850
DIABOLO (D 1922-27)						
1922		Motosacoche 1,100cc	3 Wheel	500	1000	2000
DIAMANT (F 1901-06)						
1901	7 hp	1 CY	Convertible	1000	2000	4000
1901	12 hp	2 CY	Convertible	1100	2250	4500
1904	24 hp	4 CY	Convertible	1200	2400	4800
DIAMOND (US 1910-12)						
1910	5 S	6 CY	Touring Car	1400	2800	5600
DIAMOND T (US 1905-11)						
1905	70 hp	4 CY		1600	3250	6400
DIANA (D 1922-23)						
1922		4 CY	Cycle Car	700	1500	3000
DIANA (US 1925-28)						
1926	SP	8 CY Cont.	Roadster	2000	4000	8000
1926		8 CY Cont.	Town Car	1400	2800	5600
1927		8 CY Cont.	Sedan	1200	2400	4800
1928		8 CY Cont.	Del Brougham	1250	2500	5000
DIATTO (I 1905-27)						
1905		2 CY T-head	2 Seats	1000	1900	3800
1905		4 CY T-head		1000	2000	4000
1910	12/15 hp	4 CY L-H		1000	1900	3800
1920	16 hp	4 CY	Touring Car	1000	2000	4000
1925		Straight-8	Racing Car	1250	2500	5000
DIAZ Y GRILLO (E 1917-22)						
1917		Blumfield 2 CY	Sport	850	1650	3250
1917		4 MAG	Sport	900	1800	3600
DICKINSON MORETTE (GB 1903-05)						
1903	2½ hp	1 CY	3 Wheel	750	1500	3000
1903	4 hp	2 CY	3 Wheel	800	1600	3100
DIEBEL (US 1901)						
1901	7 hp	2 CY	Runabout	1100	2250	4500
DIEBLER & RUSSELL (US 1908)						
1908	40 hp	4 CY Rutenber		1200	2400	4800

YEAR	MODEL	ENGINE	BODY	F	G	E
DIEDERICHS (F 1912-14)						
1912	10/12 CV	4 CY Luc-Court	Touring Car	1000	1800	3600
DIEHLMOBILE (US 1962-64)						
1962	3 hp	Briggs & Stratton	3 Wheel	350	7000	1400
DILE (US 1914-16)						
1914	2 S	4 CY	Roadster	1100	2250	4500
DINARG (RA 1959-69)						
1959	2 Dr.	1 CY 191cc	Saloon Sedan	300	600	1200
DINGFELDER (US 1902-03)						
1902		2 CY Horiz.	2 Seats	1400	2800	5600
DININ (F 1904)						
1904		EL	2 Seats	1500	2800	5600
DINOS (D 1921-26)						
1921	8/35 PS	4 CY		750	1500	2800
1921	16/72 PS	6 CY		1000	1900	3800
DIRECT (B 1904-05)						
1904	40/50 hp	4 CY		1300	2600	4300
DISBROW (US 1917-18)						
1917	2 S	4 C Wisconsin T-head	Speedster	1700	3400	6800
DISPATCH (US 1911-22)						
1911	23 hp	Wisconsin	Roadster	1750	3500	7000
1911	23 hp	Wisconsin	Touring Car	1500	3000	6000
1911	23 hp	Wisconsin	Coupe	1100	2250	4500
DI TELLA (RA 1959-66)						
1959		Morris	Saloon Sedan	300	600	1200
1959		MG	Station Wagon	400	700	1350
DIVA (GB 1962-68)						
1962	SP	Coventry-Climax	Gran Turismo Coupe	500	1000	1800
DIXI (D 1904-28)						
1904	28/32 PS		Touring Car	1150	2250	4500
1914	B I	5/14 PS		1100	2200	4400
1924	6/24 PS	6 CY	Touring Car	1000	2000	4000
1928	2 S	6 CY	Roadster	1100	2100	4200
1928	4 S	6 CY	Roadster	1150	2300	4600
DIXIE, DIXIE JR. (US 1908-09)						
1908	24 hp	4 CY	Roadster	1200	2400	4850

YEAR	MODEL	ENGINE	BODY	F	G	E
1908	Dixie Jr.	2 CY	Hi-Wheel	1500	3000	6000

DIXIE FLYER (US 1916-23)
1916		Lycoming		1800	3600	7200
1916		Herschell-Spillman		1750	3500	6900

D.K.R. (DK 1953-54)
1953		Heinkel Flat-4	Saloon Sedan	300	600	1200

D.K.W. (D 1928-66)
1928	2 S	2 CY	Sport	500	1000	2000
1928	Type F.1	490cc	Cabriolet	550	1100	2200
1934	Reichsklasse	2 CY 589cc		600	1200	2400
1937	Meisterklasse	2 CY 684cc	Drop Head Coupe	650	1250	2500
1953	Sokerklasse	V-twin 896cc	Drop Head Coupe	500	1000	2000
1957	Monza	3 CY 981cc	Sport	350	700	1400
1960		3 CY	2 Door Hardtop	300	600	1200

D.L. (GB 1913-20)
1913	8 hp	4 CY	2 Seats	1000	1900	3800
1913	10/12 hp	4 CY	2 Seats	1000	2000	3900

D.L.G. (US 1906-07)
1906	2 S	4 CY 35 hp	Runabout	1500	2800	5600

D.M.C. (GB 1913-14)
1913	4½ hp	1 CY	3 Wheel	1000	1750	3400

DOBI (E 1919-20)
1919		Douglas	Cycle Car	1000	2000	3800

DOBLE (US 1914-31)
1923		Steam Power	Roadster	17500	35000	65000
1924			Touring Car	14000	28000	56000
1925	Model E		Roadster	17500	35000	70000
1925			Roadster	16000	32500	70000

DOCTORESSE (F 1899-1902)
1899	Gaillardet	2 Cy 5 hp	3 Wheel	800	1600	3250
1900		2 CY 6 hp	Voiturette	850	1700	3400

DODDSMOBILE (CDN 1947)
1947	2 S Open	Air-cooled	3 Wheel	600	1250	1500

DODGE (US 1914-to-date)
1914		4 CY	Touring Car	1250	2500	5000
1915		4 CY	Touring Car	1250	2500	5000
1916		4 CY	Touring Car	1250	2500	5000

YEAR	MODEL	ENGINE	BODY	F	G	E
1917		4 CY	Touring Car	1250	2500	5000
1917		4 CY	Roadster	1200	2400	4800
1918		4 CY	Roadster	1200	2400	4800
1919	4 Dr.	4 CY	Sedan	1000	2000	4000
1919		4 CY	Touring Car	1200	2400	4800
1920		4 CY	Touring Car	1200	2400	4800
1921		4 CY	Touring Car	1200	2400	4800
1921		4 CY	Sport Roadster	1200	2400	4750
1922		4 CY	Roadster	1200	2350	4700
1922		4 CY	Touring Car	1200	2400	4800
1923		4 CY	Touring Car	1200	2400	4800
1924	2 Ps.	4 CY	Coupe	1100	2250	4500
1924		4 CY	Touring Car	1100	2250	4500
1924		4 CY	Touring Car Sport	1100	2350	4750
1925	2 Dr.	4 CY	Coach	1100	2250	4500
1925		4 CY	Sport Roadster	1250	2500	5000
1925	4 Dr.	4 CY	Sedan	1000	2100	4200
1925	5 Ps.	4 CY	Touring Car	1300	2600	5200
1926	4 Dr.	4 CY	Sedan	1100	2250	4500
1926		4 CY	Sport Touring Car	1300	2650	5300
1926		4 Cy	Coupe	1100	2250	4500
1926	Special	4 CY	Roadster	1350	2750	5500
1927		6 CY	Business Coupe	1100	2250	4500
1927		6 CY	Sport Phaeton	2100	4250	8500
1927	4 Dr.	6 CY	Sedan	1000	2100	4200
1928	Fast Four	4 CY	4 Door Sedan	1000	2000	4000
1928	Victory	6 CY	Sedan	1200	2400	4800
1928	Victory	6 CY	Rumble Seat Coupe	1250	2500	5000
1928	Victory	6 CY	Dual Cowl Phaeton	3750	7500	15000
1928	Victory	6 CY	Roadster	3250	6500	12500
1928	Senior Six	6 CY	Sedan	1500	3000	6000
1928	Senior Six	6 CY	Roadster	3750	7500	15000
1928	Senior Six	6 CY	Victoria	2000	4000	8000
1929	Victory	6 CY	Coupe	1200	2400	4800
1929	Victory	6 CY	Sedan	1100	2250	4500
1929	Senior Six	6 CY	Roadster	4000	8000	16000
1929	Senior Six	6 CY	Victoria	2100	4250	6500
1929	Senior Six	6 CY	Rumble Seat Coupe	1100	2225	6450
1930	4 Dr.	6 CY	Sedan	1100	2250	4500
1930	Senior	Straight-8	Sport Coupe	2000	4000	8000
1930		Straight-8	Sport Roadster	3500	7000	13000
1930	4 Dr.	Straight-8	Sedan	1500	3250	7500
1931		Straight-8	Sport Roadster	2500	5000	10000
1931		Straight-8	Rumble Seat Coupe	1850	3750	7500

YEAR	MODEL	ENGINE	BODY	F	G	E
1931		6 CY	Sedan	1000	2100	4200
1932	4 Dr.	8 CY	Sedan	1750	3500	7000
1932	4 Dr.	6 CY	Sedan	1000	2100	4250
1932		Straight-8	Rumble Seat Coupe	1750	3750	7500
1932		Straight-8	Cabet	2250	4750	7500
1933		Straight-8	Sport Coupe	1750	3750	7500
1933	4 Dr.	Straight-8	Sedan	1100	2250	4500
1934		6 CY	Cabet	1750	3500	7000
1934		6 CY	Coupe	1000	2100	4200
1934	4 Dr.	6 CY	Cabet	1600	3700	7400
1935	2 Ps.	6 CY	Sedan	1100	1950	3800
1935	2 Ps.	6 CY	Roadster	1750	3500	7000
1936		6 CY	Convertible Sedan	2100	4250	8500
1936	4 Dr.	6 CY	Sedan	1000	1900	3800
1936	2 Dr.	6 CY	Sedan	800	1600	3200
1937	4 Dr.	6 CY	Sedan	550	1100	2200
1937		6 CY	Coupe	750	1500	2900
1938		6 CY	Roadster	1600	3250	6500
1938		6 CY	Sedan	750	1500	2900
1938		6 CY	Roadster	1600	3250	6500
1938		6 CY	Convertible Sedan	1600	3250	7500
1939		6 CY	Victoria Coupe	800	1600	3500
1939		6 CY	Sedan	750	1500	2900
1940	4 Dr.	6 CY	Sedan	600	1100	2250
1940		6 CY	Cabet	1100	2250	4500
1941	4 Dr.	6 CY	Sedan	550	1100	2200
1941	2 Dr.	6 CY	Sedan	600	1100	2200
1941	2 Dr.	6 Cy	Sedan	500	1000	2000
1941		6 CY	Convertible Coupe	1100	2250	4500
1941		6 CY	Town Sedan	650	1250	2500
1942	2 Dr.	6 CY	Sedan	550	1100	2200
1942		6 CY	Town Sedan	650	1250	2500
1946	4 Dr.	6 CY	Town Sedan		1250	2500
1946	2 Ps.	6 CY	Coupe		1100	2200
1946		6 CY	Cabriolet		1900	3800
1947		6 CY	Sedan		1100	2200
1948		6 CY	Convertible Coupe		2000	4000
1949	Wayfarer	6 CY	Roadster		1900	3850
1950	Wayfarer	6 CY	Roadster		1800	3650
1951	2 Dr.	6 CY	Sedan	500	1000	2000
1952	Red Ram	V-8	Convertible	900	1750	3250
1953		V-8	Convertible	750	1500	3000
1954		V-8	2 Door Hardtop	900	1650	2750
1955	Royal	V-8	4 Door Sedan	450	900	1750
1956		6 CY	Sedan	400	750	1500

YEAR	MODEL	ENGINE	BODY	F	G	E
1957	Royal Lancer	V-8	2 Door Hardtop	550	1100	2250
1958	Royal Lancer	V-8	4 Door Sedan	450	900	1800
1959	Royal Lancer	V-8	4 Door Sedan	400	750	1500
1963	Polara	361 V-8	2 Door Hardtop	500	900	1750
1966	Charger	V-8 Hemi	Coupe	1250	1850	3500
1970	Charger 500	V-8 Hemi	2 Door Hardtop	1500	2800	4500
1975	Challenger 440	V-8	Convertible	1250	1950	3250

DODGESON (US 1926)

1926		Straight-8		1000	2000	4000

DODO (US 1912)

1912	10/12 hp	2 CY Air-cool	2 Passengers Tandem	1000	2100	4250

DODSON (GB 1910-14)

1910		12/16 hp		1000	2000	3800
		20/30 hp		1100	2200	4000

DOLLY (GB 1920)

1920		4 CY Water-cool		750	1500	3000

DOLO (F 1947-48)

1948	JB-4	Horizontally Opposed 4 CY	Coupe	400	800	1600

DOLORES (F 1906)

1906		10 hp		850	1700	3400
		24 hp		900	1800	3600
		60 hp		1200	2400	4800

DOLPHIN (GB 1906-09)

1906	15 hp	2 CY		1000	1900	3800

DOLPHIN (US 1961)

1961		Ford 105 E		400	800	1500

DOLSON (US 1904-07)

1907	7 S	60 hp	Touring Car	1000	3750	7500
1907		20 hp flat-twin	Small			

DOMINION (CDN 1911-14)

1914				2000	3750	7500

DOMMARTIN (F 1949-50)

1949			Racing Car	1000	2150	2500
1950	Open	2 CY	4 Seats	450	900	1800

DONG-FENG; TUNG FENG (EAST WIND) CHI 1958-to-date)

1958	4 Dr.	4 CY 1½ Litre	Saloon Sedan	350	750	1400

YEAR	MODEL	ENGINE	BODY	F	G	E
1968		4 CY	3 Wheel	250	500	1000
1968		4 CY 1,930cc	Saloon Sedan	300	600	1250

DONNET; DONNET-ZEDEL (F 1924-34)

1924	Type G	7 CV 4 CY	Coupe	900	1700	3400
1932		11 CV 4 CY	Saloon Sedan	800	1600	3200

DONOSTI (E 1922-23)

1922		6 CY Twin	Sport	1000	1900	3800
1922		4 CY	Sport	800	1600	3200

DORA (I 1905-1906)

1905		EL		1250	2300	4600

DORCHESTER (US 1906-1907)

1906		1 CY	Runabout	1250	2500	4750
1906		2 CY	Runabout	1300	2600	4900

DORE (F 1900)

1900		EL		1000	2000	4000

DOREY (F 1906-1907; 1912-1913)

1906		1 CY DeDion	Voiturette	1000	2000	3800
1906		4 CY V.R.	Voiturette	900	1800	3650
1912		2 CY	Cycle Car	800	1600	3200

DORMANDY (US 1903-1905)

1903		4 CY Air-cool				4750

DORNER (D 1927)

1927	3/10 PS	V-twin				3600

DORRIS (US 1905-1926)

1906	30 hp	4 CY	Touring Car	2500	5000	10000
1921	Pasadena	6 CY	Phaeton	3000	6000	12000
1923		6 CY	Sedan	2000	4000	8000
1923	SP	6 CY	Touring Car	2500	5000	10000
1925	Custom	6 CY	Touring Car	2250	4500	9000

DORT (US 1915-1924)

1915	Model 5	4 CY L-head	Touring Car 5 Seats	1100	2250	5500
1915	Fleur de lis	4 CY L-head	Roadster	1700	2300	5600
1915	Centre-door	4 CY L-head	Sedan	1700	2400	4800
1915		4 CY L-head	Touring Car	1900	2800	5600
1917		4 CY L-head	Touring Car	1900	2800	5600
1918		4 CY Lycoming	Coupe	1750	2500	5000
1919			Touring Car			
1919		4 CY	Roadster	1300	2600	5200

YEAR	MODEL	ENGINE	BODY	F	G	E
1919	Removable sides	4 CY	Sedanette	1400	2800	5800
1922	9-window	4 CY	Sedan			
1924		6 CY Falls	Sport	1200	2400	4800
1924		6 CY	Touring Car	1400	2800	5600

DOUGILL (GB 1896-1899)

1896		Horizontal		1000	2000	4000

DOUGLAS (GB 1913-1922)

1913		Flat twin Air-cool	Cycle Car	750	1500	3050
1915		10 hp	2 Seats	1050	2100	4250

DOUGLAS (US 1918-1922)

1918		Herschell-Spillman	Roadster	1400	2800	5600
1918		Herschell-Spillman	Touring Car	1200	2400	4800

DOWNING (US 1913-1915)

1913		4 Farmer	Light	1400	2800	5600

DOWNING-DETROIT (US 1913-1915)

1913	Tandem 2 Ps	13 hp V-twin	Cycle Car	1000	1900	3800

D.P.L. (GB 1907-1910)

1907	16 hp	Flat-twin	Town Car	1200	2300	4600

DRAGON (US 1906-1921)

1906	2 S	4 CY 25 hp	Touring Car	1400	2800	5600
1906	5 S	4 CY 35 hp	Touring Car	1500	3000	6000
1908	SP	4 CY 35 hp	Runabout	1560	3100	6250
1921		4 CY	Speedster	1650	3300	6600
1921	4 S	4 CY	Touring Car	1560	3100	6200
1921	6 S	4 CY	Touring Car	1600	3150	6300

DRAGON (F 1913)

1913	6 hp	1 CY	Light	800	1600	3200
1913	10 hp	4 CY	Light	900	1700	3400

DRAGSPORT (GB 1971-to-date)

1971		Ford Parts		650	1250	2500

DREXEL (US 1916-1917)

1916	5-40	4 CY Farmer	Touring Car 5 Seats	1400	2800	4700
1916	7-60	4 CY	Roadster 4 Seats	1250	2500	4900
1916	7-60	4 CY	Touring Car 7 Seats	1300	2600	5200

164

YEAR	MODEL	ENGINE	BODY	F	G	E
DREYHAUPT (D 1905)						
1905		4 CY 10 PS		900	1800	3600
DRIGGS (US 1921-1923)						
1921		4 CY	Sedan	800	1600	3200
DRIGGS-SEABURY (US 1915-1916)						
1915		4 CY Water-cool	Cycle Car	900	1800	3500
DRI SLEEVE MOON-RAKER (GB 1971)						
1971		Ford 1600 GT	Sport	1000	1900	3800
DRUMMOND (GB 1905-1909)						
1905	14/16 hp	4 CY	2 Seats	1000	2000	4000
DRUMMOND (US 1915-1918)						
1915		4 CY	Roadster	1250	2500	4800
1915		4 CY	Touring Car	1100	2250	4500
1915		4 CY	Town Car	1300	2600	5200
D.R.W. (GB 1959-to-date)						
1959	Mark 6	Imp	Sport	450	900	1800
DS MALTERRE (F 1955)						
1955		Ydral	3-Wheel	350	650	1250
D.S.P.L. (F 1910-1914)						
1910		4 CY	Voiturette	1000	2000	4000
1913	15 hp	4 CY	Sport Touring Car	1100	2100	4250
D.S.R. (F 1908-1909)						
1908		4 CY Air-cool	Light	900	1800	3600
DUAL E TURCONI (I 1899-1901)						
1899	3-Wheel	1 CY 3½ hp	Voiturette	950	1900	3800
1899	4-Wheel	1 CY 3½ hp	Voiturette	1000	2000	4000
DUAL-GHIA (US 1955-1967)						
1955	Firebomb	Dodge V-8	Convertible	3200	5650	9500
1962	L 6.4	Chrysler	Coupe	3000	4900	7500
1962	L 6.4	Chrysler	Convertible	3100	5000	8000
DUBONNET (F 1933-1936)						
1933	4 Dr	6 CY Hispano-Suiza	Saloon Sedan	1600	3250	6500
1936		Ford V-8	Teardrop	2000	4000	8000

YEAR	MODEL	ENGINE	BODY	F	G	E

DUCOMMUN (D 1903-1904)

YEAR	MODEL	ENGINE	BODY	F	G	E
1903	12 PS	2 CY		1000	1900	3800
	24 PS	4 CY		1000	2000	4000

DUCROISET (F 1897-1900)

YEAR	MODEL	ENGINE	BODY	F	G	E
1897	8 hp	2 CY Horiz.	Wagonette	1000	2000	4000

DUDLY; DUDLY BUG (US 1913-1915)

YEAR	MODEL	ENGINE	BODY	F	G	E
1913	2 S Open	2 CY Air-cool	Cycle Car	700	1400	2500
1914	2 S Open	4 CY Air-cool	Cycle Car	850	1750	3300

DUER (US 1907-1908)

YEAR	MODEL	ENGINE	BODY	F	G	E
1907	2 S	2 CY 12/16 hp	High-Wheel	1750	3500	6000

DUESENBERG (US 1920-1937)

YEAR	MODEL	ENGINE	BODY	F	G	E
1920	Model A	Straight 8 4.2 Litre	Roadster	10000	20000	40000
1920	Model A	Straight 8 90 hp	Cabriolet	10500	21000	42000
1920	Model A	Straight 8	Racing Car	8700	17500	35000
1921	Model A	Straight 8	Dual Cowl Phaeton	12000	22500	45000
1921	Model A	Straight 8	4 Door Sedan	7200	12000	25000
1922	Model A	Straight 8	Sedan	4500	10000	20000
1922	Model A	Straight 8	Racing Car	9000	15000	30000
1922	Model A	Straight 8	Roadster	10000	20000	38500
1923	DC	Straight 8	Dual Cowl Phaeton	13000	25000	50000
1923	Model A	Straight 8	Sedan	9000	19000	27000
1923		Straight 8	Racing Car	10000	22500	35000
1924	Model A	Straight 8	Phaeton	15000	29000	58000
1924	Model A	Straight 8	Sedan	7500	15000	30000
1924	Model A	Straight 8	Racing Car	10000	20000	39000
1925	Model A 5 Ps	Straight 8	Sedan	7500	15000	30000
1925	Model A	Straight 8	Phaeton	16000	30500	60000
1925	Model A	Straight 8	Racing Car	10500	20500	40000
1926	Model A	Straight 8	Dual Cowl Phaeton	17500	35000	75000
1926	Model A 5 Ps	Straight 8	Coupe	12500	25000	48000
1926	Model A	Straight 8	Roadster	16000	33000	70000
1926	Model X	Straight 8	Sedan	11000	22500	45000
1927	Model X	Straight 8	Sport Touring Car	15000	32500	65000
1927	Model X 7 Ps	Straight 8	Limousine	14000	29000	58500
1927	Model X	Straight 8	Racing Car	10000	20000	40000
1927	Model X	Straight 8	Sedan	11000	22500	45000
1928	Holbrook-J	Straight 8 265 hp	Sedan	25500	47000	85000
1928	Holbrook-J	Straight 8	Town Cabriolet	40000	80000	169000

YEAR	MODEL	ENGINE	BODY	F	G	E
1928	Model J 4 Ps	Straight 8	Touring Car	35000	70000	130000
1928	Murphy	Straight 8	Convertible Roadster	40000	88000	165000
1928	Model J	Straight 8	Dual Cowl Sport Phaeton	50000	100000	200000
1928	Model J	Straight 8	Brougham	26000	45000	90000
1928	Model J	Straight 8	Berline	22500	47000	95000
1928	Model J	Straight 8	Limousine	27000	52500	115000
1928	Derham	Straight 8	2-Window Sedan	20000	40000	80000
1928	Rollston	Straight 8	Town Car	25000	50000	100000
1928	LeBaron	Straight 8	Phaeton	45000	90000	185000
1928	Single S	8 CY 200 hp	Racing Car	21000	42500	85000
1929	Murphy	Straight 8	Convertible Roadster	33000	76000	145000
1929	Open	Straight 8	4 Seats	33000	76000	145000
1929	Derham	Straight 8	Dual Cowl Phaeton	50000	110000	215000
1929	Model J	Straight 8	Roadster	33000	76000	145000
1929	Murphy	Straight 8	Convertible Sedan	40000	85000	170000
1929	5 Ps	Straight 8 265 hp	Convertible Phaeton	49500	105000	210000
1929	Rollston	Straight 8	Limousine	30000	62000	125000
1929	Model J	Straight 8	Berline	29000	60000	120000
1929	Model J	Straight 8	Brougham	26000	50000	115000
1929	Model J	Straight 8	Sport Phaeton	49000	100000	205000
1929	Model J Derham	Straight 8	Phaeton	47500	98000	200000
1929	4 Ps	Straight 8	Cabriolet	32500	75000	150000
1929	Model J	Straight 8	Sport Coupe	30000	70000	125000
1929	7 Ps	Straight 8	Cabriolet	32500	74000	140000
1929	5 Ps	Straight 8	Sedan	26000	42000	85000
1929	7 Ps	Straight 8	Enclosed Sedan	27000	45000	88000
1929	Rollston	Straight 8	Town Car	30000	70000	130000
1929	Rollston	Straight 8	All Weather Cabriolet	32500	75000	150000
1929	Murphy	Straight 8	Convertible Berline	35000	78000	155000
1929	Holbrook	Straight 8	Sport Sedan	26000	50000	98000
1929	Holbrook	Straight 8	French Cabriolet	31000	70000	135000
1929	Derham	Straight 8	Close Coupe Town Car	27000	67000	127500
1929	4 Dr.	Straight 8	Convertible Touring Car	47750	99000	200000
1930	Model J	Straight 8 265 hp	Convertible Sedan	40000	80000	160000
1930	Beverly	Straight 8	Sedan	27500	55000	110000
1930	Rollston	Straight 8	Town Car	37500	65000	130000

YEAR	MODEL	ENGINE	BODY	F	G	E
1930	All Weather	Straight 8	Cabriolet	43750	87500	175000
1930	Derham	Straight 8	Touring Car	51250	102500	205000
1930	Murphy-J	Straight 8	Boattail Speedster	53250	107500	215000
1930		Straight 8	Convertible Town Car	37500	75000	150000
1930	Murphy	Straight 8	Convertible Roadster	40000	80000	160000
1930	Rollston	Straight 8	Convertible Victoria	42500	85000	170000
1930	Murphy	Straight 8	Sedan	22000	44000	88000
1930	Derham	Straight 8	Close Coupe Touring Car	32500	65000	127000
1930	Brunn	Straight 8	Town Brougham	28750	57500	115000
1930	Judkins	Straight 8	2 Passenger Coupe	31250	62500	125000
1930	LeBaron	Straight 8	Phaeton	51250	102500	205000
1930	Murphy	Straight 8	Town Car	51500	103000	207000
1930	Murphy-J	Straight 8 265 hp	Club Sedan	24500	49000	98000
1930	2 Ps	Straight 8 265 hp	Roadster Convertible Coupe	42500	85000	170000
1930	4 Ps	Straight 8 265 hp	Roadster Convertible Coupe	41250	82500	165000
1930	Model J	Straight 8 265 hp	Sport Phaeton	52000	104000	208000
1930	Model J	Straight 8 265 hp	Limousine	31250	62500	125000
1931	Twenty Grand	Straight 8	Torpedo Phaeton	51000	102500	205000
1931	Model J	Straight 8	Convertible	40000	80000	160000
1931	Model J	Straight 8	Phaeton	51000	102500	205000
1931		Straight 8	Dual Cowl Phaeton	51500	103500	207000
1931	LeBaron 7 Ps	Straight 8	Convertible Sedan	50000	100000	200000
1931	Franay	Straight 8 265 hp	Limousine	31250	62500	125000
1931		Straight 8	Convertible Roadster	40000	80000	160000
1931		Straight 8 265 hp	Town Brougham	28750	57500	115000
1931	All Weather	Straight 8	Town Brougham	29250	58500	117000
1931	Derham	Straight 8	Touring Car	50000	100000	200000
1931	LeBaron	Straight 8	Convertible Berline	50000	100500	201000
1931	Derham	Straight 8	Convertible Sedan	50000	100000	200000
1931	Murphy	Straight 8	Convertible Roadster	40000	80000	160000
1931	Rollston	Straight 8	Convertible Victoria	42500	85000	170000
1931	French	Straight 8	Speedster	53000	107000	215000
1931	Murphy	Straight 8	Town Car	50000	100500	201000

YEAR	MODEL	ENGINE	BODY	F	G	E
1931	Rollston	Straight 8	Town Car	50000	100000	200000
1931	Judkins	Straight 8	4 Passenger Coupe	37000	75000	130000
1931	Judkins	Straight 8	Berline	36500	72500	145000
1931	Murphy	Straight 8	Limousine	36500	72500	145000
1931		Straight 8	Formal Sport Sedan	35000	70000	140000
1932	Model SJ	Straight 8 320 hp	Roadster	41250	82500	165000
1932	Model J	Straight 8 265 hp	Convertible Sedan	50000	100000	200000
1932	LeGrande SJ	Straight 8 320 hp SC	Phaeton	87500	175000	215000
1932	Beverly	Straight 8	Sedan	45000	70000	140000
1932	Weymann SJ	Straight 8 320 hp	Fishtail Speedster	87500	175000	215000
1932	Murphy J	Straight 8 265 hp	Town Car	45250	90500	181000
1932	Murphy 4 Ps	Straight 8	Convertible	50250	100500	201000
1932	Arlington 4 Ps	Straight 8	Sedan	35250	67500	135000
1932	Brunn	Straight 8	Torpedo Phaeton	50125	102500	205000
1932	Murphy	Straight 8	Convertible Roadster	46500	92500	185000
1932	Rollston	Straight 8	Town Car	45000	90000	180000
1932	Murphy J	Straight 8 265 hp	Limousine	36250	72500	145000
1932	LeBaron	Straight 8	Phaeton	50000	101000	202000
1932	Judkins	Straight 8	Berline	36250	72500	145000
1932	Willoughby	Straight 8	Limousine	36250	72500	145000
1932	LeBaron J	Straight 8 265 hp	Dual Cowl Phaeton	53750	107500	215000
1933	Model SJ	Straight 8 320 hp SC	Sport	45000	90000	180000
1933	Twenty Grand	Straight 8 6.9 Litre	Sedan	50000	100000	200000
1933		Straight 8 6.9 Litre	Roadster	42500	85000	165000
1933	Weymann	Straight 8	Phaeton	52500	105000	210000
1933	Brunn	Straight 8	Phaeton	57000	107500	215000
1933	Brunn	Straight 8	Sport Convertible	50000	105000	210000
1933	Rollston	Straight 8	Convertible Torpedo Victoria	50000	105000	210000
1933	Special	Straight 8	Racing Car	45000	90000	180000
1933	Murphy	Straight 8	Convertible Roadster	42500	85000	170000
1933	Murphy	Straight 8	Town Car	45000	90000	180000
1933	Rollston	Straight 8	Town Car	45000	90000	180000

YEAR	MODEL	ENGINE	BODY	F	G	E
1933	Rollston	Straight 8	Closed Sedan	31250	62500	125000
1933	Murphy	Straight 8	Convertible	52500	105000	210000
1933	Murphy	Straight 8	Boattail Speedster	52500	107500	215000
1933	Murphy	Straight 8	Limousine	32500	75000	150000
1933	Fernandez & Darrin - J	Straight 8	Open Front Victoria	52500	107500	215000
1934	LeBaron	Straight 8	Dual Cowl Phaeton	51250	102500	205000
1934	Model J	Straight 8	Roadster	42500	85000	170000
1934	LeGrande	Straight 8	Speedster	52500	105000	210000
1934	Brunn	Straight 8	Riviera Phaeton	51250	102500	205000
1934	LeGrande	Straight 8	Convertible Roadster	40000	80000	160000
1934	LeGrande	Straight 8	Coupe	36250	72500	145000
1934	Model J	Straight 8	Cabriolet	41250	82500	165000
1934	Model J	Straight 8	Convertible Phaeton	52500	105000	210000
1934	Brunn	Straight 8	Convertible Sport	51000	102500	205000
1934	Murphy	Straight 8	Convertible Roadster	50000	100000	200000
1934	Walker	Straight 8	3 Passenger Coupe	37500	75500	155000
1934	Murphy SJ	Straight 8 320 hp	Limousine	42750	85500	175000
1934	Judkins	Straight 8	Berline	37500	75000	150000
1934	Judkins	Straight 8	Limousine	42250	85000	170000
1934	Model J	Straight 8	Roadster Convertible Coupe	42500	85500	175000
1934	Model J	Straight 8	Town Limousine	40000	80000	160000
1934	Model J	Straight 8	Sport Phaeton	50000	100000	200000
1935	Rollston JN	Straight 8	Convertible Sedan	50000	100000	200000
1935	Rollston JN	Straight 8	Sedan	39500	79000	158000
1935	Rollston JN	Straight 8	Convertible	42500	87500	175000
1935	Rollston JN	Straight 8	Opera Brougham	41250	82500	165000
1935	Rollston JN	Straight 8	Convertible Coupe	45000	90000	180000
1935	LeGrande	Straight 8	Convertible Roadster	42500	85000	170000
1935	Walker	Straight 8	Phaeton	51000	102500	205000
1935	Bohman SJ	Straight 8 320 hp	Town Car	45000	90000	180000
1935		Straight 8	Torpedo Roadster	50000	100000	200000
1935	Special	Straight 8	Racing Car	42500	85000	170000
1935		Straight 8	Rumble Seat Coupe	37500	75000	155000
1935	LeGrande	Straight 8	Phaeton	51000	102500	205000
1935	Weymann	Straight 8	Torpedo Phaeton	52500	105000	210000
1935	Murphy	Straight 8	Convertible Roadster	41500	82500	175000
1935	Rollston	Straight 8	Town Car	45000	90000	180000
1935		Straight 8	Convertible	42500	85000	170000
1935	SSJ	8 CY	Roadster	125000	190000	226000

YEAR	MODEL	ENGINE	BODY	F	G	E
1936	Model SJ	Straight 8 320 hp	Sedan	40250	81500	163000
1936	Model JN	Straight 8	Convertible Coupe	45000	90000	180000
1936	Model J	Straight 8 265 hp	Convertible Sedan	42500	85000	175000
1936	Model SSJ	Straight 8	Roadster	55000	110000	220000
1936	Bohman SJ	Straight 8 320 hp	Convertible	41200	82500	175000
1936	Marmon Meteor I	Straight 8	Racing Car	41000	82000	165000
1936	Murphy	Straight 8	Convertible Roadster	41100	82500	175000
1936	Model SJ	Straight 8	Roadster	46000	92500	185000
1936	Bohman J	Straight 8 265 hp	Airflow Coupe	45000	90000	180000
1936	Bohman J	Straight 8 265 hp	Sedan	37500	75000	155000
1936	Model J	Straight 8 265 hp	Limousine	41000	82000	165000
1936	Model J	Straight 8	Sport Phaeton	50000	100000	200000
1936	Model J	Straight 8	Roadster Convertible Coupe	46500	92500	185000
1936	Model J	Straight 8	Town Car	41000	82500	175000
1936	Model J	Straight 8	Town Limousine	40500	81000	170000
1937	Bohman	Straight 8	Throne Car	37500	72500	145000
1937	Bohman	Straight 8	Convertible Coupe	45200	87500	175000
1937	Derham SJ	Straight 8 320 hp	Touring Car	42500	85000	170000
1937	Derham	Straight 8	Phaeton	50000	100000	200000
1937	Model J	Straight 8 265 hp	Convertible Sedan	48750	97500	195000
1937	Rollston	Straight 8	Convertible Torpedo Victoria	45000	90000	180000
1937	Rollston	Straight 8	Hardtop Sedan	42500	85000	170000
1937	Weymann	Straight 8	Convertible Coupe	42500	85000	170000
1937	Weymann	Straight 8	Sport Sedan	38500	77500	155000
1937	Brunn	Straight 8	Torpedo Phaeton	50500	101000	202000
1937	Marmon Meteor III	Straight 8	Racing Car	40000	80000	160000
1937	Rollston	Straight 8	Convertible Sedan	47000	92500	185000
1937	Murphy	Straight 8	Convertible Roadster	45000	90000	180000
1937	LeGrande J	Straight 8 265 hp	Dual Cowl Phaeton	50000	100000	200000
1937	Model J	Straight 8 265 hp	Limousine 4 Door	41250	82500	165000

YEAR	MODEL	ENGINE	BODY	F	G	E
1938	Rollston	Straight 8	Convertible Coupe	42500	85000	170000

DUFAUX (CH 1904-1907)

YEAR	MODEL	ENGINE	BODY	F	G	E
1904	70/90 hp	Straight 8	Racing Car	1600	3200	6450
1906	35 hp	4 CY	Touring Car	1000	2000	4000
1906	80/100 hp	8 CY	Limousine	1600	3250	6500

DUHANOT (F 1907-1908)

YEAR	MODEL	ENGINE	BODY	F	G	E
1907	17 hp	4 CY		1000	2000	4000
1908	8/10 hp	2 CY		1000	1900	3800

DULON (GB 1967-to-date)

YEAR	MODEL	ENGINE	BODY	F	G	E
1967	Sport GT	Ford	Racing Car	1000	1900	2800
1970	LD8	Ford	Racing Car	650	1250	2500
1972	LD	Ford	Racing Car	700	1350	2700

D. ULTRA (GB 1914-1916)

YEAR	MODEL	ENGINE	BODY	F	G	E
1914	8 hp	2 CY Chater-Lea	Light	1000	1900	3800

DUMAS (F 1902-1903)

YEAR	MODEL	ENGINE	BODY	F	G	E
1902	4½ hp	Buchet	3-Wheel	1000	1800	3600

DUMONT (F 1912-1913)

YEAR	MODEL	ENGINE	BODY	F	G	E
1912		1 CY	4 Seats	1000	1900	3800

DUMORE (US 1918)

YEAR	MODEL	ENGINE	BODY	F	G	E
1918	2 S	4 CY	Roadster	1250	2500	4750

DUNALISTAIR (GB 1925-1926)

YEAR	MODEL	ENGINE	BODY	F	G	E
1925	4 S	14 hp	Meadow Touring Car	900	1600	3250

DUNAMIS (B 1922-1924)

YEAR	MODEL	ENGINE	BODY	F	G	E
1922		Straight 8	Large Luxury	1600	3250	6500

DUNKLEY (GB 1896-1924)

YEAR	MODEL	ENGINE	BODY	F	G	E
1896		Coal gas	Dos-a-dos	1600	3250	6500
1901		Coal gas	Tandem 2 Seats	1500	3100	6200

DUNN (US 1914-1918)

YEAR	MODEL	ENGINE	BODY	F	G	E
1914	2 S	4 CY	Cycle Car	900	1800	3500

DUO (GB 1912-1914)

YEAR	MODEL	ENGINE	BODY	F	G	E
1912	6/8 hp	1 CY Buchingham	Cycle Car	800	1600	3200
1912	10 hp	6 CY Dorman		900	1800	3600
1913	10 hp	4 CY Chopuis-Domieer		950	1700	3400

YEAR	MODEL	ENGINE	BODY	F	G	E
DUPLEX (GB 1906-1921)						
1906	35 hp	4 CY		1000	2000	3900
1919	10 hp	8 CY	Coupe	1100	2250	4500
DUPLEX (US 1909)						
1909	20 hp	2 CY		1250	2500	4750
DUPLEX (CDN 1923)						
1923		4 CY	Sedan	900	1750	3500
duPONT (US 1920-1932)						
1920		4 CY duPont	Touring Car	4500	9000	17000
1923		6 CY Herschell-Spillman	Touring Car	5000	10000	20000
1925	Model D	6 CY Wisconsin	Touring Car	5500	11000	21000
1928	Model E		Touring Car	5500	11000	21000
1928	Model G	Straight 8 Cont.	Speedster	9000	18000	35000
1929	Model G	Straight 8	Roadster	6000	12000	25000
1931	Model H		Touring Car	5500	11000	21000
DUPRESSOIR (F 1900-1914)						
1900	2¼ hp	DeDion	Voiturette	1100	2200	4300
1901	3 hp	Aster	Voiturette	1200	2250	4500
DUQUESNE (US 1903-1913)						
1903	16/21 hp	4 CY Air-cool	Touring Car	1600	3100	6200
1912	5 S	4 CY T-head	Touring Car	1800	3500	7000
DURANT (US 1921-1932)						
1921	SP	6 CY	Touring Car	1250	2500	5000
1923	Four	6 CY 24 hp	Touring Car 4 Seats	1400	2800	5600
1923		6 CY Ansted	Touring Car	1900	2750	5500
1924		6 CY	Touring Car	1250	2500	4900
1928		4 CY	2 Door	750	1500	3000
1928		4 CY	Sedan	900	1700	3400
1928		4 CY	Touring Car	1100	2250	4500
1929		6 CY	Sedan	900	1750	3500
1929		6 CY	Roadster	1200	2400	4800
1929	RS	6 CY	Coupe			
1929	SP	6 CY	Phaeton	2000	4100	8250
1930	SP	6 CY	Phaeton Side Mount	2100	4250	8500
1930		4 CY	Sedan	1000	2000	4000
1930		4 CY	Coupe	1100	2250	4500
1930		6 CY	Sedan	1000	2000	4000
1930	SP	6 CY	Roadster	2000	4000	8000
1930	RS	6 CY	Coupe	1250	2500	5000

YEAR	MODEL	ENGINE	BODY	F	G	E
DUREY-SOHY (F 1899-1903)						
1899		2 CY Vertical	Voiturette	1000	2000	4000
1903	12 hp	2 CY	Voiturette	1100	2100	4200
DURKOPP (D 1898-1927)						
1898		2 CY	Touring Car	1000	2000	4000
1905		18/32 PS	Laundalet	1050	2100	4300
DUROCAR (US 1907-1909)						
1907	26 hp	2 CY Water cool	Surrey	1350	2750	5400
1907	26 hp	2 CY Water cool	Runabout	1450	2900	5700
1907	26 hp	2 CY Water cool	Touring Car	1400	2850	5800
1910			Roadster	1500	3000	6000
DURSLEY-PEDERSEN (GB 1912)						
1912	7 hp	4 CY	Cycle Car	750	1500	3000
DURYEA (US 1895-1915)						
1895		1 CY 4 hp	Motor Buggy	1200	2400	4800
1898		Flat-twin	3-Wheel	1000	2000	3900
1908		2 CY	High-Wheel	1600	3250	6500
1914	Side by side	Flat-twin	Cycle Car	900	1800	3500
DURYEA GEM (US 1916)						
1916	Cycle Car	10 hp	3-Wheel	750	1500	3000
DUTTON (GB 1969-to-date)						
1969	SP	B.M.C.	2 Seats	550	1100	2200
1969	SP	Triumph	2 Seats	750	1300	2600
1969	SP	Ford	2 Seats	650	1200	2400
DUX (D 1909-1926)						
1909	E12	6/12 PS		1000	1900	3800
1919	50 hp	4 CY		650	1250	3500
1920	60 hp	6 CY		1000	2000	3900
D-WAGEN (D 1924-1927)						
1924	5/20 PS	4 CY		700	1400	2800
DYKE (US 1901-1904)						
1901	5 hp	1 CY	2 Seats	1050	2150	4300
1901	12 hp	2 CY	5 Seats	1100	2250	4500
1901	12 hp	2 CY	4 Seats	1200	2350	4700
DYMAXION (US 1933-1934)						
1933		Ford V-8	3-Wheel	2100	4250	8500

YEAR	MODEL	ENGINE	BODY	F	G	E
DYNAMOBIL (D 1906)						
1906	24 hp	Petrol		1000	2100	4200
1906	12 hp	EL		1200	2400	4800
D'YRSAN (F 1923-1930)						
1923	CC	4 CY Ruby	3-Wheel	550	1100	2200
1925		Ruby	Sport	700	1400	2800

E

Edsel — 1958 "Ranger"

YEAR	MODEL	ENGINE	BODY	F	G	E
EAGLE (US 1904-1924)						
1904	5 S Rear Entrance	2 CY 12 hp	Tonneau	1100	2200	4400
1905	5 S	4 CY 20/24 hp	Touring Car	1150	2300	4600
1908		2 CY	High-Wheel	1500	3000	6000
1909	14 hp	2 CY Air-cool	Roadster	1150	2350	4750
1914		5 CY Air-cool	Cycle Car	900	1750	3500
1923		6 CY Cont.	Touring Car	1100	2250	4500
EAGLE (GB 1901-1914)						
1901	Tandem	3½ hp	Tricar	1000	1900	3800
1903	9 hp	2 CY		1000	2000	4000
1903	16 hp	4 CY	Runabout	1000	2000	4000
1907	24/30 hp	4 CY	Touring Car	1050	2100	4250
1912	8/10 hp	V-twin		900	1800	3600
1914	8 hp	4 CY		1000	1900	3800

YEAR	MODEL	ENGINE	BODY	F	G	E
EAGLE (US/GB 1966-to-date)						
1966	F 1	V-12 Weslake	Racing Car	1250	2500	5000
EAGLET (GB 1948)						
1948	3-Wheel	EL	Coupe	300	600	1200
EARL (US 1907-1923)						
1907	RS	2 CY 15 hp	Roadster	1100	2250	4500
1921		4 CY	Roadster	1150	2350	4700
EASTBOURNE (GB 1905-1906)						
1905	4 S	2 CY Aster	Tonneau	1000	1900	3800
EAST GLOWS (CHI 1964-to-date)						
1964		6 CY	Saloon Sedan	350	650	1250
EASTMAN (US 1899-1902)						
1899	Single S	EL	3-Wheel	1250	2500	4700
EASTMEAD-BIGGS (GB 1901-1904)						
1901		Simms		900	1750	3500
1901		Aster		900	1750	3500
EATON (US 1898)						
1898		EL	2 Seats	1100	2250	4500
E.B.M. (D 1912)						
1912		4 CY		1000	1900	3800
E.B.S. (D 1924)						
1924	2 S	1 CY	3-Wheel	400	750	1400
ECLAIR (F 1907-1923)						
1907	20 hp	4 CY	Limousine	800	1600	3200
1920	7/9 hp	V-twin Azani	Cycle Car	600	1200	2400
ECLIPSE (US 1900-1905)						
1900	Steam	3 CY 8 hp	Runabout	2350	4750	9500
1905	Model A	1 CY	5 Seats	1850	3750	7500
ECLIPSE (GB 1901-1904)						
1901	12 hp	2 CY	Light	850	1700	3400
1901	20/24 hp	4 CY	Light	1000	1900	3800
ECO (AUS 1923)						
1923		Lycoming		800	1600	3250
ECONOM (D 1950)						
1950			2 Seats	350	650	1250
ECONOMIC (GB 1921-1922)						
1921	2 S	200cc Flat-twin	3-Wheel	450	900	1700

YEAR	MODEL	ENGINE	BODY	F	G	E
ECONOMY (US 1914-1921)						
1914	2 S	2 CY Spacke	Cycle Car	750	1500	3000
1917		4 CY	Touring Car	1100	2250	4500
1917		8 CY	Roadster	1150	2300	5600
1920		6 CY Cont.	Touring Car	1200	2400	4800
ECONOMYCAR (US 1913-1914)						
1913	2 S Tandem	2 CY Air-cool	Cycle Car	900	1750	3500
ECONOOM (NL 1912-1914)						
1912	8/12 hp	4 CY Ballot	Light	800	1600	3250
EDFORD (P 1930-1938)						
1930	2 S	Ford	Roadster	1250	2500	5000
1936		V-8	Sport	1100	2250	4500
EDIS (E 1919-1922)						
1919	10 hp	Vert. twin	2 Seats	800	1700	3400
1919		4 CY	4 Seats	1000	1900	3800
EDISMITH (GB 1905)						
1905	9 hp	DeDion	Small	800	1600	3250
EDIT (I 1924)						
1924		Vert. twin	Light	650	1250	2500
EDITH (AUS 1953)						
1953	2 S	197cc Villiers	3-Wheel	450	900	1800
EDMOND (GB 1920-1921)						
1920	2 S	2 CY Coventry Victor	Cycle Car	800	1600	3200
1921		2 CY	Cycle Car	850	1650	3300
EDSEL (US 1958-1960)						
1958	Citation	V-8	4 Door Hardtop	525	1125	2200
1958	Citation	V-8	2 Door Hardtop	600	1200	2500
1958	Citation	V-8	Convertible	1100	2000	3750
1959	Ranger	V-8	2 Door Hardtop	475	1050	2000
1959	Corsair	V-8	Convertible	700	1500	2950
1959	Corsair	V-8	2 Door Hardtop	500	1100	2250
1959	Villager	V-8	Station Wagon	450	1000	1700
1960		V-8	Convertible	1000	1800	3600
1960	9 Ps	V-8	Station Wagon	600	1200	2500
1960	Pacer	V-8	2 Door Hardtop	800	1200	3000
EDWARDS (GB 1913)						
1913	8/10 hp	Precision Air-cool	Cycle Car	1650	3250	3500

YEAR	MODEL	ENGINE	BODY	F	G	E

EDWARDS (US 1953-1955)

YEAR	MODEL	ENGINE	BODY	F	G	E
1953		Ford V-8	Sport	750	1500	3000
1953		Lincoln	Sport	900	1800	3500

EDWARDS-KNIGHT (US 1912-1914)

YEAR	MODEL	ENGINE	BODY	F	G	E
1912	25 hp	4 CY Knight	Touring Car 5 Seats	1500	3000	6000

E.E.C. (GB 1952-1954)

YEAR	MODEL	ENGINE	BODY	F	G	E
1952		2 CY Excelsior	3-Wheel	750	1500	3000

EFFYH (S/DK 1950-1953)

YEAR	MODEL	ENGINE	BODY	F	G	E
1950		500cc	Racing Car	350	650	1250

EGAN SIX (AUS 1935-1936)

YEAR	MODEL	ENGINE	BODY	F	G	E
1935	6 S	6 CY Lycoming	Saloon Sedan	1000	1800	3500

EGG (CH 1896-1900)

YEAR	MODEL	ENGINE	BODY	F	G	E
1896	Side by side Seating	3 hp DeDion	3-Wheel	1000	1800	3600

EGO (D 1921-1926)

YEAR	MODEL	ENGINE	BODY	F	G	E
1921	2 S	4/14 PS	Racing Car	1000	2000	4000

E.H.P. (F 1921-1929)

YEAR	MODEL	ENGINE	BODY	F	G	E
1921		4 CY Ruby	Voiturette	700	1400	2750
1927		8/9 CV	Coupe	750	1450	2800

EHRHARDT (D 1904-1922)

YEAR	MODEL	ENGINE	BODY	F	G	E
1904	Fidelio	2 CY		1000	1900	3800
1905	31/50 PS	4 CY	Racing Car	1200	2250	4500
1907	16/24 PS	4 CY	Touring Car	1400	2400	4800

EHRHARDT-SZAWE (D 1922-1924)

YEAR	MODEL	ENGINE	BODY	F	G	E
1922	10/50 PS	6 CY		750	1500	2900

EIA (I 1928)

YEAR	MODEL	ENGINE	BODY	F	G	E
1928		4 CY	Convertible	600	1200	2450

EIBACH (D 1924)

YEAR	MODEL	ENGINE	BODY	F	G	E
1924	2 S	1 CY D.K.W.	3-Wheel	800	1200	2400

E.I.M. (US 1915)

YEAR	MODEL	ENGINE	BODY	F	G	E
1915	Single S	4 CY	Cycle Car	900	1800	3500

EINAUDI (F 1926-1927)

YEAR	MODEL	ENGINE	BODY	F	G	E
1926	3½ hp	1 CY	Cycle Car	750	1400	2800

EISENACH (D 1898-1903)

YEAR	MODEL	ENGINE	BODY	F	G	E
1898		EL		1000	2000	4000
1901		2 CY Benz		1400	2400	4800

YEAR	MODEL	ENGINE	BODY	F	G	E

E KAMOBIL (D 1913-1914)

1913		6 hp	3-Wheel	770	1400	2800

ELAN (F 1899-1900)

1899	3 hp	DeDion	Voiturette	1000	2100	4200

ELBERT (US 1914)

1914	2 S Tandem	4 CY	Cycle Car	1000	1800	3500

ELCAR (US 1915-1931)

1915	24 hp	4 CY Lycoming	2 Seats	1500	3000	6000
1919		6 CY Cont	Touring Car	1650	3250	6500
1925	20 hp	8 CY Lycoming	Touring Car	1750	3350	6700
1926		8 CY Lycoming	Sedan	1275	2550	5500
1929	4 Dr.	8 CY	Sedan	1400	2800	5600
1929	Model 75	8 CY	5 Passenger Sedan	1350	2700	5400
1931		6 CY Cont	Sedan	1250	2500	5000

ELCO (US 1915-1916)

1915	5 S	4 CY Davis L-head	Touring Car	1200	2400	4800

ELDEN (GB 1969-to-date)

1970	Mark 8 FF	Formula Ford	Racing Car	650	1250	2500
1972	Mark 9	Formula Ford	Racing Car	850	1650	3500
1973	Mark 10 FF	Formula Ford	Racing Car	1100	2250	4300
1973	Mark II	Formula Ford	Sport	1100	2200	4400
1973	Mark 12 F3	Formula Ford	Racing Car	1100	2250	4500

ELDIN ET LAGIER (F 1898-1901)

1898	1¾ hp	DeDion	Voiturette	1000	2000	4000
1901	2 hp	4 CY	Voiturette	1000	1900	3800

ELDREDGE (US 1903-1906)

1903	2 S	8 hp	Runabout	1350	2750	5500
1904	16 hp	Flat 4	Tonneau	1250	2500	5000
1904			Roadster	1500	3000	6000

ELECTRA (D 1899-1900)

1899	2 S	EL	3-Wheel	1000	1800	3600

ELECTRA (US 1913-1915)

1913	Closed	EL 2½ hp	2 Seats	1000	1900	3800

ELECTRA KING (US 1961-to-date)

1961		1 hp D.C.	3-Wheel	350	650	1250
1966	2 S		Runabout	400	700	1400

ELECTRICAR (F 1920-1924)

1920	2 S	EL 2½ hp	3-Wheel	700	1400	2800

YEAR	MODEL	ENGINE	BODY	F	G	E

ELECTRIC SHOPPER (US 1964-to-date)

YEAR	MODEL	ENGINE	BODY	F	G	E
1964	2 S		3-Wheel	250	500	1000

ELECTROCICLO (E 1945-1946)

YEAR	MODEL	ENGINE	BODY	F	G	E
1945		EL	2 Seats	300	600	1250

ELECTROLETTE (F 1941-1943)

YEAR	MODEL	ENGINE	BODY	F	G	E
1941	Open	EL 1½ hp	2 Seats	350	700	1400
1941		EL 1½ hp	Coupe	300	650	1350

ELECTRO MASTER (US 1962-to-date)

YEAR	MODEL	ENGINE	BODY	F	G	E
1962		2 hp		350	700	1400

ELECTROMOBILE (GB 1901-1920)

YEAR	MODEL	ENGINE	BODY	F	G	E
1901		EL	Victoria	1000	2000	4000
1903		EL	Brougham	1100	2100	4250
1919	Elmo	8/12 hp	Laundalet	1000	2000	4000
1919	Elmo	8/12 hp	Limousine	1100	2100	4250

ELECTROMOTION (F 1900-1909)

YEAR	MODEL	ENGINE	BODY	F	G	E
1900		EL	Town Car	850	1650	3500

ELECTRONIC LA SAETTA (US 1955)

YEAR	MODEL	ENGINE	BODY	F	G	E
1955	2 S	EL	Sport	350	750	1400

ELECTRO-RENARD (F 1943-1946)

YEAR	MODEL	ENGINE	BODY	F	G	E
1943		EL	2 Seats	350	650	1250

ELECTROSPORT (US 1972-to-date)

YEAR	MODEL	ENGINE	BODY	F	G	E
1972	E.F.P.	EL	Station Wagon	1500	3000	6000

ELEKTRIC (D 1922-1924)

YEAR	MODEL	ENGINE	BODY	F	G	E
1922		EL		800	1600	3250

ELFE (F 1919-1922)

YEAR	MODEL	ENGINE	BODY	F	G	E
1919	Single S	V-twin	Cycle Car	750	1500	3000
1920	Tandem	2 CY Anzani V-twin	2 Seats	1000	1800	3600

ELFIN (AUS 1959-to-date)

YEAR	MODEL	ENGINE	BODY	F	G	E
1959			Racing Car	550	1100	2200
1959			Sport	550	1100	2300
1965	Formula 2	Ford	Racing Car	550	1100	2300
1969		Repco V-8	Racing Car	700	1400	2800
1969		Formula Ford	Racing Car	750	1500	3000
1970	Group 7		Racing Car	750	1500	3000

ELGE (B 1912-1914)

YEAR	MODEL	ENGINE	BODY	F	G	E
1912		4 CY		300	600	1200

YEAR	MODEL	ENGINE	BODY	F	G	E
ELGIN (US 1899-1925)						
1899	5 hp	1 CY	Runabout	1100	2250	4500
1899		EL	Runabout	1500	3000	6000
1916		4 CY	Convertible	1750	3500	7000
1918	Six 21 hp	6 CY Falls	Sedan	1100	2250	4500
1919		6 CY	Touring Car	1750	3250	6500
ELIESON (GB 1897-1898)						
1897		EL	4 Seats	1100	2250	4500
ELITE (US 1901)						
1901	Steam	2 CY		2250	4500	9000
ELITE, ELITE-DIAMANT (D 1920-1928)						
1920		EL	3-Wheel	700	1400	2800
1920	E 12/40 PS	4 CY	3-Wheel	600	1200	2400
1920	18/70 PS	6 CY	3-Wheel	700	1400	2800
1927	12/50 PS	6 CY	Saloon Sedan Sport	700	1400	2800
1927	18/70 PS	6 CY	Touring Car	800	1600	3200
ELITEWAGEN (D 1921-1923)						
1921				700	1400	2800
ELIZALDE (E 1914-1928)						
1914		15/20 hp	Limousine	1050	2100	4200
1919	Type 26	18/23 hp	Limousine	1150	2250	4500
1920	Tipo 48	50/60 hp	Limousine	1150	2300	4600
1922	Tipo 20C	20/30 hp	Sport	1000	2200	4400
ELKHART (US 1908-1909)						
1908	5 S	4 CY 30/35 hp	Touring Car	1600	3250	6500
ELLEMOBIL (DK 1909-1913)						
1909		2 CY Air-cool	Cycle Car	800	1600	3200
1913	11 hp	3 CY Flat	Cycle Car	900	1750	3400
ELLSWORTH (US 1907)						
1907		4 CY T-head		1650	3250	6500
ELMORE (US 1900-1912)						
1900	5 hp	1 CY	Runabout	1000	2000	4000
1903		2 CY	Runabout	1100	2250	4500
1906	Side entrance	4 CY 32/35 hp	Touring Car	1700	3400	6800
1907		3 CY 24 hp	Touring Car	1600	3250	6500
ELSWICK (GB 1903-1907)						
1903	6 hp	DeDion		1000	2000	4000
1904	20 hp	Brouhot	Laundalet	1000	2100	4250

YEAR	MODEL	ENGINE	BODY	F	G	E
ELVA (F 1907)						
1907	6/8 hp	2 CY	2 Seats	1100	2250	4500
1907	4 S	4 CY 12/14 hp	Double Phaeton	1250	2500	5000
ELVA (GB 1955-1968)						
1957		1100cc Ford	Sport	550	1100	2200
1958	Mark 4	Coventry-climax	Sport	600	1200	2400
1959	Mark 5	D.K.W.	Sport	700	1400	2800
1963	Mark 7	1588cc Ford	Sport	750	1500	3000
1965	Courier		Sport	700	1400	2800
ELYSEE (F 1921-1925)						
1921		4 CY 780cc	Light	650	1250	2400
EMANCIPATOR (US 1909)						
1909		2 CY	3 Seats	1150	2350	4700
1909		4 CY	5 Seats	1250	2500	5000
EMBREE (US 1910)						
1910		35 hp		1200	2400	4800
EMERALD (GB 1903-1904)						
1903	2 S	1 CY 4 hp	Voiturette	1000	1900	3800
EMERAUDE (F 1913-1914)						
1913		1 CY Buchet	Cycle Car	800	1600	3200
EMERSON (US 1907-1917)						
1907		6 CY	3 Seats	1900	3750	7500
1916	5 S	4 CY 22 hp	Touring Car	1350	2750	5500
EMERY (GB 1963-1966)						
1963	GT	Ford	Coupe	1250	1300	2600
1963	GT	Hillman Imp	Coupe	700	1400	2400
EMERYSON (GB 1949-1952; 1960-1961)						
1949	Formula I	Duesenberg	Racing Car	1600	3200	6400
1949	Formula 3		Racing Car	1700	3400	6800
1961		Maserati	Racing Car	1250	2500	5000
E.M.F. (US 1908-1912)						
1909		4 CY	Touring Car	2500	5000	10500
1910		4 CY	Touring Car	2250	4500	9000
1911		4 CY	Touring Car	2500	5000	10000
1911		4 CY	Touring Car	2750	5500	11000
1912	Model 30	4 CY 30 hp	Touring Car	3000	6000	12000
EMMS (GB 1922-1923)						
1922	Closed	Coventry-Simplex	Coupe	800	1600	3200

YEAR	MODEL	ENGINE	BODY	F	G	E
1922	9.8 hp	Coventry-Simplex	2 Seats	900	1800	3600
1922	2 S	Coventry-Simplex	Touring Car	950	1850	3700
1922	Pointed Tail	Coventry-Simplex	Sport	1000	1900	3800

E.M.P. (GB 1897-1900)

1897	4 S	EL 2 hp	Victoria	1250	2500	4900
1900	4 S	5 hp	Dogcart	1200	2400	4800
1900		2 hp	3-Wheel	1000	2000	4000

EMPIRE (US 1901-1919)

1901		V-twin	Steam Buggy	2500	5000	10000
1904	Rear entrance	2 CY 15 hp	5 Passenger Tonneau	1800	2750	5750
1909	20 hp	4 CY GBS	2 Seats	1550	3100	6250
1912		4 CY Teetor	4 Seats	1600	3250	6500
1912		6 CY Cont	5 Seats	2100	4250	8500
1913	Model 31	6 CY Cont	Touring Car	2250	4500	9000

EMPIRE STATE (US 1900-1901)

1900			Runabout	1500	3250	6500

EMPRESS (GB 1907-1910)

1907	15/20 hp	4 CY		1000	1900	3800
1907	24/30 hp	6 CY		1500	2900	5800

EMSCOTE (GB 1920-1921)

1920	8/10 hp	2 CY J.A.P.	Light	850	1600	3200
1920	11.9 hp	4 CY Alpha	Light	1000	1800	3500

E.M.W. (D 1945-1955)

1945		Twin OHC	Sport	1600	3250	6500
1945		Twin OHC	Racing Car	1500	3000	6000
1952	Type 327	2 Litre	Cabriolet	2000	4000	8000
1952	Type 340	2 Litre	Saloon Sedan	1100	2250	4500

ENDURANCE (GB 1899-1901)

1899	4½ hp	1 CY	Sport	900	1750	3400
1899	6 hp	1 CY	Sport	1000	1900	3800

ENDURANCE (US 1923-1924)

1923	5 S	Steam	Touring Car	2100	4250	8500

ENFIELD (GB 1906-to-date)

1906	15 hp	4 CY	Touring Car	1250	2500	4900
1911		1 CY	3-Wheel	1100	2250	4500
1969	465	EL 12.65 hp	Saloon Sedan	550	1100	2200

YEAR	MODEL	ENGINE	BODY	F	G	E
1969	Open	EL 12.65 hp	4 Seats	600	1200	2400

ENFIELD-ALLDAY (GB 1919-1925)

1919	Bullet	5 CY Air-cool	3 Seats	1200	2400	4800
1921	10/20 hp	4 CY Water-cool	Saloon Sedan	800	1600	3200
1923	12/30 hp		Saloon Sedan	1000	1700	3300

ENGELHARDT (D 1900-1902)

1900		6.5 PS		1000	2000	4000

ENGER (US 1909-1917)

1909	40 hp	2 CY	High-Wheel	1600	3250	6300
1915	Twin-6	12 CY	High-Wheel	1750	3550	7800

ENGLER (US 1914-1915)

1914	2 S	Deluxe 2 CY Air-cool	Cycle Car	1000	1800	3600

ENGLISH MECHANIC (GB 1900-1905)

1900	3 hp	1 CY		800	1600	3250
1904	8 hp	2 CY	Tonneau	1000	1900	3600
1905	Steam	2 CY	3-Wheel	1200	2400	4800

ENGSTROM (S 1900)

1900	3½ hp	1 CY		1100	2100	4300

ENKA (CS 1925-1928)

1925		2 Stroke	2 Seats	700	1400	2800

ENSIGN (GB 1971-to-date)

1971	LNF 3			450	900	1800

ENTROP (NL 1909)

1909		1 CY	3-Wheel	800	1600	3200
1909		2 CY	3-Wheel	1000	1800	3400

E.N.V. (F 1908)

1908	40 hp	V-8		1000	1900	3800

ENVOY (GB 1960)

1960		Ford	Sport	500	1000	2000

ENZMANN (CH 1957-1970)

1957	2 S	VW	Sport	450	900	1800
1960	506	1.3 Litre	Sport	500	1000	2000

EOLE (F 1899-1901)

1899	2½ hp	Aster	Voiturette	1000	2000	4000
1899	4½ hp	Aster	Voiturette	1050	2100	4200
1906	6 hp	Buchet	Voiturette	1100	2250	4500

YEAR	MODEL	ENGINE	BODY	F	G	E

EOS (D 1922-1923)

1922		5/20 PS	2 Seats	750	1400	2800

EPALLE (F 1910-1914)

1910	8/10 hp	2 CY		1000	1800	3600
1910	14/20 hp	4 CY		800	1600	3200

E.R.A. (GB 1934-1952)

1934	V-Type	6 CY Riley	Racing Car	1500	3000	6000
1939	E-Type	6 CY Riley	Racing Car	1650	3250	6500
1952	G-T	6 CY Bristol	Racing Car	1650	3250	6500

ERCO (D 1921-1922)

1921	5/20 PS	3 CY	2 Seats	600	1200	2400

ERDMANN (D 1904-1908)

1904		2 CY Korting		900	1800	3600
1905		2 CY Fafnir		950	1900	3800
1905		4 CY Horch		1000	2000	4000

ERIC (GB 1911-1914)

1911	6 hp	2 CY	3-Wheel	700	1400	2850
1913	Closed	4 CY Salmon	Coupe	800	1600	3250

ERIC-CAMPBELL (GB 1919-1926)

1919	10 hp	Coventry-Simplex	2 Seats	800	1600	3200
1926	12/30 hp	Anzani	2 Seats	750	1500	3000

ERIC-LONGDEN (GB 1922-1927)

1922	8 hp	V-twin J.A.P.	Sport	800	1600	3200
1922	10 hp	V-twin J.A.P.	Sport	800	1650	3300
1927	9 hp	4 CY Alpha	Sport	900	1750	3500
1927	11 hp	4 CY Coventry-Simplex	Mini Saloon Sedan	750	1400	2800

ERIDANO (I 1911-1914)

1911		4 CY 1693cc	2 Seats	750	1500	2900

ERIE (US 1916-1919)

1916	Model 33	4 CY 33 hp	Sedan	1100	2250	4500
1916	Model 33	4 CY 33 hp	Touring Car	1160	3250	6500
1916	Model 33	4 CY 33 hp	Roadster	1900	3750	7500

ERNEST (CH 1905-1908)

1905	12 hp	4 CY Aster		1100	1900	3800
1907	16 hp	4 CY Aster		1000	2000	4000

ERSKINE (US 1926-1930)

1926		6 CY	Sedan	800	1700	3400

YEAR	MODEL	ENGINE	BODY	F	G	E
1928	Six Type 50	6 CY	Sedan	850	1650	3500
1928	RS	6 CY	Coupe	1000	2000	4000
1930	59 W	6 CY	4 Door Sedan	950	1900	3800
1930	2 Dr	6 CY	Sedan	900	1700	3400
1930	RS	6 CY	Coupe	1000	2000	4000

E.S.A. (A 1920-1926)

1920		4 CY	Town Car	1000	2000	3900
		6 CY		1000	2100	4200

ESCULAPE (F 1899)

1899	2½ hp	DeDion	Voiturette	1000	2000	4000

ESHELMAN SPORTABOUT (US 1953-1960)

1953		8.4 bhp Air-cool		450	700	1400

ESPANA (E 1917-1927)

1917	Tipo 2	1593cc	Touring Car	800	1600	3200
1917	Tipo 3	3690cc	Touring Car	1000	1900	3800
1918		6 CY	Touring Car	1100	2250	4500

ESPERIA (I 1905-1909)

1905	20 hp	4 CY		1000	1900	3800

ESS EFF (US 1912)

1912	2 S	2 CY Air-cool	Runabout	1100	2250	4500

ESSEX (US 1906-1933)

1906	Side entrance	4 CY	Tonneau	1100	2300	4600
1918	2 Dr		Sedan	1000	2100	4200
1919		4 CY	Touring Car	1100	2250	5500
1921	2 Dr	4 CY	Coach	800	1600	3200
1922	2 Dr	4 CY	Coach	800	1600	3200
1922		4 CY	Touring Car	1500	2900	5800
1924	Victoria	6 CY	Coupe	1000	2000	4000
1925	2 Dr	6 CY	Coach	800	1600	3250
1926	2 Dr	6 CY	Coach	900	1700	3300
1927	4 Dr	6 CY	Sedan	900	1800	3600
1927	BT	6 CY	Speedster	2200	4400	8800
1928	RS	6 CY	Coupe	1100	2250	4500
1928	SP	6 CY	Roadster	1800	3750	7500
1929	RS	6 CY	Coupe	1200	2300	4600
1929	BT	6 CY	Speedster	2250	4500	9000
1929		6 CY	Touring Car	1900	3750	7000
1929	4 Dr	6 CY	Sedan	1100	2300	4600
1930	RS		Coupe	1200	2400	4800
1930	SP	6 CY	Roadster	1800	3600	7200

YEAR	MODEL	ENGINE	BODY	F	G	E
1930	2 Dr	6 CY	Sedan	1100	2250	4500
1931	RS	6 CY	Coupe	1150	2350	4700
1931	2 Dr	6 CY	Sedan	1100	2250	4500
1932	2 Dr	6 CY	Sedan	1050	2100	4250
1933	Terraplane	8 CY	Convertible Coupe	3000	5500	9200

ESTONIA (SU 1958-to-date)

1958	3	500cc	Racing Car	300	650	1250
1967	9	3 CY Wartburg	Racing Car	350	700	1400
1970	16 M	Jupiter	Racing Car	900	1800	3600

ETNYRE (US 1910-1911)

1910	4 S	4 CY	Roadster	1150	2350	4750
1910	7 S	4 CY	Touring Car	1150	2300	4600
1910	5 S	4 CY	Closed Coupe	1000	2000	3900

EUCLID (US 1904-1914)

1904	5 S	4 CY 18 hp	Touring Car	1100	2250	4500
1907		3 CY 20 hp	Roadster	1250	2500	5000
1907		3 CY 20 hp	Touring Car	1100	2300	4600
1914		4 CY Air-cool	Cycle-light	1000	1900	3800

EUCORT (E 1946-1951)

1946		2 CY	Saloon Sedan	350	700	1400
1946		3 CY	Cabriolet	400	800	1600
1946		3 CY	Station Wagon	375	750	1500

EUDELIN (F 1905-1908)

1905		Barriquand et Marre		1000	2000	4000
1907		14/16 hp	Cab de Ville	1000	1900	3850

EUREKA (US 1899-1914)

1899	4 S	3 CY	Surrey	1700	3300	6600
1907	2 S	2 CY	High-Wheel	1675	3250	6500
1908	2 S	2 CY Speedwell	High-Wheel	1650	3250	6500
1909		2 CY	High-Wheel	1600	3200	6400

EUREKA (F 1906-1908)

1906	4 S	1 CY DeDion	Voiturette	1000	2000	3900

EURICAR (GB 1930)

1930		V-twin J.A.P.	3-Wheel	1000	2000	3600

EUROPEENE (F 1899-1903)

1899	Taandem	Steam	3-Wheel Dos-a-dos	1600	3200	6300
1899	4 S	Steam	Dos-a-dos	1650	3250	6400
1900	Forward facing seats	12 hp	4 Seats	1100	2250	4500

YEAR	MODEL	ENGINE	BODY	F	G	E
EUSKALDUNA (E 1928)						
1928		2 CY	3 Seats	750	1500	3000
EVAD (GB 1966-1968)						
1966	Formula 4	Merlin 250cc	Racing Car	600	1200	2300
EVANSVILLE (US 1907-1909)						
1907	20 hp	4 CY		1200	2300	4600
1907	30/35 hp	4 CY		1200	2400	4800
EVELYN (GB 1913-1914)						
1913	10 hp	2 CY Dorman		750	1500	3000
1913		4 CY Dorman		800	1600	3200
EVERITT (US 1909-1912)						
1909	5 S	6 CY 38 hp	Touring Car	2000	4000	8000
1911	5 S	4 CY Cont	Touring Car	1900	3750	7500
EVERYBODY'S (US 1907-1909)						
1907	10 hp	Flat-twin Air-cool	Runabout	1250	2500	4700
EVERY-DAY (CDN 1910-1912)						
1910		2 CY	High-Wheel	1900	2800	5600
EXAU (F 1922-1924)						
1922		4 CY S.C.A.P.	2 Seats	750	1500	3000
EXCALIBUR J (US 1952-1953)						
1952		Henry J	Sport	2000	4000	8000
EXCALIBUR SS (US 1964-to-date)						
1964		Studebaker V-8	Roadster	3500	7000	13500
1966		Corvette V-8	Sport	3000	6000	12500
1973	SS 4 S	V-8	Roadster	5000	10000	20000
1973	SSK 2 S	V-8	Roadster	5000	10000	20000
EXCEL (US 1914)						
1914	2 S	4 CY Water-cool	Cycle Car	750	1500	3000
EXCELSIOR (B 1903-1932)						
1903		1 CY Aster	Sport	1050	2100	4100
1903		4 CY Aster	Sport	1050	2150	4300
1907	Adex	6 CY	Sport	1100	2250	4500
1907	Adex	4 CY 14/20 hp	Sport	1000	2100	4250
1914		14/20 hp	Coupe	900	1900	3800
1921	SP	30 hp	Touring Car	1100	2250	4500
1922	Albert I	6 CY 4767cc	Sport Touring Car	1150	2350	4750

YEAR	MODEL	ENGINE	BODY	F	G	E

EXCELSIOR (CH 1905-1907)

YEAR	MODEL	ENGINE	BODY	F	G	E
1905	6 hp	1 CY	2 Seats	900	1750	3500
1906		4 CY Fafnir	2 Seats	950	1800	3600

EXCELSIOR-MASCOT (D 1910-1922)

YEAR	MODEL	ENGINE	BODY	F	G	E
1910	4/8 PS	2 CY	2 Seats	900	1650	3250
1910	8/18 PS	4 CY	2 Seats	1000	1800	3600

EXOR (D 1923)

YEAR	MODEL	ENGINE	BODY	F	G	E
1923	5/16 PS	4 CY	2 Seats	1000	2000	4000

EXPRESS (D 1901-1910)

YEAR	MODEL	ENGINE	BODY	F	G	E
1901		EL		1100	2250	4500
1905		4 CY		1250	2500	4750

E.Y.M.E. (GB 1913)

YEAR	MODEL	ENGINE	BODY	F	G	E
1913		J.A.P. V-twin	Cycle Car	800	1600	3250

EYSINK (NL 1899-1920)

YEAR	MODEL	ENGINE	BODY	F	G	E
1897	2¾ hp	Benz	Voiturette	2100	4250	4500
1899		1 CY	Light	2100	4250	4500
1902	10 hp	2 CY	Light	2200	4350	4750
1914	10/30 hp	4 CY	Light	2200	4300	4600
1916	30/40 hp	6 CY	Light	2250	4350	4750

F

Ford — 1939 "Woody Wagon"

YEAR	MODEL	ENGINE	BODY	F	G	E

F.A.B. (B 1912-1914)

YEAR	MODEL	ENGINE	BODY	F	G	E
1912	12/16 hp	4 CY	Sport	900	1800	3600
1912	20/28 hp	4 CY	Sport	1000	1900	3800

FACCIOLI (I 1905-1906)

YEAR	MODEL	ENGINE	BODY	F	G	E
1905	9 hp	1 CY		1000	2000	4000
	12 hp	4 CY		1100	2100	4300

FACEL VEGA (F 1954-1964)

YEAR	MODEL	ENGINE	BODY	F	G	E
1954		Chrysler V-8	Coupe	650	1250	2500
1955			Coupe	700	1400	2800
1957	Excellence 4 Dr		Saloon Sedan	900	1800	3600
1958	500		Coupe	1100	2250	4500
1960	HK 500		Coupe	1150	2350	4750
1961			Roadster	1350	2750	5500
1961	HT		Sedan	1000	2100	4250
1962	Facellia	4 CY	Cabriolet	1400	2800	5600
1962	HK 500		Coupe	1250	2500	5000
1964	2 Dr HT			1300	2600	5200

FADAG (D 1921-1925)

YEAR	MODEL	ENGINE	BODY	F	G	E
1921	8/35 PS	4 CY	Touring Car	750	1500	3000
1921	10/50 PS	6 CY	Touring Car	1250	2500	4500

FADIN (I 1924-1926)

YEAR	MODEL	ENGINE	BODY	F	G	E
1924	925	Chapuis-Dornier	Sport	550	1100	2250

FAFAG (D 1921-1923)

YEAR	MODEL	ENGINE	BODY	F	G	E
1921	4/25 PS	4 CY	Sport	600	1200	2350

FAFNIR (D 1908-1926)

YEAR	MODEL	ENGINE	BODY	F	G	E
1908		4 CY	Sport	800	1600	3250
1912	472	8/22 PS	Sport	900	1800	3500
1913	471	8/50 PS	Sport	950	1850	3600

FAGEOL (US 1916-1917)

YEAR	MODEL	ENGINE	BODY	F	G	E
1916		6 CY Hall-Scott	Touring Car	1900	3750	7500

FAIRFAX (GB 1906)

YEAR	MODEL	ENGINE	BODY	F	G	E
1906		2 CY White & Poppe	Touring Car	1000	1900	3800

FAIRLEY (GB 1950)

YEAR	MODEL	ENGINE	BODY	F	G	E
1950	5 S	Austin	Convertible	550	1100	2200
1950	2 S	Jowett-Javelin	Sport	600	1200	2400

FAIRTHORPE (GB 1954-to-date)

YEAR	MODEL	ENGINE	BODY	F	G	E
1954	Atom	B.S.A.	2/4 Seats Saloon Sedan	350	700	1400

YEAR	MODEL	ENGINE	BODY	F	G	E
1954	Atom	B.S.A.	Coupe	400	750	1500
1958	Electron	Coventry-Climax		350	700	1400
1959	Electron Minor	Standard 948cc		300	600	1250
1960	EM3	Triumph Spitfire		350	700	1400
1961	Electrina		Saloon Sedan	300	600	1200
1962	Zeta	Ford Zephyr		350	700	1400
1963	Rockette	Triumph Vitesse		450	900	1800
1965	TX I			450	900	1750
1968	TX-GT	Triumph GT 6	Coupe	500	1000	2000
1970	TXF			550	1100	2200
1971	TXF	Triumph		550	1100	2200

F.A.L. (US 1909-1913)

1909	2 S	4 CY L-head	Tonneau	1100	2250	4500
1909	7 S	4 CY L-head	Touring Car	1100	2300	4600

FALCON (US 1909-1922)

1909	9 S	6 CY 90 hp	Touring Car	1100	2250	4500
1914	10 hp	2 CY	Cycle Car	900	1750	3500
1922	19.6 hp	4 CY Turner-Moore	2 Seats	1000	2000	4000

FALCON (D 1921-1926)

1921		6/20 PS	Sport	750	1500	2900
1921		6/36 PS	Sport	800	1600	3000

FALCON (GB 1958-1964)

1958		100 E Ford	2 Seats	350	700	1400
1960	Competition	100 E Ford	2 Seats	400	800	1600
1961	Caribbean GT	100 E Ford	Coupe	350	650	1250
1962	Bermuda	100 E Ford	Saloon Sedan	300	600	1200
1963	Type 515	100 E Ford	Coupe Gran Turismo	350	675	1300

FALCON-KNIGHT (US 1927-1928)

1927	2 Dr	6 Knight	Sedan	1000	1900	3800
1927	Gray Ghost	20 hp	Roadster	1300	2750	5500
1927			Brougham	1100	2100	4250

FALKE (D 1899-1908)

1899			Voiturette	1000	2000	4000
1900		2 CY Fafnir	Voiturette	1000	2100	4200
1900		4 CY Breuer	Voiturette	1100	2200	4400

FAMOUS (US 1908-1909)

1908		2 CY Air-cool	2 Seats	1500	2500	4750

FANNING (US 1902-1903)

1902	2 S	2 CY 9 hp	Runabout	1250	2500	4750

YEAR	MODEL	ENGINE	BODY	F	G	E
1902	4 S	2 CY 9 hp	Tonneau	1100	2250	4500
1902		EL	Runabout	1500	3000	6000

FARMACK (US 1915-1916)
1915	5 S	2 CY Farmer	Touring Car	1000	2000	4000
1915	2 S	2 CY Farmer	Roadster	1100	2300	4600

FARMAN (F 1902-1931)
1902	12 CV	2 CY	Racing Car	800	1600	3200
1925	A 6 B	6 CY	Touring Car	900	1750	3500
1925	2 Dr	6 CY	Coupe	750	1400	2800
1930	NF 2	6 CY 7½ Litre	Sedanca de Ville	800	1600	3250

FARMAN-MICOT (F 1898)
1898		2 CY Auge Cyclope	3 Seats	1000	2000	4000

FARNER (US 1922-1923)
1922		6 CY Falls		1600	3250	6500

FASINATION (US 1971-to-date)
1971	5 S	4 CY Renault	3-Wheel Sedan	500	1000	2000

F.A.S.T. (I 1919-1925)
1919		4 CY Concaris	Sport	1000	1800	3600

FASTO (F 1926-1929)
1926		4 CY	2 Seats	700	1400	2800
		6 CY	2 Seats	700	1400	2800

FAUBER (US 1914)
1914	2 S	2 CY 8 hp Air-cool	Cycle Car	1000	1900	3800

FAUGERE (F 1898-1901)
1898	3 hp	2 CY		1250	2400	4800

FAULKNER-BLANCHARD (US 1910)
1910	5 S	6 CY 33 hp	Touring Car	1600	3250	6500

FAULTLESS (US 1914)
1914	2 S	2 CY Air-cool	Cycle Car	1000	1800	3600

FAUN (D 1924-1927)
1924	6/24 PS	1415cc	Touring Car	600	1250	2500

FAURE (F 1941-1947)
1941	Electra	EL	Coupe	350	700	1400

FAVEL (F 1941-1944)
1941	5 S	EL	2 Door Coupe	350	700	1400

YEAR	MODEL	ENGINE	BODY	F	G	E

FAVORIT (D 1908-1909)

1908	2 S		3-Wheel	1000	2000	4000

FAWCETT-FOWLER (GB 1907-1909)

1907	20/25 hp	4 CY Steam		1500	3000	6000

FAWICK (US 1910-1912)

1910	Flyer	4 CY Waukesha	Touring Car	1250	2300	4650

F.D. (GB 1911)

1911		4 CY		900	1750	3500

F.D. (B 1921-1925)

1921		1100cc Ruby	Touring Car	800	1600	3200
1922		2 Litre Altos	Sport	750	1500	3000

FEDELIA (US 1913-1914)

1913	CC	Deluxe	Boattail	900	1800	3600

FEDERAL (US 1901-1909)

1901	10 hp	2 CY	Buggy	1250	2550	5500
1907		12 hp	Runabout	1350	2650	5600
1907	2 Ps	2 CY 14 hp Air-cool	High-Wheel	1600	3250	6500

FEDERAL (AUS 1925)

1925	5 S		Touring Car	1000	1750	3500

FEJES (H 1923-1928)

1923	9 hp	4 CY		750	1500	2900

FELBER (A 1952-1953)

1952		Twin-Rotax	3-Wheel	500	1000	1900

FELDAY (GB 1966-1967)

1966		Ford V-8	Sport	1000	1800	3600

FELDMANN (D 1905-1912)

1905		2 CY Fafnir	Voiturette	1100	2250	4500
1906		4 CY Fafnir	Touring Car	1200	2300	4600
1910		40 6 hp	Sport	1100	2200	4400

FEND (D 1948-1953)

1948	Single S	38cc Victor	3-Wheel	350	700	1300
1948	Single S	98cc Sachs	3-Wheel	400	750	1400

FENG-HUANG (PHOENIX) (CHI 1958-to-date)

1958	Phoenix	4 CY		350	700	1400
1958	Phoenix	6 CY		400	800	1600

FENIX (E 1901-1904)

1901		2 CY		1100	2250	4500

YEAR	MODEL	ENGINE	BODY	F	G	E

FERBEDO (D 1923-1925)

| 1923 | | 1.9 PS Breuer | Cycle Car | 750 | 1500 | 3000 |

FERGUS (GB/GB 1915-1922)

| 1915 | | 6 CY | Sedan | 1000 | 1900 | 3800 |

FERGUS (US 1949)

| 1949 | | Austin | Sport | 450 | 900 | 1700 |

FEROLDI (I 1912-1914)

| 1912 | 20/30 hp | 4 CY | Sport | 700 | 1000 | 1900 |

FERON ET VIBERT (F 1905-1907)

| 1905 | | 4 CY | Touring Car | 1000 | 2000 | 4000 |

FEROX (GB 1914)

| 1914 | | 4 CY Ballot | 2 Seats | 1000 | 2000 | 4000 |

FERRARI (I 1940-to-date)

1940	Type 815	Straight 8 1.5 Litre	Racing Car	2200	4000	10000
1946	2 S	V-12 1.5 Litre	Sport	3650	7250	15000
1947	Tippo 166	V-12 2 Litre	Sport	3600	7200	14750
1947	Tippo 195	2.3 Litre	Sport	3700	7300	14500
1948	Tipo 212	2.5 Litre	Sport	3750	7500	15000
1948	Tipo 212	2.5 Litre	Touring Car	3700	7400	14750
1949	Tipo 166	2 Litre	Saloon Sedan	2400	4800	9000
1949	125-S	1.5 Litre	Racing Car	2600	5200	10500
1949	Tipo 125	12 CY 1497cc	Racing Car	2700	5400	11000
1950	Tipo 375	12 CY 3.3 Litre	Racing Car	3000	6000	12000
1950	Tipo 275	4.5 Litre	Racing Car	3600	7200	14500
1950	Tipo 340	2.3 Litre	Sport	2400	4800	10000
1950	Tipo 166	V-12 1995cc	Racing Car	2800	5600	11000
1950	Tipo 125	12 CY 1497cc	Racing Car	2200	4400	9500
1951	Tipo 375	V-12 4.5 Litre	Grand Prix Racing Car	3200	6400	15000
1951	Tipo 212	V-12	Roadster	2600	5200	11000
1951	Tipo 342	V-12 4.1 Litre	Touring Car	3000	6000	13000
1951	Tipo 500	4 CY 1980cc	Grand Prix Racing Car	2800	5600	12000
1951	Tipo 625	4 CY 2490cc	Grand Prix Racing Car	2700	5400	11750
1952	Tipo 166	4 CY 2 Litre	Racing Car	2200	4400	8500
1952	Tipo 375	V-12	Touring Car	2700	5400	11000
1952	Tipo 500	4 CY 1980cc	Racing Car	2400	4800	9500
1952	Tipo 625	4 CY 2490cc	Racing Car	2600	5200	10750
1952	Tipo 553	4 CY 1998cc	Grand Prix	2500	5000	10000
1953	Tipo 500	4 CY 1980cc	Convertible Coupe	3600	7200	15000

YEAR	MODEL	ENGINE	BODY	F	G	E
1953	Tipo 166	4 CY 2 Litre	Saloon Sedan	2000	4100	9000
1953	Tipo 375	V-12 4.5 Litre	Touring Car	4000	8100	16500
1953	2 S	V-8	Roadster	3200	7000	14000
1953	Tipo 533	4 CY 1998cc	Grand Prix Racing Car	3700	6800	13750
1953	Tipo 555	4 CY 2497cc	Grand Prix Racing Car	4100	8250	15000
1953	Tipo 625	4 CY 2490cc	Racing Car	3600	7000	14000
1954	Tipo 625	4 CY 2490cc	Roadster	3650	7100	14250
1954	Tipo 533	4 CY 1998cc	Coupe	2200	4700	9000
1954	Tipo 212	2.5 Litre	Racing Car	2600	5600	11000
1954	Tipo 375	V-12 4.9 Litre	Sport	4000	8100	15500
1954	Tipo 342	V-12	Touring Car	3400	6800	12750
1954	Lancia	V-8 2487cc	Grand Prix Racing Car	3450	6900	13100
1954	Tipo 555	4 CY 2500cc	Grand Prix Racing Car	2900	5800	11600
1955		4 CY 1998cc	Coupe	2100	4050	8250
1955		V-12 4.9 Litre	Touring Car	4400	8850	16000
1955	Tipo 625	4 CY 2490cc	Grand Prix Racing Car	2600	5150	10500
1955	Tipo 553	4 CY 1998cc	Grand Prix Racing Car	2450	4975	9700
1955	Tipo 555	4 CY 2497cc	Grand Prix Racing Car	2675	5225	11000
1955	Lancia-D	V-8 2487cc	Grand Prix Racing Car	2850	5900	13750
1956	Tipo 375	V-12	Touring Car	3200	6400	12750
1956	Tipo 250	V-12	Grand Turismo Coupe	2600	5200	11500
1956	Tipo 553	4 CY 1998cc	Grand Prix Racing Car	2500	5000	9750
1956	Tipo 555	4 CY 2497cc	Grand Prix Racing Car	2650	5300	11250
1956	Lancia-D	V-8	Grand Prix Racing Car	2800	5600	12200
1957	Dino 246	V-6 1860cc	Grand Prix Racing Car	3000	6000	12000
1957	Dino 256	V-6 2451cc	Grand Prix Racing Car	3400	6850	12650
1957		3.5 Litre	Roadster	3575	7100	14000
1957		4 CY	Coupe	2200	4650	9500
1957	Tasta Rosa	2 Litre	Coupe	2500	5100	10250
1957		V-12	Touring Car	3600	7100	13750
1957	Lancia-D	V-8	Grand Prix Racing Car	2900	5650	10750

YEAR	MODEL	ENGINE	BODY	F	G	E
1957	Tipo 156	V-6 1490cc	Grand Prix Racing Car	2600	5200	10250
1958	Berlinetta		Coupe	2400	4850	9250
1958		3 Litre	Grand Prix	2800	5250	10500
1958		V-12	Touring Car	3600	6250	13000
1958	Tipo 156	V-6	Grand Prix Racing Car	2300	4700	9100
1958	Dino 246	V-6 1860cc	Grand Prix Racing Car	2600	5200	10750
1958	Dino 256	V-6 2451cc	Grand Prix Racing Car	2900	5800	11250
1958	Dino 250	3 Litre	Grand Touring Car	3550	6150	13000
1959	Tipo 500	4 CY 1980cc	Convertible Coupe	2600	5650	12000
1959	Dino 250	3 Litre	Grand Touring Car	3800	7600	15250
1959	Tipo 500	V-12	Gran Turismo Coupe	3200	6450	13000
1959	Tipo 156	V-6	Grand Prix Racing Car	2900	5800	11750
1960	Tipo 250	V-12	Cabriolet Coupe	3950	7800	15500
1960	Tipo 250	V-12	Berlinetta Spider	3200	6450	12500
1960	Tipo 500	V-12	Gran Turismo Coupe	3000	6100	12200
1960	Tipo 156 FI	V-6	Racing Car	3100	6300	12600
1960	Tipo 250	V-12	2 + 2	3350	6700	13500
1960	Tipo 156	V-6	Grand Prix Racing Car	2700	5400	10700
1961	250	V-12	Berlinetta Spider	3600	6200	12550
1961	250 GT	12 CY	California Roadster	4100	8250	16250
1961	Tipo 156	V-6	Grand Prix Racing Car	3400	5900	11700
1961	Tipo 250	3 Litre	2+ 2	3600	7200	13500
1961	Testa Rossa	V-12	Racing Car Sport	3500	7000	13000
1961	156 FI	V-6	Racing Car	2400	4800	8900
1961	250	V-12	Cabriolet Coupe	3400	6800	13000
1962	California	V-12	Open Cabriolet	4100	8200	16750
1962	250	V-12	2 + 2	3900	7850	15000
1962	400 SA	V-12	Superamerica	4000	7950	15500
1962	250	V-12	Berlinetta	3950	7925	14900
1962	196	V-6	Spyder	2400	4825	9100
1962	248	V-8	Spyder	2600	5200	10250
1962	330	V-12	Touring Car	3950	7750	14000
1963	250 GT	V-12	California Roadster	4150	9000	17500
1963	250	V-12	Berlinetta	3800	7250	14500
1963	Tipo 250	3 Litre	Gran Turismo 2 + 2	3850	7350	15000

YEAR	MODEL	ENGINE	BODY	F	G	E
1963	Tipo 400	3 Litre	GTO	4050	8900	15500
1963	156 FI	V-6	Monocoque	2500	5000	11000
1963	186	V-6	Gran Turismo	2600	5200	11250
1963	196	V-6	Sport	2700	5400	12500
1963	250	V-12	GTO Spyder	2900	6000	13500
1964	Tipo 275	V-12	Gran Turismo Sport	3000	6000	12250
1964	250 GTE	12 CY	2 + 2 Coupe	2850	5800	11750
1964	Tipo 250	V-12	California Roadster	3500	7000	15000
1964	Tipo 158	V-8	Racing Car	2800	5600	12250
1964	Tipo 1512	12 CY	Grand Prix Racing Car	2900	5800	13000
1964	Tipo 275	V-12	GTB	3000	5800	12100
1965	Tipo 410	4.9 Litre	Convertible	5000	9500	18500
1965	GT 250	V-12	2 + 2 Coupe	3600	5200	11000
1965	Tipo 1512	12 CY	Grand Prix Racing Car	3700	5400	12000
1965	Dino 206	V-6	Grand Touring Car	2900	6000	12250
1965	GT 330	V-12	Coupe	3200	6400	13100
1965	Tipo 500	V-12	Coupe	3400	6800	13750
1965	Tipo 275	V-12	Gran Turismo	2800	5600	11200
1965	Dino 206	V-6	Spider	3100	6200	12000
1966	GTB 275	V-12	Berlinetta	3500	6850	13000
1966	Tipo 312	V-12	Grand Prix Racing Car	3400	6700	12750
1966	Tipo 330	V-12	Convertible	3800	7200	14500
1966	Tipo 365	V-12	Gran Tursimo 2 + 2	3400	6800	12900
1966	Tipo 330	V-12	Convertible Coupe	3600	7000	14000
1966	Tipo 854	4 CY	Grand Prix Racing Car	3000	6000	13500
1966	Tipo 750	4 CY	Grand Prix Racing Car	2800	5600	12850
1966	Tipo 330	V-12	Gran Turismo	3100	6200	12800
1966	Tipo 275	V-12	Gran Tursimo Sport	3075	6125	12775
1966	Tipo 206	V-6	Sport	2800	5675	11850
1967	GTB	12 CY	Coupe	3600	7200	14500
1967	330 GTS	12 CY	Touring Car	4000	7850	15500
1967	GT 330	12 CY	Michellotti Coupe	3900	7650	15000
1967	Tipo 166	V-6	Sport	3000	6100	12150
1967	Dino 206	V-6	Gran Turismo	2875	5900	11800
1967	Dino 206	V-6	Sport	2600	5250	11000
1967	330 GT 2 + 2	V-12	Coupe	3600	7200	14600
1967	330 GTC	V-12	Coupe	3400	7000	14000
1967	275 GTB	V-12	Coupe	3250	6850	13775
1968	212 Experimental	V-12	Coupe	3800	7000	15000

YEAR	MODEL	ENGINE	BODY	F	G	E
1968	Model 330	V-12	Coupe	3900	7150	15500
1968	Model 330	V-12	Grand Touring Car	4100	8050	16000
1968	GTC	V-12	Coupe	3400	6800	13600
1968	Dino 166	V-6	Grand Prix Racing Car	3300	6575	12950
1968	Dino 340	4.1 Litre	Sport	2800	4600	10250
1968	Dino 375	4.5 Litre	Sport	3200	6400	12800
1968	Dino 410	5.0 Litre	Grand Touring Car	4050	8100	16000
1968	365 GT 2 + 2	V-12	Coupe	3600	7200	14700
1969	Tipo 166	V-6	Gran Turismo Racing Car	3000	6100	12150
1969	246	V-6	Tasmania	3200	6475	13275
1969	312/P	V-12	Sport	3700	7400	14100
1969	365	V-12	Gran Tursimo 2 + 2	3850	7775	14850
1969	246	V-6	Gran Turismo	2600	5200	10700
1970	Tipo 312B	12 CY	Grand Prix Racing Car	4500	9000	18500
1970	Tipo 410	V-12	Sport	4600	9150	18750
1970	Tipo 412	V-12	Gran Turismo	4750	9900	20000
1970	Tipo 625	V-12	Sport	4950	10250	21500
1970	246	V-6	Gran Turismo	3600	7250	14900
1970	365	V-12	Gran Turismo 2 + 2	4000	7950	15500
1971	GT 365	12 CY	2 + 2 Coupe	4250	11000	21500
1971	246	V-6	Gran Turismo	3600	7250	15900
1971	312	12 CY	Sport	4050	10200	20000
1971	365	V-12	Grand Town Car 4	4225	10900	21275
1971	312 B-FI	V-12	Sport	4150	10200	20250
1971	312-P	V-12	Sport	4175	10475	21000
1972	Dino 246	6 CY	Gran Turismo Coupe	4950	9000	17000
1972	312/B2	12 CY	Grand Prix Racing Car	5000	11500	22000
1972	312/B2S	Flat 12 CY	Grand Prix Racing Car	5200	11750	22500
1972	312/B3	Flat 12 CY	Grand Prix Racing Car	5400	12100	23750
1972	246	V-6	Gran Turismo	4600	8750	16750
1972	312 B2-FI	12 CY	Racing Car	4700	10750	22500
1973	Tipo 312/B3	12 CY	Grand Prix Racing Car	5600	14500	24500
1973	Dino 246	6 CY	Coupe	5000	12500	20000
1973	Dino 246	6 CY	Sport	5250	13750	20250
1973	365	12 CY	Coupe	5500	14000	24000
1973	GT 4	12 CY	2 + 2	5550	14250	24250

YEAR	MODEL	ENGINE	BODY	F	G	E
1973	365 GTB	V-12	Berlinetta	6200	17000	27500
1973	BB	V-12	Berlinetta Coupe	5700	15000	24500

FERRIS (US 1920-1922)

1920		6 CY Cont	Convertible	1250	2500	5000

FERRO (I 1935)

1935		4 CY	3-Wheel	450	800	1650

FERT (I 1905-1906)

1905	24 hp	4 CY Fafnir		1000	1900	3800

FERVES (I 1968-to-date)

1968	Ranger	Fiat 500	4 Seats Jeep	450	800	1750

F.I.A.L. (I 1906-1908)

1906	8 hp	Twin vertical	2 Seats	1000	1900	3800
1906	10/12 hp	4 CY	2 Seats	1100	2000	4000

F.I.A.M. (I 1924-1927)

1924		2 CY	2 Seats	800	1500	3000

FIAT (I 1907-to-date)

1907		Flat-twin 679cc	Phaeton	1750	3500	7000
1907	16/24 hp	4.2 Litre	Tonneau	2100	4250	8500
1908	60	10.2 Litre	Racing Car	25000	50000	100000
1908		6 CY	Racng Car	18250	37500	75000
1909	10/14 hp	4 CY	Touring Car	18250	37500	75000
1910	Tipo D	1.8 Litre	Racing Car	25000	50000	100000
1911	Tipo I	1.8 Litre	Racing Car	25000	50000	100000
1912	Tipo 2	2.8 Litre	Racing Car	5000	10000	20000
1913	Tipo 3	6 CY 4.4 Litre	7 Passenger Touring Car	1850	3750	7500
1914	Tipo 4	5.7 Litre	Racing Car	10000	20000	40000
1915	Tipo 5	9 Litre	Racing Car	25000	50000	100000
1916	Tipo 6	3 Litre	Racing Car	12500	25000	50000
1917	Tipo 8	15/20 hp	Racing Car	8750	17500	35000
1919	Tipo 501	1.5 Litre	2 Seats	1750	3500	7000
1920	Tipo 519	4.8 Litre	2 Seats	2100	4250	8500
1921		V-12 6.8 Litre	Coupe de Ville	3100	6250	12500
1922		2 Litre	Racing Car	2500	5000	10000
1923		Straight 6 2 Litre	Sport Roadster	3750	7500	13000
1924		1.5 Litre	Racing Car	2000	4000	8000
1925	'509'	4 CY 990cc	Saloon Sedan	750	1500	3000
1926	509-S Barchetta	4 CY 990cc	Open 2 Seats	850	1750	3500
1927	Tipo 520	6 CY	Racing Car	25000	50000	100000

YEAR	MODEL	ENGINE	BODY	F	G	E
1928	Tipo 521	2.5 Litre	Saloon Sedan	1100	2250	4500
1929	Tipo 528	3.7 Litre	Sport	1500	3000	6000
1930	Tipo 514	1.4 Litre	Sport	1700	1750	3500
1931	Tipo 522	6 CY	Sport	1500	3000	6000
1932	Tipo 508	995cc	Saloon Sedan	650	1250	2500
1933		6 CY	Sport	850	1750	3500
1934	Tipo 518	1.7 Litre	Saloon Sedan	650	1250	2500
1934	Balilla	1.9 Litre 995cc	Sport	750	1500	2900
1935	Balilla	1.9 Litre	Sport	750	1500	2900
1936	Tipo 527	6 CY	Saloon Sedan	650	1250	2500
1936	Tipo 500-A	570cc	Coupe	500	1000	2000
1937	Tipo 508-C	1089cc	Roll-top Convertible	650	1250	2500
1938	1100-S	6 CY 2.8 Litre	Coupe	600	1200	2400
1939		6 CY 2.8 Litre	7 Seats	750	1500	3000
1940	1100-S	6 CY 2.8 Litre	Coupe	650	1250	2500
1948	Topolino	4 CY 570cc	Saloon Sedan	500	1000	2100
1950	'1400'	4 CY	Sport	550	1100	2200
1952	8-V	V-8 2 Litre	Sport Coupe	1100	2250	4500
1953	1100/103	1.1 Litre	Saloon Sedan	650	1250	1500
1953	'1900'	V-8	Sport	1100	2250	4500
1955	'600'	633cc	Saloon Sedan	325	650	1250
1956	Multipla		Station Wagon	300	600	1200
1957	Nuova 500	Vertical-twin	Mini-car	325	650	1250
1959		6 CY 1.8 Litre	Saloon Sedan	350	750	1500
1970	850	4 CY	Replica	650	1250	2000

FIAT (US 1910-1918, 1923)

YEAR	MODEL	ENGINE	BODY	F	G	E
1910	Tipo 54	4 CY L-head		2500	5000	10000
1913	7 Ps	6 CY	Touring Car	3500	7500	15000
1914	Tipo 55	4 CY		2500	5000	10000
1915	Light 30	4 CY	2 Seats	2200	4450	8500
1916	Tipo 56	6 CY		2500	5000	10500
1917	E-17	6 CY		2500	5000	10000
1923	SP		Roadster	2000	4000	8000

FIAT (RA 1960-to-date)

YEAR	MODEL	ENGINE	BODY	F	G	E
1962	600		Sport	300	600	1200
1972	128		Sport	350	700	1400
1972	1500		Sport Coupe	500	1000	2000
1972	Spyder	797cc	Sport	400	800	1600

F.I.A.T.-ANSALDI (I 1905-1906)

YEAR	MODEL	ENGINE	BODY	F	G	E
1905		4 CY T-head	2 Seats	1100	2350	4750

YEAR	MODEL	ENGINE	BODY	F	G	E
FIDELIA (F 1905-1906)						
1905	Steam	4 CY		2000	4000	8000
FIDES (I 1905-1911)						
1905		4 CY		1000	2000	4000
FIEDLER (D 1899-1900)						
1899		EL		1100	2250	4500
F.I.F. (B 1909-1914)						
1909		4 CY	Sport	1200	2400	4800
1912	8/10 hp	4 CY	Sport	1150	2300	4600
1912	12/14 hp	4 CY	Sport	1200	2400	4800
1913	7/12 hp	4 CY	Sport	1250	2500	5000
FIGARI (I 1925-1926)						
1925		4 CY	Sport	700	1400	2800
FIGINI (I 1900-1907)						
1900		1 CY		1000	2000	4000
1900		2 CY		1000	1900	3800
1900		4 CY		1000	1900	3800
FILIPINETTI (CH 1966-1967)						
1966	2 S	V.W. 1600	Gran Turismo Coupe	400	800	1650
FILOQUE (F 1902)						
1902		6/8 hp	Voiturette	1000	2000	4000
1902	10 hp	4 CY	Voiturette	1100	2200	4250
1902	20 hp	4 CY	Voiturette	1100	2250	4500
FILTZ (F 1899-1903)						
1899	30 hp	4 CY	Racing Car	1200	2300	4600
FIMER (I 1947-1949)						
1947	Open	2 CY	2 Seats	350	700	1400
FINA-SPORT (US 1953-1955)						
1953		Cadillac	Convertible	900	1750	3500
FINLAYSON (AUS 1900-1908)						
1900	Steam	2 CY		1500	3000	6000
1901	Steam	Gnome	Single S	1600	3250	6500
1901	Steam	Gnome	2 Seats	1750	3400	6800
1901	Steam	Gnome	8 Seats	1800	3500	7500
FIREBALL (GB 1969-to-date)						
1969		1275cc Mini	Racing Car	600	1200	2400
FIREFLY (GB 1902-1904)						
1902	6 hp	Aster	Tonneau	1000	2000	4000

YEAR	MODEL	ENGINE	BODY	F	G	E
1902	6 hp	DeDion	Tonneau	1000	2000	4000
1903	12 hp	2 CY Herald	Tonneau	1100	2100	4200

FIRESTONE-COLUMBUS (US 1907-1915)

1907			High-Wheel	1700	3250	6500
1909	Mechanical Greyhound		Roadster	2500	5000	10500
1911	5 S		Touring Car	3000	6000	11000
1911	2 S	26 hp	Roadster	3500	7000	12500

FISCHER (D 1902-1913)

1902			2 Seats	1000	2000	3750
1912		EL		1100	2250	4500

FISCHER (CH 1909-1919)

1909	5/6 S	4 CY	Touring Car	900	1700	3400
1914		6 CY	Touring Car	1000	1900	3800
1919		2 MAG	Cycle Car	750	1500	3000

FISCHER (US 1914)

1914		4 CY Perkin	2 Seats	1750	3500	7000
1914		4 CY Perkin	4 Seats	1500	3250	6500
1914		4 CY Perkin	Sedan	1100	2250	4500

FISCHER (CDN 1914-1915)

1914	High-Wheel	McIntyre	Roadster	1800	3750	7500

FISSON (F 1895-1898)

1895		Benz	2 Seats	1500	3000	6000
1895		Benz	4 Seats	1600	3250	6500
1895		Benz	6 Seats	1750	3500	7000

FITCH (US 1949-1951; 1966)

1949		Ford V-8-60	Sport	1500	3000	6000
1966	Phoenix	Corvair	Sport	1200	2300	4500

FLAC (DK 1915)

1915	10 hp	4 CY		1000	2000	4000

F.L.A.G. (I 1905-1908)

1905	12/16	4 CY	2 Seats Touring Car	1000	2100	4200
1905	16/24	4 CY	4 Seats Touring Car	1000	2100	4200
1905	40 hp	4 CY	5 Seats Touring Car	1100	2250	4500

FLAGLER (US 1914-1915)

1914		4 CY Water-cool	Cycle Car	750	1500	3000

YEAR	MODEL	ENGINE	BODY	F	G	E
FLAID (B 1920)						
1920	10/12	4 CY	2 Seats	750	1500	3000
FLANDERS (US 1909-1915)						
1910	20	4 CY	Roadster	1750	3500	7500
1910	5 S	4 CY	Convertible	2000	4000	8000
1910	2 S		Closed Coupe	1600	3250	6500
1911			Touring Car	2000	4000	8000
1912	Tiffany	EL		1600	3250	6500
1912			Roadster	2250	4500	9000
1913			Roadster	2100	4250	8500
FLANDRIA (B 1953)						
1953		Ilo	Minicar	350	650	1250
FLEETBRIDGE (GB 1904-1905)						
1904	Tandem	1 CY 3.5 hp	2 Seats	750	1800	3600
1905		Fafnir 5 hp	2 Seats	1000	1900	3800
FLETCHER (GB 1966-1967)						
1966	GT	B.M.C.	Sport	600	1200	2400
FLINT (US 1902-1927)						
1902	2 S	1 CY	Runabout	1250	2500	4900
1923		6 CY Cont	Touring Car	1200	2400	4800
1924		6 CY Cont	Touring Car	1250	2500	5000
1925		6 CY Cont	Touring Car	1100	2250	5500
1926		6 CY Cont	Touring Car	1500	3000	6000
FLINT-LOMAX (US 1905)						
1905	Side entrance 5 S	4 CY 14 hp	Touring Car	1250	2350	4750
FLIRT (I 1913-1914)						
1913	20/30 hp	4 CY T-head	Racing Car	650	1250	2500
FLORENTIA (I 1903-1912)						
1903		2 CY		1000	1900	3800
1905	16 hp	4 CY T-head		900	1800	3600
1905	24 hp	4 CY T-head		1000	1900	3800
1908	40/50 hp	4 CY		1000	2000	4000
1908		6 CY		1250	2500	5000
FLORIO (I 1912-1916)						
1912		4 CY		1200	2250	4500
FLYER (US 1913-1914)						
1913		4 CY Water-cool	2 Seats	1250	2500	4750

YEAR	MODEL	ENGINE	BODY	F	G	E

FLYING STAR (F 1906)

1906	10/12 hp	4 CY	Convertible	1000	2000	4000

F.N. (B 1899-1935)

1899	3.5 hp	2 CY	Voiturette	1150	2250	4500
1912	2700	4 CY 8/10 hp	Limousine	1100	2100	4250
1924	1300		Sport 4 Seats	1000	1900	3800
1933		Straight 8	Saloon Sedan	900	1800	3500
1934	Prince Albert	Straight 8	Saloon Sedan	900	1800	3500

F.N.M. (BR 1959-to-date)

1959		1975cc	Saloon Sedan	450	900	1800
1959	Onca	2132cc	Coupe	500	1000	2000

F.O.D. (I 1925-1927)

1925		4 CY Water-cool	CG	750	1500	2750

FOGLIETTI (I 1958-1960)

1958		Fiat 1100				

FOLGORE (I 1900-1902)

1900		1.75 hp	2 Seats	1200	2400	4800

FOLLIS (F 1968-to-date)

1968		1440cc Gordini	Racing Car	500	1000	1900
1971	2 S	1440cc Gordini	Sport	550	1100	2100

FONCK (F 1920-1925)

1920		4 CY	Sport	700	1400	2800
1920		6 CY	Sport	800	1600	3200
1920		8 CY	Sport	900	1750	3500

FONDU (B 1906-1912)

1906	24/30 hp	4 CY	Touring Car	900	1750	3500
1912		1131cc	Light	900	1750	3500

FONLUPT (F 1920-1921)

1920		4 CY	Convertible	750	1500	3000
		8 CY	Convertible	750	1500	3000

FORD (US 1903-to-date)

1903	Model A	Flat-twin	Rear entrance	3250	6500	12500
1904	999	4 CY	Racing Car	30000	50000	100000
1904	Model B	4 CY	Runabout	2100	4250	8500
1905	Model K	6 CY 6 Litre	Roadster	6250	12500	25000
1906	Model N	4 CY	Runabout	2000	4000	8000
1907	Model R		Roadster	2100	4250	8500
1908	Model S		Roadster	2000	4000	8000

YEAR	MODEL	ENGINE	BODY	F	G	E
1909	Model T	4 CY 2.9 Litre	Roadster	2100	4250	8500
1910	Model T	4 CY 2.9 Litre	Torpedo Roadster	2100	4250	8500
1911	Model T	4 CY 2.9 Litre	Touring Car	2000	4000	8000
1912	Model T	4 CY 2.9 Litre	Roadster	1800	3750	7500
1913	Model T	4 CY 2.9 Litre	Roadster	1800	3750	7500
1914	Model T	4 CY 2.9 Litre	Speedster	2000	2700	5500
1915	Model T	4 CY 2.9 Litre	Touring Car	1650	3250	6500
1916	Model T	4 CY 2.9 Litre	Roadster	1650	3250	6500
1917	Model T	4 CY 2.9 Litre	Touring Car	1350	2550	3500
1918	Model T	4 CY 2.9 Litre	Town Coupe	1150	2250	4500
1919	Center Drive	4 CY 2.9 Litre	Sedan	1650	3250	6500
1920	Model T	4 CY 2.9 Litre	Touring Car	1350	2750	5500
1921	Model T	4 CY 2.9 Litre	Roadster	1200	2400	4800
1922	Model T	4 CY 2.9 Litre	Roadster	1200	2400	4800
1923	Model T	4 CY 2.9 Litre	Coupe	1000	1900	3800
1924	Model T	4 CY 2.9 Litre	Touring Car	1100	2250	4500
1925	Model T	4 CY 2.9 Litre	Roadster	1000	2100	4250
1926	Model T	4 CY	Touring Car	1200	2400	4800
1927	Model T	4 CY	Roadster	1200	2400	4800
1928	Model A	4 CY	2 Door Sedan	1300	2500	4500
1929	Model A	4 CY	Phaeton	2500	4800	9750
1929	Model A	4 CY	Cycle Car Pickup Truck	1200	2500	4500
1930	Model A	4 CY	Roadster Pickup Truck	1700	3500	6750
1931	Model A	4 CY	Deluxe Roadster	4250	7500	13500
1931	Model A	4 CY	Station Wagon	3500	6000	11000
1931	Model A		DR DT	5250	8500	13500
1932	Model B	4 CY	Pickup Truck	1500	2500	4850
1932		V-8 3.6 Litre	Sport Roadster	4350	8750	17500
1933		V-8	Rumble Seat Coupe	1850	2750	5500
1934		V-8	Roadster	3600	7250	14500
1935		V-8	Sport Roadster	3000	6000	12000
1936		V-8	Roadster	4000	8000	16000
1937		V-8	Convertible Sedan	3100	6200	12500
1938	Deluxe	V-8	Convertible Sedan	2500	5000	10000
1939	Deluxe	V-8	Convertible Coupe	2350	4750	9500
1940	Deluxe	V-8	Coupe	1750	3750	6500
1940	Standard	V-8	Station Wagon	2950	5750	10500
1940	Super	8 CY 3.3 Litre	4 Door	1600	3500	6500
1941	Deluxe	V-8	Club Coupe	850	1750	3500
1942	Super Deluxe	V-8	Convertible Coupe	2450	4750	7500
1946	Sportsman	V-8	Convertible Coupe (Woodie)	3500	6500	12000
1947	Sportsman	V-8	Convertible Coupe (Woodie)	4000	7000	13000

YEAR	MODEL	ENGINE	BODY	F	G	E
1947	Super Deluxe	V-8	Business Coupe	1700	2750	4500
1947	Deluxe	V-8	Sedan Delivery	1200	2500	3750
1948	Super Deluxe	V-8	4 Door Sedan	650	1250	2500
1949	Customline	V-8	Convertible	1000	2750	4500
1950	Customline	V-8	Convertible	1250	3000	5000
1950	Crestliner	V-8	2 Door Sedan	800	2000	3500
1952	Sunliner	V-8	Convertible Coupe	700	1350	2750
1943	Sunliner	V-8	Convertible Coupe	750	1450	2900
1954	Crestline	239 V-8	2 Door Hardtop	500	1100	2000
1955	Customline	272 V-8	2 Door Sedan	500	1100	1500
1955	Fairlane	272 V-8	Victoria	750	1250	2350
1955	Thunderbird	292 V-8	Convertible	3700	5750	9500
1956	Customline	312 V-8	Victoria	750	1250	2400
1956	Fairlane	312 V-8	Crown Victoria Glassroof	1700	3400	6800
1956	Fairlane Parklane	312 V-8	2 Door Station Wagon	1100	1800	2750
1956	Fairlane Sunliner	312 V-8	Convertible	1500	3000	6000
1956	Fairlane	312 V-8	Crown Victoria (roof)	1700	3400	6800
1957	Country Squire	312 V-8	Station Wagon	200	1400	2500
1957	Fairlane	312 V-8	Convertible	1200	2500	4500
1957	Thunderbird	312 V-8	Convertible	3600	5000	10000
1958	Fairlane	312 V-8	4 Door Sedan	300	600	1200
1958	Fairlane 500 Skyliner	353 V-8	Retractable Hardtop	900	1750	3500
1959	Thunderbird	352 V-8	Convertible	1200	2200	4500
1959	Galaxie Skyliner	352 V-8	Convertible	900	1800	3600
1959	Galaxie Sunliner	352 V-8	Convertible	800	1700	3500
1960	Starliner	352 V-8	2 Door Hardtop	650	1250	2500
1961	Falcon Futura	170 6 CY	2 Door Sedan	250	750	1500
1961	Galaxie Sunliner	352 V-8	Convertible	700	1400	2800
1961	Thunderbird	390 V-8	Convertible	1000	2000	3950
1962	Galaxie 500 XL	390 V-8	Convertible	650	1250	2500
1962	Thunderbird	390 V-8	Sport Roadster	1850	3450	6500
1963½	Galaxie 500 XL	427 V-8	2 Door Hardtop	1750	2450	3750
1963½	Falcon Sprint	260 V-8	Convertible	650	1250	2500
1964	Galaxie 500 XL	427 V-8	2 Door Hardtop	1000	1950	3500
1964	Thunderbird	390 V-8	Sport Roadster	1200	2500	4500
1965	Fairlane Sport	289 V-8	2 Door Hardtop	900	1350	2500
1965	Falcon Ranchero	289 V-8	Pickup Truck	750	1400	2250
1965	Mustang GT	289 V-8	Convertible	1200	2000	3500
1965	Shelby GT-350	289 V-8	Coupe	2000	3500	4500

YEAR	MODEL	ENGINE	BODY	F	G	E
1966	Mustang GT-2 + 2	289 V-8	Coupe	800	1500	2950
1966	Shelby GT-350	289 V-8	Coupe	1900	3200	4000
1967	Mustang GT	390 V-8	Convertible	800	1500	2800
1967	Galaxie 500 XL	390 V-8	Convertible	700	1200	1750
1967	Shelby GT-350	289 V-8	Coupe	1200	2250	3750
1968	Mustang GT/CS	302 V-8	Coupe	800	1500	2800
1968	Shelby GT 500	428 V-8	Convertible	1700	2300	4500
1968	Thunderbird	390 V-8	4 Door Sedan	600	1100	1850
1969	Mustang Mach I	351 V-8	Coupe	750	1300	2500
1973	Mustang	351 V-8	Convertible	1250	1850	3500

FORD (D 1931-to-date)

YEAR	MODEL	ENGINE	BODY	F	G	E
1931	Rheinland	4 CY	Coupe	750	1500	3000
1932	Eifel	V-8	Convertible 2 Seats	1100	4250	8500
1933		V-8	Cabriolet	1100	4250	8500
1935	Perfect	1172cc	Saloon Sedan	750	1500	3000
1939	Taunus	V-8	Convertible	750	1500	3000
1945	12 M	4 CY 1.2 Litre	Convertible	650	1250	2500
1959	17 M	4 CY 1.7 Litre	Saloon Sedan	350	750	1500

FORD (F 1947-1954)

YEAR	MODEL	ENGINE	BODY	F	G	E
1947	Vedette	V-8 2.2 Litre	Fastback	700	1500	3800
1951	Comete	V-8 2.2 Litre	Sport Coupe	1100	2250	4500

FORD (GB 1911-to-date)

(Until 1932 these were same as US)

YEAR	MODEL	ENGINE	BODY	F	G	E
1932	Model Y	8 hp 933cc	Saloon Sedan	700	1400	2800
1935	Model C Ten	1172cc	Saloon Sedan	750	1500	3000
1939	Anglia	4 CY	Saloon Sedan	400	850	1750
1939	Perfect		Saloon Sedan	350	750	1500
1951	Consul	4 CY 1.5 Litre	Saloon Sedan	300	650	1250
1952	Zephyr	6 CY 2.3 Litre	Saloon Sedan	325	650	1300
1953	Pilot	V-8	Saloon Sedan	300	675	1350
1954	Zodiac	6 CY	Convertible	400	850	1700
1965	Lotus-Cortina	4 CY	2 Door Sedan	650	1250	2500

FOREST (US 1905-1906)

YEAR	MODEL	ENGINE	BODY	F	G	E
1905	5 S	Flat-twin 20 hp	Touring Car	1000	2000	4000

FORMAN (GB 1904-1906)

YEAR	MODEL	ENGINE	BODY	F	G	E
1904	12/14 hp	2 CY		750	1500	3000
1904	14 hp	4 CY		850	1750	3500

FORREST (GB 1907-1916)

YEAR	MODEL	ENGINE	BODY	F	G	E
1907	8 hp	V-twin	Light	750	1500	3000
1907		4 CY	Light	850	1750	3500

YEAR	MODEL	ENGINE	BODY	F	G	E

FORSTER (CDN 1920)

1920		6 CY Herschell-Spillman	Large	1700	3400	6800

FORSTER (GB 1922)

1922	10 hp	2 CY	Light	800	1600	3200

FORT PITT (US 1908-1909)

1908	70 hp	6 CY		1750	3500	7500

FOSSUM (N 1906-1907)

1906		1 CY Air-cool	Runabout	1100	2100	4200
1906		2 CY Air-cool	Runabout	900	1800	3600

FOSTER (US 1900-1905)

1900		Steam		2000	4000	8000

FOSTLER (US 1904-1905)

1904		1 CY Water-cool	2 Seats	1250	2500	4750

FOSTORIA (US 1916-1917)

1916		4 CY Sterling	4 Seats	1250	2300	4600

FOTH (D 1906-1907)

1906	8 Ps	1 CY	Voiturette	1000	1900	3850

FOUCHER ET DELACHANAL (F 1897-1900)

1897		2 CY	3 Seats	1100	2100	4300

FOUILLARON (F 1900-1914)

1900		10 hp	Tonneau	1000	2000	3800
1902	20 hp	4 CY Buchet	Tonneau	1100	2100	4000
1903	24 hp	4 CY Buchet	Tonneau	1100	2150	4250
1904	6 hp	1 CY	Tonneau	750	1500	3000
1905	12 hp	2 CY	Tonneau	800	1600	3250
1906		4 CY	Tonneau	800	1600	3600
1908		DeDion	Tonneau	1000	2000	3900
1914	16/20 hp	4 CY	Tonneau	1050	2100	4000
1914	15/18 hp	6	Tonneau	1100	2250	4500

FOURNIER (F 1913-1924)

1913	6/8 hp	1 CY		1000	2000	3800
1915	10 hp	4 CY Ballot		1000	2100	4250
1921	8 hp	4 CY	Coupe	1100	2250	4500

FOURNIER-MARCADIER (F 1963-to-date)

1963		Renault RB	2 Seats	500	1000	2100
1967	Borzoi	Renault-Gordini 1800	2 Seats Coupe	600	1200	2400
1971		B.M.W.		700	1300	2600

YEAR	MODEL	ENGINE	BODY	F	G	E
FOX (US 1921-1923)						
1921		4.4 Litre Air-cool	Sedan	1000	1900	3800
FOX (F 1912-1923)						
1921	9 hp	4 CY		800	1600	3250
1921	18/20 hp	4 CY		750	1500	2900
1922	11.9	4 CY Chapuis-Dornier		750	1500	3000
FOY-STEELE (GB 1913-1916)						
1913	Open	4 CY Coventry-Simplex	2 Seats	1000	1900	3800
1914	Open	4 CY Coventry-Simplex	4 Seats	900	1800	3600
1914	Colonial	4 CY Coventry-Simplex	Touring Car	750	1450	3500
F.R. (F 1927-1928)						
1927		2 CY Hannisard	3-Wheel	700	1400	2800
FRAMO (D 1932-1937)						
1932	Stromer	DKW 200cc	Coupe	500	1000	2000
1932	Piccolo	DKW 200cc	3-Wheel	400	900	1850
FRANCO (I 1907-1914)						
1907		4 CY	Racing Car	1250	2500	5000
FRANCON (F 1922-1925)						
1922		2 CY 485cc	2 Seats	450	1000	2000
FRANKLIN (US 1901-1934)						
1901		4 CY Air-cool		2100	4250	8500
1905			Runabout	1250	3500	7000
1907	Model G	4 CY	Runabout	1250	3500	7000
1910	Model G	4 CY	Touring Car	1300	3750	7500
1915		6 CY	Roadster	1200	3500	7000
1919		6 CY	Sport Touring Car	1200	3400	6800
1921	Model 9-B		Touring Car	1000	3250	6500
1922	Model 10-A		Touring Car	1000	3250	6500
1923		2.5 hp	Sedan	1000	2000	4000
1924	4 Dr		Sedan	1350		5500
1924			Touring Car	1100	2250	4500
1925	2 Dr		Coupe	1000	2100	4200
1925	Model II		Roadster	1500	3000	6000
1925	Model 10-C	6 CY	Sedan	1300	2750	5500
1925	Model 10-C	6 CY	Touring Car	1750	3500	7000
1925	Model II	6 CY	Sedan	1400	2850	5800

YEAR	MODEL	ENGINE	BODY	F	G	E
1925		6 CY	Boattail Roadster	2300	4750	9500
1925		6 CY	Phaeton	1800	3750	7500
1925		6 CY	Door Coupe	1450	2900	5900
1926		6 CY	Boattail Speedster	2300	4750	9500
1926		6 CY	Touring Car	1850	3750	7500
1927	Model 11-B	6 CY	Sedan	1500	3000	6000
1927	Model 11-B	6 CY	Cabriolet	2500	5000	10500
1928	2 Dr	6 CY	Brougham	2500	5000	10500
1929		6 CY	Roadster	4500	9000	17500
1929	DC	6 CY	Phaeton	8250	17500	35000
1929	4 Dr	6 CY	Sedan	2200	4500	9000
1929	RS	6 CY	Sport Coupe	2400	4900	9800
1930	Pursuit	6 CY	Phaeton	10000	20000	40000
1930	Model 14	6 CY	Rumble Seat Coupe	2500	5000	10000
1930	Model 14	6 CY	Convertible Sedan	6000	12500	25000
1931	Model 17 4 Dr	V-12 6.8 Litre	Sedan	2250	4500	9000
1931	Model 17	V-12 6.8 Litre	Rumble Seat Coupe	3250	6500	12500
1931	Model 17	V-12 6.8 Litre	Dual Cowl Phaeton	8000	16000	32000
1931	Model 17	V-12 6.8 Litre	Cabriolet	4500	9000	18000
1932	5 Ps	V-12	Sedan	2250	4500	9000
1932		V-12	Cabriolet	3500	7000	15000
1932		V-12	Coupe	3000	6000	12000
1933	Olympic	6 CY	4 Door Sedan	2250	4500	7000
1933		V-12	Brougham	5000	10000	20000
1933	4 Dr	V-12	Sedan	2500	5000	10000
1933	5 Ps Airman	V-12	Sedan Supercharged	3000	6000	12500
1933	Olympic	6 CY	Cabriolet	2500	4500	9500

FRANTZ (US 1901-1902)

YEAR	MODEL	ENGINE	BODY	F	G	E
1901				1750	3500	7000

FRASER (GB 1911-1967-1968)

YEAR	MODEL	ENGINE	BODY	F	G	E
1911	Steam	3 CY		1500	3000	6000
1967		Hillman Imp	Gran Turismo Coupe	500	1000	2100

FRAYER-MILLER (US 1904-1910)

YEAR	MODEL	ENGINE	BODY	F	G	E
1904	24 hp	4 CY T-head Air-cool	Touring Car	1200	2400	4800
1904		6 CY	Touring Car	1600	3250	6500
1908	110 hp	4 CY	Racing Car	2600	4250	8500

FRAZER (US 1946-1951)

YEAR	MODEL	ENGINE	BODY	F	G	E
1947	4 Dr	Graham-Paige	Sedan	600	1200	2400
1948	4 Dr Manhatten			650	1250	2500
1949	4 Dr Manhatten	3.7 Litre	Convertible	1600	3250	6500

YEAR	MODEL	ENGINE	BODY	F	G	E
1950	4 Dr		Sedan	700	1350	2750
1951	4 Dr Manhatten		Convertible Sedan	1250	2500	5000
1951	4 Dr		Sedan	1100	2200	2450

FRAZER NASH (GB 1924-1960)

1924		4 CY 1.5 Litre	Sport	2000	4000	8000
1927		4 CY	Cabriolet	4500	9000	18000
1932		4 CY	Roadster	5000	10000	22500
1932	TT Replica	1.5 Litre	Sport	4750	9500	18500
1935	Type 319	6 CY	Sport	4100	8250	16500
1948	High Speed	V-8	Racing Car	3250	6500	12500
1953	2 S	V-8	Coupe	1750	3500	7500
1954	Sebring	2 Litre	Sport	1750	3500	7000

FREDERICKSON (US 1914)

1914	2 S Tandem	2 CY Air-cool	Cycle Car	1000	2000	4000

FREDONIA (US 1902-1904)

1902		1 CY	2 Seats	1100	2250	4500
1902		1 CY	5 Seats	1200	2400	4800
1902	9 hp	1 CY	Tonneau	1250	2350	4750

FREIA (D 1922-1927)

1922	5/14 PS	1320cc		700	1400	2800
1922	20 PS			650	2750	1350
1924	6/30 PS	1472cc		700	1400	2800
1924	7/35 PS	1807cc		750	1500	3000

FREMONT (US 1921-1922)

1921	Six	6 CY Falls	Touring Car	1900	3750	7500

FRENAY (B 1914)

1914	10/12 hp	4 CY Ballot	2 Seats	1250	2500	4500

FRERA (I 1905-1913)

1905	Piccolo	Twin Air-cool		800	1600	3200

FRICK (GB 1904-1906)

1904	7 hp	1 CY		800	1600	3250
1906		2 CY		1000	1900	3800

FRIEDMAN (US 1900-1903)

1900		2 CY	Runabout	1100	2250	4500

FRIEND (US 1920-1921)

1920	5 Seats	4 CY	Touring Car	1300	2750	5500

FRISKEY (GB 1957-1964)

1957		328cc Villiers	2 Seats	350	750	1450

YEAR	MODEL	ENGINE	BODY	F	G	E
1957	Open		Coupe	350	700	1400
1957	Closed		Coupe	300	650	1300
1959	SP	Excelsior	2 Seats	350	750	1500
1964	Prince	324cc Villiers	4 Seats	300	650	1250

FRISWELL (GB 1906-1907)
1906	Baby Peugeot	1 CY 6.5 hp DeDion	2 Seats	1000	2000	4000

FRITCHLE (US 1904-1917)
1904		EL	Racing Car	2100	4250	8500
1904	2 S	EL	Roadster	2500	5000	10000
1906		EL	Coupe	1600	3250	6500
1906		EL	Brougham	1700	3400	6800
1916		4 CY Air-cool	Touring Car	1150	2350	4750

FRONT DRIVE (US 1906)
1906	16 hp	Streite	4 Seats	1700	3400	6850

FRONTENAC (US 1906-1922)
1906	2 S		Roadster	1500	3000	6000
1906	7 S		Limousine	1750	3500	7000
1922		4 CY	Touring Car	1200	2400	4800

FRONTENAC (CDN 1931-1960)
1931		6 CY	Racing Car	1000	1900	3800
1959		4 CY	Coupe	350	650	1250
1960		6 CY	Sedan			1000

FRONTMOBILE (US 1917-1918)
1917		4 CY	Roadster	1150	2350	4750

F.R.P. (US 1914-1918)
1914		4 CY T-head Mercer	Touring Car	1650	3250	6500

F-S (US 1911-1912)
1911	22 hp	4 CY Beaver		1150	2300	4750
1911	30 hp	4 CY Beaver		1250	2500	5000
1911	40 hp	4 CY Beaver		1300	2600	5500

FUCHS (A 1922)
1922	5/15 PS	1180cc	Racing Car	1650	3250	6500

FUJI CABIN (J 1957-1958)
1957	5.5 hp	1 CY	3-Wheel Coupe	250	500	1000

FULDAMOBIL (D 1950-1960)
1950		1 CY Sachs	3-Wheel	300	650	1250
1950		1 CY Ilo	Coupe	250	500	1000

YEAR	MODEL	ENGINE	BODY	F	G	E

FULLER (US 1907-1910)

1907	22/26 hp	2 CY	Touring Car	1100	2250	4500
1907	35/40 hp	4 CY	Touring Car	1250	2500	5000
1907	60 hp	6 CY	Touring Car	1800	3600	7000
1910		4 CY Water-cool	High-Wheel	1650	3250	6500
1910		2 CY	Motor Buggy	1500	3000	6000

FULMEN (E 1921)

1921			Cycle Car	750	1500	3000

FULMINA (D 1913-1926)

1913	E 10/30 PS		Limousine	1000	2000	4000
1913	B 17/55 PS		Limousine	1100	2250	4500
1914	16/45 PS		Limousine	1050	2100	4250

FULTON (US 1908)

1908	10/12 hp	2 CY Air-cool	Light	1000	2000	3950

FUSI FERRO (I 1948-1949)

1948	6 S	Straight 8	Saloon Sedan			2900

G

Graham — 1940 "Hollywood"

YEAR	MODEL	ENGINE	BODY	F	G	E

GABRIEL (F 1912-1914)

1912	9/12 hp	4 CY	Coupe	1000	1900	3800
1912	13/18 hp	4 CY	Saloon Sedan	900	1800	3600
1912	20/30 hp	4 CY	Coupe	1200	2000	3900

YEAR	MODEL	ENGINE	BODY	F	G	E
GADABOUT (US 1915)						
1915	''G''	4 CY Water-cool	2 Seats Cycle Car	1000	2000	3800
GAETH (US 1902-1911)						
1902	25/30 hp	3 CY Horiz	Touring Car	1750	3750	7500
GAGGENAU (D 1905-1911)						
1905		18/22 PS	Touring Car	1000	1900	3800
1905		24/36 PS	Touring Car	1000	2000	4000
1910	'35'	4700cc	Sport	1100	2100	4200
1910	'60'	8830cc	Touring Car	1200	2300	4600
GAINSBOROUGH (GB 1902-1903)						
1902	16 hp	4 CY Horiz	Convertible Hardtop	1200	2250	4500
1902		4 CY Horiz	Tonneau	1300	2400	4800
1902	Closed	4 CY Horiz	Brougham	1500	2600	5000
GALBA; HUASCAR (F 1929-1931)						
1929		Vert-twin	2 Seats	1000	1900	3800
GALE (US 1904-1910)						
1904		1 CY	Roadster	1250	2500	4800
1904	2 S	1 CY 8 hp	Runabout	1300	2600	5000
1905		2 CY 16 hp	Runabout	1400	2800	5600
1907		4 CY 26 hp	Runabout	1500	3000	5800
GALILEO (I 1904)						
1904		EL		1250	2500	5000
GALLET ET ITASSE (F 1900-1901)						
1900	2.5 hp	DeDion	Voiturette	1300	2500	4800
1901	2.5 hp	Aster	Voiturette	1200	2400	4500
GALLIOT (F 1908)						
1908	Tandem	1 CY	2 Seats	1200	2250	4500
GALLOWAY (US 1908-1910; 1915-1917)						
1908		2 CY	Roadster	1250	2400	4800
1915		4 CY	2 Seats	1300	2500	5000
GALLOWAY (GB 1921-1928)						
1921	10.5 hp	4 CY		1000	2000	4000
1925	12 hp	4 CY	2 Seats	1250	2500	5000
1928	12/30 hp	4 CY	Coupe	1000	2100	4200
GALT (CDN 1911-1935)						
1911		30 hp Hazard	Touring Car	1200	2400	4800

YEAR	MODEL	ENGINE	BODY	F	G	E
1911		50 hp Hazard	Roadster	1300	2500	5000
1914		2 CY	Roadster	1400	2600	5500

GALY (F 1954-1957)
1954	Vibel	Ydral 175cc	Coupe	450	900	1650
1954	Vistand	Ydral 175cc	Open Jeep	500	1000	2000

G.A.M. (F 1930)
1930	Tandem		Cycle Car	800	1650	3200

GAMAGE (GB 1903-1904; 1914-1915)
1903		1 CY DeDion	Roadster	1000	2000	4000
1903		2 CY DeDion	Roadster	1100	2250	4500
1904		4 CY Chapuis-Dornier	Roadster	1200	2400	4800

GAMMA (F 1921-1922)
1921		4 CY Ballot	Coupe	800	1600	3200
1921		4 CY Atlos	Saloon Sedan	750	1500	3000

G.A.R. (F 1922-1931)
1922		2 CY	Cycle Car	700	1400	2800
1922		Chopuis-Dornier	Sport	750	1500	3000
1924		4 CY S.C.A.P.	Sport	900	1600	3200

GARANZINI (I 1924-1926)
1924		4 CY	Coupe	1000	1600	3400

GARBATY (D 1924-1927)
1924	5/25 PS	4 CY	Saloon Sedan	1000	1600	3000

GARDNER (F 1898-1900)
1898		1 CY	Phaeton	1200	2300	4800
1898		1 CY	Voiturette	1250	2400	4900
1899	12 hp	2 CY	Racing Car	1300	2500	5000

GARDNER (US 1919-1931)
1922		4 CY Lycoming	Touring Car			5600
1923		4 CY Lycoming	Touring Car			5800
1924		6 CY	Touring Car			6000
1924		Straight 8	Sedan			4800
1926		Straight 8	Cabriolet			12500
1926		Straight 8	Roadster			13500
1926		Straight 8	Sedan			8000
1927	Model 90	Straight 8	Sedan			7500
1928		Straight 8	Sedan			6800
1929		Straight 8	Cabriolet			10500
1929	Model 90	Straight 8	Sedan	1600	3000	5800
1929	SP	Straight 8	Roadster	2250	4500	9000

YEAR	MODEL	ENGINE	BODY	F	G	E
1929	4 Dr	Straight 8	Sedan	1000	2000	4000

GAREAU (CDN 1909-1910)

1909		4 CY	Touring Car			

GARFORD (US 1906-1912; 1916)

1906	40 hp	4 CY	Touring Car	2000	3800	4500
1916		6 CY	Touring Car	2600	5000	6000

GARRIGA (E 1923)

1923		4 CY S.C.A.P.	Sport	1200	2000	3800

GARY (US 1916-1917)

1916	34 hp	6 CY	Roadster	1000	3500	7000
1916	34 hp	6 CY	Touring Car	2000	3800	7500

GAS-AU-LEC (US 1905-1906)

1905		4 CY		1500	2800	5000

GASI (D 1921)

1921	Tandem CC	2 CY	3-Wheel 2 Seats	900	1700	3200

GASLIGHT (US 1960-1961)

1960	2 S	1 CY	Runabout	500	1000	1800

GASMOBILE (US 1900-1902)

1900	9 hp	3 CY Horiz	Voiturette	1250	2500	4800
1902	20 hp	4 CY Horiz	Voiturette	1400	2800	5000

GATSO (NL 1948-1950)

1948		Mercury V-8	Aero Coupe	1000	1750	3500

GATTER (CS 1929-1930)

1929		4 CY	4 Seats	1200	2000	4000
1930	CC	1 CY Villiers	2 Seats	1000	1750	3500

GATTS (US 1905)

1905		1 CY Air-cool		1250	2500	4800

GAUTHIER (F 1904-1937)

1904		1 CY Air-cool	Voiturette	750	1500	3000
1918		V-twin	Cycle Car	900	1750	3400
1927		V-twin	3-Wheel	1000	1900	3800

GAUTHIER-WEHRLE (F 1894-1898)

1894		Steam		2500	5000	10000
1896		8 hp		1250	2500	5000
1898	5 hp	1 CY		1100	2250	4500
1898	12 hp	1 CY		1250	2500	5000
1899		EL	Voiturette	1500	3000	6000

YEAR	MODEL	ENGINE	BODY	F	G	E
1899	4.5	EL	Dogcart	1700	2750	5500

GAUTIER (F 1902-1903)

1902	6.5 hp	DeDion	Voiturette	900	1900	3800
1902	12 hp	Aster	Voiturette	1000	2000	4000
1902	30 hp	4 CY	Voiturette	1100	2250	4500

GAYLORD (US 1910-1956)

1910	40 hp	4 CY	4 Seats Convertible	1800	3500	7000
1955	Gladiator	Chrysler V-8	2 Seats Coupe	2250	4500	9000
1955	Gladiator	Cadillac V-8	Coupe	2250	4500	9000

GAZ (SU 1932-to-date)

1932	A		4 Seats Touring Car	800	1600	3500
1936	MI		Sedan	750	1500	3000
1938	MII-40	4 CY 76 hp Water-cool	5 Seats Touring Car	800	1600	3200
1938	67	4 CY	Saloon Sedan	700	1400	2800
1938	69	4 CY 72 hp	Touring Car	650	1300	2600
1939	M-20	4 CY	Sedan	600	1200	2400
1940	MII-70	6 CY	Saloon Sedan	650	1250	2500
1941	M-21	6 CY	Limousine	700	1400	2800
1942	M-22	6 CY	Touring Car	650	1300	2600
1943	M-25	6 CY	Sedan	650	1250	2500
1944	M-12	6 CY	Limousine	800	1500	3000
1945	M-13	6 CY	Chaika	750	1400	2800

G.B. (GB 1922-1924)

1922	5/7 hp	2 CY Coventry-Victor	3-Wheel	800	1600	3200

G. C. (F 1908)

1908	9/12 hp	4 CY Sultan	2 Seats	1000	2000	4000

G.E.A. (ORMEN LANGA) (S 1905)

1905	2 S	6 CY	Roadster	1250	2350	4500

GEARLESS (US 1907-1923)

1907		50 hp	2 Seats	1900	3750	7500
		75 hp		2000	4000	8000
1909	Olympic 35	50 hp	Touring Car	1900	3750	7500
1921		2 CY	Roadster	1250	2500	5000
1921		2 CY	Touring Car	1900	2750	5500

G.E.C. (US 1898-1902)

1898		EL		1600	3250	6500
1898		4 CY		1500	3000	5600

YEAR	MODEL	ENGINE	BODY	F	G	E
GEERING (GB 1899)						
1899	3 hp	2 CY Oil		1200	2200	4200
GEHA (D 1910-1923)						
1910		EL	3-Wheel	1200	2250	4500
GELRIA (NL 1900-1902)						
1900	4 hp	1 CY	Phaeton	1500	3000	6000
1900	4 S	1 CY	Touring Car	1600	3250	6500
1900		1 CY	Dos-a-dos	1550	3100	6200
1900	Duc	1 CY	3 Seats	1500	2900	5800
1901	6 hp	2 CY	Touring Car	1500	3000	6000
G.E.M. (F 1907-1909)						
1907	20 CV	4 CY Damlier-Knight	Sedanca de Ville	1750	3500	7000
GEM (US 1917-1919)						
1917		4 CY GB&S	Touring Car	1250	2500	4800
GEM (GB 1968)						
1968	2 S	Ford V-6	Gran Turismo Coupe	650	1250	2500
GEMINI (GB 1959-1963)						
1959		Cosworth-Ford	Racing Car	500	1000	2000
1960	Mark 3	Cosworth-Ford	Racing Car	500	1100	2100
1961	Mark 4	Cosworth-Ford	Racing Car	650	1250	2500
GENERAL (GB 1902-1905)						
1902	40 hp	4 CY Buchet	Racing Car	1500	3000	6000
1903	6.5 hp	Aster	2 Seats	1350	2750	5500
1903	12 hp	Buchet	Touring Car	1250	2500	5000
1904	30 hp	Simms	2 Seats	1200	2400	4800
GENERAL (US 1902-1903)						
1902	8 hp	2 CY	Tonneau	1250	2500	4800
GENERAL ELECTRIC (US 1898-1899)						
1898		EL	Runabout	2000	3750	6500
GENESEE (US 1912)						
1912	8 S	6 CY	Torpedo Touring Car	2000	4000	7800
1912		6 CY	Limousine	1750	3500	7000
GENESTIN (F 1926-1929)						
1926		4 CY Chopuis-Dornier	Sport	650	1500	3000
1926		6 CY Chopuis-Dornier	Touring Car	1000	1800	3600
1928		S.C.A.P.	Sport	900	1750	3500

YEAR	MODEL	ENGINE	BODY	F	G	E
GENEVA (US 1901-1917)						
1901	Steam	2 CY		2600	5000	10000
1916	2 S	Herschell-Spillman	Speedster	2500	4800	9500
GENIE (US 1959-1969)						
1959			Sport	800	1500	3000
GEORGES IRAT (F 1921-1946)						
1921		4 CY	Touring Car	800	1600	3250
1927		6 CY		1000	1900	3800
1929		8 CY Lycoming	Touring Car	750	1400	4800
1935		1100cc Ruby	Sport	600	1200	2400
1939		11 CV Citroen		650	1250	2500
GEORGES ROY (F 1906-1929)						
1906		2 CY 1100cc		750	1500	3000
1906		4 CY		900	1900	3800
1907		6 CY		1000	2000	4000
1920	18 hp	4 CY	Touring Car	1000	2000	4000
GEORGES VILLE (F 1904-1909)						
1904	40 hp	4 CY	Tonneau	1200	2300	4500
G.E.P. (F 1913-1914)						
1913	8 hp	1 CY Ballot		500	1000	2000
1913	10 hp	2 CY Ballot		750	1500	3000
1913	10 hp	4 CY Ballot		1000	2000	4000
GERALD (GB 1920)						
1920	8 hp	J.A.P. Water-cool		1000	1750	3500
GERARD (F 1927)						
1927		S.C.A.P.	2 Seats	750	1500	3000
GERMAIN (B 1897-1914)						
1897		2 CY Daimler		1000	2000	4000
1897	10 hp	4 CY Daimler	Limousine	1100	2250	4500
1903	15/18 hp	4 Cy L-head		1100	2200	4400
1905	Chainless	14/22 hp		1100	2250	4500
1907	22 hp	6 CY	Limousine	1750	3250	6500
1913	20 hp	Knight	Saloon Sedan	2000	3500	7000
GERMAN-AMERICAN (US 1902)						
1902	24 hp	4 CY		3000	5000	7000
GERONIMO (US 1917-1920)						
1917		4 CY		1900	3900	6800
1918		6 CY Lycoming	Open	1750	3750	7500

YEAR	MODEL	ENGINE	BODY	F	G	E
GHENT (US 1917-1918)						
1917	6-60	6 CY	5 Seats	2200	4000	7500
GIANNINI (I 1963-to-date)						
1963	SP	850cc	Coupe	300	600	1200
1965		930cc	Sport	350	700	1400
1965		Flat-4 698cc	Sport	325	650	1250
1967		V-8 985cc	Sport	375	750	1500
1972	Sirio	650cc	Sport Cabriolet	350	700	1400
GIAUR (I 1950-1954)						
1950		Fiat 750cc	Racing Car	750	1500	2500
1950	Single S	Fiat 570cc 4 CY	Racing Car	600	1200	2000
GIBBONS (GB 1921-1926)						
1921		1 CY Precision	Racing Car	800	1600	3500
1921		1 CY Blackburne	Racing Car	900	1800	3600
1921	Tandem 2 S	2 CY Coventry-Victor	Racing Car	1000	2000	3800
GIBSON (US 1899)						
1899		2 CY Horiz	Racing Car	1500	2900	5500
GIDEON (DK 1913-1920)						
1913	9.7 hp	4 CY		2000	4000	4500
GIESBERGER (F 1921)						
1921		4 CY	2-Wheel	650	1000	1800
GIGNOUX (F 1907)						
1907		4 CY		1300	2400	4800
GILBERN (GB 1959-to-date)						
1959	4 S	Coventry-Climax	Gran Turismo Coupe	500	1100	2200
1966	Genie	Ford V-6	Sport	600	1200	2400
1969	Invader	Ford V-6	Coupe	700	1300	2600
1972	Mark 2	Ford	Sport	800	1750	3400
1973	Mark 3	Ford	Coupe	900	1800	3500
GILBERT (GB 1901)						
1901	3.5 hp	1 CY		1200	2300	4500
GIBURT (GB 1904-1906)						
1904	6.5 hp	2 CY Fafnir	2 Seats	800	1600	3500
1904	6.5 hp	2 CY Fafnir	3 Seats	1000	2000	3800
GILCHRIST (GB 1920-1923)						
1920	11.9 hp	Hotchkiss	Open	1000	1750	3500
1920	11.9 hp	Hotchkiss	Closed	800	1400	2800

YEAR	MODEL	ENGINE	BODY	F	G	E

GILDA (RYSCA) (RA 1957)

YEAR	MODEL	ENGINE	BODY	F	G	E
1957	2 Dr 6 S	V-4 Water-cool	Sedan	350	750	1500

GILL (GB 1958)

YEAR	MODEL	ENGINE	BODY	F	G	E
1958	Getabout		2 Seats Coupe	300	650	1250

GILLET-FOREST (F 1900-1907)

YEAR	MODEL	ENGINE	BODY	F	G	E
1900	5 hp	1 CY	Tonneau	900	1900	3800
1902	9/10 hp	1 CY	2 Seats	900	1800	3500
1902	12 hp	1 CY	Voiturette	1000	2000	4000
1905	8 hp	2 CY	2 Seats	900	1900	3800
1905	12 hp	2 CY	4 Seats	900	1900	3750
1905	16 hp	4 CY	Coupe	900	1800	3600
1905	40 hp	4 CY	Saloon Sedan	800	1600	3200

GILLET (GB 1926-1927)

YEAR	MODEL	ENGINE	BODY	F	G	E
1926	8 hp	4 CY	2 Seats	1000	1900	3800

GILSON (CDN 1921)

YEAR	MODEL	ENGINE	BODY	F	G	E
1921		4 CY	Touring Car	1000	2000	4000

GILYARD (GB 1912-1916)

YEAR	MODEL	ENGINE	BODY	F	G	E
1912	8 hp	2 CY Chater-Lea	Cycle Car	800	1600	3200

GINETTA (GB 1957-to-date)

YEAR	MODEL	ENGINE	BODY	F	G	E
1957	G 2		Coupe	500	1000	2000
1959	G 3		Coupe	500	1000	2000
1962	G 4	Ford 105E	Coupe	750	1400	2800
1963	G 10	Ford V-8	Coupe	900	1750	3500
1964	G 11	M.G.B.	Coupe	350	700	1400
1965	G 12		Gran Turismo	350	700	1400
1968	G 15	Hillman Imp	Coupe	450	900	1750
1970	G 16		Coupe	350	750	1500
1970	G 17		Coupe	350	750	1500

GIRLING (GB 1913-1914)

YEAR	MODEL	ENGINE	BODY	F	G	E
1913	CC	1 CY 6 hp	3-Wheel	850	1600	3200

GITANE (GB 1962)

YEAR	MODEL	ENGINE	BODY	F	G	E
1962		B.M.C. Mini	2 Seats Gran Turismo	750	1300	2500

G.J.G. (US 1909-1911)

YEAR	MODEL	ENGINE	BODY	F	G	E
1909		4 CY		1500	2900	5800

GLADIATOR (F 1896-1920)

YEAR	MODEL	ENGINE	BODY	F	G	E
1896	4 hp	1 CY	Voiturette	1100	2250	4500
1899	3.5 hp	1 CY	Racing Car Voiturette	1000	2100	4250

YEAR	MODEL	ENGINE	BODY	F	G	E
1900	6.5 hp	1 CY Aster	Tonneau	1000	2000	4000
1903	16 hp	4 CY Aster	Voiturette	1000	1900	3800
1905	28 hp	4 CY Aster	Tonneau	1100	2250	4500
1914	30 hp	6 CY Aster	Coupe	1000	1900	3750

GLAS (D 1955-1968)

1955	Goggomobil	2 CY	Saloon Sedan	250	500	1000
1958		2 CY 700cc	Saloon Sedan	250	500	1000
1961		4 CY	Saloon Sedan	300	650	1250
1962	1004	993cc	Saloon Sedan	300	650	1250
1963	1204	1109cc	Saloon Sedan	350	650	1300
1964	1304	1289cc	Saloon Sedan	375	700	1400
1965	1700	1682cc	Saloon Sedan	400	800	1600
1966	2600	V-8	Coupe	750	1500	3000

GLASSIC (US 1966-to-date)

1966		4 CY	Phaeton	500	1000	2000
1972		Ford V-8	Roadster	1000	1500	3500

GLEASON (US 1909-1914)

1909		2 CY Water-cool	High-Wheel	2000	3750	6500

GLEN (CDN 1921)

1921		3 CY Air-cool	Cycle Car	1400	2800	4500

GLIDE (US 1903-1920)

1903	8 hp	1 CY	Touring Car	2250	4500	9000
1907	14 hp	2 CY	Touring Car	3750	7500	15000
1907	30 hp	4 CY Rutenber	4 Seats Roadster	5000	10000	20000
1915	5 Ps	4 CY Rutenber	Touring Car	2000	4000	8000
1916	40 hp	6 CY Rutenber	Touring Car	1800	3750	7500

GLISENTI (I 1900)

1900	3 hp	Bernardi	2 Seats	750	1500	3000

GLOBE (GB 1904-1916)

1904	9 hp	1 CY Hitchon	Touring Car	1000	1900	3800
1904	12 hp	4 CY White & Poppe	Touring Car	1100	2200	4200
1913		1 CY Anzani	Cycle Car	850	1650	3250
1913		1 CY Aster	Cycle Car	750	1500	3000
1913		2 CY J.A.P.	Cycle Car	750	1600	3300

GLOBE (US 1921-1922)

1921	5 S	4 CY Supreme 18.2 hp	Touring Car	1750	3500	7000
1921	2 S	4 CY Supreme	Roadster	2000	4000	7800

YEAR	MODEL	ENGINE	BODY	F	G	E
GLORIETTE (A 1932-1936)						
1932		2 CY	2 Seats	1200	2500	3800
GLOVER (GB 1912-1913)						
1912	4.5 hp	1 CY Precision	Cycle Car	1000	1600	3200
GLOVER (GB/US 1920-1921)						
1920	Dickey S	4 CY 15.7 hp	2 Seats	1000	2000	3800
G.M. (F 1924-1928)						
1924		C.I.M.E.	Saloon Sedan	750	1400	2800
GMUR (CH 1914)						
1914		EL		2000	3750	6500
G.N. (GB 1910-1925)						
1910		V-twin J.A.P.	Cycle Car	800	1470	3500
1912		4 CY				
1920	Legere	4 CY	2 Seats	1000	1900	3800
1920	Popular	4 CY	Cycle Car	1000	1900	3800
1921	Vitesse	4 CY	Racing Car	1200	2000	4000
1923		4 CY	2 Seats	1000	1900	3800
		Chapuis-Dornier				
1923		4 CY Anzani	2 Seats	1000	1900	3800
GNESUTTA (I 1900)						
1900		2 CY Welleyes	Saloon Sedan	1000	2000	3800
GNOM (CS 1921)						
1921		6 CY	Cycle Car	1200	2000	4000
GNOME; NOMAD (GB 1925-1926)						
1925		1 CY Villiers	2 Seats	750	1500	2800
		Air-cool				
GNOME ET RHONE (F 1919)						
1919	40 hp	6 CY		2000	3500	6000
GOBRON-BRILLIE; GOBRON (F 1898-1930)						
1898	10 hp	2 CY Vert	Tonneau	1000	2000	4000
1903	30 hp	4 CY	Touring Car	1000	1900	3900
1908		13.5 Litre	Racing Car	1000	1950	4500
1910	40/60 hp	4 CY T-head	Roadster	1000	1950	4500
1914	25 hp	4 CY	Tonneau	1000	2000	4000
1917	50 hp	4 CY	Roadster	1000	1950	4500
1920	20 hp	4 CY	Sport Touring Car	1000	1900	3800
1926	10 hp	4 CY	Touring Car	850	1750	3500
1928	Turbo SP	6 CY 1.5 Litre	Sport	1000	2000	4000

YEAR	MODEL	ENGINE	BODY	F	G	E
GODIVA (GB 1900-1901)						
1900	4 S	2 CY 9 hp	Dos-a-dos	1000	2000	3800
GOLDEN GATE (US 1894-1895)						
1894	2 S	2 hp	3-Wheel	1100	2250	4500
GOLIATH (D 1931-1963)						
1931	2 S Pioiner	1 CY Ilo	3 -Wheel Coupe	400	900	1800
1951	GP-700	2 CY	Sport Coupe	375	800	1600
1954	GP-900		Sport Coupe	300	600	1200
1967	Hanza 1100	Flat-4	Sport Coupe	325	650	1250
GOODCHILD (GB 1914-1915)						
1914	10.4 hp	4 CY	2 Seats	1000	2000	4000
GOODSPEED (US 1922)						
1922			Sport Phaeton	2200	3500	7000
GOODYEAR (GB 1924)						
1924		Ford 4 CY	Sport	1000	1750	3500
GORDANO (GB 1946-1950)						
1946		M.G. VA	Sport	1500	3000	5800
1948		1767cc Lea-Francis	Sport	1400	2900	4500
GORDINI (F 1951-1957)						
1951		1100cc Simca	Racing Car	1000	1750	3500
1952	Single S	6 CY	Sport	750	1500	3000
1953		Straight 8	Sport Racing Car	1000	1750	3500
1955	Formula 1 GP	6 CY	Racing Car	1100	2250	4500
1956	Formula 2	8 CY	Racing Car	1250	2500	4900
GORDON (GB 1903-1958)						
1903	6 hp	1 CY	Voiturette	1000	2000	4000
1912	9 hp	JAP V-twin	2 Seats	900	1800	3500
1912	9 hp	JAP V-twin	4 Seats	800	1700	3400
1954	Open 2 S	1 CY Villiers	3-Wheel	750	1600	3000
GORDON; GORDON-KEEBLE (GB 1960-1961; 1964-1967)						
1960	4 S	Chevrolet V-8	Saloon Sedan	1200	2200	4000
1965	GT	Chevrolet 5.4 Litre	Coupe	1500	2500	4500
GORHAM (J 1920-1922)						
1920	3 S	2 CY 8 hp Air-cool	3-Wheel	800	1600	2700
1921	Lila	2 CY 10 hp	Saloon Sedan	600	1000	2000

YEAR	MODEL	ENGINE	BODY	F	G	E
GORICKE (D 1907-1908)						
1907	2 S		3-Wheel	1000	2000	3800
GORKE (D 1921)						
1921	2 S	M.S.U.	3-Wheel	750	1500	3000
1921	3 S	M.S.U.	3-Wheel	1000	1600	3250
GORM (DK 1917)						
1917	6.5	4 CY	2 Seats	1000	2000	4000
1917	6.5	4 CY	4 Seats	900	1700	3600
GOTTSCHALK (D 1900-1901)						
1900			Coupe	1000	2000	4000
GOUJON (F 1896-1901)						
1896	3.5 hp	1 CY	Vis-a-vis			4000
GOVE (US 1921)						
1921		4 CY Air-cool	Saloon Sedan			3800
G.R.A.C. (F 1963-to-date)						
1963	Single S		Racing Car	750	1300	2500
1965	Formule France		Racing Car	750	1300	2500
1967	Formule Bleu		Racing Car	800	1500	3000
1969	MT-8	Formula 3	Racing Car	1000	1900	3500
	MT-15		Coupe	1100	2000	4000
GRACIELA (RA 1960-1961)						
1960	2 Dr	3 CY 37 hp Wartburg	Saloon Sedan	350	700	1400
1961	Wartburg 900	3 CY Wartburg	4 Door Saloon Sedan	375	750	1500
GRACILE (F 1905-1907)						
1905				1000	1900	3700
GRADE (D 1921-1926)						
1921	Type F2	2 CY Air-cool	2 Seats	1000	1900	3800
1922		2 CY 980cc	4 Seats	950	1600	3200
GRAF & STIFT (A 1907-1938)						
1907		1 CY DeDion	Touring Car	900	1750	3800
1907		4 CY T-head	Touring Car	1000	2000	4000
1921	SR 1	4 CY	Touring Car	1100	2100	4200
1930	VK	4 CY	Open Touring Car	1100	2100	4200
1931	SR 4	6 CY	4 Seats Sport Coupe	850	1600	3200
1932	SP 5	6 CY	6 Seats Saloon Sedan	750	1500	3000
1933	SP 8	8 CY	Saloon Sedan	700	1300	2600

YEAR	MODEL	ENGINE	BODY	F	G	E
GRAHAME-WHITE (GB 1920-1924)						
1920	3.5 hp	1 CY	Single bucket seat buckboard	750	1300	2600
1921	7 hp	1 CY	2 Seats	900	1600	3200
1922		4 CY Dorman Water-cool	2 Seats	1000	1900	3800
GRAHAM MOTORETTE (US 1902-1903)						
1902	3 hp	1 CY Air-cool	2 Seats	1200	2400	4800
GRAHAM-PAIGE; GRAHAM (US 1927-1941)						
1927		6 CY	Racing Car	1300	2500	5000
1927		Straight 8	Racing Car	1500	2800	5600
1928	629	6 CY	Sedan	1000	2000	4000
1929	621	6 CY	Touring Car	1500	3000	6000
1929		6 CY	Coupe	1000	2100	4200
1930	620	6 CY	Roadster	2500	5000	10500
1930		6 CY	Convertible Sedan	3000	6000	12000
1930	RS	6 CY	Coupe	1250	2500	4700
1930		8 CY	Sedan	1350	2750	5500
1930		8 CY	Phaeton	3750	7500	15000
1931		8 CY	Cabriolet	3250	6500	12500
1931		6 CY	Sedan	1100	2100	4200
1932	RS	8 CY	Coupe Side Mount	1350	2750	5500
1932		8 CY	Sedan	1250	2500	5000
1932		8 CY	Cabriolet	2250	4500	9000
1932		6 CY	Sedan	900	1650	3800
1933	Custom	8 CY	Sedan Side Mount	1500	3000	6000
1933		8 CY	Sedan	1400	2750	5500
1933		6 CY	Sedan	1100	2100	4200
1934		6 CY	Sedan	1000	2000	4000
1935	Cavalier	6 CY	Cabriolet	1750	3500	7000
1935	SC	8 CY	Sedan	1150	2250	4500
1935		6 CY	Sedan	900	1800	3600
1935	2 Dr	6 CY	Coach	800	1600	3200
1936	Model 80	6 CY	Sedan	1000	1900	3750
1936	Cavalier	6 CY	Coupe	1000	2000	3900
1937	SC	6 CY	Sedan	1250	2500	4800
1937	SC	6 CY	Cabriolet	1750	3500	7000
1938	SC	6 CY	Sedan	1000	2000	4000
1938	Graham	6 CY	Sedan	1000	2000	4000
1939	SC	6 CY	Sedan	1000	2000	4000
1939	SC 2 Dr	6 CY	Victoria	1250	2500	5000
1940	SC	6 CY	Sedan	1250	2500	5000
1941	Hollywood SC	6 CY	Sedan	1500	2800	5600

YEAR	MODEL	ENGINE	BODY	F	G	E
1941	Hollywood	6 CY	Sedan	1500	3000	6000
1941	Hollywood	6 CY	Convertible Coupe	4000	8000	16000

GRAMM (CDN 1913)
1913	Tandem	2 CY Air-cool	Cycle Car	1000	1700	3500

GRAMME (F 1901)
1901	3 hp	EL	3-Wheel	1000	1750	3800

GRANT (US 1913-1922)
1913	12 hp	4 CY	2 Seats	1900	3750	6500
1915	44 hp	6 CY	Touring Car	2000	3900	7800
1917	Winter top	6 CY	Sedan	1750	3500	7000
1921	20 hp	6 CY	Touring Car	1500	3000	6000
1921		6 CY	Sedan	1250	2500	4500

GRANTA (GB 1906)
1906	28/34 hp	4 CY Ballot		1000	2000	4000

GRAY (US 1920-1926)
1920		1 CY	Cycle Car	900	1800	3500
1920		2 CY	Cycle Car	1000	2000	3800
1921		4 CY	Touring Car	1200	2300	4500
1923	4 Dr	4 CY	Sedan	800	1600	3200

GRAY-DORT (CDN 1915-1925)
1915		4 CY Lycoming	Touring Car	1500	2400	4600
1918	Special	4 CY Lycoming	Sport	1200	2300	4500
1922	Special	4 CY Lycoming	Touring Car	1000	2000	4000
1923		6 CY	Touring Car	1200	2300	4500

GRAZIOSA (A 1899-1901)
1899			Voiturette	1300	2500	4500

G.R.D. (GB 1971-to-date)
1971	372		Racing Car	700	1200	2500
1971	B 73		Racing Car	700	1200	2500
1973	272		Racing Car	900	1700	3500
1973	S 73	2 Litre	Sport	1000	1900	3800

GREAT EAGLE (US 1910-1918)
1910	7 S	4 CY	Touring Car	3000	4500	6000

GREAT SOUTHERN (US 1910-1914)
1910	5 S	30 hp	Touring Car	1300	2200	4000
1910	2 S	4 CY 50 hp	Roadster	1500	2750	4500

GREAT WESTERN (US 1908-1916)
1908	7 S	50 hp	Touring Car	1500	3000	5000
1909		2 CY	Touring Car	1300	2500	4000

YEAR	MODEL	ENGINE	BODY	F	G	E
1910	40 hp	4 CY	2 Seats	1200	2250	4500

GREELEY (US 1903)

1903		4 CY	2 Seats	5000	7500	10000

GREENLEAF (US 1902)

1902	10 hp	2 CY	Surrey	2000	4000	6000

GREGOIRE (F 1903-1962)

1903	8 CV	1 CY	Voiturette	1400	2500	4800
1904	10 CV	4 CY T-head	Sport	1600	3000	6000
1905	12 CV	2 CY	Voiturette	1200	2000	3800
1909	14 CV		Sport	900	1750	3500
1924	20 CV	4 CY	Sport	1000	1900	2800
1945		Flat-twin	Saloon Sedan	750	1250	2500
1947		Flat-four	Cabriolet	900	1750	3500
1961		2.2 Litre	Convertible	800	1500	3000

GREGORY (US 1918-1952)

1918			Touring Car	1300	2500	4800
1920		Curtiss OX-5	Racing Car	1000	1900	3500
1949	40 hp	4 CY Cont	Sedan	950	1850	2800
1952		Porsche	Sedan	1100	2000	4000

GREYHOUND (US 1914-1915)

1914	Tandem 2 S		Cycle Car	1000	2000	3800

GRICE (GB 1927)

1927		JAP V-twin Air-cool	3-Wheel	1000	2000	3800

GRIDI (D 1923-1924)

1923		1 CY 865cc	Saloon Sedan	700	1200	2000

GRIFFITH-TVR; GRIFFITH (US 1964-1966)

1964	TVR	271 hp Ford Fairlane	Sport Coupe	2500	4000	6000
1965	GT	V-8	Coupe	2500	4000	6500
1966	Omega	Ford	Coupe	4500	8000	15000

GRIFFON (F 1906-1910; 1921-1924)

1906	2 S	1 CY 7 hp	Voiturette	1600	3000	4500
1920		V-twin Anzani	Cycle Car	1000	2000	3800

GRINNELL (US 1910-1913)

1910	5 S	EL	Closed Coupe	3000	4500	6000

GRISWOLD (US 1907)

1907	10 hp	2 CY Water-cool	2 Seats	1000	1750	3500

YEAR	MODEL	ENGINE	BODY	F	G	E
1907	15 hp	2 CY Water-cool	4 Seats	1250	2000	4000
1907	20 hp	2 CY Water-cool	2 Seats	1500	2500	4500

GROFRI (A 1922-1927)
1922	12/45 PS	6 CY	2 Seats	1500	2500	4500
1922		4 CY	4 Seats	1200	2000	4000

GRONINGER (NL 1898-1899)
1898		2.5 hp	Dos-a-dos	1500	2400	4500
1898		4 hp	Dos-a-dos	1600	2500	4800

GROSE (GB 1899-1900)
1899		4 hp	Voiturette	1200	2200	4000

GROUSSET (F 1904-1905)
1904				1300	2500	4800

GROUT (US 1899-1912)
1899	Steam	2 CY 4 hp	Runabout	4500	8000	15000
1904	Steam	2 CY 12 hp	Touring Car	3800	6000	10000
1905		4 CY 30 hp	Touring Car	2900	5000	8000

G.R.P. (F 1924-1928)
1924		4 Cy	Touring Car	1000	1750	3500
1924		4 CY	Sport	900	1600	3000

GRYFON; GRYPHON (GB 1969-to-date)
1969			Racing Car	750	1300	2500

G.S.M. (ZA/GB 1958-1966)
1958		Ford 105 E	Sport Racing Car	500	900	1750
1960		Ford 105 E	Sport Coupe	600	1000	1800
1962		Ford Ten	Coupe	700	1200	2000
1964	2 + 2	Cortina GT	Coupe	750	1300	2500

G.T.M. (GB 1966-to-date)
1966		BMC Mini	Racing Car	1000	1500	2800

GUERRAZ (F 1900-1902)
1900	5 hp	Bolide		1250	2400	4500
1900	6 hp	Aster		1300	2500	4800
1900	6 hp	Buchet		1300	2500	4800
1901	7 hp	Sonsin	Vis-a-vis	1300	2500	4800

GUILDFORD (GB 1920)
1920	8 hp	V-twin Blackburne	Cycle Car	1200	2000	3400

YEAR	MODEL	ENGINE	BODY	F	G	E

GUILICK (F 1914-1929)

1914		4 CY Atlos		1000	2000	4000
1914		4 CY Ruby		1200	2200	4200
1914		4 CY CIME		1000	2000	4000

GUILLIERME (F 1906-1910)

1906	10/12 hp	4 CY Ballot		1000	2000	3800

GURGEL (BR 1966-to-date)

1966	Doorless	V.W.	4 Seats	750	1000	1800

GURLEY (US 1901)

1901		Petrol	2 Seats	1300	2500	4500

GUTBROD (D 1949-1954)

1949	Superior 600	2 CY	Coupe	400	800	1400
1949	Superior 700	2 CY	Sport Roadster	500	1000	1800
1951	Superior 604	2 CY	Convertible	500	1000	1800
1951	Superior 704	2 CY	4 Seats	450	900	1700

GUY; LE GUY (F 1904-1916)

1904	7 hp	4 CY Air-cool	Voiturette	1700	2500	4800
1904	11 hp	4 CY Buchet	Voiturette	1500	2300	4600
1908		4 CY L-head	Voiturette	1600	2400	4700
1910	15 hp	Chapuis-Dornier	Voiturette	1400	2200	4200

GUY (CDN 1911)

1911		30 hp	Touring Car	1800	3000	5500

GUY (GB 1919-1925)

1919		8 CY	2 Seats	2000	3500	6000
1920	20 hp	V-8	Touring Car		4000	6500
1921		4 CY	2 Seats	1500	2800	4000

GUYOT SPECIALE (F 1925-1931)

1925	Speciale	6 CY	Racing Car	1500	2800	5600
1926		6 CY Cont	Touring Car	1500	3000	6000
1927		6 CY Cont	Saloon Sedan	1000	1900	3800
1928		6 CY Cont	Coupe de Ville	1400	2750	4500
1929	Super Huit	Straight 8 Cont	Racing Car	1600	2500	5000

GUY VAUGHAN (US 1910-1913)

1910	5 S	4 CY	Touring Car	900	1750	5000

GWALIA (GB 1922)

1922	9 hp	Alpha	3 Seats	900	1750	3000

G.W.K. (GB 1911-1931)

1911		2 CY Coventry-Simplex	Cycle Car	1000	1750	3500

YEAR	MODEL	ENGINE	BODY	F	G	E
1913	8 hp	2 CY	2 Seats	1000	1750	3500
1921		4 CY	4 Seats	1000	2000	3800
		Coventry-Simplex				

GWYNNE (GB 1922-1929)
1922	Eight	4 CY	Touring Car	1200	2000	3800
1923	4 S	1247cc	Saloon Sedan	1000	1600	3200

GYROSCOPE (US 1908-1909)
1908	15 hp	2 CY		1200	2200	4000

H

Hupmobile — 1910 "Tom Cat Speedster"

YEAR	MODEL	ENGINE	BODY	F	G	E

HAASE (US 1904)
1904	6 hp	2 CY		1200	2200	4000
1904	8 hp	2 CY		1200	2200	4000

HACKETT (US 1916-1919)
1916		4 CY G.B. & S.	Touring Car	1300	2500	4800
1917	22.5 hp	4 CY G.B. & S.	Roadster	1300	2500	4800

H.A.G.; H.A.G.-GASTELL (D 1922)
1922	5/25 PS	4 CY	2 Seats	1000	1800	3800
1925		1.5 Litre	Sport	1000	1800	3600

HAGEA-MOTO (D 1922-1924)
1922	4/12 PS	4 CY Steudel	2 Seats	900	1750	3500

YEAR	MODEL	ENGINE	BODY	F	G	E

HAGEN (D 1903-1908)

| 1903 | | EL | | 2000 | 3800 | 4500 |

HAINES & GRUT (AUS 1904)

| 1904 | 2/12 hp | Opposed-twin | High-Wheel | 2500 | 3500 | 6000 |

HAL (US 1916-1918)

1916	Twelve	12 CY Weideley	Roadster	2200	4200	8000
1916		Weideley	2 Seats	1900	3750	7500
1916		Weideley	4 Seats	2200	4200	8000
1916		Weideley	7 Seats	2300	4500	8500
1916	87 hp	Weideley	Limousine	2000	4000	7800

HALL (US 1904-1915)

| 1904 | Rear entrance | 2 CY 20 hp | 4 Seats Tonneau | 2300 | 4000 | 8000 |
| 1914 | Tandem 2 S | 4 CY | Cycle Car | 2000 | 3000 | 5000 |

HALL (GB 1918-1919)

| 1918 | Flat-8 | 8 CY 20.6 hp | Laundalet | 1200 | 2200 | 4000 |

HALLADAY (US 1905-1922)

1905		4 CY Oswald	2 Seats	1600	3000	5800
1907	35/40 hp	4 CY Rutenber	Roadster	1700	3250	6000
1912		6 CY 50 hp	Touring Car	1800	3500	7000
1914		4 CY 40 hp	Sedan	1300	2500	4800

HALLAMSHIRE (GB 1900-1905)

1900	7 hp	Simms	2 Seats	1200	2200	4000
1900	10/12 hp	Aster	2 Seats	1300	2350	4500
1904	14/18 hp	4 CY Forman	2 Seats	1400	2500	4800

HALVERSON (US 1908)

| 1908 | | 4 CY F.N. Air-cool | | 1600 | 3000 | 5600 |

HAMILTON (US 1909)

| 1909 | 16 hp | 2 CY Air-cool | High-Wheel | 2000 | 4000 | 6500 |

HAMILTON (GB 1921-1925)

| 1921 | 9 hp | 2 CY Precision | 2 Seats | 1000 | 1800 | 3500 |

HAMLIN-HOLMES; HAMLIN (US 1919-1930)

1919		4 CY Lycoming	Touring Car	1200	2200	4250
1926		Lycoming	Racing Car	1000	1900	3800
1928	4 Dr Club	Lycoming	Sedan	900	1700	3250

HAMMER (US 1905-1906)

| 1905 | 12 hp | 2 CY | Saloon Sedan | 1000 | 2000 | 3800 |
| 1906 | 24 hp | 4 CY | 5 Seats Tonneau | 1300 | 2500 | 4800 |

YEAR	MODEL	ENGINE	BODY	F	G	E
HAMMER-SOMMER (US 1902-1904)						
1902	5 S	2 CY 12 hp	Tonneau	1200	2250	4500
HAMMOND (GB 1919-1920)						
1919		11.9 hp	Saloon Sedan	1200	2000	4000
HAMPTON (GB 1911-1933)						
1911	12/16	4 CY	Saloon Sedan	1000	1800	3600
1914		2 CY	Saloon Sedan	1000	1900	3800
1915	8 hp	Precision-twin	Cycle Car	900	1800	3500
1917		Chapuis-Dornier	Cycle Car	900	1800	3500
1919		Dorman 4KNO	Saloon Sedan	1200	2000	3800
1923	11.9 hp	Meadows	Touring Car	1300	2500	4800
1925	Hampton 12	Meadows	Saloon Sedan	1000	1900	3800
1927	11.9 hp	6 CY	Coupe	1300	2300	4500
1928	9 hp		Saloon Sedan	1200	2000	4000
1929	20 hp	6 CY Meadows	Touring Car	1750	3500	7000
1930	12/40		Sport	2000	4000	8000
1931	18 hp	8 CY Rohr	Touring Car	3200	6000	12000
HANDLEY-KNIGHT; HANDLEY (US 1921-1923)						
1921		4 CY Knight		1600	3250	6500
1921	6/60	Midwest		1800	3500	7000
1921	6/40	6 CY Falls		1750	3400	6500
HANDS (GB 1921-1924)						
1921	9.8 hp	4 CY Dorman Water-cool	2 Seats	1000	1750	3500
HANOMAG (D 1924-1939)						
1924	Kommissbrot	1 CY 499cc	Coupe	850	1600	3200
1930	Garant	4 CY	Open 2 Seats	800	1500	3100
1930	Kurier	4 CY	Open 2 Seats	750	1450	2900
1931	Rekord	4 CY	Drop Head Coupe	800	1500	3000
1932	Sturm	6 CY	Saloon Sedan	700	1300	2500
1939	Diesel	6 CY Diesel	Saloon Sedan	600	1000	1800
HANOVER (US 1921-1924)						
1921		2 CY Air-cool	Cycle Car	2500	4000	7000
HANSA (D 1906-1939)						
1906	7/9 PS	1 CY DeDion	2 Seats	1200	2000	3800
1907		4 CY Fafnir	Saloon Sedan	900	1700	3200
1911	D	10/40 PS	Saloon Sedan	850	1600	3000
1911	E	15/50 PS	Touring Car	900	1700	3200
1914	F		Sport	800	1500	2900
1914	Lloyd	4 CY	Sport	600	1100	2000
1929	Konsul	6 CY Cont	Saloon Sedan	700	1300	2500

YEAR	MODEL	ENGINE	BODY	F	G	E
1929	Senator	8 CY Cont	Saloon Saden	1000	1800	3500
1929	Matador	6 CY Cont	Saloon Sedan	700	1300	2400
1929	Imperator	8 CY Cont	Saloon Sedan	900	1700	3200
1934	'500'	2 CY	Coupe	800	1500	2900
1939	2000 Privat	6 CY	Sport	800	1500	2800
1939	3500 Privat	6 CY	Sport	800	1500	2800

HANSA-LLOYD (D 1921-1929)

1921	Treff	4 CY		1000	1600	3000
1923	Trumpf	8 CY		1200	2000	3800

HANSEN (US 1902)

1902	2 S	1 CY	Runabout	1300	2500	4800

HANSEN-WHITMAN (US 1907)

1907	5 S	2 CY Water-cool	Touring Car	1700	3000	5000

HANSON (US 1917-1923)

1917	Model 50	6 CY Cont	Open	2200	4000	7500
1917	Model 66	6 CY Cont	Closed	1800	3500	6000

HANZER (F 1900-1903)

1900	3 hp	DeDion	Voiturette	1300	2600	4800
1900	6 hp	Aster	2 Seats	1200	2200	4200
1901	5 hp	1 CY	4 Seats	1000	1900	3800
1902	9 hp	2 CY	Sport	1250	2500	4500

HARDING (CDN 1911)

1911	2 S	4 CY G.B.&S. 20 hp	Runabout	1250	2500	4500

HARDING (US 1916-1917)

1916	Twelve	12 CY	7 Seats Touring Car	2250	4500	8500

HARISCOTT (GB 1920-1921)

1920		Coventry-Simplex	Sport	800	1500	2800

HARPER (GB 1905-1926)

1905		1 CY Cadillac	Laundalet	2200	4300	8500
1921	CC	1 CY Villiers	3-Wheel	900	1750	3500
1921		2.5 hp	Runabout	1000	1900	3800

HARPER (US 1907-1908)

1907	2 S	2 CY 14 hp Water-cool	Runabout	1700	3250	6500

YEAR	MODEL	ENGINE	BODY	F	G	E
HARRIS (US 1923)						
1923		6 CY		1700	3250	6500
HARRISON (US 1905-1907)						
1905		4 CY	Touring Car	1500	2750	5500
HAWKE (GB 1969-to-date)						
1969	Formula Ford		Single Seat	650	1300	2500
1970	DL 2		Racing Car	750	1500	3000
1970	DL 2 B		Racing Car	900	1600	3200
1971	DL 5		Racing Car	1000	1800	3500
1971	DL 6 A/B		Racing Car	1000	1800	3500
1971	DL 7		Racing Car	1000	1800	3500
1971	DL 8		Racing Car	1000	1800	3500
1972	DL 9		Racing Car	1300	1800	3500
HAWLEY (US 1907)						
1907	2 S	2 CY	Runabout	1300	2400	4500
1907	4 S	2 CY	Tonneau	1500	2500	4900
HAYBERG (US 1907-1908)						
1907	3 S	4 CY Water-cool	Runabout	1650	3000	6000
HAYNES (US 1894-1925)						
1894		1 CY	Buggy			
1902		2 CY	Coupe	1750	3000	6000
1904	2 S	4 CY	Roadster	2000	4000	8000
1912	25 h	4 CY	Touring Car	3000	6000	12000
1914	Model 26	6 CY	Roadster	3250	6500	12500
1916	Close-coupled	12 CY	4 Seats Coupe	3750	7500	15000
1920	7 S	6 CY	Limousine	3500	6900	12500
1921	Model 55	4 CY	Touring Car	4500	9000	18000
1923	Special	6 CY	Speedster	4500	9000	17500
1925	5 S	4 CY	Sedan	1800	3500	7000
HAYNES-APPERSON (US 1898-1904)						
1898		2 CY Horiz-opposed	2 Seats	2500	4900	9000
1898		2 CY Horiz-opposed	4 Seats	2500	4900	9000
1898		2 CY Horiz-opposed	6 Seats	2500	4900	9000
1900	2 S	2 CY Horiz-opposed	Runabout	2300	4500	8500
1900	5 S	2 CY Horiz-opposed	Tonneau	2300	4500	8500

YEAR	MODEL	ENGINE	BODY	F	G	E
HAZARD (US 1914-1915)						
1914	24 hp	4 CY Hazard		1400	2600	5000
1914	30 hp	4 CY Hazard		1600	3000	6000
H-B (H. BROTHERS) (US 1908)						
1908		2 CY Air-cool	High-wheel	1750	3500	6500
H-C (US 1916)						
1916	28 hp	4 CY	Roadster	1400	2750	4750
1916	28 hp	4 CY	Touring Car	1500	2900	4800
H.C.E. (GB 1912-1913)						
1912	6/8 hp	1 CY Buckingham	Cycle Car	1500	2500	3500
H.C.S. (US 1920-1925)						
1920		4 CY Weidely	Racing Car	4500	8500	17000
1921		6 CY Midwest	Sport Touring Car	5000	9500	18500
H.E. (GB 1920-1931)						
1920	14-20 hp	4 CY Propietary	Touring Car	800	1600	3200
1922	14-40 hp	4 CY Propietary	Sport	900	1700	3500
1927		6 CY	Sport	1100	2000	3900
1929	16/55	6 CY	Sport Touring Car	1000	1900	3800
HEADLAND (GB 1897-1900)						
1897	2 S	EL	Phaeton	1800	2800	5000
HEALEY (GB 1946-1954)						
1946		4 CY Riley	Saloon Sedan	1000	1800	3200
1949		4 CY Riley	Touring Car	1200	2000	3800
1951		6 CY Riley	Sport Saloon Sedan	1800	2750	5000
1951	Silverstone	6 CY Riley	2 Seats	2500	4000	7500
1952	2 S	Austin	Sport	1400	2200	4000
HEALEY (US 1912-1916)						
1912		EL		1300	2500	4900
HEBE (E 1920-1921)						
1920	6/8 hp	4 CY	Touring Car	1000	1700	3300
1920		4 CY	Sport	900	1600	3250
1920	2 Dr.	4 CY	Saloon Sedan	850	1500	2800
HEDEA (F 1913-1914)						
1913	10 hp	4 CY	Saloon Sedan	1000	1800	2800
HEIM (D 1921-1926)						
1921	8/40	4 CY	Touring Car	750	1500	3000
1922		6 CY	Sport	900	1750	3400
1924		6 CY	Touring Car	1000	1900	3600

YEAR	MODEL	ENGINE	BODY	F	G	E

HEINE-VELOX (US 1906-1909; 1921)

YEAR	MODEL	ENGINE	BODY	F	G	E
1906	45 hp	4 CY	Touring Car	1800	3000	6000
1921		V-12	Touring Car	4000	6000	10000

HEINIS (F 1925-1930)

1925		4 CY S.C.A.P.	Saloon Sedan	750	1300	2400
1925		Straight 8 Lycoming	Saloon Sedan	1000	1900	3800

HEINKEL (D 1955-1958)

1955	Bubble car	1 CY Air-cool	3-Wheel	350	750	1250

HEJENSKIOLD (S 1918)

1918	4 S	4 CY Water-cool	Cycle Car	1200	2000	3800

HELBE (F 1905-1907)

1905	4.5 hp	1 CY DeDion	Saloon Sedan	1200	2000	3800
1905	6 hp	1 CY DeDion	Saloon Sedan	900	1800	3600
1905	9 hp	1 CY DeDion	Saloon Sedan	850	1700	3500
1907	12 hp	4 CY	Saloon Sedan	1200	2000	3800

HELIOS (S 1901-1902)

1901		1 CY	Vis-a-vis	1200	2000	4000

HELIOS (CH 1906-1907)

1906	18/24 hp	4 CY		1200	2000	3800

HELIOS (D 1924-1926)

1924	2/8 PS	2 CY		800	1600	3000

HELO (D 1923)

1923	3-Wheel	3 PS DKW	Cycle Car	800	1500	2800

HELVETIA (F 1899-1900)

1899		EL	Victoria	1700	3000	6000

HENDERSON (US 1912-1915)

1912	Open	4 CY	2 Seats	2600	5000	9500
1912		4 CY L-head	5 Seats	2600	5000	9500
1913		4 CY	Roadster	2800	5500	9200

HENNEGIN (US 1908)

1908		2 CY Air-cool	High-wheel	1750	3000	6500

HENNEY (US 1921-1931)

1921		6 CY Cont	Sport Touring Car	1800	3750	6500
1921	Closed	8 CY Lycoming	Sedan	2300	4650	7250
1927		8 CY Lycoming	Limousine	2500	4800	7500

YEAR	MODEL	ENGINE	BODY	F	G	E
HENRIOD (CH 1896-1898)						
1896	4 hp	1 CY	Saloon Sedan	900	1600	3000
1896	6 hp	2 CY	Saloon Sedan	1000	1750	3250
HENRIOD (F 1898-1908)						
1898	Simplon	1 CY	Voiturette	1200	2100	4000
1900	12 hp	2 CY	Racing Car	1300	2200	4200
1900	24 hp	4 CY	Racing Car	1400	2300	4500
1906	32 hp	4 CY	Racing Car	1400	2300	4500
HENRY (US 1910-1912)						
1910	5 S	35 hp	Tonneau	1300	2500	4800
1911	2 S	20 hp	Roadster	1500	2600	5500
1911	2 S	40 hp	Roadster	1600	3000	5900
HENRY J (US 1950-1954)						
1950		4 CY Willys	2 Door Sedan	500	800	1400
1951		6 CY Willys	2 Door Sedan	600	900	1800
1952		6 CY 3.7 Litre	Sedan	850	1000	1900
1953	Vagabond	6 CY 3.7 Litre	2 Door Sedan	850	1000	2500
1954	Corsair	6 CY Willys	2 Door Sedan	700	1000	1950
HENSCHEL (D 1899-1906)						
1899		4 CY	Saloon Sedan	1250	2500	4800
1900		EL	Coupe	1100	2250	4500
HE-PING; HO-PING (PEACE) (CHI 1958-to-date)						
1958		4 CY	Saloon Sedan	400	750	1800
HERALD (F 1901-1906)						
1901		1 CY	Voiturette	1000	2000	4000
1901	14 hp	2 CY	Voiturette	1200	2200	4250
1902	9 hp	2 CY	Voiturette	1000	2000	4000
1904	10 hp	4 CY	Voiturette	1200	2200	4250
1904	28 hp	4 CY	Voiturette	1300	2300	4500
HERBERT (GB 1916-1917)						
1916	11.9 hp	4 CY Sterling	2 Seats	1000	1750	3500
HERCULES (CH 1902-1903)						
1902	6 hp	1 CY	Tonneau	1000	1900	3800
1902	12 hp	2 CY	Tonneau	1200	2000	4000
HERCULES (US 1907-1914)						
1907		EL	2 Seats	1900	3500	6000
1907		EL	4 Seats	1900	3500	6000
1907	141	EL	Laundalet	2500	4800	8500
1914		4 CY L-head	4 Seats	1300	2500	4500

238

YEAR	MODEL	ENGINE	BODY	F	G	E

HERCULES (E 1922)

YEAR	MODEL	ENGINE	BODY	F	G	E
1922			Cycle Car	1000	1900	3500

HERCULES (D 1932-1933)

YEAR	MODEL	ENGINE	BODY	F	G	E
1932	2 S	Ilo 200cc	3-Wheel Coupe	1200	2000	3800

HERFF-BROOKS (US 1914-1916)

YEAR	MODEL	ENGINE	BODY	F	G	E
1914	40 hp	4 CY L-head	Roadster	1500	2800	4500
1914	50 hp	6 CY L-head	Roadster	2200	4000	7500

HERMES; H.I.S.A. (B/I 1906-1909)

YEAR	MODEL	ENGINE	BODY	F	G	E
1906		4 CY T-head	Racing Car	1300	2500	4500

HERMES (US 1920)

YEAR	MODEL	ENGINE	BODY	F	G	E
1920		4 CY	4 Seats	1300	2500	4800

HERMES-SIMPLEX (D 1904-1906)

YEAR	MODEL	ENGINE	BODY	F	G	E
1904	50 hp	4 CY	Roadster	1750	3500	7000

HERMON (GB 1936)

YEAR	MODEL	ENGINE	BODY	F	G	E
1936	20/90	British-Salmson	Saloon Sedan	750	1500	2800

HERO (D 1934)

YEAR	MODEL	ENGINE	BODY	F	G	E
1934	3-Wheel	D.K.W.	Coupe	450	900	1800
1934	3-Wheel	D.K.W.	4 Seats	500	1000	2000

HERON (GB 1904-1965)

YEAR	MODEL	ENGINE	BODY	F	G	E
1904	10 hp	2 CY Aster Water-cool	Coupe	800	1600	3100
1904	12 hp	2 CY Aster	Saloon Sedan	750	1400	2800
1904	14 hp	2 CY Aster	Touring Car	900	1800	3500
1904	16 hp	4 CY Aster	Coupe	750	1400	2800
1924		Ruby	Touring Car	600	1250	2400
1924	11.9 hp	Dorman	Touring Car	600	1250	2400
1924	10.8 hp	Coventry-Climax	Touring Car	650	1300	2500
1961	Europa	Ford 105 E	Gran Turismo Coupe	750	1400	2800

HERRESCHOFF (US 1909-1914)

YEAR	MODEL	ENGINE	BODY	F	G	E
1909	24	4 CY	Saloon Sedan	1200	2200	4000
1909		6 CY	Saloon Sedan	2000	3800	6000
1914	16 hp	4 CY	2 Seats	1500	2800	5000

HERSCHELL-SPILLMAN (US 1904-1907)

YEAR	MODEL	ENGINE	BODY	F	G	E
1904	5 S	4 CY 16/18 hp	Tonneau	1750	3200	6000

HERTEL (US 1895-1900)

YEAR	MODEL	ENGINE	BODY	F	G	E
1895		3.5 hp	2 Seats	1500	2500	4500

YEAR	MODEL	ENGINE	BODY	F	G	E

HERTZ (US 1925-1928)

YEAR	MODEL	ENGINE	BODY	F	G	E
1925	Ambassador D-1		Sedan	1200	2000	3500
1925			Touring Car	1400	2500	4500

HESELTINE (US 1916-1917)

1916		4 CY Lycoming	2 Seats	1300	2500	4800
1916		4 CY Lycoming	4 Seats	1300	2500	4800

HARRISON (GB 1971-to-date)

1971	Formula 2		Sport	700	1400	2800
1972	Formula 3		Sport	750	1600	3000

HARROUN (US 1917-1922)

1917	Open	4 CY	Sport	1300	2500	4800

HART (GB 1900-1901)

1900	Lutonia	EL 2 hp Bergmann	2 Seats	1300	2500	5000

HARTMAN (US 1914)

1914		4 CY Model	2 Seats	1300	2500	4500
1914		4 CY Model	4 Seats	1300	2500	4500

HARTNETT (AUS 1951-1957)

1951		2 CY Air-cool Flat-twin	Touring Car	500	1000	1800

HARVARD (US 1915-1920)

1915	Open	4 CY Model 14.4 hp	2 Seats	1500	2800	5500
1917	Open	Sterling	2 Seats	1600	3000	6000

HASBROUCK (US 1899-1901)

1899		1 CY	2 Seats	1750	3000	6000

HASSLER (US 1917)

1917		2 CY	Roadster	1300	2500	4000
1917		4 CY Buda	Roadster	1500	2800	4800

HATAZ (D 1921-1925)

1921	4/12 PS	4 CY Steudel	Racing Car	1300	2500	4000

HATFIELD (US 1906-1924)

1906	Buggyabout	2 CY Air-cool	High-wheel 2 Passenger	1750	3500	6500
1917	Surburan	4 CY G.B.&S.	5 Seats	1300	2500	4500
1924	Open	4 CY Herschell-Spillman	2 Seats	1200	2300	4200
1924		6 CY Herschell-Spillman	Touring Car	1600	2800	5500

YEAR	MODEL	ENGINE	BODY	F	G	E

HAUTIER (F 1899-1905)

YEAR	MODEL	ENGINE	BODY	F	G	E
1899	7 hp	1 CY Soncin	Voiturette	1300	2400	4500
1900	13 hp	2 CY Soncin	Tonneau	1500	2500	4800
1900	18 hp	4 CY Soncin	Tonneau	1600	2600	5000

HAVERS (US 1908-1914)

1908		6 CY	2 Seats	2000	3900	7800
1914	Model 6-55	6 CY	2 Seats	1900	3750	7500

HAWA (D 1923-1925)

1923	Tandem	EL	2 Seats	1300	2500	4800

HAWK (US 19194)

1914	2 Ps	V-twin 9/13 hp	Cycle Car	1200	2000	3800

HEWITT (US 1906-1907)

1906		V-8		2000	3750	6500
1907	10 hp	1 CY		1500	2750	5600

HEWITT-LINDSTROM (US 1900-1901)

1900	2 S	EL	Runabout	2000	3750	6500

HEYBOURN (GB 1914)

1914	5 hp	1 CY Stag	Cycle Car	1000	1700	3000

HEYMANN (US 1898-1904)

1898		5 CY	2 Seats	2200	4000	7500

HEXE (D 1905-1907)

1905	9/10 PS	2 CY		900	1750	3500
1905	14/16 PS	4 CY		950	2000	4000
1905	18/20 PS	4 CY		1000	2100	4200
1906	40/45 PS	4 CY		1100	2250	4500
1906	30/35 PS	6 CY		1250	2500	5000

H.F.G. (GB 1920-1921)

1920	9 hp	Flat-twin Air-cool	2 Seats	1000	1600	3000

H.H.; HUTTIS & HARDEBECK (D 1906-1907)

1906	10 hp	Ferna	Saloon Sedan	900	1400	2800
1906	24 hp	Ferna	Saloon Sedan	1000	1750	3500
1906	28 hp	Ferna	Saloon Sedan	1200	2000	4000

HIDIEN (F 1898-1902)

1898		Horiz-twin	Voiturette	1300	2500	4500

HIDLEY (US 1901)

1901	2 S	8 hp Steam	Runabout	3500	6000	10000

YEAR	MODEL	ENGINE	BODY	F	G	E
HIGHGATE (GB 1903-1904)						
1903	6.5 hp	1 CY Aster	2 Seats	1100	2000	4000
1903	6.5 hp	1 CY DeDion	2 Seats	1200	2200	4200
HIGHLANDER (US 1921)						
1921		6 CY Cont	Touring Car	2000	3750	6500
1921		6 CY Cont	Sport	2200	4000	6800
HILDEBRAND (D 1922-1924)						
1922	Hisiho	5/15 PS	3 Seats	800	1500	3000
HILL & STANIER (GB 1914)						
1914	6/7 hp	2 CY Air-cool	Cycle Car	1000	1750	3500
HILLMAN (GB 1907-to-date)						
1907	25 hp	4 CY		750	1400	2800
1908		6 CY 9.7 Litre		900	1750	3500
1913		2 CY 1.8 Litre	Drop Head Coupe	700	1250	2500
1914		6 CY 2 Litre	Coupe	900	1750	3500
1915	9 hp	4 CY 1357cc	Coupe	850	1600	3200
1920		4 CY	Sport	850	1650	3300
1923		4 CY	Drop Head Coupe	950	1700	3400
1925		4 CY	Drop Head Coupe	950	1700	3400
1926	Fourteen	4 CY	Drop Head Coupe	900	1700	3400
1928	Fourteen	4 CY	Drop Head Coupe	800	1600	3200
1931		Straight 8 2.6 Litre	Coupe	850	1700	3400
1932	Minx	6 CY 1185cc	Saloon Sedan	700	1400	2800
1933	Aero-Minx	6 SY	Sport	750	1500	3000
1936		6 CY	Coupe	750	1500	3000
1940	Fourteen	1.9 Litre	Saloon Sedan	500	1000	1800
1941		1.9 Litre	5 Seats	450	900	1750
1942		1.9 Litre	6 Seats	450	900	1750
1943		1.9 Litre	Coupe	400	800	1600
1944		1.9 Litre	Saloon Sedan	350	750	1400
1945		1.9 Litre	Coupe	400	800	1500
1946		1.9 Litre	Saloon Sedan	350	700	1400
1947	Minx	1.9 Litre	Saloon Sedan	350	700	1400
1948		1.9 Litre	Saloon Sedan	350	650	1250
1949		1.9 Litre	5 Seats	450	700	1300
1950		1.25 Litre	Saloon Sedan	350	700	1400
1951		1.25 Litre	Saloon Sedan	350	700	1400
1952		1.25 Litre	Saloon Sedan	350	700	1400
1953	Hardtop	1.25 Litre	Coupe	400	800	1600
1954	Minx Calif.	1.25 Litre	Coupe	400	800	1600
1055		1.25 Litre	Station Wagon	350	650	1250
1956		1.25 Litre	Saloon Sedan	300	600	1200

YEAR	MODEL	ENGINE	BODY	F	G	E
1957		1.25 Litre	Saloon Sedan	300	600	1200
1958		1.25 Litre	Saloon Sedan	300	600	1200
1959		1.5 Litre	Saloon Sedan	350	700	1350
1960		1.5 Litre	Saloon Sedan	350	700	1350
1961		1.5 Litre	Saloon Sedan	350	700	1350
1962	Super Minx	1.6 Litre	Saloon Sedan	350	700	1400
1963	Imp	4 CY	Saloon Sedan	300	600	1200
1964		4 CY	Saloon Sedan	300	600	1200
1965	Imp	4 CY 875cc	Saloon Sedan	300	600	1200
1966		1.7 Litre	Saloon Sedan	450	850	1650
			Racing Car			
1967	Huskey	1.7 Litre	Station Wagon	350	700	1400

HILTON (US 1921)

YEAR	MODEL	ENGINE	BODY	F	G	E
1921		4 CY	Coupe	2000	3500	6500
		Herschell-Spillman				

HINDUSTHAN (IND 1946-to-date)

YEAR	MODEL	ENGINE	BODY	F	G	E
1946	Ten	6 CY Champion		375	750	1400
1951	Oxford 14	6 CY		400	800	1300
1959	Ambassador Mark 2	6 CY	Saloon Sedan	450	850	1250
1959	Minor	6 CY 803cc		425	825	1200

HINES (US 1908-1910)

YEAR	MODEL	ENGINE	BODY	F	G	E
1908	5 S	4 CY	Touring Car	1500	2700	4500

HINO (J 1953-1967)

YEAR	MODEL	ENGINE	BODY	F	G	E
1953	4 Dr	Renault CV	Sedan	300	600	1200
1962	Contessa 900	Renault CV	Saloon Sedan	325	650	1250
1962		4 CY	Coupe	350	700	1400

HINSTIN (F 1920-1926)

YEAR	MODEL	ENGINE	BODY	F	G	E
1920	10 hp	Ruby	2 Seats	800	1500	2800
1920	10 hp	C.I.M.E.	2 Seats	800	1500	2800

HISPAKART (E 1966-to-date)

YEAR	MODEL	ENGINE	BODY	F	G	E
1966	29 bhp	Bultaeo	Racing Car	350	750	1000
1966	35 bhp	Ducati	Racing Car	350	750	1000
1966	40 bhp	Montesa	Racing Car	350	750	1000

HISPANO-ARGENTINA (RA 1940-1941)

YEAR	MODEL	ENGINE	BODY	F	G	E
1940		6 CY	Sedan	750	1200	2250
1940		2 CY	Saloon Sedan	450	900	1800

HISPANO-SUIZA (E 1904-1944)

YEAR	MODEL	ENGINE	BODY	F	G	E
1904	20 hp	4 CY T-head	Touring Car	4000	8000	16000
1907	30/40 hp	6 CY 6.2 Litre	Voiturette	4000	8000	17500

YEAR	MODEL	ENGINE	BODY	F	G	E
1908	60/65 hp	6 CY 10.4 Litre	Touring Car	4500	9000	18000
1910	40 hp	6 CY	Sedanca de Ville	4000	8000	17500
1910		T-head	Racing Car Voiturette	4500	9000	18000
1910		6 CY	Touring Car	3500	7500	16500
1914	16 hp	4 CY	Saloon Sedan	3250	6500	12500
1917	30 hp	4 CY	Touring Car	5000	10000	20000
1919	H 6 B	3.7 Litre	Saloon Sedan	2800	5000	9750
1930		3 Litre 3404cc	Touring Car	6500	12500	25000
1935	Tipo 60 RL	3 Litre	Saloon Sedan	7500	15000	30000
1937	Tipo 49	3.7 Litre	Sedan	7500	15000	30000
1938	Tipo 64	3 Litre	Touring Car	11000	22500	45000
1940	Tipo 56	8 Litre	Saloon Sedan	8500	16500	32500

HISPARCO (E 1925-1928)

1925	BO	4 CY	Sport	900	1600	3200
1925	BO 2	4 CY	Sport	1000	1800	3500

HITCHCOCK (US 1909)

1909	20 hp	2 CY Speedwell	Saloon Sedan	1250	2400	4800

H.K. (F 1907)

1907	10 hp	1 CY	Voiturette	1000	1900	3800
1907	12/16 hp	2 CY	Voiturette	1000	1900	3800

H.L. (F 1912-1914)

1912	10/15 hp	4 CY	2 Seats	1000	1900	3800
1912	12/18 hp	4 CY	4 Seats Touring Car	1000	2000	4000
1914		4 CY	Laundalet	900	1800	3600

H.L.B. (GB 1914)

1914		2 CY Steam	Cycle Car	1250	2400	4800

H.M.C. (GB 1913)

1913	8 hp	Chater-Lea	Cycle Car	750	1600	3200

HOBBIE (US 1908-1909)

1908		2 CY Air-cool	High-wheel	1500	3000	6000

HODGSON (GB 1924-1925)

1924	12/25	Anzani	Sport	750	1500	3000
1924	12/50	Anzani	Racing Car	700	1400	2800

HOFFMAN (US 1903-1931)

1903	6 hp	2 CY Steam	Tonneau	2500	5000	10000
1903	8 hp	1 CY Petrol	Tonneau	1700	3500	6000
1931		Straight 8 Lycoming		2000	4000	7000

YEAR	MODEL	ENGINE	BODY	F	G	E

HOFLACK (B 1901)

YEAR	MODEL	ENGINE	BODY	F	G	E
1901		Aster	Voiturette	1000	1750	3500

HOFMANN & CZERNY (A 1907-1910)

YEAR	MODEL	ENGINE	BODY	F	G	E
1907	8 hp	1 CY	Voiturette	1200	2200	4000

HOLCAR (GB 1897-1905)

YEAR	MODEL	ENGINE	BODY	F	G	E
1897		2 CY		1000	2000	3800
1901	6/8 hp	V-twin		1200	2200	4000
1901	20 hp	V-4	5 Seats Touring Car	1400	2300	4500

HOLDEN (AUS 1948-to-date)

YEAR	MODEL	ENGINE	BODY	F	G	E
1948	FX	6 CY	Fastback Coupe	600	1100	2200
1954	FJ	6 CY	Coupe	350	750	1500
1954	FX	6 CY	6 Seats	350	750	1500
1964	Premier	6 CY	Sedan	300	700	1250
1964	Standard	6 CY	Sedan	250	500	1000
1964	Special	6 CY	Sedan	275	600	1100
1965	HD	6 CY Vauxhall	Coupe	350	700	1300
1969	Torana	6 CY	Sedan	300	600	1200
1969	Belmont	6 CY	Sedan	325	650	1250
1970	Deluxe Kingswood	Chevrolet V-8	Sedan	400	800	1500
1970	Monaro	Chevrolet V-8	Coupe	450	900	1600
1971	BR	V-8	Sedan de Ville	450	900	1600
1972	Statesman	V-8	Sedan	450	900	1600

HOLDSWORTH (GB 1903-1904)

YEAR	MODEL	ENGINE	BODY	F	G	E
1903	4.5 hp	Aster	2 Seats	1000	2000	4000
1903	6.5 hp	Aster	2 Seats	1000	2000	4000

HOLLAND (US 1898-1908)

YEAR	MODEL	ENGINE	BODY	F	G	E
1898		1 CY		1000	2000	4000
1898		4 CY		1000	2000	4000
1902		6 hp		1100	2100	4200
1902		12 hp		1200	2200	4400

HOLLEY (US 1903-1904)

YEAR	MODEL	ENGINE	BODY	F	G	E
1903		1 CY Water-cool	2 Seats	1200	2250	4500

HOLLIER (US 1915-1921)

YEAR	MODEL	ENGINE	BODY	F	G	E
1915		V-8	Open	1750	3500	6500
1915		6 CY Falls	Open	1500	2750	5000

HOLLY (US 1914-1916)

YEAR	MODEL	ENGINE	BODY	F	G	E
1914	60 hp	6 CY	Roadster	1600	3300	6500
1914	60 hp	6 CY	Touring Car	1600	3300	6500

YEAR	MODEL	ENGINE	BODY	F	G	E

HOLMES (US 1906-1923)

1906	5 S	2 CY	Touring Car	1500	3000	6000
1906	5 S	4 CY	Touring Car	1600	3300	6500
1918	Six	4 CY 29 hp	Touring Car	1500	3000	6000

HOLSMAN (US 1903-1911)

1903	High-wheel	2 CY 10 hp	Autobuggy	1600	3000	6000
1905		2 CY	High-wheel	1750	3500	6500
1909		4 CY	Touring Car	1250	2500	4500

HOL-TAN (US 1908)

1908		4 CY		1300	2500	4500

HOLYOKE (US 1901-1903)

1901		1 CY	Runabout	1300	2500	4800
1901		2 CY	Touring Car Surrey	1300	2500	4800

HOMER LAUGHLIN (US 1916)

1916		V-8	Roadster	2000	3500	7000

HONDA (J 1962-to-date)

1962	Open	4 CY	2 Seats	650	1250	2500
1964	S-600	V-12	Sport	650	1250	2500
1966		Vert-twin	Roadster	600	1200	2400
1968	N 370	4 CY	Saloon Sedan	300	700	1200
1969		4 CY	Coupe	350	750	1500
1971	Z	356cc	Coupe	350	650	1250
1973	Civic 1200	4 CY	Saloon Sedan	500	1000	2000

HONG-QI; HUNG-CH'I (RED FLAG) (CHI 1958-to-date)

1958		V-8	Sedan	500	1000	2000
1958		V-8	Convertible	700	1250	2500
1973		6 Cy	Limousine	600	1200	2400

HOOD (US 1900-1901)

1900	Steam	4 CY	2 Seats	2800	5500	10000

HOOSIER SCOUT (US 1914)

1914	Tandem	2 CY Air-cool	2 Seats Cycle Car	1000	1800	3500

HOPPENSTAND (US 1948-1949)

1948		Flat-twin Air-cool	Coupe	600	1000	2000
1948		Flat-twin	Convertible	750	1300	2500

HORBICK (GB 1902-1909)

1902	6 hp	M.M.C.	4 Seats	1200	2400	4800

YEAR	MODEL	ENGINE	BODY	F	G	E
1902	12 hp	2 CY Forman	Tonneau	1300	2600	4500
1904		Johnson	Tonneau	1000	1800	3250
1904		Hurley-Martin	Tonneau	1000	1900	3800
1905	Minor	3 CY White & Poppe	Touring Car	900	1750	3500
1905	Major	4 CY White & Poppe	Touring Car	900	1750	3500

HORCH (D 1900-1939)

YEAR	MODEL	ENGINE	BODY	F	G	E
1900	5 hp	2 CY	Roadster	2000	3750	7500
1901	10/12 hp	2 CY	Saloon Sedan	2100	3250	6500
1902	16/20 hp	4 CY	Saloon Sedan	3100	3250	6500
1904	18/22 hp	4 CY	Saloon Sedan	3100	3250	6500
1906		6 CY	Roadster	3250	6500	12500
1906	6/18 PS	4 CY	Touring Car	2500	5000	10000
1924	300	Straight 8	Saloon Sedan	2000	3750	7000
1927	305	Straight 8	Saloon Sedan	2000	3750	7000
1927	306	Straight 8	Roadster	4500	9500	18500
1928	375	8 CY	Touring Car	5000	10000	20000
1929	400	8 CY	Touring Car	7000	12500	25000
1929	405	8 CY	Touring Car	7000	12500	25000
1930	450	Straight 8	Touring Car	7000	12500	25000
1932	670	V-12	Drop Head Coupe	9000	17500	35000
1932		V-12	Cabriolet	9000	17500	35000
1937		V-12	Cabriolet	9000	17500	25000
1938		V-12	Cabriolet	7500	15000	30000
1939		V-12	Sport Cabriolet	7500	15000	30000

HORLEY (GB 1904-1907)

YEAR	MODEL	ENGINE	BODY	F	G	E
1904	8 hp	1 CY MMC	2 Seats	1000	2000	3900
1906	9 hp	1 CY	2 Seats	1000	1900	3800
1907	8.5 hp	2 CY White & Poppe	2 Seats	1100	2100	4000

HORMIGER (E 1909-1912)

YEAR	MODEL	ENGINE	BODY	F	G	E
1909				1250	2300	4500

HORNET (GB 1905-1907)

YEAR	MODEL	ENGINE	BODY	F	G	E
1905	9 hp	2 CY	2 Seats	1000	2000	4000
1905	18 hp	4 CY	2 Seats	1250	2300	4500

HORSE SHOE (F 1908)

YEAR	MODEL	ENGINE	BODY	F	G	E
1908	8 hp	1 CY	2 Seats	1200	2000	3900
1908	12 hp	2 CY	4 Seats	1400	2200	4200

HORSTMANN (GB 1914-1929)

YEAR	MODEL	ENGINE	BODY	F	G	E
1914		4 CY	Sport	1400	2200	4000
1919		Coventry-Simplex	Super Sport	1200	2000	3800

THE KRUSE TOP RATED CARS

At every auction across the country certain makes, and types of cars stand out head and shoulders above the rest in sales, demand, and appreciation. We have compiled a list of 16 outstanding cars that are currently being traded at auction quite vigorously.

We will divide our group up into Brass Era, Antique, Classic, Special Interest Pre War, and Special Interest Post War. The classifications are defined in our "Collector Car Terminology" section. Since the largest number of cars being traded at this time are of the Special Interest variety, we have divided those into Pre and Post World War II.

Brass Era cars are, of course, the oldest of our listings, were produced in very low numbers, and very rare today. These cars also appeal primarily to the true hard core hobbyist as they are not very practical for daily use, or able to be driven any distance to a show or auction. It is a result of this that these cars often sell for less than cars of later eras.

One of the most traded Brass Era cars is the single cylinder Cadillacs like the 1906 model pictured. The 1910 Oakland Touring Car is similar to many of the later Brass Era cars. Other popular Brass Era cars traded frequently are early Buicks, Packards, Fords, Stutz, and Mercers.

The Antique car era directly follows the Brass Era cars to about 1935. You will find that opinion as to when these eras begin and end fluctuate as much as the cars. The most traded, and without a doubt the most popular antique car on the market, is the Model A Ford built from 1928 to 1931. The Model A was a dependable, roadable car and still is. Almost every part needed to complete a restoration can be found with some searching. We illustrate a 1928 Model A Roadster, one of the most desirable Model A's you can hope to find. The second most popular collector car has to be the early Ford V-8 famous for it's flathead engine built from 1932 to 1953. Shown is one of the most sought after Ford V-8's in the Antique class; the 1934 V-8 Roadster. Ford strikes again with our number three choice, the Model T. Actually built from 1909 well into the Brass Era (1927), a car that was almost a Model A in many ways. The car we illustrate is one of those later cars a 1922 Center Door, a very civilized Model T indeed.

Getting tired of hearing about Ford being best sellers? Well Chevrolet always ran a close second behind Ford in the early days. This volume production and the famous Chevy "6" engine still make this car popular today. Our feature car a 1928 Chevrolet 4 door Sedan is typical of the breed, and illustrates the solid disc wheels that became a Chevrolet trademark.

A class of car that overlaps both Antique and Speical Interest Cars is the "Classic", a horribly overworked term. The true Classic is a prestigious car that was selected by the Classic Car Club of America for outstanding merit. These cars range from the mid-twenties to 1942 with only a couple exceptions past WW II. The most popular Classic has to be the large series Packards, with our example being this fine 1933 Convertible Coupe with Rumble Seat. Large series Cadillacs run a very close second with this Dual Windshield 1928 Phaeton an excellent example. While the much rarer Rolls Royce enjoy exceptional popularity both in the U.S. built Springfield models, and the English built cars like the 1928 Phantom I Dual Cowl Phaeton. Other Classics that cross the auction block

248

frequently but not with as much regularity due to rareness are the beautiful Pierce Arrows as typified by this 1935 Straight 8 Sedan. Other popular makes include Duesenberg, Auburn, Cord, Lincoln, duPont, Marmon, Stutz, Chrysler Imperial and others.

To pickup where we left off with Pre War Special Interest Cars, a couple of Antique examples are again the Fords leading the pack with one of the most popular years being 1936 like our tan V-8 Roadster. Chevrolet is a strong second in this class. Here we have a 1941 Coupe with only 8,000 original miles.

Without a doubt the most traded and talked about segment of the market is the Post War Era Special Interest Car which takes in just about everything next to a plain Jane 4 door sedan. Far and aboove the rest the most sought, sold and traded Post War Car is the Ford Mustang Convertible. A premium is paid for the early models built from late 1964 through 1966 like the 1966 GT Convertible in our photo. GT equipment, Shelby equipment and heavily accessorized cars also bring a premium. Another Ford ranks so close in second place that one wonders where all the buyers come from considering the prices this car commands. By now you have probably guessed the car we are referring to, the 1955-57 Thunderbird Two Seaters. The most popular of the three years and commanding the highest prices is by far the 1957 model we show here. A factory supercharger was offered in a few of the 312 cubic inch powered cars and these bring an exceptional premium.

Our third place Post War Car is the 1955-57 Chevrolets. In model years the 1957 is the most popular, followed by the 1955 and then 1956. The most desirable models are, of course, the Convertible, and Nomad 2 door Sport Station Wagon. Our example is the 1955 Bel Air 2 door Sedan in a popular red and white color scheme.

Once you get out of the Ford and Chevrolet range Buick pops up as a popular collectors item. Our example is probably second only in desirability to the 1953 and 1954 Skylark Convertible. The car we illustrate is the 1949 Buick Riviera Roadmaster 2 door Hardtop. This car was one of the pioneers of hardtop styling.

Other highly collectible Post War Cars include, Corvette, Cadillac, Oldsmobile, Mercedes Benz, Porsche, MG, Austin Healey, and Studebaker.

1906 Cadillac Touring Car — "Brass Era"

1910 Oakland Touring Car — "Brass Era"

1928 Ford Model "A" Roadster — "Antique Era"

1934 Ford V-8 Roadster — "Antique Era"

1922 Ford Model "T" Center Door Sedan — "Antique Era"

1928 Chevrolet 4-Door Sedan — "Antique Era"

1933 Packard Convertible Coupe — "Classic Era"

1928 Cadillac Dual-windshield Phaeton — "Classic Era"

1928 Rolls-Royce Phantom I Dual Cowl Phaeton — *"Classic Era"*

1935 Pierce-Arrow Straight-8 Sedan — "Classic Era"

1936 Ford V-8 Roadster — "Pre-War Special Interest Era"

1941 Chevrolet Coupe — "Pre-War Special Interest Era"

1966 Ford Mustang GT Convertible — *"Post-War Special Interest Era"*

1957 Ford Thunderbird Convertible — "Post-War Special Interest Era"

1955 Chevrolet Belair Sedan — "Special Interest Post-War Era"

1949 Buick Riviera Roadmaster — "Special Interest Post-War Era"

YEAR	MODEL	ENGINE	BODY	F	G	E
1923	12/30 hp	Anzani	Touring Car	1200	2000	3800
1924	9/20 hp	Coventry-Simplex	Racing Car	1000	1750	3500
1928	9/25 hp	Anzani	Racing Car	1000	1750	3500

HOTCHKISS (F 1903-1955)

YEAR	MODEL	ENGINE	BODY	F	G	E
1903		4 CY T-head	Racing Car	1250	2500	5000
1904		4.6 Litre	Racing Car	1250	2500	4800
1905		7.4 Litre	Touring Car	1000	2000	4000
1906		18,815cc	Racing Car	2000	4000	7800
1907		15.3 Litre L-head	Racing Car	1750	3250	6400
1908	20/30 hp	4 CY	Laundalet	1200	2100	4250
1910	30 hp	4 CY	Brougham	950	1900	3800
1911	42 hp	6 CY	Touring Car	1000	2000	4000
1912	AB	3.7 Litre	Racing Car	1000	2000	3800
1914	AC 6	6 CY	Racing Car	900	1750	3500
1921	AH	6 CY	Racing Car	900	1750	3500
1923	AL	6 CY	Racing Car	900	1800	3600
1924	AK	6 CY 6.6 Litre	Racing Car	900	1800	3500
1926	AM	4 CY 12 CV	Racing Car	700	1400	2800
1927	AM 2	6 CY 3 Litre	Racing Car	850	1650	3250
1931	AM 80	6 CY 3 Litre	Touring Car	850	1650	3250
1934	15 CV	3 Litre 2500cc	Sport	900	1750	3500
1939	7 Ps	3 Litre	Limousine	750	1500	3000
1940	B-67	1.3 Litre	Racing Car	500	1000	2000
1949	Model 686	3.5 Litre	Racing Car	500	1000	2000
1951	Gregoire	2 Litre	Saloon Sedan	700	1300	2500

HOTCHKISS (GB 1920)

YEAR	MODEL	ENGINE	BODY	F	G	E
1920		V-twin Air-cool	Saloon Sedan	1750	3500	6000
1920			Custom	3500	6000	12000

HOULBERG (DK 1913-1921)

YEAR	MODEL	ENGINE	BODY	F	G	E
1913	5/12 hp	4 CY Ballot	Roadster	1000	2000	4000
1913	5/12 hp	4 CY Ballot	Touring Car	1200	2200	4200

HOUPT; HOUPT-ROCKWELL (US 1909-1912)

YEAR	MODEL	ENGINE	BODY	F	G	E
1909	60 hp	4 CY	Limousine	1500	3000	6000
1909	90 hp	6 CY	Laundalet	1750	3500	7000
1910	90 hp	6 CY	Touring Car	1900	3800	7500

HOWARD (US 1900-1930)

YEAR	MODEL	ENGINE	BODY	F	G	E
1900	Steam	2 CY	Buggy	2500	5000	10000
1903	4 S	4 CY 25 hp	Roi des Belges	1400	2750	4500

YEAR	MODEL	ENGINE	BODY	F	G	E
1903	6 S	3 CY 24 hp	Touring Car	1000	2000	4000
1913	Open	6 CY	5 Seats	1500	3000	6000
1913	60 hp	6 CY Cont L-head	Touring Car	1750	3300	6500
1929	Silver Mom	6 CY Cont	Touring Car	1750	3300	6500
1929		8 CY	Touring Car	1900	3750	7500
1929		8 CY	Roadster	2000	3900	7800

HOWARD (GB 1913)

1913	8 hp	V-twin JAP	Cycle Car	1200	2000	3800

HOWETT (GB 1913)

1913	10 hp	V-twin Blumfield	Cycle Car	1000	1900	3500

H.P. (F 1913)

1913	6 hp	1 CY	Cycle Car			3200

H.P. (GB 1926-1928)

1926	3-Wheel	1 CY JAP	Cycle Car			3800

H.R.G. (GB 1936-1956)

1936		4 CY Meadows	2 Seats	1300	2300	4600
1939		4 CY Singer	Coupe	1200	2000	3800
1948		4 CY Singer	Racing Car	1300	2300	4500
1950	1100	4 CY Singer	Racing Car	1300	2300	4500
1953	12 WS	Singer Short-stroke	Sport	1200	2000	4000
1955		Singer V-twin	Sport	1000	1900	3800

H.S.M. (GB 1913-1915)

1913	8 hp	JAP	2 Seats	1000	2000	4000

H.T. (D 1925)

1925	Tandem	2 CY BMW	2 Seats	1000	1800	3250

HUB (US 1899-1907)

1899		EL		2000	3750	7000
1907	10 hp	1 CY Air-cool	2 Seats	1500	2400	4500

HUDLASS (GB 1897-1902)

1897		Vert-twin	Dogcart	1200	2400	4800
1900		1 CY	Doctor Coupe	1500	2750	4500
1902	6 hp	1 CY	Coupe	1000	2000	4000
1902	10 hp	1 CY	Coupe	1100	2200	4100

HUDSON (US 1901-1957)

1901		2 CY	Steam	4000	6000	10000
1909	20 hp	4 CY	Touring Car	2100	4250	8500
1910		4 CY	Roadster	2250	4500	9000

YEAR	MODEL	ENGINE	BODY	F	G	E
1911		4 CY		2250	4500	9000
1912		4 CY	Roadster	2400	4750	9500
1912		4 CY	Touring Car	2500	5000	10000
1913	Model 37	4 CY	Touring Car	3000	6000	12000
1914		4 CY	Roadster	3100	6250	9700
1915	7 Ps	4 CY	Touring Car	3000	6000	12000
1916	7 Ps	6 CY	Touring Car	3000	6000	12000
1916	5 Ps	6 CY	Touring Car	3100	6250	12500
1916		6 CY	Roadster	2500	5000	10500
1917	2 Dr 7 Ps		Sedan	2000	4000	8000
1917	7 Ps	6 CY	Touring Car	2250	4500	8500
1918	5 Ps	6 CY	Touring Car	2000	4000	8000
1919	Super 6	6 CY	Touring Car	2000	4000	7800
1920		6 CY	Touring Car	1750	3500	7000
1921	2 Dr	6 CY	Coach	1100	2250	4500
1922	Super 6	6 CY	Coupe	1200	2400	4800
1923	Super 6 7 Ps	6 CY	Touring Car	2000	4000	8000
1924	2 Dr	6 CY	Victoria	1250	2500	5000
1925	2 Dr	6 CY	Sedan	1125	2250	4500
1926	Custom	6 CY	Brougham	2250	4500	9000
1927	7 Ps	6 CY	Sedan	1500	3000	6000
1928	Super 6	6 CY	Cabriolet	2250	4500	9000
1929	BT	6 CY	Roadster	3500	7000	13500
1930	DC	8 CY	Phaeton	3250	6500	12500
1931		8 CY	Roadster Side Mount	2750	5500	11000
1932		6 CY	Cabriolet	2350	4750	9500
1933	Super 6	6 CY	Sedan	1100	2250	4500
1934		6 CY	Coupe	900	1750	3500
1935		6 CY	Cabriolet	1400	2800	5600
1936		8 CY	Sedan	1000	2100	4250
1937		6 CY	Coupe	1100	2250	4500
1938		8 CY	Sedan	1100	2250	4500
1939	112	6 CY	Sedan	800	1600	3200
1940	2 Dr	6 CY	Coupe	800	1800	3600
1941	Super 6	6 CY	Convertible	1600	3250	7500
1942	Commodore 8	8 CY	Sedan	900	1750	3500
1946	Super 6	6 CY	4 Door	800	2000	2950
1947	Super 6	6 CY	Coupe	900	1750	3200
1948	Super 6	6 CY	Convertible Coupe	1500	3500	6500
1949	Commodore 6	6 CY	Sedan	800	1500	2800
1950	Pacemaker	6 CY	Coupe	600	1000	2000
1951	Hornet	6 CY	Sedan	800	1600	3200
1952	Hornet	6 CY	Sedan	825	1625	3250
1953	Super Jet	6 CY	Sedan 4 Door	500	1000	2000
1954	Hornet	6 CY	Convertible	1900	3500	7000

YEAR	MODEL	ENGINE	BODY	F	G	E
1955	Custom Hornet	Hollywood V-8	2 Door Hardtop	600	1200	2400
1956	Hornet	8 CY	Sedan	450	900	1800
1957	Hornet	8 CY	Sedan	500	1000	2000

HUFFIT (F 1914)

1914	9/11 hp	Clement-Bayard	Cycle Car	1000	2000	3800

HUFFMAN (US 1920-1925)

1920		6 CY Cont	Open	1500	3000	6000
1920		6 CY	Closed	1000	2000	4000

HUGHES (US 1899-1900)

1899			2 Seats	1300	2600	5000

HUGOT (F 1897-1899; 1905)

1897	2.5	DeDion	Voiturette	1000	2000	3800
1905		1 CY	2 Seats	900	1800	4000

HUMBEE SURREY (J 1950-1962)

1950	3 S	1 CY Air-cool	3-Wheel	600	1000	1800

HUMBER (GB 1898-to-date)

1898			3-Wheel	1100	2100	4200
1900	M.D.		Voiturette	1000	2000	4000
1901	4.5 hp	DeDion	Touring Car	1000	2000	3800
1902	12 hp	4 CY	4 Seats	900	1800	3600
1903	20 hp	4 CY	4 Seats	1000	1900	3800
1905	Humberette	3 CY	2 Seats	600	1200	3400
1908	8/12 hp	4 CY	Touring Car	750	1400	3800
1910	8 hp	Vert-twin	Racing Car	800	1600	3200
1911		6 CY Coventry	Racing Car	1100	2250	4500
1912		L-head	Racing Car	900	1800	3600
1914		2.3 Litre twin	Racing Car	900	1750	3500
1923	8/18 hp		4 Seats	750	1500	3000
1927	14/40 hp	4 CY	Racing Car	800	1600	3200
1928			Sport Touring Car	800	1600	3250
1929	16/50 hp		Coupe	700	1400	2800
1930	Pullman		Coupe	700	1400	2800
1936		6 CY	Saloon Sedan	700	1400	2400
1937	Twelve	6 CY	Drop Head Coupe	1250	2400	4800
1939	Super Snipe	6 CY 21 hp	Saloon Sedan	750	1400	2400
1952	Super Snipe	4 Litre	Saloon Sedan	650	1200	2200
1955		3 Litre	Saloon Sedan	500	900	1800
1957		6 CY	Saloon Sedan	500	900	1800

HUMBLE (AUS 1903)

1903	4 S	DeDion	Tonneau	1200	2200	4000

YEAR	MODEL	ENGINE	BODY	F	G	E
HUMMINGBIRD (US 1946)						
1946		4 CY	Convertible Coupe	600	1000	1850
HUMPHRIS (GB 1908-1909)						
1908		10/12 hp		1000	2000	4000
1908		12/14 hp		1100	2200	4200
		15/17 hp		1200	2400	4600
HUPMOBILE (US 1908-1940)						
1908		4 CY	Runabout	1500	2900	5900
1909		4 CY	Runabout	1600	2750	5500
1910			Coupe	1250	2500	5000
1910			Roadster	2350	4750	9500
1911		4 CY	Touring Car	1350	2750	5200
1911	Model 20		Roadster	1650	3250	6500
1911	Gentlemen's		Roadster	2000	4000	8000
1912	Model H	4 CY	Touring Car	1400	2750	5500
1913	Model 32	4 CY	Touring Car	1600	3250	6500
1914	Model 32-H	4 CY	Touring Car	1400	2800	5600
1914	7 S	4 CY 15/18 hp	Limousine	1250	2500	5000
1915		4 CY	Touring Car	1500	3000	6000
1916	Model N	4 CY	Touring Car	1500	3000	6000
1917	5 Ps	4 CY	Touring Car	1400	2800	5600
1922		4 CY	Touring Car	1250	2500	5000
1923	3 Dr	4 CY	Sedan	1200	2400	4800
1924		4 CY	Coupe	1100	2250	4500
1924		4 CY	Touring Car	1300	2600	5200
1925		6 CY	Touring Car	1100	2250	4500
1925		Straight 8	Sedan	1000	1900	3800
1926	4 Dr	6 CY	Sedan	950	1800	3600
1927		8 CY	Sedan	1400	2750	5500
1927		8 CY	Victoria	1800	3600	7250
1927		6 CY	Sedan	1100	2250	4500
1927		6 CY	Roadster	1900	3750	7500
1928	RS	6 CY	Coupe	1500	2750	5500
1928		6 CY	Roadster	3250	6500	12500
1928		6 CY	Sedan	1200	2400	4800
1928	RS	8 CY	Coupe	1500	3000	6000
1928		8 CY	Sedan	1400	2800	5600
1929		8 CY	Roadster	3500	7000	14000
1929		8 CY	Cabriolet	3000	6000	12000
1929		6 CY	Sedan	1100	2200	4200
1932	New Century	6 CY	Coupe	1400	2800	5600
1940	Skylark	6 CY	4 Door Sedan	1250	2750	5500

YEAR	MODEL	ENGINE	BODY	F	G	E

HUPP-YEATS (US 1911-1919)

YEAR	MODEL	ENGINE	BODY	F	G	E
1911	Open	EL	4 Seats	1750	3500	6500
1911	Closed	EL	4 Seats	1750	3500	6500

HURLINCAR (GB 1913-1916)

YEAR	MODEL	ENGINE	BODY	F	G	E
1913	8/10 hp	V-twin JAP	Cycle Car	1000	1600	3250
1914	10 hp	4 CY Ballot	Cycle Car	750	1500	3000

HURON (GB 1970-1972)

YEAR	MODEL	ENGINE	BODY	F	G	E
1970	Single S	Ford	Sport	700	1250	2500

HURST; HURMID (GB 1900-1907)

YEAR	MODEL	ENGINE	BODY	F	G	E
1900	12 hp	2 CY		1000	1900	3800
1900	24 hp	4 CY		1000	2000	4000
1906	30/40	6 CY		1100	2100	4200
1906	10 hp	2 CY		1000	1900	3800
1906	15/18 hp	4 CY		750	1600	3600

HURST & LLOYD (GB 1897-1900)

YEAR	MODEL	ENGINE	BODY	F	G	E
1897		2 CY	Tonneau	1200	2000	3800

HURTU (F 1896-1930)

YEAR	MODEL	ENGINE	BODY	F	G	E
1896		1 CY Benz		1000	1900	3800
1900	3.5 hp	1 CY DeDion	Voiturette	1000	2000	4000
1902		2 CY Aster	Tonneau	1000	2000	4000
1906		4 CY Aster	Saloon Sedan	1000	1800	3600
1914	10 hp	4 CY	Tonneau	1000	2000	4000
1920	14 hp	4 CY	Touring Car	1200	2250	4500
1930		4 CY	Sport	900	1600	3200

HUSQVARNA (S 1943)

YEAR	MODEL	ENGINE	BODY	F	G	E
1943		500cc Air-cool	3-Wheel	700	1200	2200

HUTTON (GB 1900-1905; 1908)

YEAR	MODEL	ENGINE	BODY	F	G	E
1900	6 hp	DeDion	Voiturette	1200	2400	4800
1900	5 hp	Aster	Vis-a-vis	1200	2400	4800
1904		4 CY	Coupe	1200	2400	4500
1905	12 hp	4 CY	Saloon Sedan	1000	1750	3800
1905	20 hp	4 CY	Touring Car	900	1600	3500
1908	26 hp	4 CY	Racing Car	850	1550	3200

H.W.M. (GB 1950-1956)

YEAR	MODEL	ENGINE	BODY	F	G	E
1950		4 CY twin Alta	Sport	1500	3500	5600
1950		Jaguar D	Racing Car	1750	3600	6500

HYDROMETER (US 1917)

YEAR	MODEL	ENGINE	BODY	F	G	E
1917	2 S	Cont	Roadster	1300	2500	4800

YEAR	MODEL	ENGINE	BODY	F	G	E

HYDROMOBIL (D 1903-1907)

1903				1300	2400	4800

HYSLOP (US 1915)

1915		4 CY Water-cool	Cycle Car	1000	2000	3800

Isotta-Fraschini — 1930 "Convertible Coupe"

YEAR	MODEL	ENGINE	BODY	F	G	E

IBIS (F 1907)

1907	8/10	2 CY		1200	2000	4000
1907	12/14	4 CY		1000	1900	3800

IDEAL (US 1902-1914)

1902	5 hp	1 CY	2 Seats	1000	1900	3800
1909		EL	4 Seats	1200	2400	4800
1914	Single S	2 CY Spacke	Cycle Car	1100	2000	4000
1914	Tandem	2 CY Spacke	2 Seats	1100	2100	4200

IDEAL (E 1915-1922)

1915	6/8 hp	4 CY	Racing Car	1200	2200	4200
1918	15 hp	4 CY	Racing Car	1400	2400	4500

IDEN (GB 1904-1907)

1904	12 hp	4 CY	Touring Car	1100	2250	4500
1904	18 hp	4 CY	Coupe	1000	2100	4200
1905	25 hp	4 CY	Touring Car	1200	2400	4800
1907	12 hp	V-twin	Laundalet	1150	2300	4600

YEAR	MODEL	ENGINE	BODY	F	G	E

I.E.N.A. (I 1922-1925)

YEAR	MODEL	ENGINE	BODY	F	G	E
1922		4 CY Chapuis-Dornier	Saloon Sedan	800	1400	2800

I.F.A. (D 1948-1956)

YEAR	MODEL	ENGINE	BODY	F	G	E
1948		2 CY	Coupe	350	700	1400
1948		3 CY	Roadster	450	900	1600
1954	F-9	3 CY	Convertible	550	1000	1800

I.H.C. (US 1911-to-date)

YEAR	MODEL	ENGINE	BODY	F	G	E
1907			High-wheel	2500	5000	8500
1908			High-wheel Autobuggy	2350	4750	8500
1911		24 hp Air-cool	High-wheel Autobuggy	2250	4500	8000
1912		24 hp	High-wheel Autobuggy	2100	4200	7800
1949	K-3	6 CY	Station Wagon	2500	4000	7550
1957	Flairside	V-8	Pickup Truck	450	1250	1850
1960	Travelall	V-8	Station Wagon	350	1000	1500
1968	Scout	V-8	Utility	750	1600	2800

ILFORD (GB 1902-1903)

YEAR	MODEL	ENGINE	BODY	F	G	E
1902	4 S	5 hp M.M.C.	Vis-a-vis	1000	2000	3800

ILLINOIS (US 1910-1914)

YEAR	MODEL	ENGINE	BODY	F	G	E
1910	5 S	4 CY 40 hp	Touring Car	1300	2500	4800
1910		4 CY 40 hp	Tonneau	1250	2400	4500

IMMERMOBIL (D 1905-1907)

YEAR	MODEL	ENGINE	BODY	F	G	E
1905	8 hp	1 CY DeDion	2 Seats	1000	2000	3800
1905	10/12 hp	4 CY Reyrol	2 Seats	1200	2200	4300

IMMISCH (GB 1894-1897)

YEAR	MODEL	ENGINE	BODY	F	G	E
1894	3-Wheel	EL	Dos-a-dos	1250	2250	4000

IMP (US 1913-1955)

YEAR	MODEL	ENGINE	BODY	F	G	E
1913	12 hp	V-twin	2 Seats Cycle Car	1000	2000	3800
1955	7.5 hp	Air-cool Gladden	2 Seats	450	800	1400

I.M.P. (I 1960-1961)

YEAR	MODEL	ENGINE	BODY	F	G	E
1960	2 S	2 CY Steyr-Puch	Gran Turismo Coupe	450	750	1500

IMPERIA (B 1906-1949)

YEAR	MODEL	ENGINE	BODY	F	G	E
1906	24/30 hp	4 CY		1000	2000	3800
1909	28 hp	4 CY	Limousine	900	1800	3600
1919		Straight 8	Coupe	1000	2000	3800

273

YEAR	MODEL	ENGINE	BODY	F	G	E
1919		4 CY	Racing Car	1200	2200	4000
1947	TA-8	4 CY	Sport	750	1250	2400

IMPERIA (D 1935)

1935		3 CY	Coupe	1000	1900	2800

IMPERIAL (GB 1900-1914)

1900	3.5 hp	1 CY	Vis-a-vis	1100	2000	4000
1900	6 hp	2 CY	4 Seats Tonneau	1200	2100	4200
1904	3 hp	EL	Laundalet	1100	2000	4000
1914	8 hp	V-twin Precision	Cycle Car	1000	1900	3800

IMPERIAL (US 1903-to-date) (1950-73 See Chrysler)

1903		2 CY Air-cool		1250	2500	4550
1906	4 S	4 CY Rutenber	Roadster	1750	3500	7000
1907		4 CY	Touring Car	1650	3250	6500
1907	5 S	6 CY	Touring Car	2000	4000	8000
1909		6 CY	Touring Car	2000	4000	8000
1916		6 CY	Speedster	1900	3750	7500

IMPETUS (F 1899-1903)

1899	3 hp	DeDion	2 Seats	750	1750	3500
1899	4 hp	DeDion	2 Seats	1000	1800	3600
1901	9 hp	2 CY	2 Seats	1200	2000	3800

INCAMP (E 1952)

1952			Minicar	350	750	1400

INDIAN (US 1928-1929)

1928		Indian	Roadster	750	1500	2800
1928		4 CY Cont	Coupe	800	1600	2950

INDUCO (F 1922-1925)

1922	BO-5		Touring Car	750	1500	2800
1922	BO-7		Saloon Sedan	650	1250	2400

INDUHAG (D 1922)

1922	Single S	EL	3-Wheel	1200	2250	4500
1922	2 S	2 CY	3-Wheel	1300	2400	4800

INGRAM-HATCH (US 1917-1918)

1917		4 CY Air-cool		1250	2450	4500

INNES (US 1921)

1921	5 S	4 CY Supreme	Touring Car	1000	2000	4000
1921	2 S	4 CY Supreme	Roadster	1300	2300	4600

INNOCENTI (I 1961-to-date)

1961			Saloon Sedan	750	1200	2400

INSTITEC (RA 1954-1955)

YEAR	MODEL	ENGINE	BODY	F	G	E
1954		2 CY D.K.W.	Saloon Sedan	350	750	1400
1954		2 CY D.K.W.	Station Wagon	450	850	1500
1954	Justicialista	Porsche V-8	Sport Coupe	1750	3500	7000

INTER (F 1953-1956)

YEAR	MODEL	ENGINE	BODY	F	G	E
1953	Tandem	Vdral	2 Seats	350	700	1250

INTERMECCANICA (I 1967-to-date)

YEAR	MODEL	ENGINE	BODY	F	G	E
1967	2 S	Ford V-8	Convertible	2100	4250	8500
1968	IMX		Coupe	3000	6000	10500
1970	Murena GT	7 Litre	Station Wagon	1900	3800	7000
1972	Indra	2.8 Litre Admiral		2250	4500	8500
1972		5.4 Litre Diplomat		2450	5500	10000

INTERNATIONAL (GB 1898-1904)

YEAR	MODEL	ENGINE	BODY	F	G	E
1898	2 S	1 CY 9 hp	Racing Car	1000	2000	3800
1898		2 CY 12 hp	Racing Car	1000	2000	3800
1899	9 hp	Flat-twin	Racing Car	1100	2200	4000
1901	Charette	6 hp DeDion	Phaeton	1200	2500	4800
1903	24 hp	4 CY Aster	Tonneau	1150	2300	4500
1904	Portland	1 CY Aster	Tonneau	1150	2300	4000

INTERNATIONAL (US 1900)

YEAR	MODEL	ENGINE	BODY	F	G	E
1900		2 Stroke	Saloon Sedan	1000	2000	4000

INTERNATIONAL; I.H.C. (US 1907-to-date)

YEAR	MODEL	ENGINE	BODY	F	G	E
1907		1 CY	Motor Buggy	2000	4000	8000
1907	2 S	2 CY 15 hp	Surrey	2200	4250	8500
1908		2 CY	High-wheel	2000	4000	8000
1910		4 CY Air-cool	Touring Car	1200	2400	4800
1911	J-30	4 CY British-American		1000	2000	4000
1961	Scout			350	750	1500
1967	Travelall	6 CY	Station Wagon	350	700	1400
1967	Travelall	8 CY	Station Wagon	400	800	1600

INTERNATIONALE (NL 1942)

YEAR	MODEL	ENGINE	BODY	F	G	E
1942		EL	3-Wheel	300	750	1250

INTER-STATE (US 1909-1918)

YEAR	MODEL	ENGINE	BODY	F	G	E
1909		4 CY		1500	2900	5500
1913	Model 45	4 CY Beaver	7 Passenger Touring Car	1750	3200	6000
1915		4 CY Beaver	7 Passenger Touring Car	1750	3200	6000

YEAR	MODEL	ENGINE	BODY	F	G	E
INTERURBAN (US 1905)						
1905		EL	Single S	1750	3500	6500
1905	8 hp	2 CY		1250	2500	4500
INVICTA (GB 1900-1950)						
1900		Invicta	Voiturette	2250	2500	4800
1913		JAP V-twin	Cycle Car	2250	2450	4500
1925		6 CY Meadows		2450	4500	9000
1928		3 Litre	Drop Head Coupe	2500	5000	10500
1930		4.5 Litre	Roadster	3500	6500	12500
1930		4.5 Litre	Phaeton	3750	7500	14000
1930		4.5 Litre	Low Chassis	3500	6500	12500
1931	12/45	6 CY Blackburne	Sport Saloon Sedan	2000	4000	8000
1933	12/90	SC		3500	7500	15000
1949	Black Prince	6 CY Meadows	Drop Head Coupe	3000	6000	12000
IOTA (GB 1947-1952)						
1947	Freikaiserwagen	Blackburne	Racing Car	350	750	1500
1951		Flat-twin Douglas	Sport	450	900	1800
IPE (D 1919)						
1919	4/12 PS	4 CY	Saloon Sedan	750	1500	3000
IRADAM (PL 1925-1939)						
1925	Open	JAP 600cc	4 Seats	800	1600	3200
1925	Closed	JAP 600cc	4 Seats	750	1400	2800
1935		Flat-twin 1000cc	Saloon Sedan	750	1400	2800
IRIS (GB 1905-1915)						
1905	15 hp	4 CY	Saloon Sedan	800	1600	3000
1905	25 hp	4 CY	Tonneau	1000	2000	4000
1905	35 hp	4 CY	Tonneau		2000	4000
1907	40	6 CY	Touring Car	900	1750	3500
1912	15.8 hp	4 CY	Touring Car	900	1750	3500
1912	40 hp	6 CY	Saloon Sedan	750	1500	2800
IROQUOIS (US 1904-1908)						
1904	20 hp	4 CY	Small			4000
1907	25/30 hp	4 CY T-head	Small			4500
1907	35/40 hp	4 CY T-head	Small			4500
ISETTA (I 1953-1955)						
1953		Twin 236cc Air-cool	Coupe			1250

YEAR	MODEL	ENGINE	BODY	F	G	E

ISHIKAWAJIMA (J 1916-1927)

YEAR	MODEL	ENGINE	BODY	F	G	E
1916			Sedan	750	1500	3000

ISIS (CS 1923-1925)

YEAR	MODEL	ENGINE	BODY	F	G	E
1923		Flat-twin	Cycle Car	750	1500	3000

ISO (I 1962-to-date)

YEAR	MODEL	ENGINE	BODY	F	G	E
1962	GT	Corvette V-8	Saloon Sedan	2000	3750	7500
1964		Corvette V-8	Coupe	2200	4250	8500
1965	Grifo	Chevrolet	Gran Turismo Coupe	2250	4500	8800
1968	Fidia	Chevrolet	4 Door Saloon Sedan	2000	3750	7500
1969	Lele	5.7 Litre	4 Seats Saloon Sedan	2000	3750	7500
1970	Lele	Ford V-8	Saloon Sedan	2100	4000	7800

ISOTTA-FRASCHINI (I 1900-1949)

YEAR	MODEL	ENGINE	BODY	F	G	E
1900	5 hp	1 CY Aster	Racing Car	2000	4000	8000
1902	12 hp	Twin	Racing Car	2500	5000	10000
1907	Tipo C	11.3 Litre	Racing Car	2500	5000	10000
1908		4 CY	Racing Car Voiturette	3000	6000	12000
1909		4 CY T-head	Sport	3750	7500	14000
1914	Model KM		Boattail Speedster	6500	12500	25000
1914		4 CY	Touring Car	3750	7500	15000
1922	Tipo 8	Straight 8	Sport Touring Car	4000	8000	16000
1923		8 CY	Touring Car	6000	12000	22500
1925	50/100 hp	8 CY	Touring Car	7500	15000	30000
1926	8 A	8 CY	Roadster	10000	20000	40000
1926	8 A	8 CY	Cabriolet	11000	22500	45000
1928		8 CY	Town Car	6200	15000	30000
1928	8 A 4 Ps	8 CY	Convertible	12000	24000	48000
1929		Straight 8	Limousine	7500	14000	28000
1930	8 A	Straight 8	Coupe	7500	15000	30000
1947	Tipo 8 C Monerosa	V-8	Saloon Sedan	4500	9000	17500
1964		V-8	Coupe	13500	27500	55000

I.T. (ITALMECCANICA) (I 1950-1951)

YEAR	MODEL	ENGINE	BODY	F	G	E
1950		Ford V-8	Sport	1250	2300	4500
1950		Mercury V-8	Sport	1250	2300	4500

ITALA (I 1904-1934)

YEAR	MODEL	ENGINE	BODY	F	G	E
1904		4 CY T-head		1750	3500	7000
1906	Targa Florio		Touring Car	1600	3250	6500
1908	14/20 hp	2.6 Litre		1500	3000	6000
1909	35 hp	4 CY	Limousine	1600	3250	6500

YEAR	MODEL	ENGINE	BODY	F	G	E
1921	Model 50	4 CY	Sedanca de Ville	1750	3500	7500
1922	Model 51-F	6 CY	Racing Car	1600	2350	6500
1925	Model 61	6 CY	Saloon Sedan	1400	2750	5500
1929			Roadster	1750	3500	7000

IVANHOE (CDN 1903-1905)

1903		EL		2000	3750	6500

IVEL (GB 1899-1906)

1899	4 S	Benz 3 hp Water-cool	Vis-a-vis	1500	3000	6000
1900		2 CY 8 hp	Laundalet	1100	2250	4500
1900		2 CY 8 hp	Vis-a-vis	1200	2400	4800

IVERNIA (GB 1920)

1920		4 CY	Large	1200	2200	4000

IVOR (GB 1912-1916)

1912	12/14 hp	Ballot	Sliding Doors	1000	1750	3500

IVRY (F 1906; 1912-1914)

1906			Tricar	1750	3750	5500
1912	12 hp	4 CY	Saloon Sedan	750	1400	2800
1912	16 hp	4 CY	Saloon Sedan	750	1400	2800

IZARO (E 1920)

1920		3 CY		750	1500	3000
		4 CY		950	1750	3500

IZZER (US 1911)

1911	3 S	4 CY	Roadster	1500	2500	4500

J

Jaguar—1935 "SS 100 Roadster"

YEAR	MODEL	ENGINE	BODY	F	G	E

JACK ENDERS (F 1914-1920)

YEAR	MODEL	ENGINE	BODY	F	G	E
1914		2 CY	Touring Car	1000	1750	3500
1914		4 CY	Sport	1100	2000	4000

JACKSON (GB 1899-1915)

YEAR	MODEL	ENGINE	BODY	F	G	E
1899		1 CY DeDion	Dogcart	1250	2500	4500
1900	4 hp	2 CY Mytholm	Saloon Sedan	1000	2000	3800
1903	6 hp	2 CY DeDion	Dos-a-dos	900	1750	3500
1905	9 hp	2 CY DeDion	Dos-a-dos	900	1750	3500
1906		1 CY DeDion	Estate Wagon	800	1600	3200
1907		2 CY	Sport	900	1750	3500
1909	Black Demon	9/11 hp	Racing Car	1000	2000	3800
1909	9 hp	2 CY	2 Seats	1000	2000	3800
1911	12/15 hp	4 CY	Touring Car	1000	2000	3800

JACKSON (US 1903-1923)

YEAR	MODEL	ENGINE	BODY	F	G	E
1903	6 hp	3 CY Steam		3000	6000	12000
1903		1 CY Steam		2500	5000	10000
1904	20 hp	2 CY	Coupe	1000	2000	4000
1906	30/35 hp	4 CY	Touring Car	1200	2400	4800
1913		6 CY Northway	Coupe	1600	3250	6500
1916		Ferro V-8	Touring Car	2500	5000	10000
1923	Model 6-51	6 CY		2100	4250	8500

JACQUEMONT (F 1922-1925)

YEAR	MODEL	ENGINE	BODY	F	G	E
1922		1 CY	Cycle Car	950	1600	3200

JACQUES MULLER (F 1920-1922)

YEAR	MODEL	ENGINE	BODY	F	G	E
1920		V-twin train	Cycle Car	800	1400	2800
1920		4 CY S.C.A.P. Water-cool	Cycle Car	800	1400	2800

JACQUET FLYER (US 1921)

YEAR	MODEL	ENGINE	BODY	F	G	E
1921		4 CY	Sport	1000	1900	3800

JAEGER (US 1932-1933)

YEAR	MODEL	ENGINE	BODY	F	G	E
1932		6 CY Cont	Coupe	1000	2000	4000
1932		6 CY Cont	Convertible Coupe	1500	2800	5600

J.A.G. (GB 1950-1956)

YEAR	MODEL	ENGINE	BODY	F	G	E
1950	2 S	Ford V-8	Sport	900	1750	3250
1950		MG	Sport	850	1600	3000

JAGUAR (GB 1945-to-date)

YEAR	MODEL	ENGINE	BODY	F	G	E
1934	SS-1	2.7 Litre 6 CY	Roadster	4750	9500	18500
1934	SS-1	2.7 Litre	Touring Car	3750	7500	15000
1934	SS-1	2.7 Litre	Phaeton	4350	8750	17500
1935	S-100	2.7 Litre	Roadster	5000	10000	19500

YEAR	MODEL	ENGINE	BODY	F	G	E
1936	SS-1	2.7 Litre Std.	Roadster	4250	8500	17000
1936	SS-100	2.7 Litre Std.	Touring Car	2750	5500	11000
1937	SS-1	1.6 Litre	Touring Car	5000	10000	20000
1937	SS-100	3.5 Litre	Roadster	5650	11250	22500
1938	SS-1	2.7 Litre	Saloon Sedan	2550	4500	9000
1938	SS-1	2.7 Litre	Cabriolet	5000	10000	20000
1938	SS-100	3.5 Litre	Supercharged Roadster	6250	12500	25000
1938	SS-100	3.5 Litre	Speedster	4500	9000	18000
1939	SS-100	3.5 Litre	Drop Head Coupe	3125	6250	12500
1940	SS-100	3.5 Litre	Saloon Sedan	2150	4250	8500
1941	SS-100	3.5 Litre	2 Seats			
1946	Mark IV	1.8 Litre 4 CY	Cabriolet			10000
1946	Mark V	3.5 Litre	Saloon Sedan			7000
1947		3.5 Litre 6 CY	Saloon Sedan	2000	4000	8000
1948	Mark IV	2.7 Litre 6 CY	Cabriolet	2500	5000	10000
1948	Mark IV	6 CY	Saloon Sedan	1750	3500	7000
1949	Mark IV	3.4 Litre 6 CY	2 Seats Sport	250	500	1000
1949	Mark IV	6 CY	4 Door	2000	4000	8000
1949	Mark V	6 CY	Saloon Sedan	1900	3750	7500
1949	Mark V	6 CY	Cabriolet	2500	5000	10000
1950	Mark V		Saloon Sedan	1500	3000	6000
1950	XK 120	3.4 Litre	Sport	2150	4250	8500
1950	Mark VII	6 CY	Sedan	1400	2750	5500
1951	XK 120	6 CY	Coupe	1650	3250	6500
1951	C Type	4.5 Litre	Sport Racing Car	2500	5000	10000
1951	XK 120	3.4 Litre	Roadster	2000	4000	8000
1951	Mark VII	3.4 Litre 6 CY	Saloon Sedan	1400	2750	5500
1951	XK 120-C	6 CY	Sport Racing Car	2050	4100	8200
1952	XK 120	3.4 Litre	Coupe	1650	3250	6500
1952	XK 120	3.4 Litre	Roadster	2000	4000	8000
1953	XK 120	3.4 Litre	Roadster	1900	3750	7500
1953	XK 120-C	6 CY	Sport Racing Car	1950	3900	7800
1953	Mark VII	6 CY	Saloon Sedan	1250	2500	5000
1954	Mark VII	6 CY	4 Door	1150	2250	4500
1954	XK 120-M	190 bhp	Roadster	2400	4750	9500
1954	XK 120	3.4 Litre	Coupe	1900	3750	7500
1954	XK 120-C	6 CY	Roadster	2400	4750	9500
1954	XK 120	3.4 Litre	Drop Head Coupe	2150	4250	8500
1954	D Type	2.5 Litre 6 CY	Sport Racing Car	3150	6250	12500
1955	XK 140	210 hp	Coupe	1650	3250	6500
1955	XK 140	6 CY 210 hp	Roadster	1750	3500	7000
1955	Mark VII	6 CY	4 Door Saloon Sedan	1100	2150	4250
1956	XK 140	2.4 Litre	Drop Head Coupe	1650	3250	6500

YEAR	MODEL	ENGINE	BODY	F	G	E
1956	XK 140	210 hp	Roadster	1900	3750	7500
1956	Mark VII	2.4 Litre	Sedan	1000	2000	4000
1957	D Type	2.4 Litre	Sport Racing Car	3150	6250	12500
1957	XK 150	2.4 Litre	Coupe	1250	2500	5000
1957	Mark VIII	3.4 Litre	Saloon Sedan	1000	2000	4000
1958	XK 55	3.4 Litre	Sport	3750	7500	15000
1958	XK 150	3.4 Litre	Coupe	1300	2600	5200
1958	XK 150	3.4 Litre	Roadster	1500	3000	6000
1959		3.8 Litre	Sedan	750	1500	3000
1959	XK 150	3.4 Litre	Coupe	1400	2750	5500
1959	XK 150	2.4 Litre	Convertible	1650	3250	6500
1959	Mark IX	3.8 Litre	Saloon Sedan	1250	2500	5000
1960	Mark IX	3.8 Litre	Sedan	1650	3250	6500
1960	XK 150	3.4 Litre	Coupe	1650	3250	6500
1960	XK 150	3.8 Litre	Convertible	1900	3750	7500
1960	XK 150	3.8 Litre	Roadster Sport	1950	3900	7800
1961	Mark II	3.8 Litre	4 Door Sedan	1250	2250	4500
1961	E Type	3.8 Litre	Coupe	1250	2500	5000
1962	Mark X	3.8 Litre	Sport Sedan	1750	3500	7000
1962		3.8 Litre	Saloon Sedan	900	1750	3500
1963	Mark II	3.8 Litre	Sport	950	1900	3800
1963	XKE	3.8 Litre	Coupe	1000	2000	4000
1964	S Type	3.4 Litre		1000	2000	4000
1964	XKE	3.8 Litre	Convertible	1250	2250	4500
1965	E Type	4.2 Litre	Sport Racing Car	1250	2500	5000
1965	Mark X	4.2 Litre	Sport	1150	2300	4600
1966	Mark II	4.2 Litre	Saloon Sedan	900	1750	3500
1966	XKE	4.2 Litre	Sport Racing Car	1000	2000	4000
1967	E Type	4.2 Litre	Sport	1250	2500	5000
1967	420	4.2 Litre	Saloon Sedan	950	1900	3800
1973	E Type	V-12	Sport	4500	7500	10000

JAMES (US 1909)

1909	2 S	2 CY Air-cool	High-wheel	1750	3500	6500

JAMES & BROWNE (GB 1901-1910)

1901	9 hp	2 CY	Laundalet	1250	2250	4450
1901	18 hp	4 CY	Laundalet	1000	2000	4000
1906	Vertex	6 CY 45 hp	Limousine	950	1900	3800

JAMIESON (US 1902)

1902	7 hp	2 CY	2 Seats	1000	2000	4000

JAMOS (A 1964)

1964	2 S	2 CY	Gran Turismo Sport Coupe	650	1250	2500

YEAR	MODEL	ENGINE	BODY	F	G	E
JAMUN (GB 1970-1971)						
1970		Ford	Racing Car	650	1250	2500
JAN (DK 1915-1918)						
1915		4 CY	Saloon Sedan	950	1900	3800
1915		4 CY	Touring Car	1000	2000	4000
JANEMIAN (F 1920-1923)						
1920		Flat-twin	Cycle Car	750	1500	3000
1920		V-twin	Cycle Car	800	1500	3200
JANNEY (US 1906)						
1906		4 CY	Saloon Sedan	800	1600	3000
JANSEN (NL 1900-1901)						
1900	2.5 hp	DeDion	Voiturette	1000	2000	4000
1900	6 hp	DeDion	Voiturette	950	1900	3800
1900	8 hp	DeDion	Voiturette	900	1800	3600
JANSSENS (B 1902-1910)						
1902		2 CY	Town Car	1500	3000	6000
1902		4 CY	Town Car	1500	3000	6000
JANVIER (F 1903-1928)						
1903	4 S Open	4 CY	6-Wheel Tonneau	1750	3500	7000
JAPPIC (GB 1925)						
1925		1 CY	Cycle Car	800	1600	3200
JARVIS-HUNTINGTON (US 1912)						
1912		6 CY	7 Seats	1500	3500	7500
1912		6 CY	8 Seats	2000	4000	8000
JAWA (CS 1934-1939)						
1934	700	2 CY D.K.W.	Sport Open	450	900	1750
1934	700	2 CY D.K.W.	Sport Closed	350	700	1400
1938	Minor I	2 CY	2 Seats Roadster	450	900	1800
1938		2 CY	Saloon Sedan	400	750	1500
J.B. (GB 1926)						
1926		4 CY Meadows	Sedan	600	1200	2400
J.B.M. (GB 1947-1950)						
1947		Ford V-8	2 Seats	650	1250	2500
J.B.R. (E 1921-1923)						
1921		904cc Ruby	Cycle Car	750	1500	3000
1923		750cc Ruby	2 Seats	700	1400	2800
J.B.S. (GB 1913-1952)						
1913	8 hp	JAP V-twin	Cycle Car	900	1750	3500

YEAR	MODEL	ENGINE	BODY	F	G	E
1914	10 hp	JAP V-twin	2 Seats	900	1750	3500
1915	8 hp	4 CY Blumfield	Roadster	950	1900	3800
1915	10 hp	4 CY Dorman	Roadster	1000	1950	3900
1950		500cc Norton	Racing Car	450	900	1800

JEAN BART (F 1907)

1907	9 hp	1 CY	Laundalet	700	1400	2800
1907	16/20 hp	4 CY	Touring Car	750	1500	3000

JEAN GRAS (F 1924-1930)

1924		4 CY 1200cc	Sport	700	1400	2800
1926		6 CY	Saloon Sedan	500	950	1900

JEANNIN (US 1908-1909)

1908	10/12 hp	Air-cool	High-wheel	1650	3250	6500
1908	2 S	10/12 hp	Surrey	1250	2250	4500
1908	2 S	10/12 hp	Runabout	1250	2250	4500

JEANPERRIN (F 1900)

1900	4 S	1 CY 3 hp	Vis-a-vis	950	1900	3800

JEANTAUD (F 1881-1906)

1881		EL	Racing Car	1200	2400	4800
1903		EL	Coupe	1200	2400	4800
1904	Petit Duc	2 CY		900	1750	3500
1904		3 CY	Touring Car	950	1900	3800
1904		4 CY	Touring Car	1000	2000	4000

JEECY-VEA (B 1925-1926)

1925		Coventry-Victor 750cc	Touring Car	900	1800	3600
1925		Coventry-Victor 750 cc	Cabriolet	950	1900	3800

JEEP (US 1963-to-date)

1963		4 CY	Station Wagon	750	1250	1500
1963		6 CY	Station Wagon	850	1500	1850
1965	Wagoneer	Rambler V-8	Station Wagon	900	1600	2000
1965	Universal	4 CY Perkins Diesel	Station Wagon	1500	2100	2800
1965	Universal	V-6 Buick	Station Wagon	1100	2000	2500
1968	Jeepster	V-6	Convertible	1500	2550	3850
1971	Jeepster	4 CY	Convertible	1500	2250	3250
1971	Jeepster	V-6	Convertible	1250	2300	3000
1972	Jeepster	V-6	Station Wagon	1250	2300	3000
1972	Jeepster	V-8	Roadster	1300	2450	3250
1972	Jeepster	V-6	Convertible	1400	2500	3500

YEAR	MODEL	ENGINE	BODY	F	G	E

JEFFERY (US 1914-1917)

YEAR	MODEL	ENGINE	BODY	F	G	E
1914	20/30 hp	4 CY	Touring Car	2150	4250	8500
1914	20/30 hp	6 CY	Sedan	1150	2250	4500
1917		6 CY	Roadster	1900	3800	7600

JEFFERY (GB 1968-to-date)

YEAR	MODEL	ENGINE	BODY	F	G	E
1968	Mark I	Ford	Sport Racing Car	650	1250	2500
1969	Mark 2	Ford	Sport Racing Car	650	1250	2500
1970	Mark 3	Ford	Sport Racing Car	650	1300	2600

JENARD (GB 1956)

YEAR	MODEL	ENGINE	BODY	F	G	E
1956	2 S	Austin A-40	Sport	500	950	1900
1956	2 S	Coventry-Climax 1100cc	Sport	500	1000	2000

JENATZY (B 1898-1903)

YEAR	MODEL	ENGINE	BODY	F	G	E
1898	4 S	EL	Dos-a-dos	1150	2250	4500
1901	12/15 hp	Mors	Racing Car	1000	2000	4000
1903	20/28 hp	Mors	Racing Car			

JENKINS (US 1907-1912)

YEAR	MODEL	ENGINE	BODY	F	G	E
1907		4 CY		1200	2400	4800

JENNINGS (GB 1913-1915)

YEAR	MODEL	ENGINE	BODY	F	G	E
1913	10 hp	Flat-twin Dorman	Saloon Sedan	800	1600	3200

JENSEN (GB 1936-to-date)

YEAR	MODEL	ENGINE	BODY	F	G	E
1936		Ford V-8	Sport Touring Car	4500	9000	17500
1938	4 Dr	Ford V-8	Saloon Sedan	1350	2750	5500
1938	DC	Straight 8 Meadows	Phaeton	3750	7500	15000
1950		6 CY	Saloon Sedan	1150	2300	4600
1950	Interceptor	6 CY Austin	Cabriolet	1250	2500	4900
1954	541	6 CY	Gran Turismo Saloon Sedan	1000	2000	4000
1963		V-8 Chrysler	Coupe	1400	2750	5500
1966	FF	6.3 Litre	Coupe	2000	4000	8000
1969	Director	V-8	Limousine	2000	4000	8000

JENSEN-HEALEY (GB 1972-to-date)

YEAR	MODEL	ENGINE	BODY	F	G	E
1972	2 S	4 CY Lotus	Sport	1100	2250	4500

JET (E 1955)

YEAR	MODEL	ENGINE	BODY	F	G	E
1955		1 CY Villiers	Minicar	450	900	1800

JEWEL (US 1906-1909)

YEAR	MODEL	ENGINE	BODY	F	G	E
1906		1 CY	Touring Car	1750	3500	7000
1906	8 hp	1 CY	2 Seats	1900	3750	7500

YEAR	MODEL	ENGINE	BODY	F	G	E
1908	40	4 CY Rutenber	Roadster	2000	4000	8000
1908	7 S	4 CY Rutenber	Touring Car	2150	4250	8500

JEWEL (GB 1921-1939)

1921		2 CY Precision	Cycle Car	700	1400	2800
1921		2 CY Coventry-Simplex	Cycle Car	700	1400	2800
1923	8.9 hp	4 CY Coventry-Simplex	Saloon Sedan	600	1200	2400
1924	9.8 hp	Meadows	Touring Car	600	1200	2400
1935	10 hp	Meadows	4 Door Saloon Sedan	450	900	1800

JEWETT (US 1923-1926)

1923		4.1 Litre	Sport Touring Car	2150	4200	8500
1923	Open	4.1 Litre	Phaeton	2400	4750	9500
1924		4.1 Litre	Touring Car	2000	4000	8000
1926	2 Dr	2.5 Litre	Sedan	1150	2250	4500
1926		2.5 Litre	Sport Touring Car	2150	4250	8500

JIDE (F 1969-to-date)

1969	2 S	Renault Gordini 1300	Sport Coupe	650	1100	2200

JIN-BU; CHIN-PU (PROGRESS) (CHI 1958-to-date)

1958	2 Dr	95 bhp Water-cool	Sedan	400	750	1500

JINGGANGSHAN; CHINGKANGSHAN (CHI 1958-to-date)

1958	2 Dr	4 CY Air-cool	Saloon Sedan	300	600	1200

J.L. (GB 1920)

1920		4 CY DeColonge	Sport	700	1400	2800

J.M.B. (GB 1933-1935)

1933	2 S	1 CY 5 hp JAP	3-Wheel	900	1750	3500
1933	4 S	1 CY 5 hp JAP	3-Wheel			3250

JOEL (GB 1899-1902)

1899	2 hp	EL	Open	1500	3000	6000
1900	2 hp	EL	Closed	1650	3250	6500

JOHN O'GAUNT (GB 1902-1904)

1902	4 S	1 CY 4 hp	Tonneau	950	1900	3800

JOHNSON (US 1905-1912)

1905		4 CY Steam		2500	5000	10000

YEAR	MODEL	ENGINE	BODY	F	G	E
1905	30 hp	1 CY Steam	Closed	2500	5000	10000
1907	50 hp	6 CY		2150	4250	8500

JOHNSONMOBILE (US 1959)

YEAR	MODEL	ENGINE	BODY	F	G	E
1959	3 hp	Clinton Air-cool	2 Seats	450	900	1800

JOMAR (US 1954-1955)

YEAR	MODEL	ENGINE	BODY	F	G	E
1954	2 S	Ford Angilio	Sport	400	750	1450

JOMO (GB 1967-1969)

YEAR	MODEL	ENGINE	BODY	F	G	E
1967		Ford	Sport	650	1250	2500

JONES (US 1915-1920)

YEAR	MODEL	ENGINE	BODY	F	G	E
1915	Open	6 CY 21.6 hp	Touring Car	1750	3500	7000
1917	29.4 hp	6 CY Cont	Touring Car	1900	3750	7500

JONES-CORBIN (US 1902-1907)

YEAR	MODEL	ENGINE	BODY	F	G	E
1902	8 hp	1 CY DeDion	2 Seats	1000	2000	4000
1902	20 hp	2 CY DeDion	2 Seats	1150	2250	4500
1902	30 hp	4 CY DeDion	2 Seats	1250	2500	5000
1906	45 hp	4 CY	2 Seats	1400	2750	5500

JONSSON (S 1921)

YEAR	MODEL	ENGINE	BODY	F	G	E
1921	4 S	4 CY 15 hp	Touring Car	700	1400	2800

JONZ (US 1908-1911)

YEAR	MODEL	ENGINE	BODY	F	G	E
1908	20 hp	2 CY	5 Seats Open	1200	2400	4800
1909	30 hp	3 CY	3 Seats Coupe	1250	2500	5000
1911	40 hp	4 CY	5 Seats Open	1650	3250	6500

JORDAN (US 1916-1931)

YEAR	MODEL	ENGINE	BODY	F	G	E
1916		6 CY 5 Litre Cont	Touring Car			9000
1919	7 Ps	6 CY 5 Litre Cont	Touring Car	2150	4200	8500
1920	Playboy	6 CY 5 Litre Cont	Roadster		5000	10000
1923	4 Dr	6 CY 5 Litre Cont	Sedan	1050	3000	6000
1925	Playboy	6 CY 5 Litre Cont	Roadster			10500
1925		Straight 8 Cont	Touring Car	2400	4750	9500
1926		Straight 8 Cont	Sedan	1500	3000	6000
1927		Straight 8 Cont	Sedan	1500	3000	6000
1927	Little Custom	6 CY Cont	Touring Car	2150	4250	8500
1928	Playboy	8 CY Cont	Cabriolet	3000	6000	12000
1928	Playboy	8 CY Cont	Roadster	3500	6500	13500
1928	Series Z	8 CY Cont	Roadster	3500	6500	12500

YEAR	MODEL	ENGINE	BODY	F	G	E
1929	4 Dr	8 CY Cont	Sedan	1400	2750	5500
1929	Playboy	8 CY Cont	Roadster	3150	6250	12500
1929		8 CY Cont	Cabriolet	3000	6000	12000
1929	Series Z	8 CY Cont	Club Sedan	1300	2600	5200
1930	Speedway	8 CY Cont	Sport Sedan	1450	2900	5800
1930	Series 90	8 CY Cont	4 Door Sedan Side Mount	1400	2850	5750
1930		8 CY Cont	Roadster	3250	6500	13000
1930		8 CY Cont	Cabriolet	3100	6200	12000
1930	4 Dr	8 CY Cont	Speedster	1400	2800	5600
1931	Model 8-80	8 CY Cont	4 Door Sedan	1450	2900	5800

JOSWIN (D 1920-1926)

YEAR	MODEL	ENGINE	BODY	F	G	E
1920	25/75 PS	Mercedes	Sedanca de Ville	1900	3750	7500
1920	28/95 PS	Mercedes	Sedanca de Ville	1900	3750	7500

JOU (F 1913-1926)

YEAR	MODEL	ENGINE	BODY	F	G	E
1913		4 CY	Convertible	750	1500	3000

JOUFFRET (F 1920-1928)

YEAR	MODEL	ENGINE	BODY	F	G	E
1920			Voiturette		1550	3200
1920	11 hp	Ballot	Touring Car	750	1800	3400
1922		C.I.M.E.	Touring Car	750	1800	3400
1922		S.C.A.P.	Touring Car	750	1800	3400

JOURDAIN (F 1920)

YEAR	MODEL	ENGINE	BODY	F	G	E
1920		2 CY	Cycle Car	800	1600	3200

JOUSSET (F 1924-1926)

YEAR	MODEL	ENGINE	BODY	F	G	E
1924		C.I.M.E.	Sport	1250	2500	3000
1924		Ruby	Saloon Sedan	600	1200	2400

JOUVE (F 1913)

YEAR	MODEL	ENGINE	BODY	F	G	E
1913	8 hp	JAP	Cycle Car	1650	2800	3200

JOWETT (GB 1906-1954)

YEAR	MODEL	ENGINE	BODY	F	G	E
1906	8 hp	v-twin	2 Seats	700	1400	2700
1906		Flat-twin	2 Seats			2600
1923	Long Four	7 hp	4 Seats	600	1250	2440
1926			Saloon Sedan	555	1150	2250
1926	4 S		Touring Car	600	1250	2500
1929	Black Prince		Saloon Sedan		1100	2200
1929			Sport	600	1200	2400
1934	Kestrel		Sport Saloon Sedan	500	1000	2000
1935	Weasel		Sport Touring Car	600	1500	2400
1936	Ten	Flat-four	Saloon Sedan	600	1500	2400
1937	Eight	10 hp Twin	Saloon Sedan	550	1100	2200
1950	Javelin	1.5 Litre Flat 4	Saloon Sedan	1250	2500	3000

YEAR	MODEL	ENGINE	BODY	F	G	E
1950	Jupiter	1.5 Litre	Sport 2 Seats	1000	2000	4000
1954	Jupiter R4	1.5 Litre	Sport Racing Car	1500	2500	4500

JOYMOBILE (NL 1953-1954)

1953		4 CY Diesel Delettrez				1500

J.P. (F 1905)

1905	10/12 hp	2 CY Gnome	Touring Car	1000	2000	4000
1905	16/20 hp	4 CY Gnome	Touring Car	1500	2500	4500
1905	24/30 hp	4 CY Gnome	Touring Car	1150	2300	4600

J.P. (GB 1950-1954)

1950	'500'	Vincent HRD	Racing Car	900	1800	3600

JPL; LAVIGNE (US 1913-1914)

1913		4 CY Air-cool	Cycle Car	850	1650	3500

J.P. WIMILLE (F 1946-1950)

1946	2 S Closed	V-6	Sport	600	1100	2200
1949		Ford V-8	Saloon Sedan	650	1150	2400

JUHO (D 1922)

1922	2 S	1 CY	Cycle Car	1250	2500	3000

JULES (CDN 1911-1912)

1911	4 Ps	30 hp	Torpedo Touring Car	1650	3250	6500

JULIAN (US 1922)

1922		60 hp	Coupe	7000	14000	28000

JULIEN (F 1925-1949)

1925	Single S	1 CY 2 CV	Cycle Car	700	1400	2800
1946	Open	1 CY	2 Seats	850	1500	1800

JUNIOR; F.J.T.A. (I 1905-1910)

1905	9.5 hp	1 CY	Voiturette	900	1750	3500
1905	12/14 hp	Twin	Voiturette	900	1800	3600
1905	16/20 hp	4 CY	Voiturette	950	1850	3700

JUNIOR (E 1955)

1955	2 S	Villiers	3-Wheel	900	1800	3600

JUNIOR SPORTS (GB 1920-1921)

1920		4 CY Peters	2 Seats			2500
1920		4 CY Peters	3 Seats	1000	2000	2600

JUSSY (F 1898-1900)

1898		1 CY	2 Seats	1400	2500	3500

YEAR	MODEL	ENGINE	BODY	F	G	E

JUWEL (B 1923-1927)

YEAR	MODEL	ENGINE	BODY	F	G	E
1923		4 CY 9 CV 1100cc	Touring Car	1500	2100	2800
1923		4 CY 9 CV 1100cc	Sport	1250	2300	3000

K

Kissell — 1920 "Gold Bug Roadster"

YEAR	MODEL	ENGINE	BODY	F	G	E

K.A.C. (DK 1914)

1914	6/16 hp	4 CY	Roadster	950	1900	3800
1914	6/16 hp	4 CY	Touring Car			3600

KAHA (D 1921-1922)

1921		EL	Single Seat	600	1150	2300

KAINZ (A 1900-1901)

1900	3.5 hp	1 CY	Voiturette	1000	2000	4000

KAISER (D 1911-1935)

1911		EL	Coupe	900	1750	3500
1911		6/18 PS	Sport Coupe	950	1900	3800
1935	Single S	1 CY N.S.U.	3-Wheel	900	1650	3200

KAISER (US 1946-1954)

1947	Special	6 CY 3.7 Litre	Sedan	855	1800	2700
1948	Special	6 CY 3.7 Litre	Sedan	550	1500	2200

289

YEAR	MODEL	ENGINE	BODY	F	G	E
1949	Virginia 4 Dr	6 CY 3.7 Litre	Hardtop Sedan	1150	2250	4500
1950	Virginian	6 CY 3.7 Litre	4 Door Convertible	1650	3250	6500
1951	Dragon Dr	6 CY 3.7 Litre	Sedan	1250	2300	3000
1951	2 Dr	6 CY 3.7 Litre	Sedan		1300	2400
1952	Manhattan 4 Dr	6 CY 3.7 Litre	Sedan	650	1300	2600
1952	Deluxe 2 Dr	6 CY 3.7 Litre	Sedan	600	1200	2200
1954	Manhattan	6 CY 3.7 Litre	Sedan	1250	2300	3000
1954	Special	6 CY 3.7 Litre	Sedan	650	1250	2400
1954	Darrin	6 CY 3.7 Litre	Roadster	2500	5000	10000
1955	SC Manhattan	6 CY 3.7 Litre	Sedan	1400	2500	3500

KAISER CARABELA (RA 1958-1962)

1958	2 Dr	6 CY Willys	Sedan	650	1200	2400
1958	4 Dr	6 CY Willys	Sedan	650	1250	2500

KAMPER (D 1905-1906)

1905		Kamper		900	1750	3500

K.A.N. (A 1912-1915)

1912	7 hp	1 CY	2 Seats	850	1600	3200
1912	11 hp	2 CY	2 Seats	900	1800	3600

K & M (US 1908)

1908		Air-cool	High-wheel	1650	3250	6500

KANSAS CITY (US 1905-1909)

1905	2 S	2 CY 24 hp	Roadster	1150	2250	4500
1905	7 S	6 CY 10 Litre	Touring Car	1750	3500	7000

KAPI (E 1950-1958)

1950	ChiQui	Montesa	3-Wheel	1230	2300	3000

KATO (US 1907-1908)

1907	24 hp	2 CY	5/7 Seats	1150	2250	4500
1907	40 hp	2 CY	5/7 Seats	1200	3000	4800

KAÚFFMAN (US 1909-1912)

1909	4 S	4 CY Air-cool	Roadster	1150	2250	4500

KAVAN (US 1905)

1905		1 CY	Runabout	1150	2250	4500

K-D (US 1912)

1912	5 S	4 CY 4.9 Litre	Touring Car	1100	2150	4250

KERNS (US 1909-1915)

1909	10/12 hp	2 CY Speedwell	High-wheel	1650	3250	6500
1909	15/18 hp	3 CY	High-wheel	1650	3250	6500
1914	Lu-Lu	4 CY 13.7 hp	Cycle Car	1000	2000	4000
1915	Model L	4 CY 18 hp	High-wheel	1650	3250	6500

YEAR	MODEL	ENGINE	BODY	F	G	E
KEENELET (GB 1904)						
1904		1 CY Vert Steam		2000	4000	8000
KEETON (US 1908; 1910-1914)						
1908		4 CY	Laundalet	1150	2200	4500
1910	Six	6 CY 6 Litre	Touring Car	1750	3500	7000
KELLER (US 1948-1950)						
1948		4 CY Cont	3 Seats Convertible	1250	2300	3000
1948	5 S	4 CY Hercules	Sedan	1500	2200	2800
1949		4 CY Hercules	Station Wagon	950	1900	3800
KELLER KAR (US 1914-1915)						
1914	Tandem 2 S	2 CY Air-cool	Cycle Car	1400	2500	3500
KELSEY (US 1913-1924)						
1913		6 CY	Coupe	1650	3250	6500
1921		4 CY Gray		1000	2000	4000
1921		4 CY Lycoming		1000	2000	4000
1921		6 CY Falls		1600	3000	6000
KELVIN (GB 1904-1906)						
1904	Rear Entrance	4 CY 14 hp	Tonneau	1000	2000	4000
1905		4 CY 14 hp	Tonneau	1000	2000	4000
KEMPTEN (D 1900-1901)						
1900	3.5 hp	Proprietary	Voiturette	1000	2000	4000
KENDALL (GB 1912-1946)						
1912	8 hp	V-twin JAP	Cycle Car	1250	2300	3000
1945	2 Dr	3 CY 6 hp	Saloon Sedan	400	900	1800
KENMORE (US 1909-1912)						
1909		2 CY Air-cool		1200	2400	4800
KENNEDY (GB 1907-1914)						
1907	15/20 hp	4 CY		1250	2300	3000
1914	11.9 hp	4 CY Salmon	2 Seats	1300	2350	3250
KENNEDY (CDN 1909-1910)						
1909		DeTamble	High-wheel	1650	3250	6500
1909		DeTamble	Runabout	1250	2500	5000
1909		DeTamble	Surrey			4800
KENNEDY (US 1915-1918)						
1915	4 S	4 CY	Coupe	1000	2000	4000
KENSINGTON (US 1899-1904)						
1899	2 S	EL	Runabout	1500	3000	6000
1899	4 hp	2 CY Steam	Runabout	2500	5000	1000
1902	11 hp	2 CY Kelecon	Runabout	950	1900	3800

291

YEAR	MODEL	ENGINE	BODY	F	G	E

KENT (US 1916-1917)

1916		4 CY Cont	4 Seats	1000	2000	4000
1916		4 CY Cont	5 Seats	1250	2250	4500

KENTER (D 1924-1925)

1924	4/14 PS	Steudel	2 Seats			2800
1924	5/18 PS	Atas	4 Seats	650	1300	2600

KENWORTHY (US 1920-1922)

1920	Line-o-Eight	8 CY	Touring Car	1650	3750	7500
1920		6 CY	Sport	1650	3250	6500
1920		4 CY	Sport	1250	2500	5000

KERMATH (US 1907-1908)

1907	4 S	4 CY 26 hp	Runabout	1150	2250	4500

KESSLER (US 1921-1922)

1921	5 S	4 CY 2 Litre	Touring Car	1150	2250	4500
1921	Kess-Line-Eight	Straight 8	Touring Car	1650	3250	6500

KESTREL (GB 1914)

1914	10 hp	4 CY	2 Seats	900	1750	3500

KERAH (F 1920-1924)

1920		2 CY 1100cc	Saloon Sedan	950	1600	2600
1920		4 CY 1057cc Ruby	Coupe	850	1650	2800

KEYSTONE (US 1899-1915)

1899	Steamer	3 CY			5500	10500
1909	Six-Sixty	6 CY 7.8 Litre	Touring Car	1900	3750	7500
1909	2 S	6 CY 7.8 Litre	Roadster	2000	4000	8000
1915		6 CY Rutenber		1500	3000	6000

KIBLINGER (US 1907-1909)

1907	12 hp	2 CY Air-cool	High-wheel	1600	3000	6000
1907	2 S	2 CY	Roadster	1250	2200	4200

KICO (D 1924)

1924	4/12 PS	4 CY		1500	2250	2800
1924	7/21 PS	4 CY		1500	2250	2800

KIDDER (US 1900-1901)

1900	6 hp	2 CY	2 Seats	1000	2000	4000

KIDDY (F 1921-1922)

1921		Flat-twin 397cc		1500	2250	2800

KIET (GB 1950-1961)

1950		Norton 500cc	Sport	800	1450	1800
1951		1.5 Litre MG	Racing Car	1500	2100	2800

YEAR	MODEL	ENGINE	BODY	F	G	E
1951		BSA 650cc	Sport Runabout	450	1500	2250
1953	2 Seats	Bristol	Sport	1750	3500	7000
1953		DeSoto	Racing Car		4000	7800
1954		Wooler Flat 4		950	1900	3800
1954		4 CY	Racing Car	900	1750	3500
		Coventry-Climax				

KIM-10 (SU 1940-1941)

1940	4 S	4 CY	Sedan	1500	2100	2800
1940		1.1 Litre	Saloon Sedan	1200	2000	2600

KIMBALL (US 1910-1912)

1910		EL	2 Seats	1500	3000	6000
1910		EL	4 Seats	1500	3000	6000

KING (GB 1904-1970)

1904	12 hp	Vert-twin		900	1750	3500
1957		Ford	Racing Car	550	1100	2200

KING (US 1910-1924)

1910	35 hp	4 CY	Coupe	1200	2400	4750
1915	30 hp	V-8	Coupe	1900	3750	7500
1916	26	V-8	Touring Car	2000	4000	9000
1917		V-8	Touring Car			8800
1918	29 hp	V-8	Touring Car	2150	4250	8500
1919		V-8	Touring Car	2150	4250	8500
1920		V-8	Touring Car	2500	5000	10000
1921		V-8	Sedan			7500

KING & BIRD (GB 1903)

1903	4.5 hp	DeDion	Dogcart	950	1900	3800

KING MIDGET (US 1946-1969)

1946	8.5 hp	1 CY Wisconsin	2 Seats	450	500	1000
1965	9.25 hp	Kohler	2 Seats	500	550	1200

KING-REMICK (US 1910)

1910	2 S	6 Cy 6.6 Litre	Roadster	1200	2400	4800

KINGSBURGH (GB 1901-1902)

1901		12 hp		1000	2000	4000

KINGSBURY JUNIOR (GB 1919-1922)

1919	8/10 hp	2 CY Koh-i-Noor	2 Seats	850	1650	3200

KIRKSELL (US 1907)

1907	50 hp	4 CY		1000	2000	4000

KISSEL (US 1906-1931)

1906	35 hp	4 CY	Coupe	2150	4250	8500

YEAR	MODEL	ENGINE	BODY	F	G	E
1909		6 CY	Roadster	4500	9000	18000
1909		6 CY	Semi-Racing Car	4000	8500	17500
1912		6 CY	Touring Car	3500	6500	12500
1913		6 CY	Touring Car	3000	6000	11500
1917		V-12 Weidely	Touring Car	3150	6250	12500
1918	Silver Special	6 CY	Speedster	3150	6250	12500
1922	4 Dr	6 CY	Sedan	1150	2250	4500
1923	BT	6 CY	Speedster	6500	12500	25000
1923	4 Dr	6 CY	Sedan	1250	2500	5000
1924		Straight 8		1750	3500	7000
1925	Gold Bug	Straight 8	Speedster	8500	15000	30000
1926		6 CY	Speedster	8000	16000	31000
1927		6 CY	Speedster	9000	17000	32000
1928		6 CY	Cabriolet	1900	3750	7500
1928		6 CY	Club Sedan	2000	4500	9000
1929	White Eagle 6	6 CY	Speedster		18000	35000
1929	RS	Straight 8	Coupe	2250	4500	9000
1929	5 Ps	Straight 8	Sedan	2000	4000	8000

KITCHINER (GB 1969-to-date)

1969	K3A	Ford	3 Seats			1800
1973	K8	Ford	3 Seats			2800

KLAUS (F 1894-1899)

1894	2 hp	1 CY	3-Wheel	1250	2250	4500
1898	5 hp	Horiz	3-Wheel	1000	2000	4000

KLEIBER (US 1924-1929)

1924		6 CY Cont	Sedan	1200	2400	4800

KLEINE WOLF (D 1950-1951)

1950		1 CY 200cc	2 Seats	400	800	1600

KLEINSCHNITTGER (D 1950-1957)

1950	Open	1 CY llo 125cc	2 Seats	300	600	1200
1950	2 S	2 CY 250cc	Coupe	350	700	1400

KLIEMT (D 1899-1900)

1899		EL				4800

KLINE KAR (US 1910-1923)

1910	60 hp	6 CY	2 Seats	2400	4750	7500
1910	30 hp	4 CY	2 Seats	2000	4000	8000
1920	6-55	6 CY Cont	Touring Car	2300	4300	8600
1924	60-L	6 CY Cont	Touring Car	2150	4200	8500

YEAR	MODEL	ENGINE	BODY	F	G	E
KLINK (US 1907-1909)						
1907	5 S	4 CY 30 hp	Touring Car	1000	2000	4000
1907	2 S	4 CY	Roadster	1500	2500	4500
1908		4 CY 40 hp	Touring Car	1000	2000	4000
KNAP (B; F 1898-1909)						
1898	3-Wheel	1 CY	Voiturette	1250	2500	4500
1899	3-Wheel	2 CY	Voiturette	750	1500	3000
1900	3-Wheel	4 CY	Voiturette	800	1550	3500
1900	3-Wheel	6 CY	Voiturette	950	1900	3800
KNICKERBOCKER (US 1901-1903)						
1901		2 CY		1200	2400	4800
		EL		1500	3000	6000
KNIGHT OF THE ROAD (GB 1902-1914)						
1902	5 hp	1 CY Aster	2 Seats	950	1900	3800
1902	Esculapius	5 hp Ader	2 Seats	950	1900	3800
1913	15.9 hp	4 CY	5 Seats Touring Car	950	1900	3800
1913	11.5 hp	4 CY	2 Seats	900	1800	3600
KNIGHT SPECIAL (US 1917)						
1917		4 CY Moline-Knight	Custom	2500	5000	10000
KNOLLER (D 1924)						
1924	Carolette	2 PS Helios	2 Seats 3-Wheel	700	1400	2800
1924	Carolus	5/12 PS Helios	4-Wheel	750	1500	3000
KNOX (US 1900-1915)						
1900	4 hp	1 CY	3-Wheel	2000	4000	8000
1904	Model F-1	1 CY	Runabout	2500	5000	10000
1908		4 CY	Runabout			8000
1908		6 CY	Runabout			10500
1910		4 CY	Raceabout		5000	10000
1912	40 hp	4 CY	Touring Car		2500	10500
1915	66 hp	6 CY	Limousine	2000	4000	8000
KOBOLD (D 1920)						
1920			2 Seats	750	1400	2800
KOCH (F 1898-1901)						
1898	6 hp	1 CY Horiz	Phaeton	950	1900	3800
KOCO (D 1921-1926)						
1921	4/16 PS	Twin	3 Seats	700	1400	2800
1921	5/25 PS		3 Seats	700	1400	2800
1925	6/30 PS	4 CY 1540cc	3 Seats	1250	2300	3000

YEAR	MODEL	ENGINE	BODY	F	G	E
KOEB-THOMPSON (US 1910-1911)						
1910		4 CY	5 Seats	1150	2250	4500
KOECHLIN (F 1910-1913)						
1910		4 CY 3 Litre	Racing Car	750	1500	3000
1912		4 CY 2.9 Litre	Racing Car	750	1500	3000
1912		6 CY 3 Litre	Racing Car	1150	2250	4500
KOEHLER (US 1910-1914)						
1910	Montclair	4 CY 40 hp	5 Seats	1900	3750	7500
1913		4 CY 40 hp	Touring Car	2000	4000	8000
KOLLER (RA 1960)						
1960		3 CY Wartburg	Saloon Sedan	350	725	1450
KOLOWRAT (CS 1920)						
1920		Flat-twin 1100cc	2 Seats	500	1000	2000
KOMET (D 1922-1924)						
1922	4/14 hp	Steudel	2 Seats	700	1400	2800
KOMNICK (D 1907-19)						
1907	K 10	4 CY T-head	Saloon Sedan	750	1500	3000
1908	K 20	4 CY T-head	Saloon Sedan	800	1550	3100
1909	K 30	4 CY T-head	Saloon Sedan	800	1600	3200
1910	C 2	8/40 PS	Sport	900	1750	3500
1913		17/50 PS	Touring Car	900	1800	3600
KONDOR (D 1900-1902)						
1900	5 hp	1 CY		700	1400	2800
KOPPEL (B 1901-1903)						
1901	4 S	1 CY Vert	Tonneau	1000	2000	4000
KOPPIN (US 1915)						
1915	2 S	2 CY DeLuxe	Cycle Car	900	1750	3500
KORN ET LATIL (F 1901-1902)						
1901	3.25 hp	Aster	Voiturette	950	1900	3800
1901	6 hp	Aster	Voiturette	1000	2000	4000
KORTE (GB 1903-1905)						
1903	12/14 hp	2 CY	4 Seats Tonneau	750	1500	3000
1903	12/14 hp	2 CY	6 Seats Tonneau	800	1650	3250
KORTING (D 1922-1924)						
1922	6/24 PS	4 CY Selve		750	1500	3000
1922	8/32 PS	4 CY Selve		800	1600	3200

YEAR	MODEL	ENGINE	BODY	F	G	E
KOVER (F 1951-1952)						
1951		1 CY 125cc	2 Seats	300	600	1200
KRASTIN (US 1902-1903)						
1902		2 CY	Tonneau Touring Wagon	900	1750	3500
K.R.C. (GB 1922-1924)						
1922	10 hp	V-twin Blackburne	Sport	950	1900	3800
1923		4 CY Coventry-Climax	Sport	750	1500	3000
1923	7.5 hp	4 CY Janvier	Sport	750	1500	3000
KREIBICH (CS 1949)						
1949	2 S	2 CY Air-cool	3-Wheel	750	1500	3000
KREUGER (US 1904-1905)						
1904		2 CY Air-cool	Touring Car	1200	2400	4800
KRIEGER (F 1897-1909)						
1897		EL	4 Seats	1150	2250	4500
1902	Electrolette	EL	Voiturette	1200	2400	4800
1902	4 hp	DeDion	Voiturette	1150	2250	4500
1903	24 hp	Richard-Brasier	Voiturette	1150	2250	4500
1904		EL	Brougham	1100	2150	4300
1909	15 hp	Brasier		1000	2000	4000
KRIM-GHIA (US 1966-1969)						
1966	86 hp	4 CY Fiat	Sport	700	1400	2800
1966	245 hp	Plymouth	Roadster	1150	2250	4500
KRIT (K.R.I.T.) (US 1909-1916)						
1909		4 CY	3 Seats	1700	3400	6800
1909		4 CY	4 Seats	1650	3250	6500
1910		4 CY	Roadster	1500	3000	6000
1912		4 CY	Roadster	1650	3250	6500
1912	16/20 hp	4 CY	Touring Car	1700	3400	6800
KROBOTH (CS 1930-1931)						
1930		1 CY 500cc	2 Seats	450	900	1800
KRUSE (D 1899-1901)						
1899		EL	2 Seats	1250	2500	5000
KUHLSTEIN (D 1898-1902)						
1898		EL	Vant train	1100	2150	4300
1900	6 hp	EL	2 Seats	1150	2250	4500

YEAR	MODEL	ENGINE	BODY	F	G	E
KUHN (D 1927-1929)						
1927	8/40 PS	6 CY Opel		750	1500	3000
KUNMING (CHI 1960-to-date)						
1960		2 CY	Sedan	400	750	1500
KUNZ (US 1902-1906)						
1902	2 S	1 CY	Runabout	1200	2400	4800
KUROGANE (J 1935-1962)						
1935		V-twin Air-cool	2 Seats	400	750	1500
1957	Baby	2 CY 18 hp	4 Seats	250	500	1000
KURTIS (US 1948-1955)						
1948	2 S	80 hp	Sport	2050	4500	8000
1954	500-F	Mercury	Racing Car	2750	5250	10000
1954	500-KK	Mercury	Racing Car	2750	5250	10000
1955	500-M	4 CY SC	Racing Car	1250	2500	5000
KURTZ AUTOMATIC (US 1921-1923)						
1921		6 CY Herschell-Spillman		1750	3500	7000
KYMA (GB 1903-1905)						
1903	2 S	1 CY 2.75 hp	3-Wheel	900	1750	3500
1903	2 S	1 CY 4 hp	3-Wheel	900	1800	3600
1905		2 CY 6 hp	3-Wheel	900	1800	3800

L

Lincoln— 1934 *"Convertible Coupe"*

YEAR	MODEL	ENGINE	BODY	F	G	E

LABOR (F 1907-1912)

1907	15/20 hp	4 CY	Laundalet	950	1900	3800
1907	20/30 hp	4 CY	Laundalet	1000	1950	3900

LA BUIRE (F 1904-1930)

1904	15 hp	4 CY	Saloon Sedan	700	1400	2800
1904	30 hp	4 CY	Saloon Sedan	700	1400	2800
1907	24 hp	4 CY	Laundalet	900	1750	3500
1908	10/14 hp	6 CY	Saloon Sedan	850	1650	3250
1913	12 hp	4 CY	2 Seats	850	1650	3300
1913	20 hp	6 CY	Laundalet	900	1750	3500
1920	14/20 hp	6 CY	Saloon Sedan	850	1650	3250
1923	14/46 hp Speed	6 CY	2 Seats	1000	2000	4000
1928	10 AA Long	10 CY	Saloon Sedan	850	1700	3400

LACONIA (US 1914)

1914		V-twin Air-cool	Cycle Car	900	1800	3600

LACOSTE ET BATTMAN (F 1897-1913)

1897	L & B	4 hp Aster	Voiturette	1000	2000	4000
1897		4 hp Mute I	Voiturette	1000	2000	4000
1903	6 hp	1 CY	Runabout	1050	2100	4200
1903	12 hp	2 CY	Runabout	1150	2300	4600
1903	24 hp	4 CY Mutel	2 Seats	1150	2250	4500
1906	Lacoba	4 CY 12/16 hp	Racing Car	1150	2300	4600
1907	4.5 hp	1 CY Aster	Racing Car	950	1900	3800
1907	24 hp	6 CY Aster	Racing Car	1150	2250	4500

LACOUR (F 1912-1914)

1912	9 hp	V-twin Air-cool	Cycle Car	750	1500	3000

LACRE (GB 1904-1905)

1904	8 hp	EL	Brougham	1200	2400	4800

LA CUADRA (E 1900-1901)

1900	4.5 hp	2 CY	4 Seats	950	1900	3800

L.A.D. (GB 1913-1926)

1913	2 S	1 CY Stag 5.5 hp	Cycle Car	750	1500	3000

LA DIVA (F 1902)

1902	2 S	DeDion 3.5 hp	Voiturette	1000	2000	4000
1902	2 S	DeDion 4.5 hp	Voiturette	1000	2000	4000

LAD'S CAR (US 1912-1914)

1912	3 hp	1 CY	2 Passenger	750	1500	3000

YEAR	MODEL	ENGINE	BODY	F	G	E

LA DURANCE (F 1908-1910)

YEAR	MODEL	ENGINE	BODY	F	G	E
1908	Side by Side Seating	1 CY 8 hp	3-Wheel	800	1600	3200

LADY (GB 1899)

1899	2 S	DeDion 2.5 hp	Voiturette	950	1900	3800

LA FAUVETTE (F 1904)

1904	6.5 hp	DeDion	2 Seats	850	1650	3250
1904	6.5 hp	DeDion	4 Seats	850	1700	3400

LAFAYETTE (US 1920-1936)

1920		V-8	Limousine	2000	4000	8000
1923	134	V-8 5.6 Litre	Touring Car	3000	6000	12000

LAFAYETTE/NASH

1936	2 Dr	6 CY	Sedan	750	1500	3000
1936	4 Dr	6 CY	Sedan	800	1600	3200
1936		6 CY	Coupe	900	1750	3500

LAFITTE (F 1923-1928)

1923	7 hp	3 CY	2 Seats	750	1500	3000

LA FLECHE (F 1912-1913)

1912	Tandem 2 S	1 CY Buchet 8 hp	Cycle Car	750	1500	3000

LA FLEURANTINE (F 1906)

1906	2 S	2 CY	3-Wheel Voiturette	950	1900	3800

LA GAULOISE (F 1907)

1907		4 CY		900	1750	3500
1907	6.2 hp	1 CY		700	1400	2800

LA GAZELLE (F 1913-1920)

1913	8 hp	4 CY Chapuis-Dornier	Saloon Sedan	650	1250	2500

LAGONDA (GB 1906-1963)

1906		V-twin	Sport Touring Car	1400	2800	5600
1907	20 hp	4 CY	Sport Touring Car	2000	4000	8000
1909	Torpedo	6 CY	Sport Touring Car	2500	5000	10000
1910	14 hp	4 CY	Touring Car	2150	4250	8500
1911	12 hp	4 CY	Sport Touring Car	1750	3500	7000
1913	11.1 hp	4 CY 2 Litre	2 Seats	1700	3400	6750
1920	11.9 hp	2 Litre	Sport Touring Car	1650	3250	6500
1924	12/24 hp	2 Litre	Sport Touring Car	1750	3500	7000
1925		1954cc	Sport	1900	3750	7500
1926	14/60 hp	6 CY 2.5 Litre	Semi-Sport Touring Car	2150	4250	8500
1927	Speed Model	2 Litre	Sport	2400	4750	9500
1928		3 Litre	Saloon Sedan	2000	4000	8000

YEAR	MODEL	ENGINE	BODY	F	G	E
1929		2 Litre	Saloon Sedan	1750	3500	7000
1930		2 Litre	Cabriolet	3150	6250	12500
1930	BT	3 Litre	Speedster	4400	8750	17500
1930		3 Litre	Sport Touring Car	2500	5000	10000
1931			Sport Touring Car	3150	6250	12500
1932	Cont	4 CY 2 Litre	Sport Touring Car	3750	7500	15000
1933	16/18 hp	6 CY 2 Litre	Sport Touring Car	3500	7000	14000
	M-45	6 CY 4.5 Litre	Sport Touring Car	3750	7500	15000
1934	Selector Spec.	6 CY 3 Litre	Sport Touring Car	4400	8750	17500
1935	Rapide	6 CY 4.5 Litre	Saloon Sedan	1250	2500	5000
1936	LG-45	6 CY Meadows	Sport Saloon Sedan	2000	4000	8000
1937		V-12	Convertible Sedan	5500	11000	22000
1938		V-12	Saloon Sedan	2250	4500	9000
1939		V-12	Convertible Victoria	5650	11250	22500
1939		6 CY	Convertible Coupe	3150	6250	12500
1939		V-12	Drop Head Coupe	6250	12500	25000
1940		V-12	Sedan Deville	3500	7000	14000
1948		6 CY 2.6 Litre	Drop Head Coupe	3250	6500	13000
1950		6 CY 2.6 Litre	Sedanca de Ville	3000	6000	12000
1953		3 Litre	Saloon Sedan	1250	2500	5000
1954		6 CY 3 Litre	Saloon Sedan	1250	2500	5000
1955		6 CY 3 Litre	Saloon Sedan	1250	2500	5000
1957		6 CY 3 Litre	Saloon Sedan	1200	2400	4800
1958		6 CY 3 Litre	Saloon Sedan	1150	2250	4500
1959		4.5 Litre	Saloon Sedan	1300	2450	4250
1960	Rapide	3996cc				
1963	Rapide	DB4	Saloon Sedan	1300	2450	4250

LA GRACIEUSE (B 1899)

1899		6 hp Air-cool	2 Seats	750	1500	3000

LAIGLE (F 1902-1903)

1902	10/12 hp	2 CY	4 Seats	850	1650	3250
1902	14/16 hp	4 CY	4 Seats	850	1700	3400

LA JOYEUSE (F 1907-1908)

1907		4 CY	Saloon Sedan	700	1400	2800

LA LORRAINE (F 1899-1902)

1899	4 S	1 CY	Vis-a-vis	1000	2000	4000

LA MARNE (US; CDN 1920)

1920	HT	8 CY	Touring Car	1650	3250	6500

LA MARNE (F 1920)

1920	12/15 hp	4 CY	Touring Car	900	1750	3500

LAMBERT (US 1891; 1904-1917)

1891			3-Wheel	1200	2400	4800
1904	4 S	2 CY	Touring Car	1250	2500	5000

YEAR	MODEL	ENGINE	BODY	F	G	E
1904	5 S	2 CY	Touring Car	1250	2500	5000
1908	15 hp	4 CY Cont	Touring Car	1650	3250	6500
1908		Buda	Touring Car	1900	3750	7500
1909		6 CY	Roadster	2000	4000	8000

LAMBERT (F 1902-1953)

YEAR	MODEL	ENGINE	BODY	F	G	E
1902	6 hp	1 CY Aster	2 Seats	1350	1625	3250
1904	9 hp	2 CY DeDion	Tonneau	850	1700	3400
1904	12 hp	2 CY Abeille	Tonneau	900	1750	3500
1905	6 hp	1 CY	Touring Car Side Entrance	950	1900	3800
1905	24 hp	2 CY	Touring Car	900	1850	3650
1926		Ruby	Sport	950	1900	3800
1933	2 hp	1 CY	Cycle Car	800	1600	3200
1945		EL	2 Seats	450	900	1800
1952	Simplicia	1100cc Lambert-Ruby	Sport	450	900	1750
1953		Lambert-Ruby	Coupe	350	650	1250

LAMBERT-HERBERT (GB 1913)

YEAR	MODEL	ENGINE	BODY	F	G	E
1913	8.9 hp	4 CY	Racing Car	1500	3000	6000

LAMBORGHINI (I 1963-to-date)

YEAR	MODEL	ENGINE	BODY	F	G	E
1963		V-12 3.5 Litre	Gran Turismo Coupe			
1967	400	V-12 4 Litre	Gran Turismo Coupe 2 + 2	2250	4500	9000
1967	Miura P 400	V-12 4 Litre	Gran Turismo Coupe	2450	4900	9800
1967	Marzal	6 CY 2 Litre	Coupe	2100	4200	8400
1968	Espada	V-12	Coupe	3000	6000	12000
1970	Jarama	V-12	Coupe 2 + 2	3650	7250	14500
1971	Urraco	V-8	Coupe	4500	9000	18000
1972	Countach	V-12	Coupe	7000	14000	28000

LAMBRO (I 1952)

YEAR	MODEL	ENGINE	BODY	F	G	E
1952		125cc	3-Wheel	450	900	1800

LA MINERVE (F 1901-1906)

YEAR	MODEL	ENGINE	BODY	F	G	E
1901	3.5 hp	1 CY	Voiturette	950	1900	3800
1902	6 hp	1 CY	Voiturette	1000	2000	4000
1902	8 hp	2 CY	Voiturette	1050	2100	4200
1902	10 hp	2 CY	Voiturette	1100	2150	4300
1902	16 hp	4 CY	Voiturette	1150	2250	4500
1903		3 CY	Voiturette	1050	2100	4200
1905	18	4 CY		1150	2250	4500

LAMMAS-GRAHAM (GB 1936-1938)

YEAR	MODEL	ENGINE	BODY	F	G	E
1936		6 CY Graham	Drop Head Coupe	1650	3250	6500
1936	4 Dr	6 CY Graham	Saloon Sedan	950	1900	3800
1936		6 CY Graham	Sport Touring Car	1500	3000	6000

YEAR	MODEL	ENGINE	BODY	F	G	E

LA MOUETTE (F 1909)

YEAR	MODEL	ENGINE	BODY	F	G	E
1909	2 S	4 CY	Raceabout	1000	2000	4000

LA NATIONALE (F 1899)

YEAR	MODEL	ENGINE	BODY	F	G	E
1899	4 hp	V-twin		1000	1950	3900

LANCAMOBILE (US 1899-1901)

YEAR	MODEL	ENGINE	BODY	F	G	E
1899			Vis-a-vis	1200	2400	4800

LANCASTER (GB 1902-1903)

YEAR	MODEL	ENGINE	BODY	F	G	E
1902	6 hp	DeDion		1900	3750	7500
1902	8 hp	DeDion		2000	4000	8000

LANCHESTER (GB 1895-1956)

YEAR	MODEL	ENGINE	BODY	F	G	E
1895	10 hp	2 CY Air-cool	Saloon Sedan	2150	4250	8500
1904	20 hp	4 CY	Laundalet	3150	6250	12500
1906	28 hp	6 CY	Touring Car	3150	6250	12500
1911	38 hp	6 CY	Limousine	3750	7500	15000
1912	25 hp	6 CY	Touring Car	4500	9000	18000
1914	Sporting-Forty	6 CY SV	Sport	4000	8000	16000
1921	Twenty-one	6 CY	Sport	3750	7500	15000
1923		6 CY	Laundalet	3150	6250	12500
1924	7 Ps	6 CY	Limousine	2650	5250	10500
1929	30 hp	Straight 8	Saloon Sedan	2000	4000	8000
1932		6 CY	Roadster	2150	4250	8500
1938	Roadrider de Luxe	6 CY 14 hp	Drop Head Coupe	1750	3500	7000
1939		Straight 8	Saloon Sedan	1150	2250	4500
1952	Fourteen	4 CY	Saloon Sedan	700	1400	2800
1954	Dauphin	6 CY Daimler	Saloon Sedan	750	1500	3000

LANCIA (I 1906-to-date)

YEAR	MODEL	ENGINE	BODY	F	G	E
1906	Alfa	4 CY 2.5 Litre	Touring Car	1150	2250	4500
1908	Di-Alfa	6 CY 3.8 Litre	Touring Car	1050	2100	4200
1910	Beta	3.1 Litre	Touring Car	1000	2000	4000
1911	Eta	4.1 Litre	Limousine	950	1900	3800
1912	Gamma	4.1 Litre	Touring Car	1150	2250	4500
1913	Delta	2.6 Litre	Touring Car	1900	3750	7500
1914	Theta	4.9 Litre	Touring Car	2150	4250	8500
1919	Kappa	12 CY 6 Litre	Coupe	1900	3750	7500
1920	DiKappa	V-8 4.6 Litre	Touring Car	2000	4000	8000
1921	TriKappa	6 CY	Saloon Sedan	1750	3500	7000
1922	Lambda	4 CY 2.1 Litre	Sedanca de Ville	2500	5000	10000
1923		2.1 Litre	Torpedo	3000	6000	12000
1924		2.1 Litre	Touring Car	2650	5250	10500
1926		2.4 Litre	Saloon Sedan	1500	3000	6000

YEAR	MODEL	ENGINE	BODY	F	G	E
1927		2.6 Litre	Saloon Sedan	1500	3000	6000
1928		2.1 Litre	Touring Car	1650	3250	6500
1929	Dilambda	V-8	Saloon Sedan	1350	2700	5400
1930		2.1 Litre	Saloon Sedan	1250	2500	5000
1931	Artena	V-8 1.9 Litre	Saloon Sedan	1200	2400	4800
1932	Farina	V-8	Saloon Sedan	1150	2250	4500
1935	Astura	V-8 2.6 Litre	Coupe	1200	2400	4800
1935	Agusta	4 CY 1.2 Litre	Saloon Sedan	950	1900	3800
1939	Aprilia	1352cc	Saloon Sedan	900	1800	3600
1940	Ardea	V-8 903cc	Convertible Coupe	1000	2000	4000
1948		1.5 Litre	Saloon Sedan	700	1400	2800
1950		V-6 1754cc	Saloon Sedan	750	1500	3000
1951	Aurelia	2 Litre	Coupe	800	1600	3200
1953	Ardea		Touring Car	950	1900	3800
1954	B 15		7 Passenger Saloon Sedan	800	1600	3250
1955	Appia	4 CY	Saloon Sedan	500	950	1850
1956	Flaminia	V-6 2.5 Litre	Coupe	800	1600	3200
1959		V-8	Spyder	950	1900	3800

LANDA (E 1916-1927)

YEAR	MODEL	ENGINE	BODY	F	G	E
1916	17 hp	2 CY	Racing Car	1000	2000	4000
1920	34 hp	4 CY	Racing Car	1150	2250	4500
1922		6 CY	Racing Car	1150	2250	5000

LANDAR (GB 1965-to-date)

YEAR	MODEL	ENGINE	BODY	F	G	E
1965	R 3		Sport Racing Car	500	1000	2000
1967	R 4		Racing Car	550	1050	2100
1967	R 5	Ford	Racing Car	600	1150	2250
1968	R 6		Racing Car	600	1150	2300
1969	R 7		Racing Car	600	1150	2300
1972	R 8	Ford	Racing Car	650	1250	2500

L & E (US 1922-1931)

YEAR	MODEL	ENGINE	BODY	F	G	E
1922		6 CY Air-cool	Touring Car	1950	3900	7800
1931		6 CY Air-cool	Sedan	1150	2250	4500

LANDGREBE (D 1921-1924)

YEAR	MODEL	ENGINE	BODY	F	G	E
1921	2 S		3-Wheel	750	1500	3000
1921	4 S		3-Wheel	750	1500	3000

LANDINI (I 1919)

YEAR	MODEL	ENGINE	BODY	F	G	E
1919	8 hp	V-twin Stucchi	Tandem 2 Seats	700	1400	2800

LANE (US 1899-1910)

YEAR	MODEL	ENGINE	BODY	F	G	E
1988	Model No. 1	2 CY Steam	4 Seats	2500	5000	10000
1909	30 hp	2 CY	Touring Car	2250	4450	8900

YEAR	MODEL	ENGINE	BODY	F	G	E
LA NEF (F 1901-1903)						
1901	8 hp	1 CY DeDion	3 Wheel Tonneau	1000	2000	4000
LANPHER (US 1909-1912)						
1909	High-Wheel	2 CY Air-cool	2 Seats	1500	3000	6000
LANSDEN (US 1906-1908)						
1906	2 S	3.5 hp EL	Roadster	1500	3000	6000
LANZA (I 1895-1903)						
1895		2 CY Horiz	Waggonette	900	1750	3500
LA PERLE (F 1913-1927)						
1913		2 CY	Cycle Car	700	1400	2800
1914		4 CY Bignan	Racing Car	750	1500	3000
1916		6 CY 1.5 Litre	Racing Car	1150	2250	4500
LA PETITE (US 1905)						
1905		1 CY Air-cool	2 Seats	1000	2000	4000
LA PONETTE (F 1909-1925)						
1909	7 hp	1 CY Ballot	2 Seats	750	1500	3000
1909		4 CY Ballot	2 Seats	950	1900	3800
LA RAPIDE (GB 1920)						
1920	8 hp	Air-cool JAP		850	1650	3250
L'ARDENNAISE (F 1901)						
1901	5 hp	1 CY	2 Seats	900	1750	3500
1901	5 hp	1 CY	4 Seats	900	1800	3600
LARMAR (GB 1946-1951)						
1946		1 CY 250cc		350	700	1350
LAROS (I 1932)						
1932		4 CY	2 Seats	750	1450	2850
LA ROULETTE (F 1912-1913)						
1912	Tandem 2 S	V-twin 8/10 hp	Cycle Car	800	1600	3200
LA SALLE (US 1927-1940)						
1927		SV V-8 5 Litre	Touring Car	5650	11250	22500
1927	DC	SV V-8	Phaeton	13750	27500	55000
1927		SV V-8	Cabriolet	5000	10000	20000
1927	RS	SV V-8	Coupe	2500	5000	10000
1927		SV V-8	Town Car	5000	10000	20000
1927		SV V-8	Sport Roadster	7500	15000	30000
1927			Sport Phaeton	6250	12500	25000
1928	4 Dr	SV V-8 5.4 Litre	Sedan	2400	4750	9500

YEAR	MODEL	ENGINE	BODY	F	G	E
1928	DC	SV V-8	Phaeton	13750	27500	55000
1929		SV V-8 5.6 Litre	Cabriolet	5000	10000	20000
1929		SV V-8	Sport Roadster	7500	15000	30000
1929	RS		Coupe	2500	5000	10000
1929	Club	SV V-8	Sedan	2400	4750	9500
1929		SV V-8	Victoria	2500	5000	10000
1930	7 Ps	SV V-8 5.8 Litre	Touring Car	6500	13000	26000
1930		SV V-8	Cabriolet	5000	10000	20000
1930		SV V-8	Roadster	5650	11250	22500
1930		SV V-8	Club Sedan	2400	4750	9500
1931		SV V-8	Cabriolet	5250	10500	21000
1931		SV V-8	Sedan	2500	5000	10000
1932		SV V-8	Cabriolet	6250	12500	25000
1932		SV V-8	Victoria Coupe	3250	6500	13000
1932		SV V-8	Club Sedan	2500	5000	10000
1933		SV V-8	Club Sedan	4000	8000	16000
1933		SV V-8	Cabriolet	7500	15000	30000
1933	5 Ps	SV V-8	Touring Car Sedan	4400	8750	17500
1934	4 Dr	SV V-8	Sedan	1500	3000	6000
1935	Model 350	Straight 8 4.2 Litre	Convertible Coupe	3150	6250	12500
1935	Opera	Straight 8	Coupe	1450	2900	5800
1935		Straight 8	Sedan	1300	2600	5200
1936		Straight 8	Coupe	1400	2750	5500
1936		Straight 8	Convertible Coupe	2150	4250	8500
1936		Straight 8	Sedan	1250	2500	5000
1937		V-8 5.3 Litre	Club Coupe	1500	3000	6000
1937	37-50	V-8	Sedan	1650	3250	6500
1937		V-8	Convertible Sedan	3400	6750	13500
1937		V-8	Convertible Coupe	2700	5400	10500
1938	4 Dr	SV V-8 5.3 Litre	Sedan	1250	2500	5000
1939	4 Dr	SV V-8	Sedan	1400	2750	5500
1940	Model 52	SV V-8	Convertible Sedan	2700	5250	10500
1940	Special	SV V-8	Sedan	1250	2500	5000
1940	Model 52	V-8	Convertible Coupe	2450	4900	9800
1940	Model 52	V-8	Club Coupe	1500	3000	6000

LA SIRENE (F 1900-1902)

YEAR	MODEL	ENGINE	BODY	F	G	E
1900	5 hp	V-twin	2 Seats	800	1550	3050
1901	24 hp	V-twin	2 Seats	1000	2000	4000

LA TORPILLE (F 1907-1923)

YEAR	MODEL	ENGINE	BODY	F	G	E
1907	Tandem 2 S	4 CY Ballot 6 hp	Cycle Car	750	1500	3000
1907	6/8 hp	4 CY Fivet	Side by side	800	1600	3200

YEAR	MODEL	ENGINE	BODY	F	G	E
1912	Tandem	1 CY	3-Wheel	700	1400	2800
1912	Tandem	4 CY	3-Wheel	350	700	3000

LA TROTTEUSE (F 1913-1914)
1913		1 CY 640cc	2 Seats	750	1500	3000
1913		4 CY 1327cc	2 Seats	800	1600	3200

LAUER (D 1922)
1922	5/16 PS	4 CY	2 Seats	700	1400	2800

LAUNCESTON (GB 1920)
1920	4 S	12/20 hp	Touring Car	750	1500	3000

LAUREL (US 1916-1920)
1916	4 S	4 CY G.B.&S.	Roadster	1150	2250	4500
1916	5 S	4 CY G.B.&S.	Touring Car	1200	2400	4800

LAURENCE-JACKSON (GB 1920)
1920	8/10 hp	V-twin JAP	2 Seats	850	1650	3250

LAURENT (F 1901-1908)
1901	5 hp	2 CY	Voiturette	1000	2000	4000
1907		4 CY	Lorrie	950	1900	3800

LAURIN-KLEMENT (A; CS 1906-1928)
1906	6/7 hp	V-twin	Voiturette	1150	2250	4500
1908	14/16 hp	4 CY	Voituette	1150	2250	4500
1908	FF	Straight 8	Sport	1250	2500	5000
1912		2.6 Litre	Touring Car	1350	2650	5250
1913	MK	3.3 Litre Knight	Saloon Sedan	800	1600	3200
1913	RK	4.7 Litre Knight	Touring Car	750	1500	5000
1924	Type 450	6 CY 4.9 Litre	Saloon Sedan	850	1700	3400

LAUTH-JUERGENS (US 1907-1910)
1907	5 S	4 CY 40 hp	Touring Car	1150	2250	4500

L'AUTOMOTRICE (F 1910-1907)
1901	5 hp	Aster	Voiturette	1100	2150	4250
1903	12 hp	4 CY Aster	Spyder	1150	2250	4500

L'AUTOVAPEUR (F 1905-1906)
1905	Steam	4 CY Serpollet		1650	3250	6500

LA VA BON TRAIN (F 1900)
1900	2 S	1 CY DeDion	3-Wheel	900	1800	3600
		8 hp	Voiturette			

LA VALKYRIE (F 1905-1907)
1905	10 hp	2 CY	Voiturette	1000	2000	4000
1905	14/16 hp	4 CY	Voiturette	1050	2100	4200

YEAR	MODEL	ENGINE	BODY	F	G	E
LA VIOLETTE (F 1910-1914)						
1910		1 CY	2 Seats	900	1800	3600
1913		2 CY	2 Seats	950	1900	3800
1913	10 hp	4 CY	4 Seats	1000	2000	4000
LAVOIE (CDN 1923)						
1923		4 CY	Sedan	1000	2000	4000
LAW (US 1905)						
1905		20 hp		1200	2400	4800
LAWIL (I 1969-to-date)						
1969	Open	Vert-twin 246cc	2 Seats	350	650	1250
1969	Closed	Vert-twin 246cc	2 Seats	300	550	1100
LAWTER (US 1909)						
1909	20 hp	2 CY Water-cool		1200	2400	4800
L.B. (F 1925)						
1925		2 CY	Cycle Car	750	1500	3000
LEACH (US 1899-1923)						
1899	6 hp	2 CY Vert	2 Seats	1250	2450	4900
1920		L-head Cont	Sedan	1150	2250	4500
1922	Power Plus Six	5.7 Litre	Roadster	1650	3250	6500
1923	Six Calif. Top		Touring Car	1700	3400	6750
LEADER (NL 1904-1905)						
1904	10 hp	Aster	2 Seats	850	1650	3250
1904	10 hp	DeDion	2 Seats	900	1750	3500
LEADER (GB 1905-1909)						
1905	10/12 hp	4 CY	2 Seats	850	1650	3250
1905	14 hp	4 CY	Touring Car	850	1650	3300
1906	10/20 hp	4 CY	2 Seats	850	1625	3250
1906	20/30 hp	4 CY	2 Seats	900	1750	3500
1906	60 hp	V-8	2 Seats	1000	2000	4000
1908	12/16 hp	4 CY	2 Seats	850	1650	3250
LEADER (US 1905-1912)						
1905		2 CY		1200	2350	4700
1905		4 CY F-head		1400	2750	5500
LEA-FRANCIS (GB 1904-1960)						
1904	15 hp	3 CY	Touring Car	1000	2000	4000
1909	11.9	4 CY	Coupe	1000	2000	4000
1912	13.9	4 CY	2 Seats	1200	2400	4800
1915	8.9	4 CY	2 Seats	1150	2250	4500
1919	10 hp	4.5 Litre Meadows	2 Seats	1150	2250	4500

YEAR	MODEL	ENGINE	BODY	F	G	E
1922		6 CY 2.5 Litre	Coupe	1200	2400	4800
1925	Model J	12/22 hp 1.5 Litre	Sport	1400	2800	5600
1926		4 ED Meadows L-head	Touring Car	1250	2500	5000
1927		6 CY 2 Litre	Coupe	950	1900	3800
1928	Model P	6 CY 1.6 Litre	Sport	1250	2500	5000
1929	Model V	12/40 hp	Coupe	950	1900	3800
1931	Ace of Spades	6 CY 2 Litre	Sport	1100	2150	4250
1938	Ace of Spaces	2.25 Litre 18 hp	Sport	1150	2250	4500
1940		6 CY 1.5 Litre	Coupe	950	1900	3800
1947	Open	2 Litre SC Meadows	Touring Car	1150	2300	4600
1951	12 hp	4 CY 1.5 Litre	Sport	1150	2250	4500
1955	14 hp	4 CY 1.6 Litre	Sport	1200	2400	4800
1958	14 hp	4 CY 1.8 Litre	Coupe	950	1900	3800

LE BLON (F 1898-1900)

1898	4 hp	V-twin	2 Seats	950	1900	3800

LE BRUN (F 1898-1900)

1898	6 hp	V-twin	Phaeton	1000	2000	4000
1899	8 hp	V-twin	2 Seats Duc	950	1900	3800
1900	10 hp	V-twin	4 Seats Vis-a-vis	1050	2100	4200

L.E.C. (GB 1912-1913)

1912	10 hp	2 CY	Cycle Car	750	1500	3000

LE CABRI (F 1924-1925)

1924	5 hp	4 CY	2 Seats	800	1600	3200
1924	7 hp	4 CY	2 Seats	800	1600	3250

LECOY (GB 1921-1922)

1921	8 hp	V-twin JAP	2 Seats	850	1650	3250

LEDA (F 1908)

1908	8/9 hp	1 CY		900	1750	3500
1908	6/9 hp	2 CY		950	1900	3800
1908	8/10	4 CY		1000	1950	3900

LEDA (GB 1969-1972)

1969	LT 20		Racing Car	650	1250	2500
1972	LT 27		Racing Car	850	1650	3250
1972	BH 2		Racing Car	850	1650	3250

LE DAUPHIN (F 1941-1942)

1941		EL	2 Seats	450	900	1800

YEAR	MODEL	ENGINE	BODY	F	G	E

LEDOUX (CDN 1914)

YEAR	MODEL	ENGINE	BODY	F	G	E
1914		4 CY	Touring Car	1200	2400	4800
1914		6 CY	Touring Car	1750	3500	7000

LEEDS (RA 1960-1964)

YEAR	MODEL	ENGINE	BODY	F	G	E
1960		2 CY Villiers 324cc	Coupe	350	650	1250
1960	L4 MicroCP	2 CY Villiers	4 Seats Coupe	350	650	1250

LEESDORFER (A 1898-1900)

YEAR	MODEL	ENGINE	BODY	F	G	E
1898	Petit Duc	2 CY 6 hp	Duc	1000	2000	4000
1898	Grand Duc	2 CY 9 hp	Duc	1100	2150	4250

LEFERT (B 1902)

YEAR	MODEL	ENGINE	BODY	F	G	E
1902		EL	2 Seats	1250	2250	4500

LEGRAND (F 1901-1913)

YEAR	MODEL	ENGINE	BODY	F	G	E
1901	6 hp	DeDion	2 Seats	950	1900	3800
1913		4 CY	4 Seats	900	1750	3500

LEGROS (F 1900-1913)

YEAR	MODEL	ENGINE	BODY	F	G	E
1900	4 hp	1 CY Air-cool	2 Seats	850	1650	3250
1901	Meynier	EL	2 Seats	1250	2250	4500
1902		Aster	Tonneau	950	1900	3800
1902	8 hp	DeDion	Tonneau	950	1900	3800
1906	10/12 hp	2 CY	Tonneau	950	1850	3650
1906	24/30 hp	4 CY	Tonneau	950	1900	3800

LEICHTAUTO (D 1924)

YEAR	MODEL	ENGINE	BODY	F	G	E
1924		D.K.W.	2 Seats	700	1400	2800
1924		Columbus	2 Seats	750	1500	3000

LEIDART (GB 1936-1938)

YEAR	MODEL	ENGINE	BODY	F	G	E
1936	2 S	Ford V-8	Sport	1000	2000	4000
1936	4 S	Ford V-8	Sport	1100	2150	4250
1936		Ford V-8	Saloon Sedan	750	1450	2850

LEITNER (SU 1911)

YEAR	MODEL	ENGINE	BODY	F	G	E
1911						3800

L'ELEGANTE (F 1903-1907)

YEAR	MODEL	ENGINE	BODY	F	G	E
1903	4 hp	1 CY DeDion	Voiturette	1000	2000	4000
1903	6 hp	1 CY DeDion	Voiturette	1100	2150	4250
1905	16 hp	2 CY DeDion	Voiturette	1100	2150	4300

LE MEHARI (F 1927)

YEAR	MODEL	ENGINE	BODY	F	G	E
1927		2 CY Train	Cycle Car	750	1500	3000
1927		2 CY Train	Sport	800	1600	3200

YEAR	MODEL	ENGINE	BODY	F	G	E
LE METAIS (F 1904-1910						
1904		1 CY DeDion	Voiturette	900	1800	3600
1906		2 CY Gnome	Tonneau	750	1500	3000
1906		4 CY Gnome	Tonneau	950	1900	3900
LEMS (GB 1903)						
1903	2 S	EL	Runabout	1150	2300	4500
LENAWEE (US 1903-1904)						
1903	Rear entrance	1 CY Water-cool	Tonneau	1150	2250	4500
LENDE (US 1908-1909)						
1908		4 CY	5 Seats	1450	2900	5800
LENHAM (GB 1968-to-date)						
1968	P 70 GT	Ford	Sport	1000	1900	3800
1970	P 80	Ford 3 Litre	Spyder	1000	2000	4000
1972		3 Litre Repco	Sport	950	1900	3800
1972	T 80	Ford	Sport	900	1800	3600
LENOX (US 1908-1918)						
1908	Open	EL 3 hp	Victoria	1650	3250	6500
1911	5 S	4 CY	Touring Car	1500	3000	6000
1911		8 CY	Touring Car	2150	4250	8500
1913		4 CY	Speedster	2500	5000	10000
LENTZ (I 1906-1908)						
1906	14/16 hp	4 CY	2 Seats	700	1400	2800
1906	20/24 hp	4 CY	2 Seats	750	1450	2900
LEO (F 1897-1898)						
1897	3 hp	2 CY Pygmee		1550	2700	3250
1897	6 hp	2 CY Pygmee		900	1750	3500
LEO (GB 1913)						
1913	8 hp	V-twin JAP	Cycle Car	1350	2700	3250
LENARD (GB 1904-1906)						
1904	6 hp	DeDion	2 Seats	950	1900	3800
1904	10/12 hp	Tony Huber	2 Seats	1000	2000	4000
LEON BOLLE; MORRIS-LEON BOLLEE (F 1895-1933)						
1895	Tandem 2 S	1 CY 3 hp Air-cool	3-Wheel Voiturette	1100	2150	4250
1895	Staggered Seating	1 CY Water-cool	Voiturette	1100	2150	4300
1903	28 hp	4 CY	Tonneau	1150	2250	4500
1903	45 hp	4 CY	Saloon Sedan	800	1600	3200

YEAR	MODEL	ENGINE	BODY	F	G	E
1907		6 CY	Saloon Sedan	800	1600	3200
1909	10/14 hp	4 CY	2 Seats	900	1800	3600
1928	18 CV	Straight 8	Saloon Sedan	800	1600	3250
1929	15 CV	LeMans 2.6 Litre	2 Seats	800	1600	3300
1932	12 CV		Saloon Sedan	700	1400	2800

LEON DUSSEK (F 1906-1907)

YEAR	MODEL	ENGINE	BODY	F	G	E
1906	16/20 hp	4 CY		850	1700	3400
1906	24/30 ph	4 CY		900	1750	3500
1906	35/45 hp	4 CY		900	1800	3600

LEONE (I 1949-1950)

YEAR	MODEL	ENGINE	BODY	F	G	E
1949		Fiat 1100cc	Sport	350	700	1400

LEON LAISNE; HARRIS-LEON LAISNE; HARRIS (F 1920-1937)

YEAR	MODEL	ENGINE	BODY	F	G	E
1920	12 CV	4 CY C.I.M.E.	Touring Car	900	1800	3600
1920		Straight 8 S.C.A.P.	Touring Car	950	1900	3800
1924		6 CY Hotchkiss	Touring Car	1000	2000	4000
1933	Harris Six	6 CY 12 hp English Standard	Touring Car	950	1900	3750

LEON RAMBERT (F 1934)

YEAR	MODEL	ENGINE	BODY	F	G	E
1934		175cc	Single Seat	700	1400	2800
1934		250cc	2 Seats	750	1500	3000

LEPAPE (F 1896-1901)

YEAR	MODEL	ENGINE	BODY	F	G	E
1896	6 hp	3 CY	6-Wheel	1200	2400	4800

LE PIAF (F 1951)

YEAR	MODEL	ENGINE	BODY	F	G	E
1951	Doorless	1 CY	2 Seats	800	1600	3200

LE ROITELET (F 1921-1923)

YEAR	MODEL	ENGINE	BODY	F	G	E
1921		2 CY	Cycle Car	750	1500	3000

LE ROLL (F 1922)

YEAR	MODEL	ENGINE	BODY	F	G	E
1922		4 CY Chapuis-Dornier	2 Seats	700	1400	2800

LEROY (CDN 1899-1907)

YEAR	MODEL	ENGINE	BODY	F	G	E
1899		1 CY	Buggy	1050	2100	4200
1901		3 CY	Buggy	950	1900	3800

LESCINA (US 1916)

YEAR	MODEL	ENGINE	BODY	F	G	E
1916	Model V		Open	1150	2250	4500
1916	Model V		Closed	450	900	3800

LESPINASSE (F 1909)

YEAR	MODEL	ENGINE	BODY	F	G	E
1909	7 hp	4 CY		850	1650	3300
1909	20 hp	6 CY		1050	2100	4200

YEAR	MODEL	ENGINE	BODY	F	G	E

LESSHAFT (D 1925-1926)

YEAR	MODEL	ENGINE	BODY	F	G	E
1925	3 S	3.5 hp Rinne	3-Wheel	700	1400	2800

LESTER (GB 1913-1955)

YEAR	MODEL	ENGINE	BODY	F	G	E
1913	8 hp	JAP	Single Seat	850	1650	3250
1913	8 hp	JAP	2 Seats	1050	2050	4100
1949	2 S	1.5 Litre	Sport	700	1400	2800
1949		Coventry-Climax	Coupe	550	1100	2200

LE TIGRE (F 1920-1923)

YEAR	MODEL	ENGINE	BODY	F	G	E
1920	3 S	4 CY Fivet	Torpedo Convertible	950	1900	3800
1920		4 CY Fivet	Saloon Sedan	700	1400	2800

LEVENN (F 1900)

YEAR	MODEL	ENGINE	BODY	F	G	E
1900		2 CY Vert	Voiturette	950	1900	3800

LEWIS (US 1898-1916)

YEAR	MODEL	ENGINE	BODY	F	G	E
1898		1 CY Horiz		1000	2000	4000
1913	5 S	6 CY	Touring car	1900	3750	7500

LEWIS (AUS 1900-1902)

YEAR	MODEL	ENGINE	BODY	F	G	E
1900	4.5 hp	1 CY Air-cool		850	1650	3250

LEWIS (GB 1923-1924)

YEAR	MODEL	ENGINE	BODY	F	G	E
1923	10 hp	V-twin M.A.G.	2 Seats	850	1650	3250
1923		4 CY Water-cool	2 Seats	700	1400	3800

LEWIS AIROMOBILE (US 1937)

YEAR	MODEL	ENGINE	BODY	F	G	E
1937	3-Wheel	Flat 4 Air-cool	Coupe	1150	2250	4500
1937	5 S	Flat 4	Saloon Sedan	700	1400	2800

LEXINGTON (US 1909-1928)

YEAR	MODEL	ENGINE	BODY	F	G	E
1909		4 CY		1650	3250	6500
1915	Minute Man	6 CY	Roadster	2500	5000	10000
1916		6 CY	Touring Car	2150	4250	8500
1917		6 CY	Roadster	2250	4500	9000
1920		6 CY	Touring Car	2000	4000	8000
1925		6 CY	Sedan	1650	3250	6500
1926	SP	6 CY	Phaeton	3150	6250	12500

LEYAT (F 1913-1921)

YEAR	MODEL	ENGINE	BODY	F	G	E
1913		Flat-twin ABC	Airscrew	850	1650	3250
1919	Tandem	3 CY Anzani	2 Seats	850	1650	3300
1920	Helica	3 CY Anzani	2 Seats	900	1750	3500
1920		3 CY Anzani	Saloon Sedan	700	1400	2800
1921		3 CY Anzani	3-Wheel	600	1200	2400

LEYLAND (GB 1920-1923)

YEAR	MODEL	ENGINE	BODY	F	G	E
1920	Eight	8 CY 40 hp	4 Seats	1000	2000	4000

YEAR	MODEL	ENGINE	BODY	F	G	E

LE ZEBRE (F 1909-1932)

YEAR	MODEL	ENGINE	BODY	F	G	E
1909		5 hp 600cc	2 Seats	850	1650	3250
1911		5 hp	Roadster	1200	2400	3800
1912		4 CY	2 Seats	900	1800	3600
1921	8/10	4 CY	2 Seats	900	1800	3600

LIBELLE (D 1920-1932)

1920	4/10 PS	V-twin	Cycle Car	800	1600	3200

LIBERIA (F 1900-1902)

1900	6.5 hp	Aster	Voiturette	1000	2000	4000
1900	12 hp	Aster	Voiturette	1100	2200	4400

LIBERTY (US 1914-1924)

1914	15 hp	V-twin Air	Cycle Car	900	1800	3600
1917	23 hp	6 CY Cont	Touring Car	1000	2000	4000
1920	23 hp	6 CY	Touring Car	1050	2100	4200

LIDKOPING (S 1923)

1923		4 CY Water-cool	4 Seats	950	1900	3800

(GB 1899-1902)

1899		2 CY	Steam	1650	3250	6500
1901		10 hp	Lorrie			

LIGHT (US 1914)

1914	30 hp	6 CY	Touring Car	1200	2400	4800

LIGIER (F 1969-to-date)

1969	JS 1	1.8 Litre Cosworth	Coupe	900	1750	3500
1971	JS 2	Ford V-6	Gran Turismo Coupe	950	1900	3800
1972	JS 3	Cosworth-Ford DFV	Sport	950	1850	3700

LILA (J 1923-1925)

1923	Type JC	10 hp	Saloon Sedan	600	1150	2300

LILIPUT (D 1904-1907)

1904	4 hp	1 CY	2 Seats	1100	2200	4300
1906	6 hp	1 CY	4 Seats	1100	2200	4400
1906	9 hp	2 CY	2 Seats	1100	2200	4250
1906	Libelle	4 CY	2 Seats	1150	2250	4500

LINCOLN (US 1909-to-date)

1909		2 CY 1.7 Litre	High-wheel	6500	9000	18500
1911		2 CY	High-wheel	6400	8500	17500
1914		4 CY	2 Seats	6000	8000	13500
1920	Six	6 CY	Touring Car	6500	12500	20000

YEAR	MODEL	ENGINE	BODY	F	G	E
1921	4 Dr	V-8 5.8 Litre	Sedan	4500	6500	11500
1922	LeLand	V-8	Touring Car	5500	14000	22000
1922		5.8 Litre	Sedanca de Ville	6750	9500	19000
1922	4 Dr	V-8	Sedan	3000	5000	8500
1923		V-8	Convertible Coupe	6000	10500	22500
1923	7 Ps	V-8	Limousine	3250	5500	12500
1923		V-8	Touring Car	6000	13000	24000
1923		V-8	Sedan	2850	4750	7500
1924	Series L	V-8	Convertible Coupe	4750	11500	20000
1924	Judkins	V-8	Coupe	3500	5750	9500
1924	7 Ps	V-8	Sedan	3000	5250	10500
1925	Brunn	V-8	Cabriolet	6000	15500	30000
1925		V-8	Doctor Coupe	3000	5000	8800
1925	2 Ps	V-8	Roadster	5800	14500	28000
1925	7 Ps	V-8	Sedan	3000	4500	10000
1925	7 Ps	V-8	Touring Car	4000	12000	22500
1925	7 Ps	V-8	Limousine	3800	5750	12500
1925	5 Ps	V-8	Sedan	3250	4675	7800
1925	DC	V-8	4 Ps Phaeton	8000	20000	35000
1925	4 Ps	V-8	Sedan	2800	4200	7800
1925	5 Ps	V-8	Coupe	3000	4650	8250
1925	4 Ps	V-8	3 Window Sedan	2950	4550	8000
1926	7 Ps	V-8	Touring Car	4000	12500	23500
1926	5 Ps	V-8	Sedan	2800	3950	7900
1926	DC	V-8	Phaeton	8250	21500	36000
1926		V-8	Roadster	4800	16000	25000
1926	2 Ps	V-8	Coupe	3000	4750	8000
1926	4 Ps	V-8	Sedan	1900	4250	7000
1926	4 Ps	V-8	Berline	3000	5500	10000
1926	Holbrook	V-8	Cabriolet	5500	16500	24900
1926	Brunn	V-8	Brougham	2550	4350	9000
1926	7 Ps	V-8	Limousine	2700	4500	10500
1926	7 Ps	V-8	Sedan	2950	4750	8250
1926		V-8	Sport Touring Car	4900	12500	20000
1927	4 Ps	V-8	Sedan	3000	4800	8500
1927	2 Ps	V-8	Coupe	2950	5200	8750
1927	7 Ps	V-8	Limousine	3100	5900	10000
1927	7 Ps	V-8	Touring Car	6000	14000	23500
1927	DC	V-8	Phaeton	12000	22000	36900
1927	Holbrook	V-8	Cabriolet	6500	14000	24500
1927		V-8	Roadster	6700	15500	26000
1928	Locke	V-8	Sport Phaeton	5500	16500	26000
1928	7 Ps	V-8 6.3 Litre	Sedan	4000	6000	12500

YEAR	MODEL	ENGINE	BODY	F	G	E
1928	Judkins	6.3 Litre	Sedan	3850	5500	10250
1928	Locke	6.3 Litre	Roadster	6500	20000	30000
1928	5 Ps	6.3 Litre	Sedan	2500	4800	7350
1928	Judkins	6.3 Litre	Coupe	2750	5500	9000
1928	7 Ps	6.3 Litre	Open Touring Car	5250	16000	23500
1928	DC	6.3 Litre	Phaeton	14000	27500	38000
1929	Model L	6.3 Litre	Brougham Town Car Cabriolet	4800	9000	18000
1929	7 Ps	6.3 Litre	Brougham	3300	5800	10000
1929	Locke Series L	V-8	Touring Car	7000	16500	27500
1929	7 Ps	V-8	Sedan	3200	5800	10750
1929		V-8	Cabriolet	8500	20000	31500
1929	5 Ps	V-8	Sedan	2800	4200	7900
1929	Club	V-8	Roadster	9250	21500	32000
1929		V-8	Victoria Convertible	10500	25000	37500
1929	5 Ps Model L	V-8	Sport Phaeton	5000	12000	20000
1929	7 Ps Model L	V-8	Sport Phaeton	5600	16500	25000
1930	5 Ps	V-8	Victoria Coupe	4000	6500	9750
1930	7 Ps	V-8	Open Touring Car	6000	16000	24000
1930	2 Ps	V-8	Coupe	2900	4850	7250
1930		V-8	Cabriolet	8500	21000	27500
1930	Model L	V-8	Landau Coupe	3800	6250	12500
1931		V-8	Rumble Seat Convertible	8750	21500	30000
1931		V-8	Sport Phaeton	7500	19000	28000
1931	LeBaron	V-8	Cabriolet	9500	23500	35500
1931	7 Ps	V-8	Sedan	3400	4800	8500
1931		V-8	Convertible Coupe	7750	20000	29500
1931			Sport Touring Car	6500	18500	28750
1932	KB	V-12	Roadster	12500	27500	45000
1932	4 Ps	V-12 7.2 Litre	Sport Phaeton	11750	26000	42500
1932	LeBaron	V-8	Dual Cowl Phaeton	16000	32500	60000
1932	5 Ps	V-8	Sedan	2750	5000	8000
1932	2 Dr	V-8	Victoria Sedan	3250	6250	9500
1932	LeBaron	V-8	Cabriolet	10000	20500	33000
1932	DC	V-8	Phaeton	15000	31500	57500
1932	CVT	V-8	Victoria	10500	25000	37500
1932	7 Ps	V-8	Sedan	3900	5900	11000
1932	Model KB	V-12 7.2 Litre	Cabriolet	12500	26000	42500
1932	Model KB	7.2 Litre	Touring Car Sedan	3800	6250	11500
1933	Brunn 258	V-12 6.3 Litre KA	Cabriolet	10500	25500	40000
1933	7 Ps	V-12	Sedan	4200	7500	14000
1933	CVT	V-12	Victoria	9500	24000	38750

YEAR	MODEL	ENGINE	BODY	F	G	E
1933	Club	V-12	Sedan	3850	7100	13000
1933	LeBaron	V-12	Coupe	4000	7350	13500
1933	LeBaron	V-12	Convertible Sedan 4 Door	11500	27500	42500
1933	LeBaron	V-12	Convertible Roadster	12500	28000	42000
1934	LeBaron	V-12 (7 Litre)	Cabriolet	13500	29500	48500
1934	Dietrich	V-12 6.8 Litre	Convertible Coupe	11750	25750	42500
1934	Club	V-12	Sedan	4000	6000	11500
1934	CVT	V-12	Victoria	11000	25000	40000
1934	2 Ps	V-12	Coupe	3850	5600	11000
1934	Victoria	V-12	Coupe	4500	7250	13000
1934	7 Ps	V-12	Limousine	4600	7500	14250
1935	Dietrich	V-12	Convertible Coupe	10500	20000	37500
1935		V-12	4 Door Convertible Sedan	11500	25000	40000
1935		V-12	Town Sedan	4500	6500	13000
1935	2 Ps	V-12	Coupe	3800	6000	11750
1935	2 Dr	V-12	Convertible	10750	22000	38500
1936	LeBaron	V-12	Convertible	10000	22500	35000
1936	KB	V-12 4.4 Litre	Brougham	4500	7500	14000
1936	KB	V-12 4.4 Litre	Town Sedan	4250	7000	12750
1936	KB	V-12 4.4 Litre	Convertible Sedan	10500	25000	37500
1936	LeBaron	V-12 4.4 Litre	Coupe	4450	7000	12000
1936		V-12 4.4 Litre	Sedan	4000	6500	12750
1936	KB 4 Ps	V-12	Phaeton	11000	25000	35000
1936	KB 5 Ps	V-12	Cabriolet	10000	20000	35500
1936	Model K Judkins	V-12	Limousine	4000	6500	14000
1937	2 Dr.		Convertible Sedan	10500	22000	32500
1937	K	V-12	Phaeton	10000	20000	30000
1937	2 Ps	V-12	Coupe	3200	5500	10000
1937	Club	V-12	Sedan	3100	5500	10500
1937	4 Dr	V-12	Sedan	3050	5450	11000
1937	2 Ps	V-12	Coupe	3100	5000	10000
1937	4 Dr	4.4 Litre	Convertible Sedan	11000	22000	33500
1937	KA		Roadster	10500	20000	30500
1938	LeBaron 410	V-12	Convertible Roadster	11000	21000	31500
1938	Brunn 408	V-12	Victoria Convertible	12500	22500	35000
1938		V-12	Town Sedan	3800	5500	10000
1938	4 Dr	V-12	Sedan	4000	5750	11000
1938	LeBaron	V-12	Convertible Sport	11000	19500	27500
1938	2 Ps	V-12	Coupe	3850	5200	10500
1938	LeBaron	V-12	Convertible Sedan	12000	21000	31000
1938	408 B	V-12	Town Limousine	4000	6000	12500
1938	417 A	V-12	Berline	4050	5950	12250

YEAR	MODEL	ENGINE	BODY	F	G	E
1939	Sunshine Special	V-12	Custom Convertible Sedan	8000	15000	25000
1939		V-12	Convertible Sedan 2 Door	7750	14000	20000
1939		V-12	Town Sedan	3200	5500	10500
1939		V-12	Convertible Sedan 4 Door	7500	13750	20000
1939		V-12	Convertible Coupe	7250	13500	19500
1939	2 Ps	V-12	Coupe	3500	5800	14000
1939		V-12	Phaeton	8500	15000	23500
1940		V-12	Limousine	3800	6000	13500
1940		V-12	Convertible Coupe	4500	9000	19500
1940	2 Ps	V-12	Coupe	3900	5850	13750
1940		V-12	Convertible Sedan	5000	12500	19500
1940		V-12	Cabriolet	4850	12250	18750
1940	Zephyr 4 Dr		Sedan	4000	5750	9250
1940	Brunn K		Brougham	4100	5850	10500
1941	168 H	V-12 4.8 Litre	Sedan	4000	5800	9800
1941		V-12	Convertible Coupe	5000	9500	18500
1941	Zephyr	V-12	Sedan	4050	5750	10750
1941	2 PS	V-12	Coupe	4125	5850	10850
1941	Continental	V-12 4.8 Litre	Convertible	4750	10000	20750
1941		V-12	Hardtop	3950	5600	10500
1941	8 Ps	V-12	Limousine	3750	5900	13250
1941		V-12	Club Coupe	3500	5750	11000
1941		V-12	Cabriolet	5000	8000	15000
1941		V-12	Convertible Cabriolet	5100	10000	21000
1942	Model 32	V-12	Limousine	3900	5800	12500
1942	268 H	V-12	Sedan	3700	5750	11500
1942	4 Dr	V-12	Sedan	2650	3600	6000
1942	Model 72	V-12	Coupe	3550	5550	9750
1942	Model 77 A	V-12	Club Coupe	2700	4700	8300
1942	Model 76	V-12	Convertible Coupe	2750	7500	14000
1942	Continental	V-12	Cabriolet	4500	10000	20000
1946	Model 76	V-12	Convertible	3500	6500	12000
1946	Model 73	V-12	Sedan	1500	3000	6000
1946	Continental	V-12	Convertible Cabriolet	4750	9750	15500
1946	Continental	V-12	Club Coupe	2300	5500	9500
1946	Custom	V-12	Limousine	2550	5850	12000
1947	Model 76	V-12	Convertible Coupe	4000	6900	12500
1947		V-12	Club Coupe	2200	3850	8000
1947	Model 73	V-12	Sedan 4 Door	2400	4000	9500
1947	Continental	V-12	Coupe	2450	4100	9750
1947	Continental	V-12	Cabriolet	3800	7850	15000
1947	Model 76	V-12	Convertible Cabriolet	3100	6000	12000

YEAR	MODEL	ENGINE	BODY	F	G	E
1948	Continental	V-12	Convertible Cabriolet	3900	8000	16500
1948	Continental	V-12	Coupe	3300	5000	10000
1948		V-12	Convertible Cabriolet	3700	5600	12750
1948		V-12	Club Coupe	3200	4850	9750
1949	Cosmopolitan	V-8 5.5 Litre	Fastback 4 Door	700	1700	3000
1949	Cosmopolitan	V-8 5.5 Litre	4 Door Sedan	850	1750	3500
1949	Cosmopolitan 76	V-8 5.5 Litre	Convertible	1700	2500	4500
1949	Model 72	V-8	Club Coupe	850	1750	3500
1949	Model 74	V-8	Sport Sedan	875	1900	3750
1949	White House	V-8	Limousine	3600	5500	11000
1950	Cosmopolitan	V-8	Convertible	2500	4850	6500
1950	Cosmopolitan 72	V-8	Club Coupe	1200	2400	4500
1950	Cosmopolitan 74 4 Dr	V-8	Sport Sedan	900	1700	3000
1950	White House	V-8	Limousine	3500	5350	10750
1950	Cosmopolitan	V-8	Touring Car	3300	5000	10500
1950	Cosmopolitan	V-8	Capri Coupe	900	1850	3400
1950	Lido	V-8	Coupe	1000	1900	3850
1951	Cosmopolitan	V-8	Convertible	2200	3550	6500
1951	Lido 2 Dr	V-8	Coupe	1100	2000	3900
1951	Cosmopolitan	V-8	Sport Sedan	1000	1500	2550
1951	Cosmopolitan	V-8	Coupe	950	1800	3700
1951	Cosmopolitan	V-8	Capri Coupe	925	1750	3500
1952	Capri	V-8	Hardtop 2 Door	900	1700	3450
1952	Cosmopolitan	V-8	4 Door Sedan	750	1550	2900
1952	Cosmopolitan	V-8	Sport Couupe Hardtop	950	1800	3750
1952	Cosmopolitan	V-8	Convertible	1500	2600	5000
1953	Capri	V-8	Convertible	1500	2500	5000
1953	Capri	V-8	2 Door Hardtop	900	1900	3500
1953	Capri	V-8	4 Door Sedan	750	1700	3000
1953	Cosmopolitan	V-8	Sport Coupe Hardtop	1000	1800	3750
1953	Cosmopolitan		4 Door Sedan	1000	1700	3600
1954	Capri	V-8	2 Door Hardtop	950	1750	3675
1954	Capri	V-8	4 Door Sedan	750	1600	2700
1954	Capri	V-8	Convertible	1200	2500	5500
1954	Cosmopolitan	V-8	4 Door Sedan	700	1400	2700
1954	Cosmopolitan	V-8	Sport Coupe Hardtop	1000	2000	3900
1955	Capri	V-8	4 Door Sedan	750	1500	2300
1955	Capri	V-8	Coupe Hardtop	750	1450	2300
1955	Custom	V-8	4 Door Sedan	500	1000	2000
1955	Capri	V-8	Convertible	1400	2500	4500
1956	Premier	V-8 6 Litre	4 Door Sedan	800	1690	3000
1956	Premier	V-8	Convertible	2500	3500	6500
1956	Capri	V-8	Sport Coupe Hardtop	800	1850	2500

319

YEAR	MODEL	ENGINE	BODY	F	G	E
1956	Continental Mark II	V-8	2 Door Hardtop	2800	6750	10000
1956	Capri	V-8	4 Door Sedan	300	1000	2000
1956	Capri	V-8	Sport Coupe Hardtop	700	1200	2250
1957	Continental Mark II	8 CY	Convertible	3000	7000	13500
1957	Continental Mark II	8 CY	2 Door Hardtop	2850	6750	12000
1957	Capri	8 CY	4 Door Sedan	350	600	1200
1957	Capri	8 CY	2 Door Hardtop	450	1100	1750
1957	Capri	8 CY	4 Door Hardtop Landau	400	800	1700
1957	Premiere	8 CY	2 Door Hardtop Coupe	700	1400	2250
1957	Premiere	8 CY	4 Door Hardtop Landau	450	750	1750
1958	Mark III	V-8	Convertible	1500	2750	4500
1958	Mark III	V-8	Hardtop Coupe	1200	2850	3000
1958	Capri	V-8	4 Door Sedan	700	1300	2100
1958	Capri	V-8	2 Door Hardtop	1000	1600	2450
1958	Premiere	V-8	2 Door Hardtop	1200	1500	2650
1959	Mark IV	V-8	4 Door Sedan	1000	2000	2500
1959	Mark IV	V-8	Town Car	1100	2250	3750
1959	Mark IV	V-8	Exec. Limousine	1400	3250	3500
1959	Mark IV	V-8	Coupe	1100	2850	3000
1959	Premiere	V-8	Coupe	1000	2750	3100
1959	Premiere	V-8	4 Dr Sedan	1050	2300	2850
1959	Mark IV	V-8	Landau	1100	2300	3000
1959	Mark IV	V-8	Formal Sedan	1150	3200	3500
1960	Continental	V-8	2 Door Convertible	1500	2700	4500
1961	Continental	V-8	4 Door Convertible	1200	2400	4500
1962	Continental	V-8	4 Door Convertible	1000	2000	3900
1963	Continental	V-8	4 Door Convertible	1000	1800	3500
1964	Continental	V-8	4 Door Convertible	1000	1800	3500
1965	Continental	V-8	4 Door Convertible	1000	1900	3800
1966	Continental	V-8	4 Door Convertible	1000	2000	4000
1967	Continental	V-8	4 Door Convertible	900	1800	3750
1968	Continental Mark III	V-8	Coupe	900	1800	3500
1970	Continental Mark III	V-8	Coupe	1000	1800	3750

LOTUS (GB 1952-to-date)

YEAR	MODEL	ENGINE	BODY	F	G	E
1952		Consul 1.25 Litre	Sport	750	1500	3000
1953		Ford 10	Sport Racing Car	900	1750	3500

YEAR	MODEL	ENGINE	BODY	F	G	E
1916		6 CY	Racing Car	6000	12000	24000
1916		6 CY	Sport	6000	12000	24000
1916		4 CY	Sport	5000	10000	21000
1916		6 CY	Limousine	6500	12500	25000
1916		6 CY	Touring Car	5500	11000	22500
1917		6 CY	Sport	6000	12000	24000
1917		6 CY	Racing Car	7000	14000	28000
1917		6 CY	Touring Car	6000	12500	25000
1917		6 CY	Limousine	6000	12000	24000
1918		6 CY	Limousine	6000	12000	24000
1918		6 CY	Phaeton	6000	12000	24500
1918		6 CY	Touring Car	6000	12500	25000
1918		6 CY	Racing Car	6000	12000	24000
1918			Sport	6000	12500	25000
1919		6 CY	Cabriolet	5500	11000	22500
1919		6 CY	Touring Car	6000	12000	24000
1919		4 CY	Sport	6500	12500	25000
1919		4 CY	Racing Car	5500	11500	23000
1920		6 CY	Coupe	4500	9000	18000
1920		6 CY	Cabriolet	5500	11000	22500
1920		4 CY	Racing Car	6000	12000	24000
1920		4 CY	Sport	5500	11000	23000
1920		4 CY	Limousine	6000	12000	24000
1921	28/95	6 CY 95 hp	Sport	7000	14000	28000
1921	6/25/40	4 CY 43 hp	Sport	6500	13000	26000
1921	16/50	6 CY	Limousine	6000	12000	24000
1921	10/30	4 CY	Racing Car	6000	12500	25000
1921	6/18	4 CY	Sport	6000	12000	24000
1922	10/40/65	4 CY 66 hp	Touring Car	7500	15000	30000
1922		6 CY 90 hp	Racing Car	7000	14000	28000
1922		6 CY	Limousine	6000	12500	25000
1922	Drop shaped	6 CY	Racing Car	7500	15000	30000
1923		4 CY 120 hp	Racing Car	7500	15000	30000
1923	SC	4 CY 65 hp	Racing Car	6500	12500	25000
1923	24/100/140	6 CY 145 hp	Touring Car	9000	18500	35000
1924	25-40	6 CY	Touring Car	5500	11000	22000
1924	SC	8 CY 160 hp	Racing Car	7000	14000	28000
1924	11/40	6 CY	Phaeton	7000	14000	28000
1924	24/100/140	6 CY SC	2 Seats	6000	12000	24000
1924	24/100/140	6 Litre 140 hp SC	4 Passenger Touring Car	6000	12000	23000
1924		6 CY	Roadster	5500	11000	22000
1925	SS	6 CY	Touring Car	6000	12000	24000
1926	Model K	6 CY 160 hp	Touring Car	7500	15000	30000
1926	Stuttgart 200	6 CY 35 hp	Cabriolet	4000	7500	15000

YEAR	MODEL	ENGINE	BODY	F	G	E
1926	Mannheim	6 CY	Saloon Sedan	2250	4500	8500
1926	SS	6 CY	Roadster	9000	18000	36000
1927	Model S	6 CY 180 hp SC	Sport	9000	17500	38000
1927	Model SSK	6 CY 225 hp SC	Sport	11000	22500	45000
1927	Model K	6 CY	Touring Car	10000	20000	40000
1927	SS	6 CY 170 hp	Touring Car	10000	20000	40000
1928	4 Dr	8 CY	Convertible	10000	20000	40000
1928	Model SS	6 CY 225 hp SC	Sport	9000	18000	35000
1928	15/70/100	6 CY 116 hp	Limousine	7500	15000	30000
1928	Stuttgart 260	6 CY	Cabriolet	8000	16000	32000
1928	Model S	6 CY	Speedster	10000	19000	38000
1928	4 Ps	6 CY	Touring Car	10000	20000	40000
1929	Model 230	6 CY	Roadster	4500	9000	18000
1929	Model K	8 CY	Limousine	6500	12500	25000
1930	Super Mercedes	8 CY 200 hp	Limousine	5000	10000	20000
1930	'D'	8 CY	Coupe	3000	6000	12000
1930		8 CY	Cabriolet	3500	7500	15000
1930		8 CY	Touring Car	3500	7000	14000
1931	Model SSKL	6 CY 300 hp	Sport Racing Car	9000	17500	35000
1931	Mannheim 370S	6 CY 78 hp	Convertible	6500	12500	25000
1931	SF	8 CY SC	Cabriolet	5000	10000	20000
1931	Type 170	6 CY	Limousine	5000	10000	20000
1931	540K	6 CY	Sport Touring Car	9000	17000	34000
1932	SSK	8 CY	Racing Car	7500	15000	30000
1932	500K	8 CY 160 hp SC	Cabriolet	7500	15000	29000
1932	SSK	8 CY	Limousine	8250	17500	35000
1932	SSK	8 CY	Roadster	10000	20000	40000
1933	170	6 CY	Roadster	3000	5000	10000
1933	170	6 CY	Cabriolet 2 Seats	3200	6000	12000
1933	130 H	4 CY 26 hp	Limousine	3300	6500	12500
1933	290	6 CY 68 hp	Convertible	5000	10000	20000
1933	380	8 CY 130 hp	Convertible	11000	22500	25000
1933	380 K	8 CY	Saloon Sedan	4500	9000	18500
1934	500 K	8 CY 160 hp	Roadster	11000	22500	45000
1934	150 H	4 CY 55 hp	Sport	2000	4000	8000
1934	290		Cabriolet	5000	10000	20000
1934	W-25 GP	354 hp 3.36 Litre	Racing Car	7500	15000	30000
1935	4 Ps		Touring Car	5000	20000	40000
1935	500 K	4 CY	Saloon Sedan	10000	21000	42000
1935	770 K		Limousine	10000	20000	40000

YEAR	MODEL	ENGINE	BODY	F	G	E
1954	J 4	MG 1.25 Litre	Sport	1000	1900	3800
1955	Mark 9	Bristol 2 Litre	Racing Car	1100	2250	4500
1956	Mark 10	Ford 10	Racing Car	1100	2250	4500
1957	Mark 11	1.2 Litre	Sport	1000	2000	4000
1958	Elite	1.2 Litre Coventry-Climax	Coupe	1000	2250	4500
1958	Mark 15	2.2 Litre	Sport	1000	2000	4000
1959	Elite	1.5 Litre	Coupe	1100	2250	4500
1959	Mark 17	2.2 Litre	2 Seats	1000	2000	4000
1960	Elite		Coupe	1250	2500	5000
1961	Mark 20	Gosworth Ford	Coupe	1200	2400	4800
1961	Super Seven	1.5 Litre	Sport	900	1750	3800
1962	Elite	1.5 Litre	Coupe	1500	3000	6000
1965	Elan	116 E Ford	Convertible	1100	2250	4500
1966	Mark 46 Europa	1.5 Litre	Coupe	900	1750	3800
1967	Mark 49	Ford	Racing Car	1250	2500	5000

M

Mercedes-Benz— 1955 "300 SL Gullwing Coupe"

YEAR	MODEL	ENGINE	BODY	F	G	E
MASERATI (I 1926-to-date)						
1926	Tipo 26	1.5 Litre	Racing car	2800	5500	12500
1926	Tipo 26	1.5 Litre	2 Seats	2600	5200	11750
1927	26 B	2 Litre	Racing Car	3100	6500	12750
1928	28 B	2 Litre	2 Seats	3300	6750	13250
1929	Tipo 14	2 Litre	2 Seats	3000	6600	11500
1930	8 C 2500	8 CY	Racing Car	6250	8700	16500

YEAR	MODEL	ENGINE	BODY	F	G	E
1930	8 C 1500	1.5 Litre	Racing Car	6000	8000	15000
1931	8 C 1100	8 CY	Racing Car	5600	7250	13250
1931	8 C 1100	2.5 Litre	Racing Car	6500	8500	17500
1932	8 C 2800	2.5 Litre	Racing Car	6750	9250	19500
1933	8 C 3000	8 CY	Racing Car	7200	10500	21000
1933	8 CM 3000	2.8 Litre	2 Seats	8500	14250	25000
1934	8 CM 34	3 Litre	Racing Car	9000	15500	30000
1935	Tipo B	V-8	Grand Prix Racing Car	6250	9000	16500
1935	Tipo B	6 CY	Touring Car	5000	7250	12500
1936	V 8 R1	2.6 Litre	Voiturette	4750	8500	14500
1937	6 CM	6 CY	Voiturette	4000	7250	9500
1938	4 CM 1100	4 CY	Grand Prix Racing Car	3750	6800	10250
1939	4 CL	4 CY	Sport	3900	7000	11000
1939	8 CTF	8 CY	Sport	7000	9000	16000
1940	4 CL	4 CY	Grand Prix Racing Car	5750	7500	10500
1940	8 CL	8 CY	Grand Prix Racing Car	6800	10000	17500
1941	8 CTF	8 CY	Grand Prix Racing Car	6500	9500	16500
1942	8 CL	6 CY	Touring Car	5750	8000	12250
1943	A 6	4 CY	Grand Prix	3400	6700	9500
1944	A 6	4 CY	Grand Prix	3200	6500	9250
1945	A 6	2 Litre	Coupe	3000	6200	9000
1946	A 6	6 CY	Sport Racing Car	4750	8750	10800
1947	4 CLT	4 CY	Grand Prix	3500	7400	9250
1948	4 CLT/48	4 CY	Grand Prix	3200	5650	8750
1949	4 CLT/48	4 CY	Grand Prix	3300	6100	9250
1950	4 CLT/48	4 CY	Grand Prix	3500	6500	10000
1951	A 6	6 CY	Sport Racing Car	3700	6800	10500
1952	A 6 GCM	6 CY	Grand Prix	3400	6900	9800
1953	A 6 SS G	6 CY	Grand Prix	3500	6750	10000
1953	A 6 GCS 2000	6 CY	Sport	4200	7200	11500
1953	A 6 G 2000	6 CY	Touring Car	4500	7500	12250
1954	250 F	6 CY	Grand Prix	4100	6800	9500
1955	300 S	6 CY	Sport	6250	8500	13250
1955	150 S	4 CY	Sport	4000	6750	9500
1956	200 S	2 Litre	Sport	3650	5700	8800
1957	300 S	6 CY	Sport	4700	6850	9250
1957	450 S	V-8	Coupe	6300	8200	14500
1958	V-12	V-12	Grand Prix	7250	10500	18000
1958	250 F	3.5 Litre	Sport	6300	7500	10800
1958	450 S	V-8	Sport	5800	7750	11250
1958	Eldorado	V-8	Grand Prix	6200	8100	12500
1959	Tipo 60	4 CY	Sport Racing Car	5700	7100	9500
1959	Tipo 61	4 CY	Sport Racing Car	4850	7250	9500
1960	Tipo 151	V-8	Fixed Head Coupe	4400	6800	10000
1961	Tipo 63	4 CY 3 Litre	Sport Racing Car	4100	6250	9800

YEAR	MODEL	ENGINE	BODY	F	G	E
1962	Tipo 151	V-8	Sport Racing Car	4300	6350	9850
1963	Tipo 63	V-8	Sport Racing Car	4700	6700	10000
1964	Tipo 63	V-8	Sport Racing car	4650	7250	10250
1965	Tipo 65	V-8	Sport Racing Car	5250	6900	12500
1965	Iso Grifo	6 CY	Grand Prix	4750	6700	10800
1965	3500 GT	6 CY	Touring Car	4800	6850	10850
1966	35000 GTI Sebring	6 CY	Touring Car	4750	7250	11500
1966	Quattro Porte	V-8	Touring Car	5250	7500	12500
1967	Mistrale	6 CY	Coupe	4200	6700	10500
1968	Mexico	V-8	2 Door Saloon Sedan	3900	5900	8500
1969	Ghibli	V-8	Coupe	4750	7250	12500
1970		V-8	Spyder	6800	9500	14250
1971	Indy	V-8	Coupe	4900	7000	12500
1972	Indy Am.	V-8	Coupe	6500	8250	11250
1973	Merak	V-6	Coupe 2+ 2	6750	8750	11500
1973	Bora	V-8	Coupe	7500	10250	14500
1973	Ghibli	V-8	Coupe 2 + 2	7750	10750	15000

MERCEDES (D 1901-1926)
MERCEDES-BENZ (1926-to-date)

YEAR	MODEL	ENGINE	BODY	F	G	E
1901	35 hp	4 CY	Phaeton	10000	20000	40000
1901	35 hp	4 CY	Racing Car	15000	30000	60000
1902	22.6 hp	4 CY	Tonneau	10000	20000	40000
1902	35 hp	4 CY	Touring Car	12500	25000	50000
1902	35 hp	4 CY	Phaeton	11000	22500	45000
1903	Simplex	4 CY 18 hp	Tonneau	10000	20000	40000
1903	Simplex	4 CY 40.3 hp	Touring Car	12500	25000	50000
1903	Simplex	4 CY 60 hp	Phaeton	11000	22500	45000
1903	'60'	4 CY 65 hp	Racing Car	15000	30000	60000
1904	Simplex	4 CY 18 hp	Dbl Tonneau	15000	30000	60000
1904		4 CY	Limousine	10000	20000	40000
1904	'90'	4 CY	Racing Car	15000	30000	60000
1904		4 CY	Phaeton	11000	22500	45000
1904		4 CY	Touring Car	11500	25000	50000
1905	'90'	4 CY	Racing Car	15000	30000	60000
1905		4 CY	Touring Car	16000	32000	65000
1905		4 CY	Limousine	11000	22500	45000
1905		4 CY	Phaeton	10000	20000	40000
1905		4 CY	Tonneau	17000	33000	65000
1906		4 CY 45 hp	Limousine	10000	20000	40000
1906	18/22	4 CY	Racing Car	15000	30000	60000
1906	18/32	4 CY	Laundalet	10000	20000	40000
1906	40/45	4 CY	Touring Car	16000	32500	65000

YEAR	MODEL	ENGINE	BODY	F	G	E
1907	37/70 PS	6 CY	Racing Car	12500	25000	50000
1907	39/80 PS	6 CY	Racing Car	15000	30000	60000
1907	40/60 PS	6 CY	Touring Car	15000	30000	60000
1907	37/70 PS	6 CY	Limousine	7500	15000	35000
1907		6 CY	Laundalet	10000	20000	40000
1908		6 CY 70 hp	Laundalet	7500	15000	30000
1908	GP	4 CY 120 hp	Racing Car	7500	15000	30000
1908	Blitzen-Benz	6 CY	Racing Car	15000	30000	60000
1908	20/50	6 CY	Racing Car	7500	15000	30000
1909	16/45	4.1 Litre	Racing Car	7500	15000	30000
1909		4.1 Litre	Touring Car	10000	20000	40000
1909	28/60	6 CY	Racing Car	7500	15000	30000
1909		6 CY	Limousine	6000	12500	25000
1909		6 CY	Sport	7500	15000	30000
1910	14/30	4 CY 30 hp	Sport	5500	11000	22500
1910	38/80	4 CY 75 hp	Sport	7500	15000	30000
1910	14/30	4 CY 30 HP	Touring Car	6000	12500	25000
1910	28/60	4 CY 60 hp	Laundalet	7000	14000	28000
1910	28/60	4 CY 62.4 hp	Double Phaeton	7500	15000	30000
1911	10/20	4 CY 20 hp	Sport	6000	12000	24000
1911	37/90	4 CY 90 hp	Sport	7500	15000	30000
1911	22/50	4 CY 54 hp	Limousine	6000	12500	25000
1911	16/40	4 CY 40 hp	Touring Car	6000	12500	25000
1911	16/40	4 CY 43 hp	Phaeton	7000	14000	28000
1912	14/30	4 CY 50 hp	Limousine	6000	12500	25000
1912	38/70	4 CY 95.8 hp	Sport Phaeton	8000	15000	30000
1912	22/46	4 CY 40 hp	Limousine	6000	12000	24000
1912	29/60	4 CY 60 hp	Limousine	7000	13000	26000
1912	22/40	4 CY	Touring Car	6000	12500	25000
1912	38/70	4 CY	Racing Car	6000	11000	22000
1913	14/35	4 CY 35 hp	Sport	6000	12000	24000
1913	16/50	4 CY	Racing Car	7000	14000	28000
1913		4 CY	Touring Car	6000	12500	25000
1913		4 CY	Limousine	6000	12500	25000
1913	38/70	4 CY	Sport Phaeton	5500	11000	23000
1914	GP	4 CY 117 hp	Racing Car	7000	13500	27000
1914	28/95	6 CY 85 hp	Touring Car	7000	13000	26000
1914	28/95	6 CY 95 hp	Sport	6000	12000	24000
1914		4 CY	Limousine	6000	12500	25000
1914		4 CY	Sport	5500	11000	22000
1915		6 CY	Racing Car	6000	12000	24000
1915		6 CY	Touring Car	5500	11000	23000
1915		6 CY	Sport	6000	12000	24000
1915		6 CY	Limousine	7500	13000	26000
1915		4 CY	Sport	5500	11000	22000

YEAR	MODEL	ENGINE	BODY	F	G	E
1935	260 D	4 CY 45 hp	Limousine	7000	14000	28000
1935	170 V	4 CY 38 hp	Limousine	6000	12000	24000
1935	170 V	4 CY 38 hp	Convertible	6000	12500	25000
1935	500 K	4 CY	Roadster	15000	30000	57500
1935	500 K	4 CY	Cabriolet	14000	25000	50000
1936	W-25	12 CY 540 hp	Racing Car	12000	24000	28000
1936	540 K	8 CY 180 hp	Roadster	11000	22500	45000
1936	500 K	8 CY	Cabriolet	11000	22500	45000
1936	500 KSC	8 CY	Sport Convertible	10000	20000	40000
1936	500 K	8 CY	Coupe	14000	15000	30000
1936	500 K	8 CY	Touring Car 4 Passenger	10000	19000	38000
1937	320	6 CY 78 hp	Limousine	5500	11000	22000
1937	W-125	8 CY 592 hp	Racing Car	9000	17500	35000
1937	500 K	8 CY 78 hp	Roadster	10000	21000	42000
1937		4 CY 50 hp	Sport	6500	15000	30000
1937	320	6 CY	Cabriolet	10000	19000	28000
1937	500 K	8 CY 115 hp	Convertible Coupe	5000	10000	20000
1937	540 KSC	8 CY 180 hp	Convertible	9000	17500	33000
1938	540 K	5.4 Litre	Coupe	4500	9000	17500
1938	230	6 CY 55 hp	Convertible	2450	12500	25000
1938	W-154	12 CY 468 hp	Racing Car	15000	30000	60000
1938	W-125	12 CY 736 hp	Record	15000	30000	60000
1938	Super Mercedes	8 CY 230 hp	Sport	10000	20000	40000
1938	230	8 CY	Cabriolet	6000	12000	24000
1938	'F'	7 Litre	Limousine	6500	12500	25000
1938	540 K	8 CY	Cabriolet	12500	25000	50000
1938	540 K	8 CY	Roadster	12500	25000	47000
1939	W-154	12 CY 483 hp	Racing Car	12500	25000	50000
1939	W-165	8 CY 254 hp	Racing Car	9000	18000	35000
1939	290	8 CY	Cabriolet	10000	20000	40000
1939	230	8 CY	Roadster	9000	17000	34000
1939	170	4 CY	Sport	4000	7500	15000
1939	220	6 CY	Sport	5000	10000	20000
1940	770 K	German Staff Car	Limousine	45000	80000	170000
1947	170 V	4 CY 38 hp	Sedan	2000	3500	6500
1947	170 D	4 CY	Coupe	2500	4500	7000
1948	170 D	4 CY	Coupe	1000	2100	4200
1948	170 V	4 CY	Coupe	1000	2000	4000
1948	190	6 CY	Sedan	1350	2750	5500
1949	170 S	4 CY 52 hp	Limousine	1500	3000	6000
1949	170 D	4 CY 38 hp	Sedan	1000	2000	4000
1949	170 V	4 CY	Coupe	1500	2900	5800
1950	170 V	4 CY 45 hp	Sport	2250	4500	9000
1950	170 D	4 CY 40 hp	Convertible Coupe	3000	6000	12000

YEAR	MODEL	ENGINE	BODY	F	G	E
1950		6 CY	Limousine	2000	4000	8000
1950		6 CY	Sedan	2000	4000	7500
1951	220	6 CY 80 hp	Convertible	3750	6500	12500
1951	300	6 CY 115 hp	Sedan	2000	4000	8000
1951	300	6 CY	Coupe	2100	4300	8500
1951	300	6 CY	Sport	2250	4500	9000
1952	300 C	6 CY	Cabriolet	3500	7000	13500
1952	300 S	6 CY 150 hp	Sedan	1100	2250	4500
1952	300 S	6 CY 175 hp	Coupe	2500	5000	10000
1952	170 V	4 CY 45 hp	Coupe	1850	2750	5500
1952	170 D	4 CY 40 hp	Cabriolet	1750	3500	7500
1952	170 S	4 CY 52 hp	Limousine	1500	3000	6000
1953	170 SV	4 CY 45 hp	Coupe	1750	3500	7000
1953	170 SD	4 CY 40 hp	Sport	1750	3500	6500
1953	180	4 CY 52 hp	Limousine	1500	3000	6000
1953	300 4 Dr	4 CY	Convertible	2500	5000	10000
1953	300 S	4 CY	Convertible Coupe	2500	5000	10500
1953	220	4 CY	Cabriolet	3000	6000	12000
1954	300 B	6 CY	Sedan	1500	3000	6000
1954	220	6 CY 85 hp	Limousine	1100	2250	4500
1954	300	6 CY 125 hp	Limousine	1400	2750	5500
1954	300 SLR	8 CY 300 hp	Sport Racing Car	7500	15000	30000
1954	RRW 196	8 CY 290 hp	Racing Car	4500	9000	17500
1954	300	8 CY	Convertible Coupe	3000	6000	12000
1955	190 SL	4 CY 105 hp	Sport	1300	3600	7200
1955	300 C	6 CY 125 hp	Sedan	1200	2450	4500
1955	300 SC	6 CY 175 hp	Coupe	3250	6500	13000
1955	300 SLR	8 CY 310 hp	Sport	7500	15000	30000
1955	300 SL	8 CY	Gullwing Coupe	6500	12500	25000
1956	190 SL	4 CY 75 hp	Convertible	2000	3750	7500
1965	220 S	6 CY 100 hp	Sedan	1000	1750	3500
1956	300	6 CY 160 hp	Limousine	1600	3250	6500
1956	300 SC	6 CY	Coupe	3250	6500	12500
1956	300	6 CY	Convertible Coupe	3250	7500	15000
1956	300S	6 CY	Cabriolet	4500	9000	17500
1957	180	4 CY 65 hp	4 Door Sedan	750	1300	2500
1957	300 SL	6 CY 215 hp	Roadster	5000	10000	20000
1957	300 SL	6 CY 160 hp	Gullwing Coupe	6250	12500	25000
1957	190 SL	6 CY	Roadster	1750	3500	7000
1957	200 S	6 CY	Convertible	1850	3700	7500
1958	190 D	4 CY 50 hp	4 Door Sedan	650	1250	2500
1958	220 SE	6 CY 115 hp	Convertible	2000	3900	7800
1958	220 S	6 CY	4 Door Sedan	1850	2750	3500
1958	220 S	6 CY 110 hp	Convertible	1950	3850	7500
1959	180	4 CY 68 hp	4 Door Sedan	500	1000	2000

YEAR	MODEL	ENGINE	BODY	F	G	E
1959	180 D	4 CY 43 hp	Sedan	600	1100	2200
1959	220 S	6 CY 110 hp	Coupe	1500	3000	6000
1959	300	6 CY 95 hp	Limousine	1650	3250	7500
1959	220 SE	6 CY 120 hp	Coupe	1650	3250	6500
1959	220 S	6 CY	Convertible	1750	3450	7500
1959	190 SL	6 CY	Convertible	3500	5500	8500
1962	220 SE	6 CY 134 hp	Coupe	2850	4500	8500
1968	230 SL	6 CY	Convertible	3850	6000	8750
1970	250 SL	6 CY	Convertible	4000	5850	10500

MERCURY (US 1904-to-date)

YEAR	MODEL	ENGINE	BODY	F	G	E
1904	7 hp	2 CY Water-cool	2 Seats	1200	2400	4800
1914	9 hp	2 CY Air-cool	Cycle Car	1250	2500	5000
1914		2 CY	Tandem 2 Seats	1300	2600	5200
1918		4 CY Weidley	Sport Touring Car	1400	2800	5700
1918	4 CY	4 CY Duesenberg	Touring Car	1500	3250	6500

FORD BUILT 1939-to-date — — — — — — — — — — — — — — — —

YEAR	MODEL	ENGINE	BODY	F	G	E
1939	4 Dr	V-8	Sedan	1000	1800	3500
1939	4 Dr	V-8	Convertible Sedan	2600	5000	10500
1940		V-8	Victoria Coupe	1300	2250	3650
1941		V-8	Convertible Coupe	2750	5000	11000
1942		V-8	Station Wagon	2500	5000	8500
1946	Town Sedan	V-8	4 Door Sedan	800	1650	3000
1947		V-8	Convertible Coupe	1750	3850	7950
1948		V-8	Club Coupe	1250	2450	3550
1949		V-8	Convertible Coupe	1900	3800	6750
1950	4 Dr	V-8	Sedan	600	1000	2000
1951		V-8	Convertible Coupe	1500	3500	6500
1952	Monterey	V-8	Convertible	800	1500	3250
1953	Monterey	V-8	2 Door Hardtop	750	1250	2250
1954	Sunvalley	V-8	2 Door Hardtop Glasstop	1075	1750	3500
1955	Montclair	V-8	4 Door Sedan	1000	1650	3000
1955	Montclair	V-8	2 Door Hardtop	750	1500	2750
1956	Montclair	V-8	4 Door Hardtop	650	1100	2500
1957	Turnpike Cruiser	V-8	2 Door Hardtop	800	1400	2500
1958	Park Lane	V-8	2 Door Hardtop	750	1250	2250
1959	Park Lane	V-8	Convertible	1500	2500	4000
1960	Colony Park	V-8	4 Door Hardtop Station Wagon	950	1400	2350
1960	Comet	6	2 Door Sedan	250	500	1000
1961	390	V-8	Convertible	475	1000	1850
1962	Monterey S55	390 V-8	2 Door Hardtop	500	850	1650
1963½	Marauder	390 V-8	2 Door Hardtop	800	1400	2000

YEAR	MODEL	ENGINE	BODY	F	G	E
1964	Comet Cyclone	289 V-8	2 Door Hardtop	800	1400	2500
1965	Comet Caliente	289 V-8	Convertible	800	1450	2250
1966	Comet Cyclone GT	390 V-8	Convertible	500	1100	2150
1966	S-55	390 V-8	Convertible	350	800	1500
1967	Cougar XR7	289 V-8	Coupe	475	1100	1850
1968	Cougar XR7 GTE	428 V-8		750	1400	2250
1970	Marauder X100	428 V-8	2 Door Hardtop	800	1550	2950
1970	Cyclone GT	428 V-8		750	1400	2250
1971	Cougar	351 V-8	Convertible	1400	2450	3850

METROPOLITAN (US/GB 1954-62)

YEAR	MODEL	ENGINE	BODY	F	G	E
1954	Nash	4 CY	Convertible	800	1500	2500
1956	Hudson	4 CY	Coupe	850	1600	2250
1958	AMC	4 CY	Coupe	750	1500	2000
1962	AMC	6 CY	Coupe	775	1550	2100

M.G. (GB 1924-to-date)

YEAR	MODEL	ENGINE	BODY	F	G	E
1924	Super	1.8 Litre	Sport	1200	2400	4800
1926		14/28	2 Seats	2750	5250	5000
1927	Morris Six	6 CY	Sport	1500	3000	6000
1928	Morris Minor	18/80 hp	Sport	1500	3000	6000
1929	Midget	8 hp	2 Seats	1550	3100	6200
1930	M Type	4 CY	Roadster	1750	3250	6500
1930	Midget	4 CY	Roadster	2250	4500	7000
1931	J-2	18/80	Roadster	2000	4000	8000
1932	J-2 Midget	4 CY 8 hp	Roadster	1800	3800	7500
1934	LeMans		Roadster	2100	4200	8500
1934	PA	750cc	Roadster	1800	3600	7200
1935	PA	750cc	Roadster	1780	3500	7000
1936	PB	6 CY	Touring Car	1780	3500	7000
1937	TA	1290cc	Roadster	1775	3300	6500
1938	TA	1290cc	Roadster	1750	3250	6500
1939	WA	2.6 Litre	Convertible Coupe	2800	5000	8900
1942	TB	1.25 Litre		1500	3000	6000
1947	TC	1.5 Litre	Roadster	2700	4250	8500
1947	TC	1.5 Litre	Roadster	2100	4250	8500
1948	TC	1.5 Litre	Roadster	2200	4400	8800
1949	TC	1.5 Litre	Roadster	2250	4500	9000
1950	TD	1.5 Litre	Roadster	1350	2750	5500
1951	TD	1.5 Lite	Roadster	1350	2750	5500
1952	TD	1.5 Litre	Roadster	2400	5400	9800
1953	TD	1.5 Litre	Roadster	2400	5400	9800
1954	TF	1.5 Litre	Roadster	2500	5600	10000
1955	TF	1.5 Litre	Roadster	2500	5600	10000

YEAR	MODEL	ENGINE	BODY	F	G	E
1959	MGA	1.6 Litre	Roadster	1000	2000	3500
1960	MGA	1.6 Litre	Roadster	1000	2000	3500

Nash — *1928 "Cabriolet"*

YEAR	MODEL	ENGINE	BODY	F	G	E
NASH (US 1911-1957)						
1914		4 CY	Sedan	1000	1800	3600
1918	Quad	4 CY	Truck	1000	2000	4500
1919	7 PS	4 CY	Sedan	1900	4500	8000
1925		6 CY	Phaeton	2300	4500	9700
1928		6 CY	Phaeton	2200	4300	8500
1929		4 CY	Sedan	1900	5000	6250
1932		6 CY	4 Door Sedan	1100	2250	4000
1934		6 CY	4 Door Sedan	1000	2000	3800
1935	Ambassador	8 CY	4 Door Sedan	1700	3200	6000
1936	LaFayette	6 CY	2 Door Sedan	1100	2100	3950
1939	Ambassador	8 CY	Convertible	3500	6000	10000
1940	Ambassador	8 CY	Coupe	1500	3000	4500
1946	600	6 CY	4 Door Sedan	800	1500	2700
1947	Super	6 CY	Coupe	900	1700	2950
1948	Ambassador	8 CY	Convertible	2500	4500	8500
1949	Statesman	6 CY	4 Door Sedan	700	1500	2500
1951	Ambassador	8 CY	4 Door Sedan	750	1600	2750
1952	Ambassador	8 CY	2 Door Hardtop	850	1650	2950
1954	Ambassador	8 CY	2 Door Hardtop	900	1750	3250

YEAR	MODEL	ENGINE	BODY	F	G	E
1955	Ambassador Custom	V-8	2 Door Hardtop	750	1500	2650
1956	Ambassador Custom	V-8	4 Door Sedan	400	1100	2150
1957	Ambassador Custom	V-8	2 Door Hardtop	775	1500	2950

NASH HEALEY (US/GB (1952-54)

1952		6 CY	Coupe	1750	3500	6500
1953		6 CY	Roadster	2200	4000	8500
1954		6 CY	Coupe	1800	3750	7000

Opel — 1928 *"Rumble Seat Roadster"*

YEAR	MODEL	ENGINE	BODY	F	G	E
OLDSMOBILE (US 1896-to-date)						
1896		1 CY	Roadster	5200	12500	25000
1897		1 CY	Roadster	4300	8000	14500
1898		1 CY	Roadster	4400	8250	15250
1899		1 CY	Runabout	4850	10500	22500
1900		1 CY	Roadster	4100	7800	13500
1901		1 CY	Roadster	3700	6750	10500
1902	Curved Dash	1 CY	Runabout	4650	8800	15750
1903	Flyer	1 CY	Roadster	4300	8200	14750
1904	Curved Dash	1 CY	Runabout	4450	8600	15000
1905		1 CY	Roadster	4100	8000	14000
1906	Model S	4 CY	Touring Car	4500	9000	17000

YEAR	MODEL	ENGINE	BODY	F	G	E
1907	AH	4 CY	Runabout	5200	12500	21500
1908	M-MR	4 CY	Roadster	4600	8500	14500
1909	Z-ZR	4 CY	Touring Car	4850	11250	17500
1910	22-25	4 CY	Touring Car	6000	12500	19500
1911	Autocrat	4 CY	Sedan	3800	5750	10500
1912	Limited		Touring car	15000	35000	75000
1912	Autocrat	4 CY	Touring Car	6500	10750	18000
1913	Old Six	6 CY	Touring Car	7000	14500	22500
1914	Baby Olds	4 CY	Sedan	3350	500	8750
1915	55	6 CY	Touring Car	4600	9000	17000
1916	42	6 CY	Sedan	4000	6000	9250
1917	45	V-8	Touring Car	4800	9000	15500
1918	45-A	V-8	Touring Car	5000	9250	17000
1919	Open	6 CY	Rumble Seat Roadster	3900	6750	13750
1920	46	V-8	Touring Car	4000	7000	16500
1921	47	V-8	Roadster	4850	7500	14750
1922	46	V-8	Touring Car	4600	7000	14000
1923	47	V-8	Sport Touring Car	5100	8900	16250
1924	30-B	6 CY	Sedan	3600	5500	8500
1925	30-C	6 CY	Coupe	3300	5000	7500
1926	30-D	6 CY	Phaeton	5000	8000	15000
1927	30-C	6 CY	Sedan	3550	4700	7500
1928	F-28	6 CY	Rumble Seat Coupe	4000	5500	8250
1929	V-29	V-8	Cabriolet	5500	8750	14750
1930	V-30	V-8	Rumble Seat Sport Coupe	4200	5700	9250
1931	F-31	6 CY	Sport Coupe	3550	4900	7250
1932	F-32	6 CY	Rumble Seat Coupe	3800	5250	7600
1933	F-33	6 CY	Sedan	3100	4200	7000
1934	F-34	8 CY	Coupe	3600	4750	8000
1935	F-35	8 CY	Sedan	3675	5000	8200
1936	F-36 Coupe	V-8	2 Passenger	3450	4300	7000
1937	F-37	6 CY	Cabriolet	3950	5500	12500
1938	F-38 2 Dr	6 CY	Sedan	3450	4900	6750
1939	"70"	6 CY	Convertible Coupe	3850	7000	11750
1940	"90"	8 CY	Convertible Sedan	4200	6500	13000
1941	Spec. 66 4 Dr	6 CY	Convertible Sedan	3950	6300	12250
1942	Cus. Crsr. 98	8 CY	Sedan	2500	3500	6000
1945	Dyn. Crsr. 76	6 CY	Sedan	1850	2750	5600
1946	Cus. Crsr. 98	8 CY	Coupe	1500	2200	5000
1947	Spec. 68	8 CY	Sedan	1350	2100	4850
1948	Dyn 98	8 CY	Coupe	1450	2250	4950
1949	Futuramic 98	V-8	Convertible	1375	2575	6500
1950	Futuramic 88	V-8	Coupe	1100	2350	3600

YEAR	MODEL	ENGINE	BODY	F	G	E
1951	Super 88	V-8	Coupe	850	1300	2500
1952	Classic 98	V-8	Convertible	1000	1700	4500
1953	Deluxe 88	V-8	Convertible	1150	1850	3750
1953	Fiesta	V-8	Convertible	2500	4000	8500
1954	88	V-8	Sport Coupe	800	1250	2500
1955	Super 88	V-8	Sedan	650	1125	1750
1956	Super 88	V-8	Coupe	775	1700	2500
1957	98	V-8	Coupe	750	1050	2400
1958	Super 88 Fiesta	V-8	Station Wagon	700	1000	3000
1959	98	V-8	Convertible	600	1000	2800
1960	98	V-8	2 Door Hardtop	300	800	2000
1961	Starfire	V-8	Convertible	500	1500	3000
1962	Starfire	V-8	2 Door Hardtop	450	1250	2350
1963	Jetfire	Turbo V-8	Coupe	600	1500	2750
1965	442	V-8	Convertible	800	1400	2500
1967	Toronado	V-8	Coupe	600	1300	2250

OPEL (D 1898-to-date)

YEAR	MODEL	ENGINE	BODY	F	G	E
1898		1 CY	Touring Car	1500	2750	5500
1899		2 CY	Touring Car	1000	2000	4000
1902	10/12 hp	2 CY	2 Seats	900	1750	3300
1903	20/24 hp	4 CY	Touring Car	900	1750	3300
1905	35/40 hp	4 CY	Touring Car	900	1750	3500
1911	8/14 hp	2 CY	2 Seats	650	1100	2200
1913	4/8 hp	2 CY	Touring Car	650	1100	2250
1920		4 CY	Touring Car	650	1250	2500
1924	4/12 PS	4 CY	2 Seats	650	1250	2500
1926	Laubfrosch	4 CY 1016cc	4 Seats	650	1100	2200
1928		6 CY	Saloon Sedan	650	1100	2200
1929	Regent	8 CY	Saloon Sedan	650	1250	2500
1930		1 Litre	Coupe	450	900	1800
1933		1.2 Litre	Saloon Sedan	500	1000	2000
1935		1.3 Litre	Saloon Sedan	500	1000	2000
1937	Olympia	1.3 Litre	Sedan	450	900	1800
1938	Admiral	3.6 Litre	Drophead Coupe	500	1000	2000
1939	Kapitan	3.6 Litre	Coupe	450	900	1800
1947	Olympia	1.3 Litre	Saloon Sedan	400	800	1600
1948	Kapitan	3.6 Litre	Saloon Sedan	500	1000	2000
1953	Rekord	1488cc	Coupe	400	700	1400
1959	Rekord	1897cc	Coupe	300	600	900
1968	Rallye	1.9 4 CY	Coupe	350	700	1250
1970	GT	1.9 4 CY	Coupe	700	1100	1950

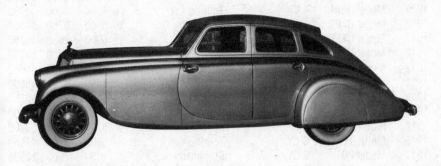

Pierce-Arrow— *1933 "V-12 Silver-Arrow"*
Shown at the World's Fair

YEAR	MODEL	ENGINE	BODY	F	G	E
PACIFIC (US 1914)						
1914	Tandem 2 S	2 CY Air-cool	Cycle Car	900	1750	3500
PACIFIC SPECIAL (US 1914)						
1914	33 hp	4 CY	Touring Car	1900	2750	4500
PACKARD (US 1899-1958)						
1899	Model A	1 CY	Buggy	6100	9250	14500
1900	Model B	1 CY	Buggy	5850	8750	12750
1901	Model C	1 CY	Runabout	6250	9350	15000
1902	Model F	1 CY	Runabout	6500	9500	16000
1903	Model K	4 CY	Touring Car	7250	10000	13500
1904	Model L	4 CY	Touring Car	6950	9800	12750
1905	Model N	4 CY	Touring Car	6750	9500	12200
1906	Model S	4 CY	4 Passenger Touring Car	7250	10200	16500
1907	Model U	4 CY	Touring Car	6500	8900	12000
1908	Model UA	4 CY	Touring Car	5750	8500	11500
1909	Model UB	4 CY	Touring Car	6100	8600	11750
1909	Model UBS	4 CY	Runabout	6800	10500	16800
1909	Model NA	4 CY	Touring Car	6000	9500	12500
1909	Model 18	4 CY	Town Car	5800	8900	11000
1910	Model UD	4 CY	Touring CAr	6200	9600	13000
1910	Model UDS	4 CY	Runabout	7000	10000	18000
1910	Model NC	4 CY	Touring Car	6100	9200	13800
1911	Model NE	4 CY	Coupe	5200	8000	12500

YEAR	MODEL	ENGINE	BODY	F	G	E
1911	Model NESQ	4 CY	Limousine	6500	9900	16500
1911	Model NESJ	4 CY	Runabout	5300	8400	13500
1911	Model NEFJ	4 CY	Touring Car	4900	8000	12750
1912	Model UEPQ	4 CY	Brougham	5600	8750	14500
1912	Model UESQ	4 CY	Coupe	5000	7850	10750
1912	Model UEFR	4 CY	Limousine	5100	8200	14500
1912	Model UEPJ	4 CY	Phaeton	5750	8200	16000
1912	Model UEST	4 CY	Runabout	5800	8100	15500
1912	Model UEC	4 CY	Touring Car	5400	7850	13750
1912	Model 48	6 CY	Touring Car	6300	9250	17500
1912	Model PC	6 CY	Coupe	5700	8800	12900
1913	Model TE	6 CY	Touring Car	5800	8900	13950
1913	Model PB	6 CY	Brougham	4800	7900	12500
1913	Model RC	6 CY	Coupe	3950	5900	9900
1913	Model TG	6 CY	Laundalet	6800	9600	16750
1913	Model TR	6 CY	Limousine	5400	7850	13250
1913	Model PH	6 CY	Phaeton	6500	8100	15750
1914	Model 37	6 CY	Brougham Saloon Sedan	6800	8700	16250
1914	Model 38	6 CY	Coupe	5600	7800	12800
1914	Model 42	6 CY	Limousine	6100	8200	13800
1914	Model 51	6 CY	Phaeton	6500	8800	15700
1914	Model 46	6 CY	Touring Car Special	6800	9100	18500
1915	Model 79	6 CY	Brougham	4850	7900	13500
1915	Model 76	6 CY	Laundalet	5200	8300	16500
1915	Model 72	6 CY	Limousine	5400	9400	14500
1915	Model 65	6 CY	Phaeton	5100	8000	14850
1915	Model 67	6 CY	Runabout	8200	12750	25500
1915	Model 63	6 CY	Touring Car	6900	8800	15500
1915	Twin Six	6 CY Twin	Roadster	8000	14900	25000
1916	Model 111	6 CY Twin	Brougham	7800	10000	16750
1916	Model 102	6 CY Twin	Laundalet	8500	12200	17800
1916	Model 100	6 CY Twin	Limousine	8400	11750	16800
1916	Model 90	6 CY Twin	Touring Car	8000	12000	20000
1917	Model 151	6 CY Twin	Coupe	6850	9500	16250
1917	Model 161	6 CY Twin	Limousine	7200	10100	18500
1917	Model 156	6 CY Twin	Phaeton	8300	13500	21750
1917	Model 154	6 CY Twin	Touring Car	7900	12800	20700
1918	Model 172	6 CY Twin	Limousine	7100	11500	18000
1918	Model 168	6 CY Twin	Touring Car	8100	12500	19500
1918	Model 185	6 CY Twin	Brougham	6800	9750	17500
1918	Model 181	6 CY Twin	Phaeton	8600	10900	18750
1919	Model 177	6 CY Twin	Touring Car Saloon Sedan	5300	8750	16000

YEAR	MODEL	ENGINE	BODY	F	G	E
1919	Model 171	6 CY Twin	Runabout	8900	18500	36000
1919	Model 174	6 CY Twin	Coupe	7100	10000	16000
1920	Model 116	6 CY	Runabout	8700	18000	30000
1920	Model 116	6 CY	Touring Car	8100	12750	18500
1920	Model 335	6 CY Twin	Limousine	8400	11500	17500
1921	Model 116	6 CY	Touring car	8800	13500	18900
1921	Model 335	6 CY Twin	Coupe	7500	10750	17250
1921	Model 335	6 CY Twin	Sedan	6800	8900	12500
1922	Model 126	6 CY	Sport Touring Car	7200	10800	20000
1922	Model 126	6 CY	Limousine	6500	9800	14750
1923	Model 133	6 CY	Touring Car	6800	10250	17500
1923	Model 136	8 CY	Coupe	6000	9250	13000
1924	Model 136	8 CY	Limousine	6850	9900	14900
1924	Model 143	8 CY	Touring Car	7100	12000	21000
1925	Model 143	8 CY	Sedan	5500	7000	10800
1925	Model 136	8 CY	Sport	6500	15000	23000
1926	Model 226	6 CY	Touring Car	6800	16250	22500
1926	Model 236	8 BY	Limousine	6100	8250	14500
1926	Model 243	8 CY	Touring Car	7400	16000	24000
1927	Model 336	8 CY	Phaeton	7600	17500	29000
1927	Model 343	8 CY	Limousine	6800	9750	14900
1927	Model 343	8 CY	Touring Car	6800	14500	23500
1928	Model 426	6 CY	Roadster	8500	14500	24500
1928	Model 443	8 CY	Convertible Sedan	12500	17900	35000
1928	Model 443	8 CY	Roadster	13250	18250	36000
1928	Model 526	6 CY	Phaeton	10900	16500	23000
1928	Model 526	6 CY	Convertible Coupe	9800	14500	22500
1928	Model 533	8 CY	Limousine	6000	8000	12500
1929	Model 626	8 CY	Coupe	5200	7000	11000
1929	Model 626	8 CY	Convertible Coupe	8000	12500	22500
1929	Model 633	8 CY	Roadster	8250	14500	23500
1929	Model 633	8 CY	Touring Car	8500	13500	19500
1929	Model 626	8 CY	Roadster	8900	14000	24000
1929	Model 626	8 CY	Speedster	10500	20000	32000
1929	Model 640	8 CY	Roadster	9000	20000	26000
1929	Model 645	8 CY	Roadster	10000	22000	27500
1930	Model 733	8 CY	Roadster	11000	27500	38000
1930	Model 733	8 CY	Convertible Coupe	10500	26000	41000
1930	Model 734	8 CY	Boattail Roadster	17500	47500	75000
1930	Model 734	8 CY	Roadster	12750	28500	40000
1930	Model 740	8 CY	Roadster	11000	25000	47500
1930	Model 740	8 CY	Limousine	4500	9500	16000
1930	Model 740	8 CY	Convertible Coupe	12500	32000	51000
1930	Model 745	8 CY	Roadster	16000	35000	72500
1931	Model 826	8 CY	Roadster	14000	22000	29500

YEAR	MODEL	ENGINE	BODY	F	G	E
1931	Model 826	8 CY	Convertible Coupe	12000	23000	29000
1931	Model 833	8 CY	Dietrich Convertible	15000	26000	39500
1931	Model 833	8 CY	Limousine	6500	9000	16500
1931	Model 840	8 CY	Roadster	13000	22500	35000
1931	Model 840	8 CY	Convertible Sedan	14500	21000	37500
1932	Model 900	8 CY	Coupe	6500	7800	11500
1932	Model 900	8 CY	Roadster	12500	21000	33500
1932	Model 900	8 CY	Sedan	6000	8000	14000
1933	Model 901	8 CY	Touring Car	8500	16500	29000
1933	Model 902	8 CY	Limousine	6000	8800	13800
1933	Model 903	8 CY	Coupe	5800	8000	11250
1933	Model 904	8 CY	Roadster	12500	21500	35000
1933	Model 904	8 CY	Limousine	5500	8500	13800
1934	Model 1100	8 CY	Sedan	5200	8100	11500
1934	Model 1101	8 CY	Touring Car	9000	17000	28500
1934	Model 1101	8 CY	Roadster	9500	21000	32500
1934	Model 1101	8 CY	Convertible Sedan	12000	24000	35000
1934	Model 1102	8 CY	Limousine	5750	7500	12500
1934	Model 1103	8 CY	Roadster	9500	20000	33000
1934	Model 1103	8 CY	Victoria Convertible	11250	25000	37500
1935	Model 120A	8 CY	Convertible Coupe	8000	12000	17000
1935	Model 120A	8 CY	Sport Coupe	5500	7500	11250
1935	Model 1200	8 CY	Sedan	4000	6000	9750
1935	Model 1201	8 CY	Convertible Coupe	8500	13000	19500
1936	Model 120B	8 CY	Touring Car Coupe	5250	8500	11500
1936	Model 1400	8 CY	Victoria Convertible	14000	23500	35000
1936	Model 1402	8 CY	Touring Car	10000	17000	23000
1936	Model 1403	8 CY	Convertible Sedan	12000	20000	30000
1936	Model 1407	12 CY	Roadster	13000	24000	37500
1937	Model 115C	6 CY	Convertible Coupe	6700	8500	15500
1937	Model 115C	6CY	Touring Car	6800	8750	17500
1937	Model 120C	6 CY	Convertible Sedan	6900	9000	18500
1937	Model 120D	6 CY	Touring Coupe	6500	8500	12500
1937	Model 1502	8 CY	Limousine	5000	7500	14500
1937	Model 1508	12 CY	Touring Limousine	7000	9500	17000
1938	Model 1600	6 CY	Convertible Coupe	6500	8000	13750
1938	Model 1601	8 CY	Convertible Sedan	7000	8900	17500
1938	Model 1603	8 CY	Touring Car	6800	8200	14500
1938	Model 1608	12 CY	Touring Limousine	7250	10250	17000
1929	Model 1700	6 CY	Club Coupe	5500	6800	9500
1939	Model 1701	6 CY	Convertible Sedan	7100	12000	17250
1939	Model 1703	8 CY	Limousine	6800	8500	14000
1939	Model 1707	12 CY	Convertible Coupe	7500	14000	23500

YEAR	MODEL	ENGINE	BODY	F	G	E
1940	Model 1800	6 CY	Convertible Sedan	7100	12500	17000
1940	Model 1801	6 CY	Civtoria Convertible	7400	13800	21500
1940	Model 1803	8 CY	Touring Car	5700	7250	12500
1940	Model 1806	8 CY	Victoria Convertible	6200	9500	16500
1941	Model 1900	6 CY	Club Coupe	4300	6500	8800
1941	Model 1901	6 CY	Station Wagon	4500	6800	9500
1941	Model 1951	6 CY	Touring Car	5250	8100	10500
1941	Model 1903	8 CY	Convertible Coupe	5300	8800	15500
1942	Model 1906	8 CY	Convertible Sedan	5800	9500	17500
1942	Model 1907	8 CY	Cabriolet	5900	9900	18250
1942	Model 1908	8 CY	Town Car	5100	6800	12750
1943	Model 2000	6 CY	Club Sedan	4500	6000	8250
1943	Model 2003	6 CY	Touring Car	4700	6800	9700
1943	Model 2008	6 CY	Limousine	4100	5900	8800
1944	Model 2004	8 CY	Touring Sedan	4600	6500	9400
1944	Model 2005	8 CY	Limousine	4500	7000	10500
1944	Model 2006	8 CY	Coupe	4200	5800	9000
1945	Model 2007	8 CY	Limousine	4100	6750	10500
1945	Model 2008	8 CY	Touring Sedan	4200	7000	11000
1946	Model 2015	6 CY	Sedan	4100	6250	9300
1946	Model 2016	8 CY	Coupe	3600	5000	9000
1947	Model 2020	8 CY	Limousine	4100	6250	10300
1947	Model 2020	8 CY	Convertible Sedan	4300	6400	10500
1948	Model 2023	8 CY	Sedan	900	1800	3000
1949	Model 2024	8 CY	Sedan	900	1800	3000
1949	Model 2024	6 CY	Sedan	900	1700	2800
1950	Custom	8 CY	Formal Sedan	1100	2400	4000
1950	Super	8 CY	Limousine	1500	2500	4900
1951	Model 2467	8 CY	Coupe	1400	2800	4500
1952	Model 250	8 CY	Convertible	2300	5500	6800
1952	Model 300	8 CY	Sedan	1000	2100	3000
1953	Model 200	8 CY	Formal Sedan	1850	2500	4500
1953	Model 250	8 CY	Limousine	1300	2500	4000
1953	Carribean	8 CY	Convertible	2500	5500	10000
1954	Model 200	8 CY	Custom Limousine	900	1850	3250
1954	Model 300	8 CY	Limousine	850	1900	2000
1955	Patrician	V-8	Sedan	1800	1500	2000
1955	Patrician 400	V-8	Hardtop	1200	1750	2500
1956	Caribbean	V-8	Convertible	1500	2850	4500
1956	Predictor	V-8	2 Door Hardtop	2250	3950	6300
1957	Panther	8 CY	Convertible	2600	4950	9500
1957	Clipper	8 CY	Sedan	700	1200	2100
1958	Hawk	8 CY	2 Seats Sedan	2300	3400	5600
1958	4 Dr	8 CY	Sedan	750	1350	2250
1958	4 Dr	8 CY	Station Wagon	800	1500	2300

YEAR	MODEL	ENGINE	BODY	F	G	E

PACKET (US 1916-1917)

| 1916 | 2 S | 4 CY 1.6 Litre | Cycle Car | 1000 | 1900 | 3800 |

PACO (US 1908)

| 1908 | 2 S | 2 CY 10/12 hp | High-Wheel | 2000 | 3750 | 6500 |

PADUS (I 1906-1908)

| 1906 | 6 hp | 1 CY | Voiturette | 1100 | 2250 | 4500 |
| 1906 | 10 hp | 2 CY | Voiturette | 1100 | 2250 | 4500 |

PAGE (US 1906-1924)

1906	2 S	2 CY 10 hp	Runabout	1100	2250	4500
1921	4 S	4 CY	Roadster	1000	2000	4000
1921		4 CY	Coupe	750	1500	3000

PAIGE-PAIGE-DETROIT (US 1908-1927)

1908	2 Ps	3 CY	Roadster	2100	4250	9500
1910	5 Ps	4 CY	Touring Car	2500	4900	9800
1914	Six-46	6 CY	7 Passenger Touring Car	2100	4250	8500
1915	5 Ps	6 CY	Touring Car	2100	4250	8500
1915	Model 46		Roadster	2000	4100	8200
1916	7 Ps	6 CY	Touring Car	2200	4350	8750
1918	7 Ps	6 CY	Touring Car	1900	3750	7500
1918	4 Ps	6 CY	Phaeton	2000	3900	7800
1919	Linwood	Duesenberg	Touring Car	2000	4000	8000
1919	Larchmont	Cont	Touring Car	2100	4200	8400
1921	Daytona	6 CY	Roadster	2500	5000	10000
1921		6 CY	Sport Phaeton	3250	6500	12500
1922	5 Ps	6 CY	Touring Car	2250	5500	11000
1923	Jewett	4 CY	Sedan	2350	2750	4500
1925			Cabriolet	2250	4500	9000
1927	5 Ps		Sedan	2350	2750	5500

PALLADIUM (GB 1912-1925)

1912	10 hp	4 CY	Touring Car	900	1800	3600
1914	15 hp	4 CY	Cycle Car	900	1750	3500
1917		Flat-twin	Coupe	750	1500	3000
1919		4 CY Dorman	Cycle Car	800	1600	3200
1924	Victory	4 CY 11.9 hp	Touring Car	900	1800	3600

PALLISER (GB 1968-1972)

| 1968 | WDF-1 | Ford | Racing Car | 1500 | 2500 | 4500 |
| 1970 | WDF-2 | Ford | Racing Car | 1500 | 2500 | 4500 |

PALM (US 1918-1919)

| 1918 | | Ford | | 1000 | 2000 | 4000 |

PALMER (US 1906)

| 1906 | 8 hp | 1 CY | 2 Seats | 1300 | 2400 | 4800 |

PALMER-SINGER (US 1907-1914)

| 1907 | | 4 CY | Town Car | 2000 | 3750 | 7500 |

YEAR	MODEL	ENGINE	BODY	F	G	E
1909	Skimabout	6 CY 60 hp	Roadster	2200	4250	8500
1913	Brighton	6 CY Magic	Torpedo	2000	4000	8000
1913	50 hp	6 CY	Touring Car	2000	3900	7800

PALMERSTON; PALM (GB 1920-1923)

1920	5/7 hp	2 CY Coventry-Victor	2 Seats	800	1600	3200

PAN (US 1918-1922)

1918		4 CY Pan	Touring Car	1300	2350	4750
1918		4 CY Pan	Roadster	1200	2250	4500

PAN AMERICAN (US 1902-1922)

1902	15 hp	4 CY	Tonneau	2000	4000	8000
1917		6 CY Cont	Coupe	1000	2000	4000
1920	American Beauty	6 CY	Sedan	1200	2200	4200

PANDA (US 1955-1956)

1955		Kohler Flat-twin	2 Seats	750	1300	2500
1955		4 CY Aerojet	2 Seats	800	1500	2800

PANEK (CS 1921-1922)

1921	12 hp	2 CY	Cycle Car	1000	1800	3500

PANHARD (F 1889-1967)

1889	4 S	V-twin	Dos-a-dos	2500	5000	100000
1900		2.4 Litre	Voiturette	2100	4250	8500
1901		4 CY	Racing Car	8500	17500	35000
1904		15.4 Litre	Racing Car	10000	20000	40000
1905		4 CY	Touring Car	3100	6250	12500
1906	Model Q	4 CY 10.5 Litre	Touring Car	3250	6500	13000
1910		6 CY 6 Litre	Touring Car	2250	4500	9000
1912		2.6 Litre	Touring Car	2100	4250	8500
1914		4 CY 4.8 Litre	Touring Car	1500	3000	6000
1919		2.2 Litre	Coupe	950	1900	3800
1921		Straight 8	Saloon Sedan	850	1750	3500
1924		4 CY 4.8 Litre	Racing Car	1350	2750	5500
1926		1.5 Litre	Single S	1250	2500	5000
1927		Straight 8	Saloon Sedan	800	1600	3200
1928	20/60	6 CY 3.4 Litre	Coupe	750	1500	3000
1929	16/45	1.8 Litre	Coupe	750	1500	3000
1930	18/50	2.3 Litre	Saloon Sedan	700	1400	2800
1931		6 CY 3.5 Litre	Saloon Sedan	750	1500	3000
1932		8 CY 5 Litre	Saloon Sedan	800	1600	3250
1933	6 CS 2	2.5 Litre	Saloon Sedan	700	1400	2800
1935		8 CY	Coupe	850	1750	3500
1937	Dynamic	2.5 Litre	Coupe	950	1900	3800
1938		2.7 Litre	Saloon Sedan	800	1600	3200
1939		3.8 Litre	Saloon Sedan	800	1600	3200
1945	Dyna	Flat-twin 610cc	Saloon Sedan	500	1000	2000

YEAR	MODEL	ENGINE	BODY	F	G	E
1946	Dyna	Flat-twin 610cc	Saloon Sedan	500	1000	2000
1950		750cc	Saloon Sedan	500	1000	2000
1952	5 CV	850cc	Saloon Sedan	550	1100	2200
1953	Junior	38 bph	Roadster	700	1300	2500
1954		62 bph SC	Roadster	550	1100	2200
1954	Dyna		Saloon Sedan	350	750	1400
1958	Dyna		Saloon Sedan	350	750	1400
1961	Tigre	60 bph	Saloon Sedan	350	750	1400
1964	24 GT	848cc	Coupe	600	1250	2400
1967	Dyna	50 bph	Coupe	700	1300	2500
1967	Dyna	60 bph	Coupe	700	1300	2500

PANTHER (D 1902-1904)

1902	2 S	2 CY DeDion	3-Wheel	1000	2000	4000

PANTHER (GB 1906-to-date)

1906	14 hp	4 CY	2 Seats	1200	2250	4500
1972	J-72	6 CY Jaguar	Sport	6000	10000	20000

PANTHER (I 1954-1955)

1954	2 S	Twin 480cc	Coupe	600	1200	2200

PANTHER (US 1962-1963)

1962		V-8 2.6 Litre	Sport	1000	1750	3500

PANTHERE (F 1922-1923)

1922		4 CY 904cc Ruby	2 Seats	900	1800	3000

PANTZ (F 1900-1901)

1900	6 hp	2 CY	2 Seats	1000	1700	3250

PARAGON (US 1905-1922)

1950	5 hp	2 CY	2 Seats	1500	2750	4500
1921		6 CY	Phaeton	2000	3750	6500

PARAGON (GB 1913-1914)

1913		JAP	Cycle Car	1000	1800	3500
1913		Fafnir	Cycle Car	900	1600	3250

PARAMOUNT (GB 1950-1956)

1950	4 S	Ford Ten 1508cc	Touring Car	700	1200	2200
1955		Ford Consul	Saloon Sedan	600	1000	2000

PARANT (F 1906-1907)

1906	24/30 hp	4 CY Ballot	Touring Car	1300	2500	4800

PARENT (F 1913-1914)

1913		1 CY 704cc		900	1600	3000
1913		4 CY 905cc		1000	2000	4000

PARENTI (US 1920-1922)

1920	35 hp	V-8	Touring Car	2000	4000	8000
1922		6 CY Falls	Town Car	2200	4500	9000

YEAR	MODEL	ENGINE	BODY	F	G	E
1922		6 CY Falls	Limousine	2100	4250	8500

PARENT-LACROIX (F 1900-1903)

1900		2 CY	Voiturette	1600	2500	5000

PARISIENNE (F 1899-1903)

1899	2.75 hp	1 CY DeDion	Victoria	2200	4200	8500
1899	3.5 hp	1 CY Aster	Voiturette	2000	4000	8000
1900	2 S	2 CY Aster	Duc-Spider	1800	3500	7500
1900	4 S	2 CY Aster	Duc-Tonneau	1900	3900	7800

PARIS-RHONE (F 1947-1950)

1947		EL	3-Wheel	500	900	1800
1947	2 S	EL	Coupe	500	900	1800

PARIS SINGER (GB 1900)

1900	4.5 hp	2 CY		2000	3750	6500

PARKER (GB 1901-1902)

1901	10 hp	2 CY	3-Wheel	1000	2000	4000

PARKER (CDN 1921-1923)

1921	Royal Six	6 CY Cont	Sedan	750	1500	3000

PARKIN (US 1908)

1908	60 hp	6 CY	2 Seats	1700	2500	4800

PARNACOTT (GB 1913-1920)

1913	F.N.	1 CY 3.5 hp		1200	2000	3800
1920		Flat-twin 1478cc		1000	1750	3500

PARR (GB 1901-1902)

1901	5 hp	1 CY	Racing Car	2000	3500	6500

PARRY; NEW PARRY (US 1910-1912)

1910	2 S	4 CY 20 hp	Touring Car	1300	2500	4800
1910	5 S	4 CY 30 hp	Touring Car	1300	2500	4800

PARSONS (US 1905-1906)

1905	8 hp	EL	2 Seats	2000	3750	6500

PARTIN; PARTIN-PALMER (US 1913-1917)

1913		6 CY Rutenber	6 Seats	1600	3200	6500
1914	22 hp	4 CY	2 Seats	1500	2750	5500
1916	Model 38	6 CY Mason	5 Seats	1750	3500	7000
1917	Model 32	Lycoming	4 Seats	1500	3000	5800

PARVILLE (F 1927-1929)

1927	5 hp	1 CY EL	4 Seats	1000	2000	3500

PASCAL (F 1902-1903)

1902	24 hp	4 CY	Tonneau	1100	2000	3800

PASHLEY (GN 1953)

1953	2 S	197cc Villiers	3-Wheel	700	1200	2000

YEAR	MODEL	ENGINE	BODY	F	G	E

PASING (D 1902-1904)

| 1902 | | 1 CY | Voiturette | 2000 | 3500 | 6500 |

PASSONI (I 1905)

| 1905 | | 1 CY | Voiturette | 1800 | 3500 | 6000 |

PASSY-THELLIER (F 1903-1907)

| 1903 | 10 hp | 2 CY Aster | Laundalet | 1500 | 3000 | 6000 |
| 1903 | 16 hp | 4 CY Aster | Voiturette | 1600 | 3300 | 6500 |

PATERSON (US 1908-1923)

1908	Model 14	2 CY Air-cool	Touring Car	1250	2500	4800
1910		4 CY 30 hp	Touring Car	1250	2500	4800
1915		6 CY 4.7 Litre	Touring Car	1500	2800	5000
1916			Touring Car	1500	2800	5000

PATHFINDER (US 1911-1918)

1911	BT	4 CY	Roadster	1800	3600	7000
1914		6 CY	Coupe	1300	2600	5000
1916	40 hp	12 CY Weidely	Touring Car	2300	4500	8000

PATIN (F 1898-1900)

1898	Tandem	EL	2 Seats	1600	3000	6000
1900	Victoria	EL	5 Seats	1800	3300	6500
1900	VT	EL	3-Wheel	1250	2300	4500

PATRI (F 1923-1925)

| 1923 | LaFornette | 2 CY 6 hp | Cycle Car | 700 | 1300 | 3600 |

PATRIA (D 1899-1901)

| 1899 | | 1 CY | VT | 1700 | 3200 | 6000 |

PATTERSON-GREENFIELD (US 1916-1918)

| 1916 | 30 hp | 4 CY | Touring Car | 1600 | 3000 | 5800 |

PAULET (F 1922-1925)

| 1922 | | 6 CY 3.9 Litre | 2 Seats | 800 | 1500 | 3000 |

PAWI (D 1921)

| 1921 | 6/18 PS | 4 CY | Torpedo Touring Car | 1200 | 2200 | 4000 |

PAWTUCKET (US 1900-1901)

| 1900 | 7 hp | 2 CY | Single Seat | 1200 | 2300 | 4500 |

PAYDELL (GB 1924-1925)

| 1924 | 13.9 hp | 4 CY | Meadows 4 Seats | 800 | 1600 | 3000 |

PAYNE-MODERN (MODERN) (US 1907-1909)

| 1907 | | 4 CY | Touring Car | 1500 | 3000 | 5600 |
| 1907 | | 6 CY | Roadster | 1600 | 3200 | 6000 |

PAYZE (GB 1920-1921)

| 1920 | 10 hp | Coventry-Simplex | 2 Seats | 1000 | 2000 | 4000 |
| 1920 | Cloverleaf | Coventry-Simplex | 3 Seats | 1200 | 2250 | 4500 |

YEAR	MODEL	ENGINE	BODY	F	G	E

P.D.A. (GB 1912-1913)

YEAR	MODEL	ENGINE	BODY	F	G	E
1912		V-twin Precision	Cycle Car	900	1600	3000
1912		Blumfield	Cycle Car	900	1600	3000

PEARSON-COX (GB 1909-1916)

YEAR	MODEL	ENGINE	BODY	F	G	E
1909	12 hp	3 CY	2 Seats	1000	2000	4000
1913	15 hp	4 CY	5 Seats	1100	2250	4500
1915	8 hp	Twin JAP	Cycle Car	900	1750	3500

PECK (CDN 1913)

YEAR	MODEL	ENGINE	BODY	F	G	E
1913		2 CY	Coupe	1000	2000	4000
1913		4 CY	Roadster	1300	2500	5000

PECO (ZA 1965-to-date)

YEAR	MODEL	ENGINE	BODY	F	G	E
1965		Formula Vee	Single Seat	700	1300	2500

PEDERSEN (US 1922)

YEAR	MODEL	ENGINE	BODY	F	G	E
1922	9 hp	2 CY	2 Seats	1000	1800	3500

PEEL (GBM 1962-1966)

YEAR	MODEL	ENGINE	BODY	F	G	E
1962		4 CY	3-Wheel	500	1000	1400
1962	P 50	49cc D.K.W.	Single Seat Coupe	400	800	1200
1962	Trident	EL	Tandem 2 Seats	400	800	1200

PEER GYNT (D 1925)

YEAR	MODEL	ENGINE	BODY	F	G	E
1925		1 CY	Cycle Car	1000	1800	3000
1900		1 CY DeDion	Tonneau	2200	4300	8500
1901	3.5 hp	1 CY DeDion	Touring Car	2200	4300	8500
1902		1 CY M	Touring Car	2250	4500	9000
1903	FC	1 CY	Touring Car	2500	5000	10000
1904		4 CY	Racing Car	5000	10000	19000
1904	Green Dragon	6 CY	Racing Car	6000	12500	25000
1907	24 hp	6 CY	Touring Car	3250	6500	12500
1915		Straight 8	Roadster	3750	7500	15000
1917		V-8	Opera Coupe	3000	6000	12000
1923	66	6 CY 5.4 Litre	Phaeton	4500	9000	18000
1925	67	8 CY Cont	Touring Car	4000	8000	15000
1926		6 CY	Roadster	2500	4500	9000
1927	BT	6 CY	Coupe	2000	4000	7800
1927	2 Dr	6 CY	Sport	2250	2500	5000
1928		6 CY	Roadster	2000	4000	8000
1929		6 CY	Sedan	1250	2500	5000
1929	V-16	V-16	Touring Car	2500	5000	10000
1929			Town Car	2500	5000	9500
1929	Custom 8		Sedan	2000	4000	7500
1930	Custom 8		Club Sedan	2500	5000	9700
1930	Custom 8		Victoria	2250	4500	9000
1931	Custom 8		Coupe	2500	5000	10000
1932	Deluxe Custom 8		Sedan	2500	4700	9200

PEERLESS (GB 1957-1960)

YEAR	MODEL	ENGINE	BODY	F	G	E
1957	2 Dr	6 CY 2 Litre	4 Seats Saloon Sedan	1300	2500	4500

YEAR	MODEL	ENGINE	BODY	F	G	E
1956		6 CY 2 Litre	Coupe	1300	2500	4500

PEGASO (E 1951-1958)

1951	Tipo Z 102	V-8	Coupe	4000	8000	15000
1953	Tipo 102 B	V-8	Drop Head Coupe	6000	12000	20000
1954	Tipo 102 SS	V-8 4.7 Litre	Sport	5000	10000	18000

PEGASSE (F 1924-1925)

1924		2 CY	Cycle Car	1000	1800	3500

PEILLON (F 1899-1900)

1899	2.5 hp	1 CY	Voiturette	1500	3000	6000

PEKA (D 1924)

1924	Single S	2 CY D.K.W.	3-Wheel	800	1300	2500

PENDLETON (US 1905)

1905	5 S	4 CY 28/30 hp	Tonneau	1300	2300	4500

PENELLE (F 1900-1901)

1900	6 hp	2 CY Buchet	Voiturette	1600	3000	5500

PENN (US 1911-1913)

1911	Thirty	4 CY	2 Seats	1300	2250	4500
1911	Thirty	4 CY	5 Seats	1500	2750	5500

PENNINE (GB 1914)

1914	8 hp	V-twin JAP	Cycle Car	1000	1750	3500

PENNINGTON (US; GB; US 1894-1902)

1894	2 hp	EL	3-Wheel	1000	2000	3800
1896		EL	Victoria	1300	2300	4000
1897	16 hp	V-4 Kane	Touring Car	1500	2500	4800
1898	3.5 hp	2 CY	Touring Car	1000	2000	4000
1900	Type D	4 CY 29 hp	Touring Car	1200	2300	4500
1900			Tricar	1000	1750	3500

PENNSY (US 1916-1919)

1916	30/35 hp	4 CY	2 Seats	1100	2250	4500
1917		6 CY	5 Seats	1250	2500	5000

PENNSYLVANIA (US 1907-1911)

1907	32 hp	4 CY	5 Passenger Touring Car	1100	2275	4500
1910	Model H	6 CY	7 Passenger Touring Car	1750	3500	6500

PEOPLE'S (US 1900-1902)

1900		1 CY	2 Seats	900	1750	3500

PEREGRINE (GB 1961)

1961	2 S	Ford 105E	Sport	600	1000	2000
1961		Ford 105E	Touring Car	750	1250	2500

YEAR	MODEL	ENGINE	BODY	F	G	E
PERFECTA (I 1899-1903)						
1899		Gaillardet		1100	2250	4500
1899		1 CY DeDion		1100	2250	4500
PERFECTION (US 1906-1908)						
1906	5 S	4 CY	Touring Car	1000	2250	4500
1907	70 hp	6 CY	Touring Car	1500	3250	6500
PERFETTI (I 1922-1923)						
1922		4 CY	4 Seats	1000	1600	3000
PERFEX (US 1912-1914)						
1912	2 S	4 CY G.B.&S.	Roadster	1100	2250	4500
PERFEX (GB 1920-1921)						
1920	4 S	4 CY G.B.&S.	Touring Car	1000	1800	3500
1920		G.B.&S.	Saloon Sedan	800	1400	2800
PERL (A 1921-1927)						
1921	3/14 PS	4 CY 898cc	2 Seats Coupe	750	1400	2800
1921		4 CY	3 Seats Coupe	850	1500	3000
PERREAU (F 1923-1925)						
1923	7 hp	4 CY Ruby	2 Seats	800	1500	3000
PERRY (GB 1913-1916)						
1913	6.4 hp	Twin	Sport	1000	1750	3500
1914	11.9 hp	4 CY	2 Seats	1200	2000	4000
PESTOURIE ET PLANCHON (F 1922)						
1922		4 CY	2 Seats	750	1500	3000
P.E.T. (US 1914)						
1914		4 CY	Cycle Car	1000	1600	3500
PETER-MORITZ (D 1921-1925)						
1921	2 S	2 CY Air-cool	Cycle Car	700	1100	2200
PETER PAN (US 1914-1915)						
1914	24 hp	4 CY	2 Seats	800	1750	3500
1914		4 CY	4 Seats	1000	2000	4000
1914		4 CY	Cycle Car	750	1500	3000
PETERS (US 1921-1922)						
1921		2 CY	Roadster	1000	1750	3500
1921	2 S	2 CY	Speedster	1200	1900	3800
1921		2 CY	Station Wagon	750	1500	3000
PETERS-WALTON-LUDLOW (US 1915)						
1915	5 Ps	2 CY 9 hp	Touring Car	1000	1900	3500
PETIT (F 1909)						
1909		1 CY Aster	Voiturette	700	1250	2500

YEAR	MODEL	ENGINE	BODY	F	G	E
PETREL (US 1908-1912)						
1908	2 S	L-head 4.9 Litre	Roadster	1200	2300	4500
1908	5 S	L-head	Touring Car	1400	2400	4600
PETTER (GB 1895-1898)						
1895	3 hp	1 CY	Dogcart	750	1300	2500
1895	2 CY	2 CY	Dogcart	750	1300	2500
PEUGEOT (F 1889-to-date)						
1889		Steam	Phaeton	1250	3250	6500
1900		V-twin	Phaeton	1250	2500	5000
1901		V-twin	Town Brougham	1100	2250	4500
1902		V-twin	Town Brougham	1100	2250	4500
1903		V-twin	Town Brougham	1100	2200	4300
1904		V-twin	Phaeton	1200	2400	4800
1905		V-twin	Town Brougham	1100	2250	4500
1906		3.3 Litre	Touring Car	1000	1900	3800
1907		3.6 Litre	Touring Car	1000	2000	4000
1908	Type 116	16 hp	Touring Car	1000	1750	3500
1909		2.2 Litre	Sport	850	1650	3250
1910		3 Litre	Sport	1000	1750	3500
1911		4.6 Litre	Sport	1300	2650	4750
1912		4.6 Litre	Racing Car	1100	2250	4500
1913	Bebe	4 CY 6 hp	2 Seats	1000	1750	3500
1914		7.6 Litre	Racing Car	1750	3250	6500
1915		3 Litre	Racing Car	1000	2000	4000
1916		3 Litre	Touring Car	1100	2250	4500
1917		3 Litre	Touring Car	1100	2250	4500
1918		2.5 Litre	Racing Car	1000	2000	4000
1919		4.5 Litre	Racing Car	1050	2100	4200
1920		4.5 Litre	Racing Car	1050	2100	4200
1921	Type 153	3 Litre	Sport Touring Car	1000	2000	4000
1922		3 Litre	Touring Car	1000	2000	4000
1923		2.5 Litre	Touring Car	900	1750	3500
1924	Type 174	1.4 Litre	Touring Car	650	1250	2500
1925		6 Litre	Sport	1000	2000	4000
1926		950cc	5 Seats	650	1250	2500
1927		2 Litre	Coupe	750	1500	3000
1928	Type 183	2 Litre	Saloon Sedan	700	1400	2800
1929	Type 201	1.1 Litre	Coupe	650	1250	2500
1930	Type 201	3.8 Litre	Touring Car	800	1600	3200
1931		3.8 Litre	Touring Car	800	1600	3200
1932		3.8 Litre	Sport Touring Car	750	1500	3000
1933	Type 201	1.1 Litre	Coupe	650	1300	2600
1934	Type 301	1.5 Litre	Saloon Sedan	600	1200	2400
1935	Type 601	1.5 Litre	Coupe	650	1250	2500
1936		1.5 Litre	Coupe	650	1250	2500
1937		1.5 Litre	Touring Car	750	1500	3000
1938	Type 402B	2.1 Litre	Saloon Sedan	650	1250	2500
1939	Darl mat	2.1 Litre	Coupe	700	1400	2800

YEAR	MODEL	ENGINE	BODY	F	G	E
1940		3 Litre	Open Sport	650	1250	3500
1941		2.1 Litre	Cabriolet	750	1500	3000
1942		1.5 Litre	Coupe	550	1100	2200
1943		2.1 Litre	Cabriolet	750	1500	3000
1944		EL	2 Seats	350	750	1500
1945		EL	2 Seats	350	750	1500
1946	Type 202	1.1 Litre	Saloon Sedan	500	1000	2000
1947	Type 203	1.3 Litre	Saloon Sedan	550	1100	2200
1948	Type 203	1.3 Litre	Saloon Sedan	550	1100	2200
1949	Type 203	1.3 Litre	Saloon Sedan	600	1200	2400
1950	Type 203	1.3 Litre	Saloon Sedan	600	1200	2400
1951		1.3 Litre	Coupe	650	1300	2600
1952		1.3 Litre	Saloon Sedan	450	900	1800
1953		1.3 Litre	Saloon Sedan	450	900	1800
1954		1.3 Litre	Coupe	650	1250	2500
1955	Type 403	1.5 Litre	Saloon Sedan	350	750	1500
1956		1.5 Litre	Coupe	500	1000	2000
1957		1.5 Litre	Coupe	500	1000	2000
1958		1.5 Litre	Saloon Sedan	350	700	1400
1959		1.5 Litre	Saloon Sedan	350	700	1400
1964	505	1.5 Litre	Sedan	250	500	1100

PEUGEOT-CROIZAT (I 1905-1907)

1905		1 CY 695cc	Phaeton	950	1600	3000

PFA (PL 1923-1924)

1923			Coupe	1000	1750	3500

PFLUGER (D 1900)

1900		EL		1400	2300	4500

PHANOMEN (D 1907-1927)

1907	4/6 PS	V-twin 880cc	3-Wheel	750	1500	3000
1912		4 CY	2 Seats	800	1600	3250
1912		4 CY	4 Seats	850	1750	3500
1924	412	4 CY	Sport	900	1800	3600

PHEBUS (F 1899-1921)

1899	2 S	2 CY Aster 3.5 hp	Voiturette	1200	2250	4500
1921		2 CY	Cycle Car	1000	1750	3500

PHELPS (US 1903-1905)

1903	Rear Entrance	3 CY	5 Passenger Touring Car	1300	2300	4500

PHENIX (F 1912-1914)

1912	10 hp	4 CY	Racing Car	1000	2000	4000
1912	12 hp	4 CY	Racing Car	1100	2200	4500
1914	15 hp	4 CY	Racing Car	1250	2500	5000

PHIANNA (US 1916-1922)

1916		4 CY Phianna	Touring Car	1200	2250	4500

YEAR	MODEL	ENGINE	BODY	F	G	E
1916		6 CY Phianna	Limousine	1900	3750	6500

PHILIPSON (S 1946)
1946		2 CY D.K.W.		800	1500	2800

PHILOS (F 1912-1923)
1912		4 CY Ballot	2 Seats	1000	1800	3500
1912		4 CY Altos	4 Seats	1000	1800	3500
1914		4 CY Ruby	2 Seats	1000	1800	3500

PHIPPS-GRINNELL (US 1901-1912)
1901		EL		1400	2600	5000

PHOENIX (GB 1902-1928)
1902	12 hp	2 CY Hudlass	Voiturette	750	1500	3000
1902	10 hp	3 CY Hudlass		900	1700	3500
1903			3-Wheel Tri-car	800	1600	3250
1913	Trimo	1 CY DeDion 6 hp	3-Wheel	800	1600	3250
1917		2 CY	Voiturette	750	1500	3000
1917	11.9 hp	3 CY	2 Seats	750	1500	3000
1920	18 hp	4 CY Meadows 3 Litre	4 Seats	1000	2000	4000

PHOENIX (ET 1955-1956)
1955		4 CY Turner 1960cc	Super Sport	800	1300	2500
1956		2 CY Villiers	Mini-car	500	800	1400
1956	Flamebird	6 CY Fiat	Sport Coupe	600	1000	1900

PHONIX (H 1905-1915)
1905	16 hp	4 CY		1000	2000	4000
1906	35/40 hp	6 CY		1500	3000	6000

PICCOLO (D 1904-1912)
1904	6 PS	V-twin 704cc	2 Seats	750	1500	3000
1904	6 PS	V-twin	4 Seats	750	1500	3000
1907	12 PS	4 CY	Voiturette	1000	2000	4000
1909		1 CY 24cc	Voiturette	650	1250	2500

PICK; NEW PICK (GB 1898-1925)
1898			Dog-cart	1700	3300	6600
1900	2.75 hp	1 CY	2 Seats	1250	2500	5000
1912	6 hp	Flat-twin	Racing Car	1100	2250	4500
1920	22.5 hp	4 CY	Sport	900	1800	3500
1923		4 CY	Coupe	750	1500	3000

PICKARD (US 1908-1912)
1908	Model H	4 CY Air-cool	Touring Car	1300	2500	4800

PIC-PIC (CH 1906-1924)
1906	20/24	4 CY	Touring Car	1000	2000	3500

YEAR	MODEL	ENGINE	BODY	F	G	E
1906	35/40	4 CY	Limousine	1000	2000	3900
1908	28/32	6 CY	Touring Car	1600	3000	5800
1912	30 hp	6 CY	Coupe	1500	3000	6000
1920		V-8	Limousine	2000	3800	7500

PIEDMONT (US 1917-1922)

YEAR	MODEL	ENGINE	BODY	F	G	E
1917		4 CY Lycoming	Open	2000	3750	6500
1917		6 CY Cont	Closed	1750	3500	6000

PIEPER (B 1899-1903)

YEAR	MODEL	ENGINE	BODY	F	G	E
1899	3.5 hp	1 CY	Voiturette	1400	2750	5500
1899	6 hp	2 CY	Voiturette	1500	3000	6000
1900		EL	2 Seats	1500	3000	6000
1901	12 hp	4 CY	Tonneau	1600	3250	6500

PIERCE; PIERCE-ARROW (US 1901-1938)

YEAR	MODEL	ENGINE	BODY	F	G	E
1901	Motorette	2.75 hp	Tonneau	2500	5000	10000
1902		3.5 hp	Touring Car	4500	9000	17500
1903		2 CY	Touring Car	5000	9500	18500
1904		15 hp	Roadster	5000	10000	20000
1906	Great Arrow	40/45 hp	Victoria Tonneau	6500	12500	25000
1907	Great Arrow	40/45 hp	Victoria Tonneau	6500	12500	25000
1909	Model 36		Roadster	5000	10000	20000
1910	Model 66	6 CY	Touring Car	6000	12000	24000
1911		6 CY	Roadster	6500	12500	25000
1912		6 CY	Roadster	6500	12500	25000
1913	5 Ps	6 CY	Touring Car	6000	12000	24000
1914		6 CY	Touring Car	5500	11000	22500
1915	Model 38	6 CY	Touring Car	5200	10500	21000
1916		6 CY	Touring Car	4500	9000	18000
1917	Model 66	6 CY	Town Car	4500	8500	17000
1918	7 Ps	6 CY	Touring Car	5500	11000	22000
1919	Model 38	6 CY	Brougham Limousine	4500	9000	17500
1920	Model 48	6 CY	Limousine	4000	8000	16000
1921		6 CY	Touring Car	5000	10000	20000
1922	7 Ps	6 CY	Touring Car	5500	11000	22000
1923	Model 33	6 CY	Sedan	4000	8000	16000
1924	Model 80	6 CY	Sport Roadster	5000	10000	20000
1925	2 Ps	6 CY	Coupe	3500	7000	13000
1926	7 Ps	6 CY	Sedan	2500	5000	10000
1926	7 Ps	6 CY	Touring Car	4500	9000	18000
1926	Model 80	6 CY	Roadster	4500	9000	17500
1927	Model 80	6 CY	2 Door Sedan	2500	5000	10000
1927		6 CY	Cabriolet	5000	10000	20000
1927	7 Ps	6 CY	Sedan	2500	5500	10000
1927		6 CY	Roadster	5500	11000	22500
1927		6 CY	Limousine	4500	9000	18000
1928	Model 80	6 CY	Cabriolet	3500	7000	13000
1928	Model 80	6 CY	Club Sedan	2500	5000	10000
1929		8 CY	Club Brougham	3750	7500	15000
1929		8 CY	Dual Cowl Phaeton	10000	20000	40000

YEAR	MODEL	ENGINE	BODY	F	G	E
1929		8 CY	Sport Roadster	7500	15000	30000
1929		8 CY	Phaeton	7500	15000	30000
1929	5 Ps	8 CY	Sedan	3000	6000	12000
1929		8 CY	Cabriolet	6000	12000	24000
1930	4 Dr	8 CY	Sedan	3000	6000	12000
1930		8 CY	Club Sedan	3300	6500	12500
1930		8 CY	Dual Cowl Phaeton	10000	20000	40000
1930		8 CY	Convertible Sedan	5500	11000	22000
1930		8 CY	Rumble Seat Coupe	3000	6000	12000
1930		8 CY	Roadster	5000	10000	20000
1931		8 CY	Dual Cowl Phaeton	10000	20000	40000
1931		8 CY	Club Sedan	3000	6000	12000
1931		8 CY	Sport Roadster	7500	14000	28000
1931		8 CY	Cabriolet	6500	12500	25000
1931		8 CY	Rumble Seat Coupe	3500	7000	14000
1931		8 CY	Convertible Sedan	6000	12000	24000
1932		V-12	Dual Cowl Phaeton	7000	14000	48000
1932		8 CY	Rumble Seat Coupe	3000	6000	12000
1932		V-12	Rumble Seat Coupe	4500	9000	18000
1932		V-12	Club Sedan	6000	12500	15000
1932		V-12	Convertible Sedan	7000	14000	28000
1932		8 CY	Cabriolet	5000	10000	20000
1932		8 CY	Club Brougham	4500	9000	18000
1933		8 CY	Sedan	4500	5000	10000
1933		V-12	Sedan	4000	7500	15000
1933		V-12	Cabriolet	11000	22000	25000
1933	Silver Arrow	V-12	Sedan	10000	20000	40000
1934		8 CY	Sedan	2500	5000	10000
1934		V-12	Sedan	3750	7500	15000
1934	7 Ps	V-12	Limousine	4000	8000	16000
1935		8 CY	Sedan	2500	5000	10000
1935		V-12	Rumble Seat Coupe	3500	7000	14000
1935		8 CY	Cabriolet	3800	7500	15000
1935		V-12	Sedan	3800	7500	13000
1936		8 CY	Convertible Roadster	5000	10000	20000
1936		V-12	Sedan	4000	8000	16000
1936		8 CY	Sedan	3250	6500	12500
1936		8 CY	Rumble Seat Coupe	5000	10000	20000
1937		8 CY	Rumble Seat Coupe	3500	7000	14000
1937		V-12	Sedan	4500	9000	18000
1937		8 CY	Convertible	5500	11000	22000
1937		8 CY	Cabriolet	5500	11000	22000
1938	1802	V-12	Formal Sedan	5000	10000	20000
1938	1800	8 CY	Rumble Seat Coupe	4500	7000	12500
1938	1801	6.3 Litre	Convertible	5000	10000	20000

PIERCE-RACINE (US 1904-1909)

YEAR	MODEL	ENGINE	BODY	F	G	E
1904	8 hp	1 CY Water-cool	2 Seats	1400	2300	4500

YEAR	MODEL	ENGINE	BODY	F	G	E

PIERRE ROY (F 1902-1908)

YEAR	MODEL	ENGINE	BODY	F	G	E
1902	10/12 hp	2 CY	Tonneau	1100	2250	4500
1902	14/20	4 CY	Tonneau	1250	2500	5000
1906	24/30	4 CY	Tonneau	1500	3000	6000

PIGGINS (US 1909)

YEAR	MODEL	ENGINE	BODY	F	G	E
1909	36 hp	6 CY	7 Passenger Touring Car	2000	3800	7500
1909	50 hp	6 CY	5 Passenger Touring Car	1800	3500	7000

PILAIN (F 1902-1935)

YEAR	MODEL	ENGINE	BODY	F	G	E
1902	10/12 hp	2 CY	2 Seats	1000	2000	3800
1902		4 CY	4 Seats	1200	2500	4800
1930	5 CV	4 CY 919cc	Coupe	800	1500	2800

PILGRIM (GB 1906-1914)

YEAR	MODEL	ENGINE	BODY	F	G	E
1906		4 CY	Town Car	1900	2750	4500
1908	30 hp	4 CY	Laundalet	1900	2750	4500
1911	10/12 hp	4 CY	2 Seats	1000	1750	3500

PILGRIM (US 1914-1918)

YEAR	MODEL	ENGINE	BODY	F	G	E
1914	5 Ps	4 CY Water-cool	Touring Car	1750	2750	4700

PILLIOD (US 1915-1918)

YEAR	MODEL	ENGINE	BODY	F	G	E
1915	27 hp	4 CY 4.4 Litre	2 Seats	1000	2000	4000
1916		4 CY	4 Seats	1400	2300	4500
1918		4 CY	5 Seats	1500	2400	4800

PILOT (US 1909-1924)

YEAR	MODEL	ENGINE	BODY	F	G	E
1909	2 S		Roadster	1000	2000	4000
1909	5 S	4 CY 35 hp	Touring Car	1100	2200	4200
1913		6 CY	Touring Car	1500	3000	6000
1916		6 CY	5 Passenger Touring Car	1500	3000	6000
1916	Model 6-45	V-8	Roadster	1750	3500	7000
1922	50 hp	6 CY Herschell-Spillman		2000	3750	6500

PILOT (GB 1909-1914)

YEAR	MODEL	ENGINE	BODY	F	G	E
1909	16 hp	White & Poppe	2 Seats	1000	1750	3500
1910	19.6 hp	Hillman	2 Seats	1100	1800	3800
1911	7 hp	Conventry-Simplex 1 CY	4 Seats	700	1250	2500
1912	10 hp	4 CY Chapuis-Dornier	2 Seats	800	1400	2800

PILOT (D 1923-1925)

YEAR	MODEL	ENGINE	BODY	F	G	E
1923	6/30 PS	4 CY		1000	1500	3000

PINART (B 1901)

YEAR	MODEL	ENGINE	BODY	F	G	E
1901	6 hp	2 CY		800	1500	3000

YEAR	MODEL	ENGINE	BODY	F	G	E
1901	9 hp	2 CY		900	1750	3500
1901	12 hp	4 CY		1000	2000	4000

PINGUIN (D 1954)
1954		Ilo 200cc	3-Wheel Coupe	350	700	1200

PIONEER (AUS 1897)
1897		2 CY		1400	2600	5000

PIONEER (US 1909-1959)
1909	Model B	4 CY 30 hp	Surrey	1000	2000	4000
1914	9 hp	2 CY	Staggered Seating	800	1500	3000
1959	Lippencott	EL	2 Seats	1400	2300	4500

PIPE (B 1898-1922)
1898	6 hp	2 CY	Racing Car	1250	2750	4500
1898	16 hp	4 CY	Racing Car	1500	3000	5000
1905	28/32 hp	6 CY	Racing Car	1750	3500	6000
1918	80 hp	V-8 11 Litre	Racing Car	2200	4000	7000

PIPER (GB 1966-to-date)
1966		Ford	Sport Racing Car	600	1000	2000
1967		B.M.C.	Gran Turismo Coupe	700	1200	2500
1967		B.R.M. 2 Litre	Racing Car	900	1750	3500
1971		1600 Ford GT	Racing Car	1000	2000	4000
1973		2 Litre Ford	Racing Car	1200	2300	4500

PITT (GB 1902-1903)
1902	4 S	4 CY 9 hp	Tonneau	1000	2000	4000

PITTEVIL (B 1900)
1900		2 CY	Voiturette	2200	3000	6000

PITTSBURGH (US 1909-1911)
1909		6 CY	Runabout	1600	3500	7000
1910		4 CY	Touring Car	1500	2800	5000
1911	7 Ps	6 CY	Touring Car	1700	3400	6800

PIVOT (F 1904-1907)
1904	6 hp	1 CY	Touring Car	1200	2250	4500
1904	6/7 hp	2 CY	Town Car	1750	3250	6500
1904	16 hp	4 CY	Town Car	2000	3750	7500
1906	30 hp	4 CY	Touring Car	1750	3250	6500

PLANET (GB 1904-1905)
1904	6 hp	1 CY DeDion	2 Seats	600	1500	3000
	12 hp	2 CY	4 Seats	1000	2000	3800
	30 hp	4 CY	Tonneau Rear Entrance	1600	3000	6000

PLANET (D 1907)
1907	7 PS	2 CY		1000	1750	3500
1907	10 PS	4 CY		1300	2400	4800

YEAR	MODEL	ENGINE	BODY	F	G	E
PLASTI-CAR (US 1954)						
1954	Rouge	Renault	Convertible	700	1300	2500
1954	Marquis	Renault	2 Seats	500	1000	2000
PLAYBOY (US 1946-1951)						
1946		4 CY Cont	2 Seats	2500	5000	7500
PLUTO (D 1924-1927)						
1924	2 S	4/20 PS 1004cc	Sport	900	1600	3000
PLUTON (F 1901)						
1901	Spider	1 CY 5 hp DeDion	3 Seats	1300	2500	5000
1901	4 S	DeDion	Tonneau	2000	3750	6500
PLYMOUTH (US 1910; 1928-to-date)						
(1910 - Plymouth Motors Co., Plymouth, Ohio)						
1910	5 Ps	40 hp	Touring Car	1300	2500	4500
(1928-to-date - Chrysler Corp., Detroit, Michigan)						
1928		4 CY	Sport Roadster	1750	3500	7000
1929		4 CY	Sport Roadster	2000	3750	7500
1930		4 CY	Cabriolet	1500	2750	5500
1931		4 CY	Deluxe Roadster	1900	3500	7000
1932		4 CY	Roadster	2500	4750	9500
1933		6 CY	Convertible Coupe	2000	4000	8000
1934		6 CY	Convertible Coupe	1750	3500	7000
1935		6 CY	Coupe	1300	2200	3250
1936		6 CY	Business Coupe	1250	2000	3000
1937		6 CY	Coupe	1100	1800	2550
1938	4 Dr	6 CY	Sedan	800	1200	1800
1939		6 CY	Convertible Sedan	1650	3000	6900
1940		6 CY	Convertible Sedan	1500	2900	6750
1941		6 CY	Cabriolet	1450	2800	4500
1942	4 Dr	6 CY	Sedan	1200	1850	2500
1946		6 CY	Convertible Coupe	1775	2800	4000
1947		6 CY	Club Coupe	1350	1800	2800
1948		6 CY	Convertible Coupe	1750	2850	4250
1949		6 CY	Convertible Coupe	1500	2750	3600
1950		6 CY	Convertible Coupe	1450	2700	3500
1951		6 CY	Coupe	700	1400	2200
1952	Cranbrook	6 CY	4 Door Sedan	600	1250	2000
1953	Cranbrook	6 CY	4 Door Sedan	500	1200	1800
1954	Belvedere	6 CY	Convertible Coupe	750	1400	2500
1955	2 Dr	V-8	Hardtop	650	1200	2000
1956	Fury	V-8	Hardtop	850	1700	3500
1957	Fury	V-8	Coupe	900	1950	3800
1958	Belvedere	V-8	4 Door Sedan	350	1000	1800
1959	Belvedere	V-8	4 Door Sedan	300	800	1350
1964½	Barracuda	273 V-8	Coupe	750	1500	2800
1967	Barracuda	273 V-8	Convertible	700	1250	2350

YEAR	MODEL	ENGINE	BODY	F	G	E
1970	Super Bird	440 V-8	2 Door Hardtop	1200	2000	3500

P.M. (B 1921-1926)

1921		4 CY Peters 1795cc	2 Seats	900	1750	3500
1924		4 CY Peters	4 Seats	950	1800	3600

P.M.C. (US 1908)

1908	2 S	2 CY 12 hp	Runabout	1500	3000	5800

PNEUMOBILE (US 1915)

1915	7 Ps	6 CY Buda	Touring Car	2200	4500	8000

POBIEDA (VICTORY) (SU 1946-1958)

1946		4 CY	Sedan	700	1300	2500
1950		6 CY	Touring Car	750	1500	3000
1952		2.1 Litre	Saloon Sedan	450	900	1800
1955	M-72	6 CY	Sedan	500	1000	2000
1956	M-20	6 CY	Sedan	500	1000	2000
1957	Volga 21	6 CY	Sedan	500	1000	2000

PODEUS (D 1910-1914)

1910	9/24 PS	4 CY 2248cc	Touring Car	1000	2000	4000
1910	10/30 PS	4 CY 2536cc	Touring Car	1200	2300	4600

POGGI (I1959)

1959		Fiat	Racing Car	750	1300	2500

POINARD (F 1952)

1952		1 CY 125cc	3-Wheel	350	700	1200

PORIER (F 1928-1958)

1928		4 CY Train	Single Seats	900	1800	3500
1930	Tandem	4 CY Sach	2 Seats	1000	1900	3600
1937	Monoto XW-5	Ydral 125cc	3-Wheel	800	1500	3000

POLONIA (PL 1924)

1924	6 S	6 CY 45 hp	Touring Car	1400	2600	5000

POLSKI-FIAT (PL 1968-to-date)

1968	125 P	1.5 Litre	Station Wagon	600	1200	2000

POLYMOBIL (D 1904-1909)

1904	8/10 PS	2 CY	4 Seats	1000	2000	3800
1906	16/20 PS	4 CY	2 Seats	1300	2300	4500

POMEROY (US 1902-1924)

1902		EL	Runabout	1500	3000	6000
1920		4 CY 4 Litre	Sedan	1000	2000	4000
1922		6 CY	Sedan	1300	2500	4500

PONDER (US 1923)

1923		6 CY Cont				

YEAR	MODEL	ENGINE	BODY	F	G	E
PONTIAC (US 1907; 1926-to-date — Different company)						
1907		2 CY	High-wheel	1500	2750	5500
1926		6 CY	Landau Coupe	1300	2500	5000
1927		6 CY	Rumble Seat Coupe	1100	2250	4500
1928		6 CY	Sport Roadster	2500	4500	8900
1929		6 CY	Sport Roadster	2200	4400	8800
1930		6 CY	Roadster	2100	4250	8500
1931		6 CY	Roadster	2300	4500	9000
1932		V-8	Cabriolet	3000	6000	12000
1933	2 Dr	8 CY	Sedan	900	1750	3500
1934		8 CY	Convertible Coupe	1600	3250	7500
1935	4 Dr	8 CY	Sedan	750	1750	3500
1936	4 Dr	6 CY	Sedan	750	1500	3000
1937	4 Dr	8 CY	Convertible Sedan	1750	3500	7000
1938		8 CY	Rumble Seat Convertible Coupe	1100	2250	4500
1939	Deluxe 8	8 CY	Sedan	750	1400	2800
1940	4 Dr	8 CY	Sedan	750	1400	2800
1941	Torpedo Streamliner	8 CY	Fastback	1000	1750	3250
1942		8 CY	Convertible Coupe	1000	2000	4000
1946		8 CY	Coupe	500	1500	2500
1947		8 CY	Sedan	300	1250	2200
1948		8 CY	Convertible Coupe	750	1800	3500
1949		8 CY	Convertible Coupe	750	1800	3500
1950		8 CY	Convertible Coupe	750	1800	3500
1951		8 CY	Convertible Coupe	750	1750	3250
1952		8 CY	Coupe	350	1400	2500
1953	Catalina 2 Dr	8 CY	2 Door Hardtop	600	1650	3000
1954	Star Chief	V-8	2 Door Hardtop	650	1700	3250
1955	Star Chief	V-8	Hardtop	650	1600	3000
1956	Star Chief Safari	V-8	Station Wagon	750	1750	3250
1957	Star Chief Safari	V-8	Station Wagon	950	1850	3500
1957	Star Chief	V-8	Convertible Coupe	700	1850	3500
1957	Bonneville	V-8 FI	Convertible	2500	5000	10000
1958	Bonneville	V-8	2 Door Hardtop	650	1650	3000
1959	Bonneville	V-8	4 Door Sedan	450	1000	2000
1960	Bonneville	V-8	Convertible	500	1250	2000
1961	Ventura	V-8 389	2 Door Hardtop	500	1300	2250
1962	Grand Prix	V-8 389	2 Door Hardtop	500	1400	2500
1963	Grand Prix	V-8 389	2 Door Hardtop	300	1100	2000
1964	GTO	V-8 389	Convertible	450	1800	3500
1966	GTO	V-8 389	Convertible	900	1500	2950
1966	Catalina 2 + 2	V-8 421	Convertible	950	1550	3000
1968	Firebird	V-8 389	Convertible	900	1500	2950
1969	Firebird Trans AM	V-8 400	Coupe	1000	1750	3500
1970	Firebird Trans AM	V-8 454	Coupe	1300	2500	4500

357

YEAR	MODEL	ENGINE	BODY	F	G	E
POPE (F 1933-1934)						
1933		V-4 900cc	Coupe	800	1300	2400
POPE-HARTFORD (US 1903-1914)						
1903		1 CY	Coupe	2300	4500	9000
1903		2 CY	Touring Car	2500	5000	10000
1907	35 hp		2 Seats	4500	9000	18000
1907	50 hp	6.4 Litre	Limousine	6000	11000	22500
1910	60 hp	7.7 Litre	Touring Car	7500	15000	27500
1913	Model 31		Touring Car	7000	13000	25000
POPE-TOLEDO (US 1903-1909)						
1903	Rear Entrance	4 CY Water-cool	Tonneau	2250	4250	8500
1905	Type 12	4 CY 35/40 hp	Touring Car	2500	4500	9000
1907		4 CY	Limousine	2000	4000	8000
1907	7 Ps	4 CY	Touring Car	2500	4500	9000
POPE-TRIBUNE (US 1904-1907)						
1904		1 CY	2 Seats	1600	3000	4500
1904	7 hp	2 CY	4 Seats	2000	3750	6500
1905		4 CY	Coupe	2750	4500	9000
1909			Roadster	4000	8000	16000
POPP (CH 1898)						
1898	7 hp	2 CY	2 Seats	2000	3750	6500
1898	7 hp	2 CY	4 Seats	2000	3750	6500
POPPY CAR (US 1917)						
1917		5 CY		1750	3500	7000
PORSCHE (A; D 1948-to-date)						
1948	Type 356	4 CY	Roadster	2500	5000	10000
1949	Type 356	4 CY	Coupe	2000	3750	7500
1950	Type 356-S	1500cc	Coupe	1750	3250	6500
1951	Type 356	1100cc	Coupe	1100	2250	4500
1952	Type 356	1500cc 4 CY	Cabriolet	1750	3250	6500
1953	Type 356 Cont	4 CY	Coupe	1250	2500	5000
1954	Type 356	1086cc	Coupe	1250	2500	5000
1955	Type 356	1100cc	Speedster	2100	4250	8500
1956	Type 356	4 CY	Cabriolet	1250	2500	5500
1957	Type 356	4 CY	Speedster	2250	4500	9000
1958	Type 356-A					
1959	Type 356-A	4 CY	Convertible	1600	3250	6500
1960	Type 356-A	4 CY	Convertible	1600	3250	6500
PORTER (US 1900-1922)						
1900		2 CY Steam		2500	5000	10000
1919		4 CY	Town Car	2400	4300	8500
1920		4 CY	Touring Car	2500	4500	9000
PORTHOS (F 1906-1914)						
1906	24/30 hp	4 CY T-head	Racing Car	1100	2250	4500

YEAR	MODEL	ENGINE	BODY	F	G	E
1907	50/60 hp	6 CY	Racing Car	1700	3250	6500
		Straight 8	Racing Car	1900	3750	7500
1914	10 hp	4 CY	Racing Car	1300	2500	5000

POSTAL (US 1907-1908)
1907	2 Ps	2 CY	High-wheel	1750	3500	6500

POWELL SPORT WAGON (US 1954-1956)
1954		6 CY Plymouth	Sport Wagon	1200	2500	5500

POWERCAR (US 1909-1912)
1909		4 CY	Touring Car	1600	3000	6000
1909		4 CY	Torpedo Roadster	1900	3750	7000

POWERDRIVE (GB 1956-1958)
1956		2 CY Anzani	3-Wheel	500	1000	2000

PRADO (US 1920-1922)
1920		8 CY		1100	2250	4500

PRAGA (A; CS 1907-1947)
1907	Alfa	2 CY	Saloon Sedan	650	1300	2500
19	Mignon	4 CY 2.3 Litre	Saloon Sedan	750	1500	2900
1921	Grand	3.8 Litre	Saloon Sedan	1000	2000	3800
1924	Piccolo	707cc	4 Seats	750	1500	3000
1927	Alf	6 CY 1496cc	Cabriolet	900	1750	3500
1928	Grand	Straight 8 3.4 Litre	Saloon Sedan	800	1600	3200
1932	Grand	4.4 Litre	Cabriolet	1000	2000	4000
1934	Super-Piccolo	6 CY	Saloon Sedan	750	1500	2800
1935	Golden	6 CY 3.9 Litre	Sport	900	1750	3500
1938	2 S	6 CY	Sport	700	1400	2800
1939	Piccolo	1.1 Litre	Saloon Sedan	600	1200	2400

PRATT (US 1907)
1907	75 hp		6-Wheel Touring Car	6000	10000	18000

PRATT-ELKHART; PRATT (US 1911-1917)
1911		4 CY 4.4 Litre	2 Seats	3000	5000	10000
1911	50 hp	6 CY 5.7 Litre	4 Seats	3500	7500	14000
1912		6 CY	Touring Car	4000	8000	15000

PREMIER (US 1903-1925)
1903		4 CY Weidely Air-cool	Roadster	3750	7500	15000
1907	24/28 hp	6 CY	Touring Car	4000	8000	16000
1911	Model 440	6 CY	5 Passenger Touring Car	4500	9000	16500
1913	Model 48	6 CY	Touring Car	4600	9200	17000
1914	7 Ps	6 CY	Touring Car	5000	9500	18000
1915	7 Ps	6 CY	Touring Car	4000	8000	16000
1920	7 Ps	6 CY	Touring Car	3500	7000	13000

PREMIER (GB 1906-1907; 1912-1913)

YEAR	MODEL	ENGINE	BODY	F	G	E
1906	10/12 hp	4 CY Aster	2 Seats	1200	2250	4500
1912	Motorette	1 CY 6 hp	3-Wheel	1000	1800	3500
1912		2 CY 8 hp	4 Seats	1100	2000	4000

PREMIER (D 1913-1914)

1913	4/12 Ps	4 CY 1030cc	Sport	1000	2000	4000

PREMOCAR (US 1921-1923)

1921		6 CY Falls		3500	7000	12500
1921		Rochester-Duesenberg		4000	8000	15000

PRESCOTT (US 1901-1905)

1901	7 hp	2 CY Mason	Open 4 Seats	1200	2200	4000
1901		Steam	Surrey	2600	5000	10000

PRESTO (D 1901-1927)

1901	8/25 PS	2078cc		1000	1750	3500
1910	Type D	2350cc		1200	2000	3800
1914	Type E			1400	2200	4000
1926	Type F	6 CY 2.6 Litre		1500	2300	4500

PRIAMUS (D 1901-1923)

1901	6 PS	1 CY	Voiturette	1100	2300	4500
1917	15/20 PS	2 CY	Tonneau	1200	2400	4800
1920		3 CY	Tonneau	800	1500	5000

PRIDEMORE (US 1914-1915)

1914	Tandem	2 CY 12/18 hp	2 Seats	1000	2000	4000

PRIMA (F 1906-1909)

1906	9 hp	1 CY	Voiturette	1100	2200	4000
1909	10/12	4 CY	Voiturette	1100	2200	4000

PRIMO (US 1910-1912)

1910	25 hp	4 CY	Roadster	1400	2600	5500
1910	5 Ps	4 CY	Touring Car	1500	2900	5800

PRIMUS (D 1899-1903)

1899	5 Ps	1 CY	Voiturette	1300	2500	4800
1900		2 CY	Voiturette	1200	2600	5000
1901		4 CY	Voiturette	1500	3000	6000

PRINCE (I 1921-1923)

1921		4 CY		900	1800	3500

PRINCE (J 1952-1967)

1952		4 CY	Saloon Sedan	300	600	1200
1957	Skyline	4 CY	Saloon Sedan	300	600	1200
1961	Gloria	6 CY 1.9 Litre	Saloon Sedan	350	750	1500
1966	Gloria Super 6	6 CY	Saloon Sedan	400	800	1600
1967	Grand Gloria	6 CY	Saloon Sedan	450	900	1750

YEAR	MODEL	ENGINE	BODY	F	G	E

PRINCEPS (GB 1902-1920)

YEAR	MODEL	ENGINE	BODY	F	G	E
1902	4 hp	1 CY Aster	2 Seats	1100	2250	4500
1920	10.5 hp	Coventry-Simplex	2 Seats	1600	3000	6000
			4 Seats	2250	3500	6500

PRINCESS (US 1914-1918)

YEAR	MODEL	ENGINE	BODY	F	G	E
1914		4 CY Farmer	2 Seats	1700	3200	6000
1917	5 Ps	GB&S	Touring Car	1900	3500	6500

PRINCESS (GB 1923)

YEAR	MODEL	ENGINE	BODY	F	G	E
1923	8.9 hp	V-twin	2 Seats	1000	1750	3500

PRINCETON (US 1923-1924)

YEAR	MODEL	ENGINE	BODY	F	G	E
1923		6 CY Ansted		2000	4000	8000

PRINETTI & STUCCHI (I 1898-1902)

YEAR	MODEL	ENGINE	BODY	F	G	E
1898	4 hp	1 CY	Voiturette	2000	3500	6000

PRINGETT (GB 1969-1971)

YEAR	MODEL	ENGINE	BODY	F	G	E
1969		Ford	Single Seat	750	1300	2500

PRITCHETT & GOLD (GB 1903-1904)

YEAR	MODEL	ENGINE	BODY	F	G	E
1903	Open	EL	2 Seats	2600	5000	10000

PROBE (GB 1969-1971)

YEAR	MODEL	ENGINE	BODY	F	G	E
1969	Model 16	1.8 Litre	Coupe	3000	4000	8000

PROD'HOMME (F 1907-1908)

YEAR	MODEL	ENGINE	BODY	F	G	E
1907		2 CY		1000	2000	4000
1907		4 CY		1500	3000	6000

PROGRESS (GB 1898-1934)

YEAR	MODEL	ENGINE	BODY	F	G	E
1898	2 Ps	DeDion	Vis-a-vis	1000	2000	4000
1898	4 Ps	M.M.C.	Vis-a-vis	1200	2400	4800
1900	8 hp	2 CY Daimler	2 Seats	1100	2250	4500
1934		2 CY	3-Wheel	800	1600	3000

PROJECTA (GB 1914)

YEAR	MODEL	ENGINE	BODY	F	G	E
1914	9 hp	V-twin JAP	Cycle Car	1200	2000	3800

PROSPER-LAMBERT (F 1901-1906)

YEAR	MODEL	ENGINE	BODY	F	G	E
1901	7 hp	1 CY DeDion	Racing Car	1750	3500	7000
1902	12 hp	2 CY	Racing Car	1900	3800	7500
1905	16 hp	4 CY	Racing Car	2000	4000	8000

PROTOS (D 1900-1926)

YEAR	MODEL	ENGINE	BODY	F	G	E
1900		1 CY Kopensmotor	Touring Car	1100	2250	4500
1903		2 CY Kopensmotor	Touring Car	1400	3500	6000

YEAR	MODEL	ENGINE	BODY	F	G	E
1905	17/35 PS	6 CY	Touring Car	2000	4000	7500
1920		4 CY	Touring Car	1200	2000	3800
1926	Type C 1	4 CY	Touring Car	1000	1750	3500

PROVINCIAL (GB 1904-1905)

1904	6.5 hp	1 CY	2 Seats	1000	2000	3800
1905	4 S	2 CY	Tonneau	1200	2250	4500

PRUNEL (F 1900-1907)

1900	3 hp	1 CY DeDion	Voiturette	1100	2250	4500
1903	9 hp	2 CY Aster	Tonneau	1200	2300	4600
1907	20 hp	4 CY Gnome	Tonneau	1300	2350	4700

P.T.V. (E 1956-1962)

1956	2 S	2 CY Ausa	Cabriolet	1800	2600	4500

PUBLIX (US/CDN 1947-1948)

1947	CVT	1.75 hp Chauffel	3-Wheel Coupe	500	900	1800

PUCH (A 1906-1925)

1906	8/9 PS	V-twin	Voiturette	1500	2750	4500
1908		4 CY Daimler-Knight	Sport	1600	2900	4800
1913	Type VIII Alpenwagen	14/30 PS 3560cc	Touring Car	1800	3500	7000

PULCINO (I 1948)

1948		125cc	2 Seats	500	1000	1800

PULLCAR (GB 1906-1908)

1906	15.9 hp	4 CY White & Poppe	Laundalet	1900	3750	6500

PULLMAN (US 1903-1917)

1903		4 CY	6-Wheel Touring Car	4000	8000	16000
1910	Model K	6 CY	Touring Car	2500	5000	10000
1912	Model 6-60	6 CY 60 hp	Touring Car	3000	6000	11000
1915	Model 6-46A	6 CY Cont	Touring Car	3500	7000	12000
1915		6 CY	Roadster	2500	5000	10000

PUNGS-FINCH (US 1904-1910)

1904		4 CY	5 Seats	7000	10000	18500
1910	Model H	4 CY 40 hp	2 Seats	7000	10000	18000

PUP (US 1947)

1947	7.5 hp	1 CY	2 Seats	500	1000	2000
1947	10	2 CY	2 Seats	600	1100	2200

YEAR	MODEL	ENGINE	BODY	F	G	E

PURITAN (US 1902-1914)

YEAR	MODEL	ENGINE	BODY	F	G	E
1902	6 hp	2 CY	Steam	3000	5500	10000
1913	10 hp	DeLuxe	2 Seats	2500	4500	8000

PUZYREV (US 1899)

1899			2 Seats	2500	4500	8000

P. VALLEE (F 1952-1957)

1952		125cc Ydral	2 Seats	300	700	1200

PYRAMID (GB 1914)

1914	8 hp	V-twin JAP	Cycle Car	1200	2000	3800

Q

Queen — 1905 "Touring Car" Very Rare

YEAR	MODEL	ENGINE	BODY	F	G	E

QUADRANT (GB 1906-1907)

1906	14/16 hp	White & Poppe	Tricar	1250	2500	4800

QUAGLIOTTI (I 1904)

1904	16 hp	4 CY DeDion	Cycle Car	1000	2000	3800

QUEEN (CDN 1901-1903)

1901		1 CY	Runabout	3800	7500	16000

QUEEN (US 1904-1907)

1904		1 CY	2 Seats	1800	3500	7000
1905		2 CY	Touring Car	2500	5000	10000
1907		4 CY	Touring Car	4500	9000	18000

QUENTIN (F 1908-1912)

1908		1 CY	2 Seats	1200	2200	4000

YEAR	MODEL	ENGINE	BODY	F	G	E

QUICK (US 1899-1900)

YEAR	MODEL	ENGINE	BODY	F	G	E
1899	4 hp	2 CY	2 Seats	2800	4500	8000

QUINSLER (US 1904)

| 1904 | Dickey Seat | DeDion | 2 Seats | 3200 | 4500 | 7000 |

QUO VADIS (F 1900-1923)

| 1900 | | 2 CY Aster | 2 Seats | 1000 | 2000 | 3900 |
| 1921 | | 4 CY | Cycle Car | 800 | 1500 | 2900 |

R

Rolls-Royce — 1959 "Silver Cloud I Sedan"

YEAR	MODEL	ENGINE	BODY	F	G	E

RABA (H 1912-1925)

| 1912 | Grand | 35/45 hp | | 1300 | 2500 | 4500 |

RABAG-BUGATTI (D 1922-1926)

| 1922 | 6/25 PS | 1453cc | Touring Car | 1200 | 2000 | 3800 |
| 1926 | 6/30 PS | 1495cc | Open Sport | 1200 | 2000 | 3800 |

RABOEUF (F 1914)

| 1914 | 10 hp | Chapuis-Dornier | Dickey 2 Seats | 1200 | 2000 | 4000 |

RADIOR (F 1921)

| 1921 | 10 hp | 2 CY Ballot | | 1200 | 2000 | 3800 |

R.A.F. (A 1907-1913)

1907	24/30 PS	4 CY	Touring Car	1700	3250	6500
1910	40/45 PS	4 CY	Touring Car	1800	3500	7000
1912	70 PS	6 CY	Touring Car	2000	4000	8000

YEAR	MODEL	ENGINE	BODY	F	G	E

RAGLAN (GB 1899)

YEAR	MODEL	ENGINE	BODY	F	G	E
1899			2 Seats	1300	2500	4800

RAILSBACH (US 1914)

1914	Staggered	4 CY	2 Seats	1800	3300	6500

RAILTON (GB 1933-1949)

1933			Sport	2000	3250	5500
1934		6 CY Hudson	Saloon Sedan	1750	2500	4250
1935	7 Ps	6 CY	Sedan	1800	2750	4500
1936	Custom 8	6 CY Standard	Saloon Sedan	1800	2750	4500

RAIMONDI (I 1898)

1898		1 CY DeDion	2 Seats	1200	2250	4500

RAINERI (I 1958-1960)

1958		Fiat 1000	Sport	600	1200	2200

RAINER (US 1905-1911)

1905	22/28 hp	4 CY	Touring Car	1500	3000	6000
1906	30/35 hp	4 CY	Touring Car	1750	3300	6500
1908		4 CY	Laundalet	1300	2600	5000
1911		4 CY	Touring Car	1500	3000	6000

R.A.L. (B 1908-1914)

1908	Open	4 CY	2 Seats	1300	2700	4500

RALEIGH (GB 1905; 1916; 1933-1936)

1905	16 hp	4 CY Fafnir	2 Seats	1500	3000	6000
1916	71 hp	2 CY Alpha	2 Seats	1300	2300	4600
1936	Safety Seven	V-twin	4 Seats 3-Wheel	750	1500	3000

RALEIGH (US 1920-1922)

1920		6 CY Herschell-Spillman		2100	4200	8000

RALF STETYZ (PL 1926-1928)

1926		4 CY 1.5 Litre		750	1500	2800
1928		6 CY 2.7 Litre		1000	2000	3800

RALLY (F 1921-1933)

1921		2 CY	Sport Voiturette	800	1500	3000
1922		4 CY S.C.A.P.	Sport	900	1750	3200
1930		4 CY Ruby	Sport	1000	1900	3800
1933		Straight 8 C.I.M.E.	Sport	1250	2500	5000

RAMBLER (US 1900-1970)

1900	2 S	1 CY	Runabout	1500	3500	7000

YEAR	MODEL	ENGINE	BODY	F	G	E
1902		1 CY	Runabout	1500	3000	6000
1905		2 CY	Touring Car	2500	5000	10000
1906	5 PS	4 CY	Touring Car	3000	6000	12000
1908	5 PS	4 CY	Touring Car	2750	5500	11000
1910	7 PS	4 CY	Touring Car	3500	7000	14000
1910		4 CY	Roadster	3000	6000	12000
1913	7 PS	4 CY	Touring Car	3750	7500	15000
1950		6 CY 2.8 Litre	Convertible	950	1750	3500
1957	Rebel	V-8 F.I.	4 Door Hardtop	900	1750	3500
1965	Marlin	V-8 327	Coupe	600	1200	2250
1966	Scrambler	V-8 390	Coupe	750	1400	2800
1970	The Machine	V-8 390	2 Door Hardtop	700	1250	2250

RAMUS (F 1900)

1900	4 CY	1 CY	Voiturette	1200	2400	4800

RANDALL (US 1904)

1904	12 hp	2 CY	4 Seats 3-Wheel	1000	2000	4000

RAND & HARVEY (US 1899-1900)

1899		2 CY	Steam Buggy	2600	5000	8500

R. & V. KNIGHT (US 1920-1924)

1920		4.2 Litre Knight	Sedan	1250	2500	5000

RANGER (US 1908-1922)

1908	2 S	2 CY	Runabout	1200	2300	4200
1920		4 CY	Touring Car	1400	2700	4500
1921		4 CY	Sport Roadster	1500	2900	4800
1921		4 CY	Roadster	1400	2700	4500
1922	5 Ps	6 CY	Touring Car	1500	3000	6000

RANGER (GB 1913-1914)

1913	8 hp	2 CY Precision	Cycle Car	900	1750	3500

RAOUVAL (F 1899-1902)

1899	4 S	2 CY Pygmee	Tonneau	1600	3000	6000

RAPID (CH 1899-1946)

1899		1 CY	2 Seats 3-Wheel	1200	2250	4500
1946		1 CY M.A.G.	2 Seats	800	1500	3000

RAPID (I 1905-1921)

1905	9.5 hp	1 CY	Touring Car	1000	2000	4000
1905		Twin 2.3 Litre	Touring Car	1000	2000	4000
1908	20 hp	4 CY	Touring Car	1400	2300	4500
1921		6 CY	Racing Car	2500	4000	7000

YEAR	MODEL	ENGINE	BODY	F	G	E
RAPIER (GB 1933-1940)						
1933	4 Ps	4.5 Litre 1104cc	Sport Touring Car	1000	2000	3800
1936		6 CY	Drop Head Coupe	1250	2500	5000
1940	2 S	6 CY	Sport	1100	2300	4500
RATIER (F 1926-1928)						
1926		4 CY 750cc	Sport	900	1750	3500
1928	Closed	4 CY	Coupe	800	1500	3000
1928	2 S	6 CY	Sport	1200	2250	4500
RATIONAL (GB 1901-1911)						
1901		1 CY	2 Seats	1000	2000	3800
1905	10 hp	2 CY	Limousine	900	1750	3500
1910	14 hp	2 CY	2 Seats	1100	2200	4000
RAUCH & LANG; RAULANG (US 1905-1928)						
1905	Closed	Gas EL	Town Car	2000	3750	6500
1907	Open	EL	Phaeton	2800	5000	10000
1908	6 Ps	EL	Limousine	1500	3000	6000
1909		EL	Stanhope	2000	4000	8000
1911		EL	Dowager's Coach	2700	4500	9000
RAVEL (F 1900-1928)						
1900	5 hp	V-twin	2 Seats	1000	2000	4000
1923	12 CV	4 CY	2 Seats	1100	2250	4500
1925		6 CY 1468cc	4 Seats	1250	2500	5000
1928		4 CY	4 Seats	1000	2000	4000
RAYFIELD (US 1911-1915)						
1911	18 hp	4 CY Renault		1400	2250	4500
1915	22/25 hp	6 CY Renault		1700	3250	6500
RAYMOND (US 1912-1913)						
1912		4 CY	Roadster	1500	2750	5500
RAYMOND (F 1923-1925)						
1923		Model T Ford		1000	2000	4000
RAYMOND MAYS (GB 1938-1939)						
1938		Standard V-8	Racing Car	900	1750	3500
1939		Standard V-8	Touring Car	900	1750	3500
1939		Standard V-8	Coupe	750	1500	3000
R.C.H. (US 1912-1916)						
1912	2 S	4 CY	Touring Car	1700	3200	5800
1916	4 S	4 CY	Touring Car	1800	3500	6000
R.E.A.C. (F 1953-1954)						
1953		Dyna-Panhard	Sport Coupe	900	1750	3500

YEAR	MODEL	ENGINE	BODY	F	G	E

READ (US 1913-1914)

YEAR	MODEL	ENGINE	BODY	F	G	E
1913	5 Ps	4 CY	Touring Car	1200	2250	4500

READING (US 1900-1913)

YEAR	MODEL	ENGINE	BODY	F	G	E
1900		4 CY	Steam Carriage	2500	5000	10000
1913	2 S	4 CY	Speedster	1750	3500	7000

REAL (US 1914-1915)

YEAR	MODEL	ENGINE	BODY	F	G	E
1914		2 CY Wizard	Cycle Car	1000	1750	3500

REBER (US 1902-1903)

YEAR	MODEL	ENGINE	BODY	F	G	E
1902	Rear Entrance	2 CY	5 Seats	1750	3500	6800

REBOUR (F 1905-1908)

YEAR	MODEL	ENGINE	BODY	F	G	E
1905	10/12 hp	4 CY	Limousine	1400	2600	4500

RED ARROW (US 1915)

YEAR	MODEL	ENGINE	BODY	F	G	E
1915	5 hp	2 CY	Cycle Car	900	1600	3500

RED BUG (US 1924-1928)

YEAR	MODEL	ENGINE	BODY	F	G	E
1924		EL	Buckboard	750	1500	3000

RED JACKET (US 1904)

YEAR	MODEL	ENGINE	BODY	F	G	E
1904	5 Ps	2 CY	Tonneau	1000	2000	4000

REDPATH (CDN 1903)

YEAR	MODEL	ENGINE	BODY	F	G	E
1903		1 CY	Runabout	1000	2000	4000

REEVES (US 1896-1912)

YEAR	MODEL	ENGINE	BODY	F	G	E
1896	6 hp	2 CY Simtz	3 Seats	1600	2700	4500
1900	12 hp	2 CY	3 Seats	1300	2500	5000
1905	18/20 hp	4 CY	2 Seats	1600	2750	5500
1906	Big Six	6 CY	2 Seats	1750	3500	7000
1911	Octo Auto	6 CY	Touring Car 8-Wheel	4000	7000	15000
1912	Go-BG	2 CY	High-wheel	1950	3750	6500

REFORM (A 1906-1907)

YEAR	MODEL	ENGINE	BODY	F	G	E
1906	4 hp	1 CY	2 Seats	1000	1750	3500
1907	8 hp	2 CY	2 Seats	1000	2000	4000

REGAL (F 1903)

YEAR	MODEL	ENGINE	BODY	F	G	E
1903		2 CY DeDion	2 Seats	1200	2250	4500

REGAL (US 1907-1920)

YEAR	MODEL	ENGINE	BODY	F	G	E
1907	20 hp	4 CY	Closed Coupe	3500	8500	12500
1909	Model 30	4 CY	Touring Car	2800	5500	8500
1915	10/15 hp	4 CY	Coupe	3750	7500	10500

REGAL (CDN 1910-1917)

YEAR	MODEL	ENGINE	BODY	F	G	E
1910	30 hp	4 CY	Touring Car	1800	3500	6500

YEAR	MODEL	ENGINE	BODY	F	G	E
1914		2 CY	Runabout	1500	2500	4800
1917		V-8	Touring Car	2000	4000	8000

REGAS (US 1903-1905)
1903		2 CY		1200	2400	4500
1905		4 CY		1300	2500	4900

REGENT (D 1903-1904)
1903				2500	4000	5000

REGINA (F 1903-1925)
1903	Gallia	EL	Laundalet	1200	2250	4500
1908	Galliette	EL	Runabout	1200	2250	4500
1922	2 S	4 CY	3-Wheel	1000	1750	3500
1925	4 S	4 CY	Saloon Sedan	900	1500	2800

REGINETTE (F 1922)
1922	Single S	2.5 hp 247cc	Cycle Car	1000	1600	3000
1922	2 S	2.5 hp	Cycle Car	1000	1600	3000

REGNER (F 1905-1906)
1905	2 S	1 CY 6 hp	Voiturette	1200	2250	4500

REINHARD (F 1911-1914)
1911	Melanie	4 CY	Touring Car	1250	2500	4800

REISACHER-JULIEN (F 1900)
1900				1250	2500	5000

REISSIG (D 1912-1914)
1912		9/26 PS		1000	2000	4000

REJO (GB 1958-1962)
1958		1172cc	Sport	500	1000	2000

REKORD (D 1905-1908)
1905	6 hp	1 CY	Racing Car	1900	3000	6000
1908	80 hp	6 CY	Racing Car	2000	4000	8000

RELAY (US 1904)
1904	24 hp	3 CY	5 Passenger Tonneau	1500	3000	5900

RELIABLE DAYTON (US 1906-1909)
1906	2 S	2 CY	High-wheel	1900	3500	6500
1909	4 S	2 CY	High-wheel	2000	4000	7000

RELIANCE (US 1903-1907)
1903	Rear Entrance	2 CY	Tonneau	2000	4000	7000

YEAR	MODEL	ENGINE	BODY	F	G	E
RELIANT (GB 1952-to-date)						
1952	Rebel	747cc	4 Passenger 3-Wheel	300	600	1200
1957	Sabre	6 CY Ford Consul	Sport	350	700	1500
RELYANTE (F 1903)						
1903	6.5 hp	1 CY	2 Seats	1300	2500	5000
1903	12 hp	Twin	4 Seats	1500	2800	5500
REMI-DANVIGNES (F 1935-1939)						
1935		V-twin 750cc	Sport	600	1000	1800
1939	2 S	4 CY Ruby	Sport	700	1200	2000
REMINGTON (US 1900-1915)						
1900	5 Ps	4 CY	Tonneau	1400	2750	4500
1910	2 Ps	2 CY	Runabout	900	1750	3500
1914		4 CY	Cycle Car	1400	2750	4500
1915		V-8	Cycle Car	1500	2900	5000
RENAULT (F 1898-to-date)						
1898		1.75 hp	Voiturette	1500	3000	6000
1899		1.75 hp	Voiturette	1500	3000	6000
1900		500cc	Voiturette	900	1750	3500
1901		500cc	Racing Car	1000	2000	3900
1902		1 CY	Runabout	1250	2500	5000
1903		2 CY	Touring Car	1400	2800	5600
1904		4 CY	Touring Car	2000	4000	7500
1905		2 CY	Touring Car	1500	3000	5800
1906	20 hp	4 CY	Limousine	1750	3500	7000
1907		2 CY	Runabout	1500	3000	6000
1908		4 CY	Touring Car	1750	3350	6900
1909		2 CY	Roadster	1900	3750	6750
1910		2 CY	Town Car	3750	7500	15000
1911	7 Ps	4 CY	Limousine	3250	6500	12500
1912		4 CY	Roadster	2250	5500	11000
1913		4 CY	Roadster	2500	5000	10500
1914	35 hp	4 CY	Torpedo Touring Car	2500	5000	10000
1915		4 CY	Town Car	3000	6000	12000
1916		4 CY	Roadster	3250	6500	12500
1917		4 CY	Roadster	3250	6500	12500
1918		4 CY	Limousine	3500	7000	14000
1919	FI	6 CY	Touring Car	5000	10000	20000
1920		4 CY	Roadster	3500	7500	15000
1921		4 CY	Touring Car	3000	6000	12000
1922		4 CY	Touring Car	3000	6000	12000
1923	KJ	951cc	Touring Car	1000	2000	4000

YEAR	MODEL	ENGINE	BODY	F	G	E
1924	26.9 hp	4 CY	Limousine	7000	12500	25000
1925	Model 45	4 CY	Sport Touring Car	5000	10000	20000
1926	Model 45	4 CY	Sport Phaeton	4000	8000	16000
1927	JY	6 CY	Touring Car	4500	9000	18000
1928		3.2 Litre	Sport	4000	8000	16000
1929		6 CY	Sport	4500	9000	17500
1930	Reinasetta	Straight 8	Sport	5000	10000	20000
1931	Monasix	4 CY	Saloon Sedan	650	1250	2500
1932	Nerva	8 CY	Saloon Sedan	1000	1900	3800
1933	Primastella	13.9 hp	Saloon Sedan	700	1400	2800
1934		6 CY	Sport Saloon Sedan	1000	2000	3900
1935		6 CY	Saloon Sedan	1000	1900	3750
1936		4 CY	Sport	650	1250	2500
1937		8 CY	Saloon Sedan	1000	2000	4000
1938	Viva Grand SP	27 hp	Sport Saloon Sedan	1250	2500	5000
1939		6 CY	Sport	900	1750	3500
1940		6 CY	Sport Saloon Sedan	700	1400	2800
1941		8 CY	Sport Saloon Sedan	900	1750	3700
1942		6 CY	Saloon Sedan	650	1250	2500
1946		8 CY	Saloon Sedan	650	1250	2500
1947		8 CY	Saloon Sedan	650	1250	2400
1948	Juraquatre	1 Litre	Coupe	500	1000	2000
1949	4 CV	760cc	Coupe	500	1000	2000
1950		750cc	Saloon Sedan	450	900	1800
1951		2.1 Litre	Sport Saloon Sedan	550	1100	2200
1952		2 Litre	Saloon Sedan	450	900	1800
1953		2 Litre	Saloon Sedan	450	900	1800
1954		2.1 Litre	Saloon Sedan	450	900	1800
1955	Fregate	2 Litre	Convertible	650	1250	2500
1956	Dauphine	845cc	Saloon Sedan	300	550	1100
1957	Etoile Filante	6 CY	Saloon Sedan	500	1000	2000
1958		6 CY	Saloon Sedan	500	1000	2000
1959	Floride	845cc	Sport Coupe	350	750	1500
1962	Dauphine Deluxe	4 CY	Sedan	300	600	1100
1966	R-8 Gordini	4 CY	Sedan	450	1000	2000

RENAUX (F 1901-1902)

1901	8 hp	2 CY Buchet		1300	2450	4500

RENFERT (D 1924-1925)

1924	3/12 PS	2 CY	2 Seats	1000	2000	4000

RENFREW (GB 1904)

1904	5 Ps	4 CY 16/20 hp	Touring Car	1000	2000	3800

YEAR	MODEL	ENGINE	BODY	F	G	E
RENNIE (GB 1907)						
1907		10/12 hp	4 CY	1000	2000	3800
1907	30 hp	CY		1600	3000	6000
REO (US 1904-1936)						
1904			Roadster	1800	3300	6500
1904	8 hp	1 CY	Runabout	1500	3000	6000
1905		1 CY	Roadster	1800	3300	6500
1906		1 CY	Roadster	1700	3250	6500
1907	Model A	2 CY	Roadster	1700	3250	6700
1908		2 CY	Roadster	1700	3250	6500
1909		1 CY	Runabout	1750	3500	7000
1910		4 CY	Touring Car	1750	3500	7000
1912		4 CY	Roadster	1950	3750	7500
1912	Reo the 5th	4 CY	Touring Car	1950	3750	7500
1913		4 CY	Roadster	1950	3750	7500
1915	5 Ps	6 CY	Touring Car	2000	4000	8000
1917	7 Ps	6 CY	Touring Car	1950	3750	7500
1918	3 Ps	6 CY	Roadster	1750	3500	7000
1919		6 CY	Roadster	1750	3500	7000
1920	5 Ps	6 CY	Touring Car	1650	3250	6500
1923		6 CY	Sport Touring Car	1650	3750	7500
1924	7 Ps	6 CY	Touring Car	1750	3500	7000
1924		6 CY	Sport Touring Car	1950	3750	7500
1924		6 CY	Brougham	2000	3800	7600
1925		6 CY	Sport Roadster	2000	4000	8000
1925		6 CY	Touring Car	1900	3750	7500
1925	4 Dr	6 CY	Sedan	1100	2250	4500
1926		6 CY	Coupe	1200	2300	4600
1927	RS	6 CY	Sport Roadster	2100	4250	8500
1927	Flying Cloud	6 CY	Sedan	1100	2250	4500
1927	Flying Cloud	6 CY	Coupe	1100	2300	4600
1928	Opera	6 CY	Coupe	1100	2350	4750
1928	Flying Cloud	6 CY	Sedan	1100	2250	4500
1928		6 CY	Cabriolet	2100	4250	8500
1928	RS	6 CY	Coupe	1100	2250	4500
1930	Model 15	6 CY	Sedan	1100	2250	4500
1930	Model 25	6 CY	Sedan	1250	2500	5000
1930	6-25	6 CY	Roadster	2000	4000	8000
1931	6-6-25	6 CY	Sedan	1100	2250	4500
1931	6-6-25	6 CY	Sport Coupe	1100	2300	4600
1931	Custom 8	8 CY	Cabriolet	1000	2000	4000
1931	Royale 8	8 CY	Coupe	3500	10000	17500
1931	Royale 8	8 CY	Sedan	2800	7500	12000
1931	Elite 8	8 CY	Coupe	1200	2400	4800

YEAR	MODEL	ENGINE	BODY	F	G	E
1931	Elite 8	8 CY	Sedan	1000	1900	3800
1932	Elite 8	8 CY	Victoria	1200	2400	4800
1932		8 CY	Sedan	1000	2000	3750
1933		8 CY	Sedan	1000	2000	3750
1933	Royale 8	8 CY	Cabriolet	10000	18500	30000
1935		6 CY	4 Door Sedan	1000	1950	3500

REPTON (GB 1904)

1904	Single S	1 CY 4 hp	3-Wheel	900	1750	3500

REPUBLIC (US 19911-1916)

1911	35/40 hp	4 CY		1600	3000	6000

RESTELLI (I 1920-1923)

1920		4 CY 1490cc	Sport	750	1500	3000
1923		Twin 1459cc	Sport	500	1000	2000

REVELLI (I 1941)

1941		EL	3-Wheel	500	1000	2000

RE VERE (US 1917-1926)

1917		Rochester-Duesenberg	Speedster	5000	10000	20000
1920	Model C	5.9 Litre Cont	Roadster	4500	9000	18000

REVOL (F 1923-1925)

1923		2 CY Anzani	Cycle Car	750	1500	3000

REX (REX-SIMPLEX) (D 1901-1923)

1901	6 hp	1 CY DeDion	Touring Car	1000	2000	4000
1914	17/38 PS	2 CY	Sport Touring Car	1000	2000	4000
1923		4 CY	Touring Car	750	1500	3000

REX (GB 1901-1914)

1901		1 CY 900cc	Voiturette	1000	2000	4000
1904	10 hp	2 CY	Tonneau	1000	2000	4000
1906	Rexette	V-twin	2 Seats	1000	2000	3800
1908	Remo	4 CY T-head	2 Seats	1000	2000	4000
1912		V-twin	Cycle Car	900	1750	3500

REX (US 1914)

1914	15/18 hp	4 CY	2 Seats	1600	3000	5800

REX BUCKBOARD (US 1902)

1902	4.5 hp	1 CY	Buckboard	750	1500	3250

REYMOND (F 1901)

1901	12 hp	V-twin	2 Seats	1000	1750	3500

REYNARD (GB 1931)

1931		Twin Meadows	Sport	1000	1750	3500

YEAR	MODEL	ENGINE	BODY	F	G	E
REYONNAH (F 1951-1954)						
1951	Tandem	2 CY Ydral 175	2 Seats	300	600	1250
REYROL (PASSE-PARTOUT) (F 1901-1930)						
1901	5 hp	1 CY Aster	Voiturette	1100	2250	4500
1907		Buchet 942cc	Racing Car	1000	1750	3500
1924		Chapuis-Dornier	Racing Car	900	1500	3000
R.G.S.-ATALANTA (GB 1947-1958)						
1947		Brooke 3.4 Litre	Sport Racing Car	1000	1800	3500
R.H. (F 1927-1928)						
1927	2 S	C.I.M.E. 1100	Sport	1000	1750	3500
RHEDA (F 1898-1899)						
1898	2 S	1 CY 2.5 hp	3-Wheel	1000	2000	4000
RHEMAG (D 1924-1926)						
1924	2 S	1065cc	Sport	750	1500	3000
1926	4 S	1464cc	Sport	900	1750	3500
RHODE (GB 1921-1931)						
1921	9.5 hp	4 CY	4 Seats	900	1750	3500
1924	2 Dr		Touring Car	900	1750	3500
1928	Hawk	11/30 hp Meadows	Saloon Sedan	600	1200	2500
RIBBLE (GB 1904-1908)						
1904	Single S	2 CY 8 hp	3-Wheel	1000	1900	3800
1908	2 S	1 CY 4.5 hp		900	1750	3500
RICART (E 1922-1928)						
1922		4 CY	Racing Car	1250	2500	5000
1928		6 CY	Racing Car	1600	3250	6500
1928		6 CY	Touring Car	1500	2750	5500
RICART-ESPANA (E 1928-1929)						
1928		6 CY 2.4 Litre	Touring Car	1000	2000	4000
1929		Twin	Racing Car	1000	1900	3750
RICHARD (US 1914-1917)						
1914	7 Ps	4 CY	Touring Car	1000	3000	6000
1917	BT	V-8	9 Passenger Touring Car	2000	3750	7500
RICHARDSON (GB 1903-1922)						
1903	6.5 hp	1 CY Aster	2 Seats	1000	1900	3800
1909	24 hp	4 CY Aster	4 Seats	1000	1800	3500
1919		JAP 990cc	Cycle Car	1000	1900	3800
RICHELIEU (US 1922-1923)						
1922	4 Dr	4 CY Rochester-Duesenberg	Touring Car	1600	3250	6500

374

YEAR	MODEL	ENGINE	BODY	F	G	E

RICHMOND (US 1902-1917)

YEAR	MODEL	ENGINE	BODY	F	G	E
1902			Runabout	1750	3500	7000
1903	4 S	1 CY 6 hp	Dos-a-dos	1750	3500	7000
1909		4 CY	Roadster	2250	4500	9000
1917	5 S	4 CY	Touring Car	2000	4000	8000
1917	2 S	4 CY	Runabout	2200	4250	8500

RICKENBACKER (US 1922-1927)

YEAR	MODEL	ENGINE	BODY	F	G	E
1922		6 CY	Opera Coupe	1250	2500	4800
1923		Straight 8	Club Sedan	1000	2100	4200
1923		Straight 8	Sport	1200	2400	4800
1924	5 Ps	6 CY	Sedan	1000	2000	4000
1926		6 CY	Phaeton	2000	4000	8000
1927		6 CY	Phaeton	3500	6000	12000

RICKETTS (US 1908-1909)

YEAR	MODEL	ENGINE	BODY	F	G	E
1908	35 hp	4 CY Brownell	Tonneau	1500	2750	5500
1909	50 hp	Brownell	5 Passenger Touring Car	1900	3750	6500
1909	Model D	Brownell	7 Passenger Touring Car	2300	4500	7000

RICORDI & MOLINARI (I 1905-1906)

YEAR	MODEL	ENGINE	BODY	F	G	E
1905	8 hp	1 CY	Tonneau	1500	3050	4500

RIDDLE (US 1916-1926)

YEAR	MODEL	ENGINE	BODY	F	G	E
1916		6 CY Cont	Sedan	1500	3050	4500

RIDER-LEWIS (US 1908-1910)

YEAR	MODEL	ENGINE	BODY	F	G	E
1908	Excellent Six	4 CY 26 hp	5 Passenger Touring Car	1500	3000	5800
1909	2 S		Roadster	1600	3200	6500
1910			Limousine	1500	3000	6000

RIDLEY (GB 1901-1914)

YEAR	MODEL	ENGINE	BODY	F	G	E
1901	3.5 hp	DeDion	2 Seats	1300	2600	5500
1914		2 CY Blumfield	2 Seats	1200	2500	4800

RIEGEL (F 1902)

YEAR	MODEL	ENGINE	BODY	F	G	E
1902	10 hp	Flat-twin	Avant Train	1250	2500	5000

RIEJU (E 1954-1956)

YEAR	MODEL	ENGINE	BODY	F	G	E
1954		2 CY Hispano-Villiers	Minicar	500	1000	1750

RIGAL (F 1902-1903)

YEAR	MODEL	ENGINE	BODY	F	G	E
1902		1 CY DeDion		1200	2250	4500

RIKAS (D 1922-1923)

YEAR	MODEL	ENGINE	BODY	F	G	E
1922	6/14 hp	4 CY	2 Seats	1000	2000	4000

RIKER (US 1896-1902)

YEAR	MODEL	ENGINE	BODY	F	G	E
1896		EL	3-Wheel	1200	2250	4500

YEAR	MODEL	ENGINE	BODY	F	G	E
1899	2 S	EL	Phaeton	2500	5000	10000
1900		EL	Torpedo Racing Car	4000	8000	15000
1901	2 S	2 CY 8 hp	Runabout	3500	7000	12500
1902	4 S	4 CY 16 hp	Dos-a-dos	3000	6000	10000

RILEY (GB 1898-1969)

YEAR	MODEL	ENGINE	BODY	F	G	E
1898		1 CY	Voiturette	1600	3250	7500
1899		1 CY	3-Wheel	1100	2250	4500
1900		1 CY	Voiturette	1500	3000	6000
1901	517cc	1 CY	3-Wheel	1000	2000	4000
1902		Twin	Touring Car	1100	2250	4500
1903		Twin	Touring Car	1100	2250	4500
1904		Twin	Touring Car	1100	2250	4500
1905		Twin	3-Wheel	1000	2000	4000
1906		Twin	Touring Car	1100	2250	4500
1907	1034cc	V-twin	3-Wheel	900	1750	3800
1908		V-twin	Touring Car	1000	2100	4200
1909	12/18 hp	V-twin	Torpedo Touring Car	1100	2250	4500
1910		V-twin	Touring Car	1100	2100	4200
1911		V-twin	Touring Car	1000	2000	4100
1912		V-twin	Touring Car	1000	2000	4000
1913		V-twin	Touring Car	1000	2000	4000
1914	2.9 Litre	4 CY	Touring Car	1100	2250	4500
1915		4 CY	Sport	1200	2300	4600
1916		4 CY	Sport	1200	2300	4600
1917		4 CY	Touring Car	1100	2200	4400
1918		4 CY	Touring Car	1100	2150	4300
1919		1.5 Litre	Sport	1100	2250	4500
1920	Eleven	1.5 Litre	Touring Car	1000	2000	4000
1921		4 CY	Touring Car	1000	2000	4000
1922	10.8 hp	4 CY	Touring Car	1000	2000	4000
1923	Redwinger	1.5 Litre	Sport	1200	2400	4800
1924	Twelve	1.5 Litre	Touring Car	1100	2250	4500
1925		1.5 Litre	Touring Car	1100	2250	4500
1926	Redwinger	1.5 Litre	Sport	1250	2500	5000
1927		1.5 Litre	Touring Car	1100	2250	4500
1928	Monaco	1.5 Litre	Fabric Sport Saloon Sedan	1000	2000	4000
1929	Blooklands	1.5 Litre	Sport	1400	2750	5800
1930	Fourteen	6 CY	Touring Car	1100	2250	4500
1931	Brooklands	6 CY	Sport	1500	3000	6000
1932		1.5 Litre	Sport	2000	3750	6500
1933		1.5 Litre	Sport	1750	3300	6600
1934		1.5 Litre	Convertible	2000	4000	7500
1935		1.5 Litre	Sport Roadster	2250	4500	9000
1936	Lynx	1.5 Litre	Sport Sedan	1000	2000	4000
1937		1.5 Litre	Sport Touring Car	2000	4000	8000
1938		1.5 Litre	Sport	2000	4000	7500
1939		1.5 Litre	Saloon Sedan	1000	2000	4000
1940		V-8	Saloon Sedan	900	1750	3500

YEAR	MODEL	ENGINE	BODY	F	G	E
1941		V-8	Saloon Sedan	900	1750	3500
1942		1.5 Litre	Saloon Sedan	750	1500	3000
1946		1.5 Litre	Saloon Sedan	750	1500	3000
1947		1.5 Litre	Saloon Sedan	750	1500	3000
1948		1.5 Litre	Roadster	2000	4250	8500
1949		1.5 Litre	Roadster	2000	4250	8500
1950		1.5 Litre	Club Sedan	1200	2400	4800
1951		1.5 Litre	Drop Head Coupe	1600	3250	6500
1952		1.5 Litre	Sedan	1100	2250	4500
1953		1.5 Litre	Coupe	1250	2500	5000
1954	Pathfinder	2.5 Litre	Saloon Sedan	1100	2250	4500
1955		2.5 Litre	Saloon Sedan	1100	2250	4500
1956		2.5 Litre	Coupe	1200	2400	4800
1957		2.5 Litre	Coupe	1200	2400	4800
1958		2.6 Litre	Saloon Sedan	900	1800	3500
1959		2.6 Litre	Saloon Sedan	900	1800	3500
1960		2.6 Litre	Saloon Sedan	900	1800	3500
1961		1.5 Litre	Saloon Sedan	750	1500	3000
1962		1.5 Litre	Saloon Sedan	750	1500	3000
1963		1.5 Litre	Saloon Sedan	750	1500	3000
1964		848cc	Saloon Sedan	500	900	1800
1965		848cc	Saloon Sedan	500	900	1800
1966	Elf Mark	998cc	Saloon Sedan	550	1100	2250
1967	Elf	998cc	Saloon Sedan	650	1250	2500
1968	Elf	998cc	Saloon Sedan	650	1250	2500
1969	Elf	998cc	Saloon Sedan	650	1250	2500

RIP (F 1908-1912)
1908	5/6 hp	1 CY		1000	2000	4000
1912	10/12 hp	4 CY		1300	2300	4500

RIPERT (F 1899-1902)
1899	6 hp	1 CY		1000	2000	4000
1902	12 hp	2 CY		1500	2700	5200

RITTER (US 1912)
1912		4 CY	Torpedo Roadster	2500	5000	8500

RITZ (US 1914-1915)
1914	10/12 hp	V-twin	2 Seats	1250	2500	5000

RIVAT ET BOUCHARD (F 1900)
1900		1 CY	Voiturette	1250	2500	4500

R.L.C. (GB 1920-1921)
1920		3 CY	2 Seats	1000	1900	3800

R.N.W. (GB 1951)
1951		Villiers 197cc	2 Seats	500	1000	1800

ROACH (US 1899)
1899		2 CY	2 Seats	2000	3750	7500

YEAR	MODEL	ENGINE	BODY	F	G	E

ROADER (US 1911-1913)

1911	2 S	4 CY	Roadster	1300	2500	5000

ROAMER (US 1916-1930)

1916		6 CY Cont	Touring Car	3500	7000	15000
1919		4 CY Rochester-Duesenberg	Sport	4500	9000	18000
1923	Model 75-E	4 CY	Touring Car	3000	6000	12000
1925	Model 8-88	6 CY	5 Passenger Sedan	3500	7000	14000

ROBE (US 1914-1921)

1914		4 CY	Cycle Car	1000	2000	4000

ROBERTS (US 1915)

1915	60 hp	6 CY		5000	7000	8000

ROBERT SERF (F 1926-1933)

1926	7 CV	4 CY	Open 2 Seats	750	1500	3000
1933	4 CV	2 CY	Saloon Sedan	700	1400	2800

RORBERTSON (GGB 1900-1916)

1900	8 hp	JAP 2 CY	Cycle Car	1500	2750	4500

ROBERTS SIX (CDN 1921)

1921		6 CY	Touring Car	2000	4000	8000
1921		6 CY	Sedan	1500	3000	6000
1921		6 CY	Limousine	1750	3500	7000

ROBIE (US 1914)

1914		4 CY Perkins	2 Seats	1400	2600	5000

ROBINET (F 1906-1907)

1906	Tandem	V-twin Derkert	2 Seats	1000	1750	3500

ROBINSON; POPE-ROBINSON (US 1900-1904)

1900		2 CY	2 Seats	1250	2500	5000
1904	5 Ps	4 CY	Tonneau	1750	3500	6500

ROBINSON (GB 1907)

1907	12 hp	4 CY	2 Seats	1000	2000	3900

ROBINSON & HOLE (GB 1906-1907)

1906	2 S	4 CY	Touring Car	900	1750	3500
1907	5 S	4 CY	Touring Car	1000	1900	3800

ROBINSON & PRICE (GB 1905-1913)

1905	6.5	1 CY Fafnir	Cycle Car	900	1750	3500
1913		1 CY	2 Seats	1000	1900	3800

ROB ROY (GB 1922-1926)

1922	8 hp	Flat-twin	2 Seats	900	1800	3500
1926	12 hp	4 CY Dorman	2 Seats	750	1500	3000

YEAR	MODEL	ENGINE	BODY	F	G	E

ROBSON (US 1908-1909)

| 1908 | Beetle-backed | 2 CY | Roadster | 1750 | 3500 | 7000 |
| 1909 | 40/45 hp | 4 CY | Roadster | 2750 | 4500 | 8500 |

ROCH-BRAULT (F 1898-1899)

| 1898 | | 1 CY | Voiturette | 2000 | 3500 | 5000 |

ROCHDALE (GB 1957-to-date)

| 1957 | | 1.5 Litre Riley | Drop Head Coupe | 1000 | 1900 | 3800 |
| 1957 | 2/4 S | Ford | Saloon Sedan | 700 | 1400 | 2800 |

ROCHESTER (US 1901-1902)

| 1901 | | 2 CY | Steam Buggy | 2500 | 5000 | 10000 |

ROCHET; ROCHET-PETIT (F 1899-1905)

| 1899 | 6/8 hp | 2 CY | Tonneau | 1100 | 2250 | 4500 |
| 1905 | | 1 CY Aster | Limousine | 1100 | 2250 | 4500 |

ROCHET FRERES (F 1898-1901)

| 1898 | | 1 CY DeDion | Vis-a-vis | 1300 | 2500 | 5000 |

ROCHET-SCHNEIDER (F 1894-1932)

1894		1 CY	Tonneau	1300	2400	4800
1905	8 hp	2 CY	Tonneau	1300	2400	4800
1909	12 hp	4 CY	Saloon Sedan	800	1500	3000
1911		6 CY	Saloon Sedan	1500	3000	6000
1929	20 hp	6 CY	Saloon Sedan	1500	3000	6000

ROCK (H 1905-1918)

1905	16 hp	4 CY	Touring Car	1200	2400	4800
1913	21/25 hp	6 CY	Touring Car	1500	2750	5500
1918	20/50 hp	6 CY	Touring Car	1500	2750	5500

ROCKEFELLER YANKEE (US 1949-1950)

| 1949 | 4 S | Ford V-8 | Sport | 750 | 1500 | 3000 |

ROCKET (US 1948)

| 1948 | | 4 CY | Sport | 500 | 1000 | 2000 |
| 1948 | | 6 CY | Sport | 600 | 1100 | 2200 |

ROCK FALLS (US 1919-1925)

| 1919 | | 6 CY Cont | | 2400 | 3500 | 6500 |

ROCK HILL (US 1910)

| 1910 | 5 Ps | 4 CY | Tonneau | 2000 | 3000 | 5500 |

ROCKNE (US 1931-1933)

1932	4 Dr	6 CY	Sedan	1000	2000	4000
1932		6 CY 3.1 Litre	Coupe	1100	2250	4500
1933		6 CY	Sedan	1000	2000	4000

ROCKWELL (US 1908)

| 1908 | 7 Ps | 4 CY | Touring Car | 1250 | 2500 | 5000 |

YEAR	MODEL	ENGINE	BODY	F	G	E
ROCOURT-MERLIN (F 1900)						
1900		Abeille	Coach	1200	2250	4500
RODLEY (GB 1954-1955)						
1954		V-twin JAP	2 Seats	650	1200	2500
ROEBLING-PLANCHE (US 1906-1909)						
1906	5 S	4 CY	Laundalet	2400	3500	6500
1909	2 S	120 hp	Racing Car	3000	5000	10000
ROGER (F 1888-1896)						
1888	7 Ps	2 CY	Touring Car	1200	2300	4500
ROGER (GB 1920-1924)						
1920	10.8 hp	Coventry-Simplex	2 Seats	2000	3000	6000
ROGERS (US 1911-1912)						
1911	2 S	2 CY 18 hp	High-wheel	1900	3750	6500
1912		2 CY	Surrey	1600	2750	5500
ROHR (D 1928-1935)						
1928	Type R	Straight 8 50 hp	Saloon Sedan	9000	16000	30000
1930	Type RA	2.5 Litre	Saloon Sedan	9000	16000	30000
1935	Type F	8 CY	Saloon Sedan	9000	16000	30000
ROLAND (D 1907)						
1907		1 CY	Voiturette	1200	2250	4500
ROLLAND-PILAIN (F 1906-1931)						
1906	20 hp	4 CY		1200	2250	4500
1912	18 CV	6 CY		1350	2700	5300
1921	18 CV	8 CY	Coupe de Ville	2200	4000	7000
1930		6 CY Schmid	Racing Car	2500	4500	7500
1931		6 CY	Racing Car	2500	4500	7500
ROLLFIX (D 1933-1936)						
1933	2 S	Ilo 200cc	3-Wheel Coupe	600	1200	2200
ROLLIN (US 1923-1925)						
1923	16/45 hp	4 CY	Sedan	1000	2000	3800
1925		4 CY	Touring Car	1200	2300	4500
ROLLO (GB 1911-1913)						
1911	4.5 hp	1 CY Precision	Cycle Car	1000	1800	3500
1913	Tandem	2 CY JAP	2 Seats	1000	1800	3500
ROLLSMOBILE (US 1958-to-date)						
1958	3 hp	1 CY Cont		450	750	1400
ROLLS ROYCE (GB 1904-to-date)						
1904		1.8 Litre	Touring Car	4000	8000	16000
1905		2 Litre	Touring Car	4000	8000	16000

YEAR	MODEL	ENGINE	BODY	F	G	E
1906	Silver Ghost	3 Litre	Limousine	35000	75000	170000
1907	Twenty	4 CY	Roadster	17500	35500	75000
1908		6 Litre	Limousine	5000	10000	20000
1909	40/50 hp	6 CY	Limousine	5000	10000	20000
1910	Silver Ghost	6 CY	Roadster	15000	30000	60000
1911	Silver Ghost	6 CY	Roadster	15000	30000	60000
1912	Silver Ghost	6 CY	Touring Car	22500	45000	70000
1913	Silver Ghost Continental	6 CY	Touring Car	22500	45000	70000
1914	Silver Ghost	6 CY	Laundalet	12500	25000	50000
1914	Silver Ghost	6 CY	Roadster	15000	29000	58000
1914	Silver Ghost	6 CY	Limousine	7500	15000	30000
1915	Silver Ghost	6 CY	Touring Car	10000	20000	40000
1915	Silver Ghost	6 CY	Touring Car Limousine	7500	15000	30000
1916		6 CY	Roadster	13000	26000	52000
1916		6 CY	Town Car	7000	14000	28000
1917		6 CY	Limousine	7500	15000	30000
1918		6 CY	Touring Car	10000	20000	40000
1919		6 CY	Touring Car	10000	20000	40000
1920	RE	6 CY	Limousine	5000	10000	20000
1920	AE 7 Ps	6 CY	Limousine	5000	10000	20000
1921	Silver Ghost	6 CY	Town Car	5000	11000	22000
1922	Model 20	6 CY	Estate Wagon	4000	8000	16500
1922	Silver Ghost	6 CY	Roadster	11000	22500	45000
1923	Silver Ghost	6 CY	Picadilly Roadster	12500	25000	50000
1923	Silver Ghost	6 CY	Pall Mall Phaeton	11000	22500	45000
1923	Silver Ghost	6 CY	5 Passenger Saloon Sedan	2750	5500	11000
1924	Silver Ghost	6 CY	Touring Car			
1924	Twenty	6 CY	Limousine			
1925	P-11 Henley	6 CY	Roadster	12000	24500	48500
1925	Silver Ghost	6 CY	Roadster	12000	25000	50000
1925	7 Ps	6 CY	Saloon Sedan	3000	6000	12000
1925	P-11	6 CY	Touring Car	10000	19000	38000
1925	P-11	6 CY	Station Wagon	7000	14000	28000
1926	P-1	6 CY	Sedanca Deville	5000	10000	20000
1926	P-1	6 CY	Saloon Sedan	4000	8000	16000
1926	P-1	6 CY	Cabriolet	10000	20000	40000
1926	P-1	6 CY	Roadster	15000	30000	60000
1926	Silver Ghost	6 CY	Limousine	5500	11000	22500
1927	P-1	6 CY	Ascot Phaeton	12000	24000	48000
1927	Twenty	6 CY	Laundalet	7000	14000	18000
1927	Twenty	6 CY	Town Car	6500	12500	15000
1927	P-1	6 CY	7 Passenger Touring Car	9000	18000	35000

YEAR	MODEL	ENGINE	BODY	F	G	E
1927	P-1	6 CY	Saloon Sedan	4000	8000	16000
1927	P-1	6 CY	Dual Cowl Phaeton	17500	35000	70000
1927	P-1	6 CY	Cabriolet	7500	15000	30000
1928	4 Dr	6 CY	Sedan	3750	7500	15000
1928	Springfield	6 CY	Limousine	3750	7500	15000
1928	Brewster	6 CY	Dual Cowl Phaeton	20000	40000	80000
1928	Phantom I	7.7 Litre	Warwick 7 Passenger	3750	7500	15000
1928	Phantom I	7.7 Litre	Cabriolet	11000	22500	45000
1928	Phantom I	7.7 Litre	Drop Head Convertible	19000	38000	76000
1928	New Phantom Foursome	7.7 Litre	Torpedo Touring Car	16000	32500	65000
1929	P-1	6 CY	Touring Car	9000	17500	34000
1929	Pall Mall	6 CY	Touring Car	15000	30000	60000
1929	P-11	6 CY	Convertible Sedan	7500	15000	30000
1929	P-11	6 CY	Saloon Sedan	3750	7500	15000
1929	Brewster	6 CY	Touring Car	7500	15000	30000
1929		6 CY	B Touring Car	7500	15000	30000
1929	20-25	6 CY	Limousine	3500	7500	15000
1930	P-1	4.5 Litre	Roadster	7500	15000	30000
1930	20-25	4.5 Litre	Convertible Sedan	6000	12500	25000
1930	Phantom II	4.5 Litre	4 Door Phaeton	5500	11000	22000
1930	Phantom II	4.5 Litre	Limousine	5000	10000	20000
1930	Phantom II	4.5 Litre	Touring Car	5000	10000	19000
1930	Phantom II	4.5 Litre	Sedan	4000	7500	15000
1931	P-11	3.7 Litre	Limousine	5000	10000	20000
1931	5 Ps	3.7 Litre	Saloon Sedan	3750	7500	15000
1931	P-11	3.7 Litre	Sedan	3750	7500	15000
1931	P-11	3.7 Litre	Touring Car	7500	15000	29000
1931	P-11	3.7 Litre	Convertible Sedan	9000	18000	35000
1931	P-11	3.7 Litre	Coupe	7500	15000	30000
1932	Model 20-25	3.7 Litre	Shooting Brake	4000	8000	16000
1932	P-11	3.7 Litre	Town Car	6500	12500	25000
1932	20-25	3.7 Litre	Sport Saloon Sedan	4500	9000	18000
1932	5 Ps	3.7 Litre	Convertible Coupe	7500	14000	28000
1932	Brewster	3.7 Litre	Limousine	5000	10000	20000
1932	P-11	3.7 Litre	Convertible Coupe	7500	15000	30000
1933	P-11	3.7 Litre	2 Door Coupe	3000	6000	12000
1933	20-25	3.7 Litre	Convertible Sedan	4000	8000	16000
1933	P-11	3.7 Litre	5 Passenger Saloon Sedan	5000	10000	20000
1933	P-11	3.7 Litre	Limousine	6000	12000	24000
1933	Brewster	3.7 Litre	Convertible Sedan	7500	15000	30000
1933	BT	3.7 Litre	Dual Cowl Phaeton	15000	27000	55000
1934	Deville	6 CY	Coupe	5500	11000	22000
1934	4 Ps	6 CY	Coupe	3000	6000	12000
1934	P-111	6 CY	Victoria	5500	11000	22000
1934	Brewster	6 CY	Roadster	15000	30000	60000

YEAR	MODEL	ENGINE	BODY	F	G	E
1934	20-25	6 CY	Coupe	3750	7500	13000
1934	20-25	6 CY	Saloon Sedan	4000	8000	16000
1934	P-111	6 CY	5 Passenger Saloon Sedan	5000	10000	20000
1934	20-25	6 CY	2 Door Cont	3750	7500	14500
1934	20-25	6 CY	Limousine	3750	7500	14500
1935	20-25	6 CY	Sport Saloon Sedan	2500	5000	10000
1935	P-11 Hooper	6 CY	Limousine	4000	7500	15000
1935	P-111	6 CY	Convertible Victoria	9000	17500	35000
1935	20-25	6 CY	2 Door Coupe	3000	6250	12500
1935	20-25	6 CY	Limousine	3000	6000	12000
1935	Brewster	6 CY	Roadster	15000	30000	60000
1935	Deville	6 CY	Coupe	5500	11000	22000
1935	20-25	6 CY	Convertible Sedan	18500	27500	55000
1936	P-111	V-12	Sedanca	4500	9000	18000
1936	25-30	6 CY	Sport Saloon Sedan	3750	7500	15000
1936	P-111	6 CY	5 Passenger Saloon Sedan	4500	9000	17000
1936	P-111	6 CY	7 Passenger Limousine	4500	9000	17000
1936	20-25	6 CY	Limousine	4000	7500	15000
1936	20-25	6 CY	Coupe	5000	10000	20000
1937	P-111	6 CY	Touring Car Limousine	5000	10000	20000
1937	25-30	6 CY	Limousine	4000	8000	16000
1937	P-111	V-12	Sedanca de Ville	7000	14000	28000
1937	P-111	6 CY	Victoria Coupe	7500	15000	30000
1937	P-111	6 CY	5 Passenger Saloon Sedan	5000	10000	20000
1937	P-111	6 CY	7 Passenger Limousine	5000	10000	20000
1937	P-111	V-12	Touring Car	12500	25000	50000
1937	P-111	6 CY	Convertible Sedan	10000	20000	40000
1937	P-111	6 CY	5 Passenger Saloon Sedan	4500	9000	18000
1937	P-111	6 CY	7 Passenger Saloon Sedan	5000	10000	19000
1938	P-111	V-12	Sedanca de Ville	7500	15000	28000
1938	P-111	V-12	5 Passenger Saloon Sedan	4000	7500	15000
1938	P-111	V-12	7 Passenger Saloon Sedan	4500	9000	17000
1938	P-111	V-12	5 Passenger Coupe	7500	15000	30000
1938	25-30	6 CY	Limousine	5000	10000	18000
1939	Wraith Open Front	6 CY	Town Car	7500	15000	30000
1939	Wraith	6 CY	PW Limousine	5000	10000	20000
1939	P-111	V-12	Convertible Victoria	10000	20000	40000

YEAR	MODEL	ENGINE	BODY	F	G	E
1939	Wraith	6 CY	5 Passenger Sport Sedan	10000	20000	20000
1940	Wraith	6 CY	5 Passenger Saloon Sedan	4500	9000	18000
1940	Wraith	6 CY	Convertible Saloon Sedan	3500	7000	13000
1940	P-111	V-12	Convertible Coupe	7500	15000	30000
1940	P-111	V-12	7 Passenger Saloon Sedan	5000	10000	20000
1941	P-111	7.3 Litre	Town Car	7500	15000	30000
1941	P-111	7.3 Litre	Limousine	6000	12000	24000
1941	P-111	7.3 Litre	Touring Car Limousine	6000	11000	22000
1941	P-111	7.3 Litre	5 Passenger Coupe	6000	11000	22500
1941	P-111		Convertible Coupe	7500	15000	30000
1942	P-111	7.3 Litre	Limousine	5000	10000	19000
1942	Wraith	7.3 Litre	Saloon Sedan	5000	10000	18500
1942	P-111	7.3 Litre	Coupe	5000	10000	20000
1942	P-111	7.3 Litre	Touring Car	10000	20000	40000
1942	P-111	7.3 Litre	Drop Head Coupe	9000	17500	35000
1946	Silver Wraith	6 CY	Brougham Saloon Sedan	4000	7500	15000
1946	Silver Wraith	6 CY	Saloon Sedan Limousine	4000	8000	16000
1946	Silver Wraith	6 CY	Touring Car	7500	14000	28000
1946	Silver Wraith	6 CY	Coupe	7000	12500	25000
1946	Silver Wraith	6 CY	Saloon Sedan	4000	8000	16000
1946	Silver Wraith	6 Cy	Limousine	4500	9000	17000
1946	Silver Wraith	6 CY	Drop Head Coupe	8000	15000	30000
1946	Silver Wraith	6 CY	Special Limousine	5000	10000	20000
1947	Silver Wraith	6 CY	Sedanca de Ville	4000	8000	15000
1947	Silver Wraith	6 CY	Touring Car Limousine	4000	8000	15000
1947	Silver Wraith	6 CY	Saloon Sedan	3500	6500	12500
1947	Silver Wraith	6 CY	Touring Car Saloon Sedan	3500	7000	13500
1947	Silver Wraith	6 CY	Long Limousine	3750	7500	15000
1947	Silver Wraith	6 CY	Brougham Saloon Sedan	3500	6500	13000
1947	Silver Wraith	6 CY	Fixed Head Coupe	5000	10000	20000
1947	Silver Wraith	6 CY	Drop Head Coupe	6500	13000	25000
1948	Silver Wraith	6 CY	Touring Car Limousine	4000	7500	15000
1948	Silver Wraith	6 CY	Saloon Sedan	3000	6000	12000
1948	Silver Wraith	6 CY	Limousine	3500	7000	14000
1948	Silver Wraith	6 CY	Sedanca de Ville	4000	8000	16000
1948	Silver Wraith	6 CY	Touring Car Saloon Sedan	3500	7000	13000
1948	Silver Wraith	6 CY	Long Touring Car Limousine	4500	7000	14000

YEAR	MODEL	ENGINE	BODY	F	G	E
1948	Silver Wraith	6 CY	Coupe	5000	10000	19000
1949	Silver Wraith	6 CY	Coupe Cabriolet	5500	11000	22000
1949	Silver Wraith	6 CY	Limousine	3000	6000	12000
1949	Silver Wraith	6 CY	Saloon Sedan	3250	6500	12500
1949	Silver Wraith	6 CY	Touring Car Limousine	3250	6500	13000
1949	Silver Wraith	6 CY	Laundalet	3500	7000	14000
1949	Silver Wraith	6 CY	Sedanca de Ville	5000	10000	20000
1949	Silver Dawn	6 CY	Limousine	2200	4400	8800
1949	Silver Dawn	6 CY	Saloon Sedan	2000	4000	8000
1949	Silver Dawn	6 CY	Touring Car Saloon Sedan	2200	4250	8500
1950	Silver Dawn	6 CY	Drop Head Coupe	5500	11000	22000
1950	Phantom IV	8 CY	Limousine	7000	14000	28000
1950	Phantom IV	8 CY	Touring Car Limousine	7500	15000	30000
1950	Silver Wraith	6 CY	Saloon Sedan	4000	7500	15000
1950	Silver Wraith	6 CY	Saloon Sedan Limousine	4000	8000	16000
1950	Silver Wraith	6 CY	Fixed Head Coupe	4500	9000	18000
1950	Phantom IV	8 CY	2 Door Cabriolet	9000	17500	35000
1950	Silver Dawn	6 CY	Limousine	3000	5000	10000
1951	Silver Dawn	6 CY	4 Door	3500	6500	12500
1951	Silver Wraith	6 CY	Sport Saloon Sedan	4500	9000	17500
1951	Silver Wraith	6 CY	Saloon Sedan Limousine	4500	9000	18000
1951	Silver Wraith	6 CY	Touring Car Limousine	4500	9000	18500
1951	Phantom IV	8 CY	7 Passenger Limousine	4500	9000	18000
1952	Silver Dawn	6 CY	Touring Car Limousine	3000	6000	12000
1952	Silver Wraith	6 CY	Limousine	4500	9000	17500
1952	Silver Wraith	6 CY	Fixed Head Coupe	5000	10000	20000
1952	Silver Wraith	6 CY	Saloon Sedan	4000	8000	16000
1952	Silver Wraith	6 CY	7 Seats Limousine	4500	9000	17000
1952	Phantom IV	8 CY	Limousine	4500	9000	18000
1953	Silver Dawn	6 CY	Saloon Sedan	3750	7500	13500
1953	Silver Dawn	6 CY	Convertible	5000	10000	19500
1953	Silver Wraith	6 CY	Saloon Sedan Limousine	5000	10000	20000
1953	Phantom IV	8 CY	Touring Car Limousine	6500	12500	25000
1954	Silver Wraith	6 CY	Saloon Sedan	3500	7000	14000
1954	Silver Dawn	6 CY	Limousine	3750	7500	15000
1954	Silver Wraith	6 CY	7 Seats Limousine	6500	12500	25000
1954	Phantom IV	8 CY	Fixed Head Coupe	7500	15000	30000
1954	Silver Wraith	6 CY	Touring Car Limousine	6500	12500	25000
1955	Silver Dawn	6 CY	Sedan	3250	7500	15000
1955	Silver Wraith	6 CY	Limousine	6000	12000	24000
1955	Phantom IV	8 CY	Fixed Head Coupe	7500	15000	30000

YEAR	MODEL	ENGINE	BODY	F	G	E
1955	Silver Cloud I	6 CY	Saloon Sedan	3500	7000	14000
1955	Silver Cloud I	V-8	8 Seats Limousine	4500	9000	17500
1955	Silver Wraith	6 CY	Saloon Sedan	4500	9000	18000
1956	Silver Wraith	6 CY	Touring Car Limousine	4500	9000	18000
1956	Silver Cloud I	V-8	Saloon Sedan	4000	7500	15000
1956	Silver Wraith	6 CY	Laundalet	5000	10000	20000
1956	Silver Cloud	6 CY	7 Seats Limousine	4000	8000	16000
1956	Phantom IV	8 CY	Limousine	6000	12000	24000
1957	Silver Cloud I	6 CY	Saloon Sedan	3250	6500	12500
1957	Silver Cloud I	6 CY	Drop Head Coupe	8000	15000	30000
1957	Silver Wraith	6 CY	Touring Car Limousine	4500	9000	18000
1957	Silver Wraith	6 CY	7 Seats Limousine	4500	9000	17500
1957	Silver Wraith	6 CY	Laundalet	5000	10000	20000
1957	Silver Wraith	6 CY	2 Door Saloon Sedan	5000	10000	20000
1958	Silver Cloud I	6 CY	Saloon Sedan	4000	7500	15000
1958	Silver Wraith	6 CY	Limousine	4000	7500	15000
1958	Silver Wraith	6 CY	Touring Car Limousine	4000	8000	16000
1958	Silver Wraith	6 CY	7 Seats Limousine	4000	8000	15500
1959	Silver Cloud I	6 CY	4 Door Saloon Sedan	4000	8000	16000
1959	Silver Wraith	6 CY	Limousine	3750	7500	15000
1959	Silver Wraith	6 CY	2 Door Saloon Sedan	4500	9000	18000
1959	Silver Wraith	6 CY	Drop Head Coupe	5500	11000	22000
1959	Silver Wraith	6 CY	Touring Car Limousine	4000	8000	16000
1959	Phantom V	V-8	Limousine	5000	10000	20500
1959	Silver Cloud	6 CY	Drop Head Coupe	9000	17500	35000
1959	Silver Cloud	6 CY	Cabriolet	7000	14000	28000
1960	Silver Cloud II	V-8	Sedan	4000	8000	16000
1960	Phantom V	V-8	Limousine	7500	13000	26000
1960	Silver Cloud II	V-8	Radford Estate	7500	14000	18500
1960	Silver Cloud	V-8	7 Passenger Limousine	5000	10000	20000
1960	Silver Cloud	V-8	Touring Car Limousine	5500	11000	22000
1961	Phantom V	V-8	Limousine	7500	15000	27500
1961	Silver Cloud II	V-8	Touring Car Limousine	6500	12500	15000
1961	Phantom V	V-8	7 Passenger Limousine	6500	13000	26000
1961	Phantom V	V-8	Touring Car Limousine	7000	14000	28000
1962	Phantom V	V-8	Touring Car Limousine	7000	14000	28000
1962	Phantom V	V-8	Limousine	7000	14000	27000
1962	Phantom V	V-8	7 Passenger	6500	13000	26000
1963	Phantom V	V-8	Touring Car Limousine	6500	12500	25000
1963	Silver Cloud	V-8	Limousine	5500	11000	22000
1963	Silver Cloud	V-8	7 Passenger Limousine	5000	10000	19000

YEAR	MODEL	ENGINE	BODY	F	G	E
1964	Phantom V	V-8	Touring Car Limousine	5000	10000	20000
1964	Phantom V	V-8	7 Passenger Limousine	4500	9000	18500
1965	Phantom V	V-8	Touring Car Limousine	5000	10000	19500
1965	Silver Cloud	V-8	Limousine	4500	9000	18000
1966	Phantom V	V-8	Touring Car Limousine	5000	10000	19000
1967	Phantom V	V-8	7 Passenger Limousine	4500	9000	18000
1967	Phantom V	V-8	Touring Car Limousine	4500	9000	18500
1968	Silver Shadow	V-8	Limousine	3500	7000	14500
1968	Phantom V	V-8	Limousine	4500	8500	17500
1969	Silver Shadow	V-8	Limousine	3750	7500	15000
1969	Phantom VI	V-8	Limousine	4500	9000	18000
1970	Silver Shadow	V-8	Limousine	4000	8000	16000
1971	Corniche	V-8	Convertible	7500	15000	30000
1971	Corniche	V-8	2 Door Saloon Sedan	5000	10000	20000

ROLLS-ROYCE (US 1921-1931)

1921	Silver Ghost	6 CY 7.4 Litre	Convertible	9000	17500	35000
1926	New Phantom	6 CY 7.7 Litre	Speedster Phaeton	12000	24000	48000
1931	Phantom I	6 CY	Speedster Phaeton	13000	25000	50000

ROLUX (F 1938-1952)

1938		1 CY 125cc	Minicar	450	900	1800
1952	Doorless	1 CY	2 Seats	550	1000	2000

ROMER (US 1921)

1921		6 CY Cont	Sedan	1300	2500	4800

RONTEIX (F 1906-1914)

1906	8 hp	4 CY 905cc	4 Seats	1200	2500	4500

ROO (AUS 1917-1919)

1917		Flat-twin	2 Seats	1350	2800	5000

ROOSEVELT (US 1929-1931)

1929		8 CY	Sedan	1300	2500	5000
1929	5 Ps	Straight 8	Victoria	1300	2500	5000
1929	RS	Straight 8	Coupe	1900	3750	6500

ROOTS & VENABLES (GB 1896-1904)

1896	2.5 hp	1 CY	3-Wheel	1250	2500	5000
1900	4 S	2 CY	Dos-a-dos	1300	2600	5500
1904		2 CY	2 Seats	1200	2400	4800

ROPER-CORBET (GB 1911-1912)

1911	15.9 hp	4 CY	4 Seats	1300	2500	4900

ROSENGART (F 1928-1955)

1928	LR 145	4 CY	Saloon Sedan	750	1500	3000
1929		6 CY	Roadster	900	1800	3500
1935	2 Dr	6 CY	Sport Saloon Sedan	550	1100	2200

YEAR	MODEL	ENGINE	BODY	F	G	E
1937		6 CY	Cabriolet	650	1250	2500
1949	Ariette	6 CY	Drop Head Coupe	500	1000	2000
1950	Artisane	6 CY 747cc	Saloon Sedan	450	900	1800
1954	Saggie	4 CY	Convertible	350	750	1500

ROSS (US 1905-1918)

1905	5 Ps	2 CY	Touring Car	1500	2400	4800
1908	2 Ps	2 CY	Runabout	1500	2400	4800
1915	45 hp	V-8	Touring Car	1700	3250	6500
1917		6 CY Cont	Limousine	2000	3750	7500
1918	Open		Coupe	1750	3500	7000

ROSSEL (F 1898-1926)

1898		1 CY Daimler	Voiturette	1100	2250	4500
1903	22 hp	4 CY	2 Seats	1000	2000	3800
1926		6 CY	2 Seats	1500	3000	6000

ROSSELLI (I 1899-1904)

1899	3 hp	V-twin	Voiturette	1300	2500	5000

ROTARY (US 1904-1923)

1904	8 hp	1 CY	Touring Car	1250	2500	4500
1922		6 CY	Touring Car	1750	3500	6500

ROTHWELL (GB 1901-1916)

1901	6 hp	1 CY	Laundalet	1200	2250	4500
1911	15 hp	4 CY	Laundalet	1250	2400	4800
1916	25 hp	4 CY	Touring Car	1300	2500	5000

ROUGH (GB 1899-1900)

1899	2 hp	1 CY		1200	2250	4500

ROUSSEL (F 1908-1914)

1908	10 hp	4 CY	2 Seats	1000	2200	4800
1914	12 hp	4 CY	4 Seats	1200	2500	5000

ROUSSEY (F 1949-1950)

1949	2 Dr	4 CY 700cc	Saloon Sedan	750	1000	1500

ROUSSON (F 1910-1914)

1910	14 CV	4 CY	2 Seats	1000	2000	4000
1914	Open	4 CY	4 Seats	1100	2250	4500

ROUXEL (F 1899)

1899	2.5 hp	1 CY Aster	Voiturette	1100	2250	4500

ROVER (GB 1904-to-date)

1904	8 hp	1 CY	3-Wheel	1000	2000	3800
1905	6 hp	1 CY	3-Wheel	1000	2000	3800
1906	16/20 hp	4 CY	Laundalet	1750	2750	5500
1907		4 CY	Laundalet	1750	2750	5500
1908	20 hp	4 CY	Laundalet	1250	2500	5000
1909	15 hp	4 CY	Laundalet	1250	2500	5000
1910	15 hp	4 CY	Touring Car	1200	2400	4800

YEAR	MODEL	ENGINE	BODY	F	G	E
1911	12 hp	1.9 Litre	Touring Car	1100	2250	4500
1912	12 hp	1.9 Litre	Touring Car	1100	2250	4500
1913		4 CY	Touring Car	1250	2500	5000
1914		4 CY	Roadster	1400	2750	5500
1915		4 CY	2 Seats	1400	2750	5500
1916		4 CY	2 Seats	1400	2750	5500
1917		4 CY	Touring Car	1500	3000	6000
1918		4 CY	Touring Car	1500	3000	6000
1919		4 CY	Touring Car	1500	3000	6000
1920		4 CY	Roadster	1400	2800	5600
1921		4 CY	Roadster	1500	3000	5500
1922		4 CY	2 Seats	1250	2500	5000
1923		4 CY	2 Seats	1250	2500	5000
1924	Eight	2.5 Litre	Roadster	1200	2400	4800
1925		2.5 Litre	Racing Car	1100	2250	4500
1926		2.1 Litre	Sport	1100	2250	4500
1927		2.5 Litre	Sport	1000	2100	4200
1928		2.1 Litre	Roadster	1000	2000	4000
1929		2 Litre	Roadster	1000	2000	4000
1930	Light Six	6 CY	Racing Car	1100	2250	4500
1931		6 CY	Limousine	1000	2000	4000
1933		2 Litre	Sport	1000	2000	3800
1934		2 Litre	Racing Car	1000	2100	4200
1935		2 Litre	Sport	1000	2000	4000
1936		2 Litre	Limousine	1000	2000	4000
1937		2 Litre	2 Seats	1000	2000	3800
1938		2 Litre	2 Seats	1000	2000	3800
1939	16 hp	2 Litre	Sport Saloon Sedan	900	1750	3400
1940		2.6 Litre	Sport	900	1750	3400
1941		2.6 Litre	Saloon Sedan	900	1750	3400
1942		2 Litre	Saloon Sedan	900	1750	3500
1946		2.6 Litre	Saloon Sedan	900	1700	3400
1947		2.6 Litre	2 Seats	1000	2000	4000
1948		2.6 Litre	Saloon Sedan	750	1500	3250
1949		2 Litre	Saloon Sedan	750	1500	3000
1950	P 4	2 Litre	Saloon Sedan	750	1500	3000
1951		2.6 Litre	Saloon Sedan	800	1600	3250
1952	T 3	2.6 Litre	Coupe	950	1750	3500
1953		2.6 Litre	Saloon Sedan	750	1500	3000
1954		2.6 Litre	Saloon Sedan	700	1400	2800
1955		2.6 Litre	Coupe	650	1250	2500
1956		2.6 Litre	Coupe	650	1250	2500
1957	105 S	2.6 Litre	Saloon Sedan	500	1000	2000
1958		2.6 Litre	Saloon Sedan	500	1000	2000
1959		3 Litre	Saloon Sedan	550	1100	2200
1962		2 Litre	Sedan	650	1250	2500

ROVIN (F 1946-1959)

YEAR	MODEL	ENGINE	BODY	F	G	E
1946	Doorless	EL 260cc	2 Seats	300	600	1200

YEAR	MODEL	ENGINE	BODY	F	G	E

ROYAL & ROYAL PRINCESS (US 1905)

YEAR	MODEL	ENGINE	BODY	F	G	E
1905		EL	Runabout	1600	3000	6000
1905		2 CY	5 Seats	1500	2800	5500

ROYAL ENFIELD (GB 1901-1905)

1901	3.5 hp	1 CY DeDion	2 Seats	1200	2250	4500

ROYAL RUBY (GB 1913-1927)

1913	10 hp	V-twin JAP	Cycle Car	1000	2000	4000
1927	5 hp	1 CY JAP	3-Wheel	750	1500	3000

ROYAL STAR (B 1904-1910)

1904		1 CY		1000	2000	4000
1908		2 CY		1200	2250	4500
1910		4 CY		1500	2750	5500

ROYAL TOURIST (US 1904-1911)

1904	18/20 hp	2 CY	Tonneau	2300	4500	8500
1911	48 hp	4 CY	Tonneau	2600	5000	9500

ROYCE (GB 1904)

1904		Twin		1250	2300	4500

ROYDALE (GB 1907-1909)

1907	25/30 hp	4 CY	Laundalet	1300	2500	4800

R.T.C. (GB 1922-1923)

1922	8.3 hp	V-twin Blackburne	Cycle Car	1000	1750	3500

RUBAY (US 1922-1924)

1922		4 CY	2 Seats	1000	2000	4000

RUBINO (I 1920-1923)

1920		4 CY 2.3 Litre	Touring Car	800	1700	3250

RUBY (F 1910-1922)

1910	6 hp	1 CY	Racing Car	1250	2500	5000
1922	12 hp	4 CY	Racing Car	1750	3250	6500

RUDGE (GB 1912-1913)

1912	Staggered S	1 CY 750cc	Cycle Car	900	1800	3500

RUHL (B 1901)

1901		4 CY		1500	2750	4500

RULER (US 1917)

1917		4 CY		2000	3000	5800

RULEX (GB 1904)

1904	3.5 hp	1 CY	Voiturette	1000	2000	4000

RUMPF (B 1899)

1899	3 Ps	2 CY 6.5 hp	Vis-a-vis	1500	2600	4900

YEAR	MODEL	ENGINE	BODY	F	G	E

RUMPLER (D 1921-1926)

1921		6 CY	Saloon Sedan	750	1300	2500
1926		4 CY	Sport	850	1500	2800

RUSSELL (US 1902-1904)

1902	6 hp	4 CY	Buggy	1700	3200	6000
1912	Knight		Touring Car	2600	5000	11000

RUSSELL (CDN 1905-1916)

1905		2 CY DeDion	Touring Car	1300	2500	4800
1906		4 CY	Touring Car	1500	3000	5900
1912		6 CY Knight	Touring Car	1750	3500	7000

RUSSO-BALTIQUE (SU 1909-1915)

1909	24/30 hp	4 CY	Touring Car	1800	3600	7000
1915		7.2 Litre	Touring Car	2500	4900	8500

RUSSON (GB 1951-1952)

1951		197cc JAP	3 Seats	650	1300	2500

RUSTON-HORNSBY (GB 1919-1924)

1919	15.9 hp	4 CY	All-weather Touring Car	900	1750	3500

RUTHERFORD (GB 1907-1912)

1907	30/40 hp	3 CY	5 Passenger Touring Car	1000	2000	4000

RUTTGER (D 1920-1921)

1920	10/40 PS	4 CY		1000	2000	3800

RUXTON (US 1929-1931)

1929	Front wheel Drive	8 CY Cont 4.4 Litre	Roadster	9000	17500	35000
1930		8 CY	Roadster	9000	17500	35000
1930	5 Ps	8 CY	Sedan	3500	7000	12500
1931		8 CY	Sport Phaeton	12500	25000	50000
1931		8 CY	Town Car	10000	20000	40000

R.W.N. (D 1928-1929)

1928	2 S	200cc	3-Wheel	450	900	1800
1929	2 S	500cc	3-Wheel	500	1000	2000

RYDE (GB 1904-1906)

1904	14/16 hp	3 CY	Tonneau	1250	2500	5000

RYJAN (F 1920-1926)

1920		S.C.A.P. 1690cc	Touring Car	750	1500	3000

RYKNIELD (GB 1903-1906)

1903	10/12	Vert-twin	Victoria	2000	3000	6000
1906	20 hp	4 CY	Victoria	2100	3300	6500

YEAR	MODEL	ENGINE	BODY	F	G	E

RYLEY (GB 1901-1913)

YEAR	MODEL	ENGINE	BODY	F	G	E
1901	2.75 hp	1 CY MMC	Voiturette	1200	2000	4000
1913	6 hp	V-twin JAP	Cycle Car	1000	1800	3600

RYNER-WILSON (GB 1920-1921)

YEAR	MODEL	ENGINE	BODY	F	G	E
1920	15.7 hp	6 CY		1000	2000	4000

RYTECRAFT SCOOTACAR (GB 1934-1940)

YEAR	MODEL	ENGINE	BODY	F	G	E
1934		Villiers Midget 98cc	Single Seat	450	900	1800
1940		Villiers Midget 250cc	Minicar	500	1000	2000

S

Stutz — 1929 *"Blackhawk Boattail Speedster"*

YEAR	MODEL	ENGINE	BODY	F	G	E

S. 1 (DK 1949-1950)

YEAR	MODEL	ENGINE	BODY	F	G	E
1949	2 Dr	2 CY Jowett-Bradford	Saloon Sedan	600	1200	2200

SAAB (S 1950-to-date)

YEAR	MODEL	ENGINE	BODY	F	G	E
1950	Model 92	2 CY D.K.W.	Saloon Sedan	450	800	1600
1956		3 CY	Gran Turismo Saloon Sedan	400	750	1500
1971	Sonnett	V-6	Coupe	600	1250	2500

S.A.B.A. (I 1925-1928)

YEAR	MODEL	ENGINE	BODY	F	G	E
1925		4 CY 1 Litre	4 Seats	1000	1800	3500

YEAR	MODEL	ENGINE	BODY	F	G	E

SABELLA (GB 1906-1914)

| 1906 | 3.5 hp | 1 CY JAP | Cycle Car | 1000 | 1800 | 3500 |
| 1910 | 10 hp | 2 CY JAP | Cycle Car | 750 | 1600 | 3200 |

SABLATNIG-BEUCHELT (D 1925-1926)

| 1925 | 6/30 PS | 4 CY 1496cc | | 1000 | 1700 | 3600 |

SACHSENRING (D 1956-1959)

| 1956 | | 6 CY 2407cc | | 700 | 1300 | 2500 |

S.A.F. (F 1908-1912)

| 1908 | Tandem | 1 CY 4.5 hp | Tricar | 1000 | 1800 | 3600 |

S.A.F. (S 1921-1922)

| 1921 | | 4 CY G.B.&S. | 6 Seats | 1000 | 1900 | 3800 |

SAFETY (US 1901)

| 1901 | | 1 CY | Steam Buggy | 3000 | 5000 | 10000 |

SAFIR (CH 1907-1908)

| 1907 | 30 hp | 4 CY | 2 Seats | 800 | 1500 | 3000 |
| 1908 | 40 hp | 6 CY | 2 Seats | 1000 | 1600 | 3500 |

SAGE (F 1900-1906)

| 1900 | 10 hp | 2 CY Abeille | Town Car | 1200 | 2400 | 4800 |
| 1906 | 24 hp | 4 CY Mutel | Touring Car | 1300 | 2500 | 4500 |

SAGER (CDN 1910)

| 1910 | 30 hp | 4 CY | Touring Car | 1300 | 2500 | 5000 |

SAGINAW (US 1914-1916)

1914	2 S	4 CY	Cycle Car	1000	2000	4000
1916		V-8	Cycle Car	1500	2800	5600
		Massnick-Phipps				

ST. JOHN (US 1903)

| 1903 | | 1 CY | 2 Seats | 1500 | 3000 | 6000 |

ST. LAURENCE (GB 1899-1902)

| 1899 | 6 hp | 1 CY | Dogcart | 1000 | 2000 | 4000 |

ST. LOUIS (US 1898-1907)

1898	4 S	1 CY	Dos-a-dos	1250	2400	4800
1903	XV	2 CY	Touring Car	1300	2500	5000
1907	XVI	4 CY	Touring Car	1600	3000	6000

ST. VINCENT (GB 1903-1910)

| 1903 | | 2 CY Aster | Racing Car | 2000 | 3000 | 6000 |
| 1910 | | 4 CY Aster | Racing Car | 2500 | 4000 | 8000 |

SALMON (GB 1914)

| 1914 | 11.9 hp | 4 CY | | 900 | 1300 | 4500 |

SALMSON (F 1921-1957)

| 1921 | | 4 CY 1100cc | Racing Car | 1000 | 2000 | 4000 |

YEAR	MODEL	ENGINE	BODY	F	G	E
1924		4 CY	Racing Car	1000	2000	4000
1927	Model G	1100cc	Sport	1100	2250	4500
1930		Straight 8	Touring Car	1200	2400	4800
1934	S4C	1.5 Litre	Coupe	1100	2250	4500
1939	S4E	2.3 Litre	Saloon Sedan	1000	1750	3500
1943	S4G	1.6 Litre	Saloon Sedan	750	1500	3000
1951	Randonnee	2.2 Litre	Saloon Sedan	750	1400	2800
1953	2300	2.3 Litre	Coupe	800	1600	3200
1957	4 Dr		Saloon Sedan	800	1500	3000

SALAMON (F 1931)

1931		1 CY 386cc	2 Seats	500	900	1800

SALTER (US 1909-1912)

1909	5 Ps	4 CY F-head	Touring Car	1300	2600	5500
1912	2 Ps	4 CY F-head	Roadster	1600	2800	5600

SALVA (I 1906-1907)

1906	16/25	4 CY	4 Seats	900	1800	3500
1907	50/70	6 CY	4 Seats	800	1600	3200

SALVADOR (US 1914)

1914		4 CY Farmer	2 Seats	1300	2500	4750

SALVADOR (E 1916)

1916	12 hp	V-twin MAG	2 Seats	1000	1900	3800

SALVO (GB 1906)

1906	20/30 hp	4 CY	Limousine	1200	2250	4500

SAM (PL 1954-1956)

1954	2 S	Fiat	Sport	400	800	1500
1956	Single S	Lancia	Sport	500	900	1800

S.A.M. (I 1924-1928)

1924	B-23	6 CY	Sport Voiturette	900	1750	3500
1926	B-24	6 CY	Voiturette	900	1750	3500
1927	C-25	1100cc	Voiturette	750	1500	3000
1928	V-25	1100cc	Voiturette	750	1500	3000

SAMPSON (US 1904-1911)

1904	40 hp	4 CY	Racing Car	1750	3300	6500
1911	4 Dr	4 CY 35 hp	5 Seats	1500	3000	6000

SAMSON (US 1922)

1922	9 Ps	Chevrolet FB	Truck	1250	2300	4500

SANCHIS (F 1906-1912)

1906	4.5 hp	2 CY	Tricar	1000	1750	3500
1912	10 hp	4 CY	2 Seats	1200	2000	3800

SANDFORD (F 1922-1939)

1922		4 CY	3-Wheel	900	1600	3500
1927	Tourisme	900cc Ruby	Sport	700	1400	2800

YEAR	MODEL	ENGINE	BODY	F	G	E
1930	SP	900cc Ruby	Sport	600	1250	2500
1936	Super SP	900cc Ruby	Sport	700	1400	2800
1939		900cc Ruby	Sport 3-Wheel	600	1200	2200

S & M (US 1913-1914)

1913	Six-43	6 CY Cont	5 Passenger Touring Car	2250	4500	7000

S & M SIMPLEX (US 1904-1907)

1904	18 hp	4 CY	Touring Car	2250	4500	9000
1906	2 S	70 hp	Racing Car	2500	5000	10000
1907	2 S	4 CY T-head	Racing Car	3500	6500	12500

SANDRINGHAM (GB 1902-1905)

1902	10 hp	2 CY	Wagonette	2000	2800	5000

S & S (US 1924-1930)

1924		6 CY	Sedan	1000	1750	3500
1927	Brighton	8 CY 27 hp	Limousine	1300	2600	5500
1929	Lakewood	Straight 8	Sedan	1400	2800	4500

SANDUSKY (US 1902-1903)

1902		1 CY	Runabout	1300	2400	4800

SAN GIORGIO (I/GB 1906-1909)

1906	25 hp	6 CY	Racing Car	1500	3000	6000
1909	60 hp	6 CY	Racing Car	1500	3000	6000

SAN GIUSTO (I 1922-1924)

1922	6 hp	4 CY 748cc	Cycle Car	750	1500	3200

SANTAX (F 1922-1924)

1922		1 CY 125cc	Cycle Car	700	1400	2300

SANTLER (GB 1898-1924)

1898	10 hp	2 CY	2 Seats	750	1500	3000
1924	24 hp	4 CY	4 Seats	800	1600	3500

SANTOS DUMONT (US 1902-1904)

1902	4 Seats	2 CY	Tonneau	1000	2000	4000
1904	20 hp	4 CY	Tonneau	1500	2500	4500

S.A.R.A. (F 1923-1930)

1923		4 CY 1100cc	4 Seats	700	1400	2800
1925		6 CY	4 Seats	800	1500	3000
1928		6 CY 1.8 Litre	Drop Head Coupe	1000	1800	3500

S.A.S. (F 1927-1928)

1927		4 CY C.I.M.E.	Saloon Sedan	600	1200	2400
1928		6 CY C.I.M.E.	Saloon Sedan	700	1300	2500

S.A.T.A.M. (F 1941)

1941	2 S	EL	Coupe	500	1000	2000

YEAR	MODEL	ENGINE	BODY	F	G	E

SAURER (CH 1897-1914)

YEAR	MODEL	ENGINE	BODY	F	G	E
1897	6 hp	1 CY	4 Seats	1200	2300	4500
1910	24/30 hp	4 CY T-head	Touring Car	900	2000	4000
1914	50/60 hp	6 CY	Limousine	1200	2500	5000

SAUTEL ET SECHAUD (F 1902-1904)

1902	3.5 hp	1 CY	3-Wheel	1000	2000	4000

SAUTTER-HARLE (F 1907-1912)

1907	10/12 hp	2 CY		1100	2300	4500
1912	16/20 hp	4 CY		1000	2000	4000

S.A.V.A. (B 1910-1923)

1910		4 CY L-head	Racing Car	1300	2500	5000
1920	24/30 hp	6 CY	2 Seats	1400	2700	5500

SAVER (GB 1912)

1912	14 hp	Hewitt	2 Seats	1000	2000	4000

SAXON (US 1913-1923)

1913		4 CY	2 Seats	1200	2400	4800
1914		6 CY	Roadster	1300	2600	5100
1915		6 CY	Touring Car	1500	3000	6000
1918		6 CY	Roadster	1250	2500	5000
1919		6 CY	Touring Car	1400	2800	5600
1923		6 CY	Touring Car	1250	2500	5000

SAYERS (US 1917-1924)

1917	BP	6 CY Cont	Touring Car	1100	2250	4500
1918		6 CY Cont	Roadster	1200	2400	4800
1920		6 CY Cont	Sedan	800	1600	3500
1923		6 CY Cont	Limousine	1000	2000	3800
1924		6 CY Cont	Coupe	1000	2000	4000

S.B. (D 1920-1924)

1920		EL	Single Seat	1200	2500	5000
1924	2 S	D.K.W.	6-Wheel	1500	3000	6000

S.B.K. (S 1904-1906)

1904		1 CY	Buggy	750	1500	3000
		2 CY	Buggy	900	1750	3500

SCACCHI (I 1911-1915)

1911	20/30 hp	4 CY	4 Seats	900	1750	3500
1915		4 CY	4 Seats	1000	2000	3800

SCAMPOLO (D 1950-1961)

1950		500cc D.K.W.	Racing Car	600	1200	2500

SCANIA (S 1902-1912)

1902		2 CY Kamper		1500	2900	4500
1912	36 hp	4 CY Kamper		1600	3000	5000

YEAR	MODEL	ENGINE	BODY	F	G	E

SCANIA-VABIS (S 1914-1929)

YEAR	MODEL	ENGINE	BODY	F	G	E
1914	22 hp	4 CY	Touring Car			3500
1920	60 hp	4 CY	Touring Car			4500
1928		4 CY	Touring Car			4800
1929		4 CY	Limousine			4400

S.C.A.P. (F 1912-1929)

YEAR	MODEL	ENGINE	BODY	F	G	E
1912	8 CV	4 CY Ballot	Sport	1000	1900	3800
1917	16 CV	4 CY Ballot	Sport	1000	2000	4000
1923	M	4 CY 1100cc	Sport	1000	2000	4000
1924	D	6 CY	Sport	1250	2500	5000
1929		Straight 8	Sport	1500	3000	6000

S.C.A.R. (F 1906-1915)

YEAR	MODEL	ENGINE	BODY	F	G	E
1906		4 CY T-head	2 Seats			4500
1912		6 CY	4 Seats			5500
1915		6 CY	2 Seats			6000

SCARAB (US 1934-1939)

YEAR	MODEL	ENGINE	BODY	F	G	E
1934		Ford V-8	Custom to Order	3000	6500	10000

S.C.A.T. (I 1906-1923)

YEAR	MODEL	ENGINE	BODY	F	G	E
1906	22/32 hp	3.8 Litre	Racing Car	1200	2250	4500
1910		4.4 Litre	Racing Car	1200	2400	4800
1914	25/35 hp	4.7 Litre	Racing Car	1100	2250	4500
1917		2.1 Litre	Racing Car	1000	1800	3500
1920		4 CY	Racing Car	750	2500	3000
1923		6 CY 2.2 Litre	Racing Car	1000	2000	3800

S.C.H. (B 1927)

YEAR	MODEL	ENGINE	BODY	F	G	E
1927	8 CV	4 CY	Sport	1300	2500	4800

SCHACHT (US 1905-1913)

YEAR	MODEL	ENGINE	BODY	F	G	E
1906	12 hp	2	High-wheel	1600	3000	6000
1907		2 CY	Friction Drive	1300	2500	4800
1913	40 hp	4 CY	Touring Car	1400	2600	5000

SCHARF GEARLESS (US 1914)

YEAR	MODEL	ENGINE	BODY	F	G	E
1914		4 CY 1 Litre	Cycle Car	1000	2000	3800

SCHAUM (US 1901)

YEAR	MODEL	ENGINE	BODY	F	G	E
1901	4 hp	1 CY	2 Seats	1300	2500	5000

SCHEELE (D 1899-1910)

YEAR	MODEL	ENGINE	BODY	F	G	E
1899		EL	2 Seats	1700	3300	6000
1900		EL	2 Seats	1700	3300	6000
1910		EL	Laundalet	1800	3500	6500

SCHEIBLER (D 1900-1907)

YEAR	MODEL	ENGINE	BODY	F	G	E
1900		Flat-twin 6.9 Litre	2 Seats	1300	2500	5000
1904		4 CY	4 Seats	1500	2800	5500
1907		1 CY	4 Seats	1000	1900	3800

YEAR	MODEL	ENGINE	BODY	F	G	E
SCHILLING (D 1905)						
1905	6/12 PS	4 CY Fafnir	Voiturette	2000	3000	6000
SCHLOSSER (US 1912-1913)						
1912		4 CY 7.7 Litre	5 Seats	1600	3000	5800
SCHMIDLIN (F 1925-1926)						
1925		4 CY Ruby 985cc	Saloon Sedan	1000	1800	3500
SCHNADER (US 1907)						
1907	Open	2 CY	5 Seats	1500	3000	5500
SCHRAM (US 1913)						
1913	38 hp	6 CY	5 Seats	2000	4000	7500
SCHUCKERT (D 1899-1900)						
1899		EL	2 Seats	2250	3000	6000
SCHULZ (D 1904-1906)						
1904	18 hp	4 CY	2 Seats	1000	2000	3800
1906	28 hp	6 CY	4 Seats	1500	3000	6000
SCHURICHT (D 1921-1925)						
1921	4/12 PS	4 CY	2 Seats	1000	2000	4000
1925	5/18 PS	4 CY	3 Seats	700	1600	3250
SCHUTTE-LANZ (D 1922-1923)						
1922		6 CY	2 Seats	1300	2500	4800
SCIREA (I 1914-1927)						
1914	8/10 hp	4 CY 1.2 Litre	Sport	1000	1900	3800
SCOOTACAR (GB 1957-1964)						
1957		324	3-Wheel Coupe	300	600	1250
1957	Tandem	197cc	2 Seats	350	700	1300
SCOOT-MOBILE (US 1946)						
1946			3-Wheel	500	1000	1800
SCOTIA (GB 1907)						
1907	16/20 hp	4 CY		1000	2000	4000
SCOTSMAN (GB 1922-1930)						
1922	10 hp	4 CY	4 Seats	1000	1900	3800
1925	14/40 hp		2 Seats	800	1600	3500
1929		6 CY S.A.R.A.	2 Seats	800	1600	3500
1930	Little Scotsman	Meadows	2 Seats	900	1750	3250
SCOTT (US 1899-1901)						
1899		EL	2 Seats	1500	3000	6000
SCOTT (F 1912)						
1912	15 hp	4 CY	2 Seats	1000	2000	4000
1912	20 hp	4 CY	4 Seats	1300	2600	4500

YEAR	MODEL	ENGINE	BODY	F	G	E

SCOTT SOCIABLE (GB 1921-1925)

YEAR	MODEL	ENGINE	BODY	F	G	E
1921	2 S	2 CY 578cc	3-Wheel	750	1400	2800

SCOUT (GB 1904-1923)

YEAR	MODEL	ENGINE	BODY	F	G	E
1904	14/17 hp	4 CY	Touring Car	1000	2000	4000
1906	17/20 hp	6 CY	Touring Car	1200	2400	4800
1910	12 hp	2 CY	Racing Car	800	1500	3000
1917		6 CY 563cc	Racing Car	1500	3000	6000
1920		4 CY	Racing Car	1200	2250	4500
1923	15.9 hp	2 CY	Coupe	900	1700	3250

SCRIPPS-BOOTH (US 1913-1922)

YEAR	MODEL	ENGINE	BODY	F	G	E
1913	Rocket Tandem	V-twin Spacke	2 Seats			
1914	Model C Staggered	4 CY Sterling	Roadster	3500	6500	12500
1916	Model D	Ferro	Town Car	2500	5000	10000
1917	Model G	V-8 490 Chevrolet	4 Passenger Roadster	3700	7000	13000
1917		6 CY	Touring Car	3250	6500	12500
1918		6 CY	Touring Car	3250	6500	12500
1921		6 CY	Touring Car	3250	6500	12500

SEABROOK (GB 1920-1928)

YEAR	MODEL	ENGINE	BODY	F	G	E
1920	11.9 hp	4 CY		900	1700	3250
1921	9.8 hp	4 CY Dorman		1000	2000	4000
1928	11.9 hp	4 CY Meadows		1000	2000	4000

SEAL (GB 1912-1924)

YEAR	MODEL	ENGINE	BODY	F	G	E
1912		V-twin JAP	3-Wheel	900	1800	3500
1914	8 hp	980cc JAP	3-Wheel	1000	1900	3600
1920		4 CY	2 Seats	850	1600	3200
1922		4 CY	3 Seats	900	1800	3500
1924		4 CY	4 Seats	900	1800	3500

SEARCHMONT (US 1900-1903)

YEAR	MODEL	ENGINE	BODY	F	G	E
1900	5 hp	1 CY	2 Seats	1500	2900	5800
1902	10 hp	2 CY	Tonneau	1400	2800	5500
1903	32 hp	4 CY	Tonneau	1600	3000	6000

SEARS (US 1906-1911)

YEAR	MODEL	ENGINE	BODY	F	G	E
1906		2 CY	High-wheel	2500	4750	8500
1907		2 CY	Motor Buggy	2500	4750	8500
1909	Surrey Top	4 CY	Touring Car	2000	3750	7500
1911	Closed	4 CY	Coupe	1300	2400	4800

S.E.A.T. (E 1953-to-date)

YEAR	MODEL	ENGINE	BODY	F	G	E
1953	1400	4 CY	Saloon Sedan	350	700	1400
1957	600	6 CY	Saloon Sedan	400	800	1600
1959	1800	6 CY	Saloon Sedan	450	900	1800

SEATON-PETTER (GB 1926-1927)

YEAR	MODEL	ENGINE	BODY	F	G	E
1926		Vert-twin	4 Seats	1000	2000	3800

YEAR	MODEL	ENGINE	BODY	F	G	E

SEBRING (US 1910-1911)

1910	35 hp	6 CY 3.9 Litre		1600	3000	5800

SECQUEVILLE-HOYAU (F 1919-1924)

1919	10 CV	4 CY	Coupe de Ville	1000	2000	3800

SEETSTU (GB 1906-1907)

1906	2 S	1 CY 3 hp	3-Wheel	1000	1750	3500

SEFTON (GB 1903)

1903		2 CY	Voiturette	1000	2000	4000

SEIDEL-AROP (D 1925-1926)

1925	8/25 PS	1020cc		750	1500	3000

SEKINE (US 1923)

1923		4 CY	Touring Car	1300	2500	4800

SELDEN (US 1906-1914)

1906	47	4 CY Cont		4500	9000	18500
1910		4 CY	Roadster	5000	10000	20000

SELF (S 1916-1922)

1916		1 CY	Cycle Car	750	1500	2800
1919		4 CY	Cycle Car	1000	2000	3800
1922		V-twin	Cycle Car	900	1800	3500

SELLERS (US 1909-1912)

1909		4 CY	Touring Car	1300	2500	4800

SELVE (D 1923-1929)

1923	6/24 hp	4 CY	Saloon Sedan	1000	1800	3600
1924	8/32 hp	6 CY	Saloon Sedan	1100	2000	3900
1925	8/40 hp	6 CY 2090cc	Sport	1200	2250	4500
1927	Selecta	6 CY	Saloon Sedan	1100	2000	3800

SEMAG (CH 1920)

1920	11 hp	4 CY	Touring Car	1000	2000	4000

SENATOR (US 1906-1910)

1906		4 CY 3.3 Litre		1500	3000	5600

SENECA (US 1917-1924)

1917		4 CY	Touring Car	1200	2400	4800
1922		LeRoi	Roadster	1300	2600	5000
1924		Lycoming	Touring Car	1250	2500	4900

SENECHAL (F 1921-1929)

1921		4 CY Ruby 900cc	Racing Car	900	1800	3500
1922	Grand SP	4 CY	Sport	1000	1900	3800
1924	SP	6 CY 1100cc	Sport	900	1800	3600
1925	SZ	1100cc	Racing Car	900	1800	3500
1927	1500 Special		Racing Car	900	1800	3500

YEAR	MODEL	ENGINE	BODY	F	G	E
SENG ET HENRY (F 1901-1902)						
1901		2 CY	2 Seats	1000	1900	3800
SERPENTINA (US 1915)						
1915				1300	2500	4500
SERPOLLET (F 1887-1907)						
1887	Diamond Pattern Wheel Layout	4 CY 5 hp		1250	2500	5000
1900	12 hp	2 CY	Laundalet	1100	2250	4500
1904		6 CY	Racing Car	1200	2300	4600
1907	18 hp	4 CY	Tulip Phaeton	1400	2800	5500
SERPOLLET-ITALIANA (I 1906-1908)						
1906	8 hp	1 CY	Runabout	1200	2200	4500
SERVITOR (US 1907)						
1907	12/14 hp	4 CY	2 Seats	1200	2250	4500
SEVERIN (US 1920-1922)						
1920		6 CY Cont		1250	2300	4500
S.F.A.T. (F 1903-1904)						
1903		4 CY	4 Seats	1200	2100	4000
S.G.V. (US 1911-1915)						
1911		4 CY	Roadster	1300	2400	4800
1915		4 CY	Limousine	1400	2500	5000
SHAD-WYCK (US 1917-1918)						
1917				1500	2800	4500
SHAMROCK (IRL 1959-1960)						
1959	4 Ps	B.M.C. 1.5 Litre	Convertible	1000	1800	3500
SHARON (US 1915)						
1915	Tandem	4 CY 12/15 hp	2 Seats	1300	2500	4500
SHARP (US 1914-1915)						
1914		2 CY 800cc	2 Seats	600	1000	1600
SHARP-ARROW (US 1909-1910)						
1909		4 CY Beaver 6.4 Litre	Roadster	1200	2450	4900
1909		4 CY Beaver	Touring Car	1300	2500	5000
1910		4 CY Beaver	Speedabout	1400	2800	5600
SHATSWELL (US 1901-1903)						
1901		Steam Mason	Runabout	2600	5000	10000
SHAW (US 1920-1930)						
1920		4 CY Rochester-Duesenberg	Phaeton	2500	5000	9000

YEAR	MODEL	ENGINE	BODY	F	G	E
1923		4 CY	Roadster	2250	4500	8500
1925		6 CY	Sport Phaeton	2750	5250	10000
1926		12 CY Weidely	Coupe	3000	6000	12000
1928		6 CY	Limousine	2000	3750	7500
1930	2.5 hp	4 CY	Sport Speedster	2250	4500	8500

SHAWMUT (US 1905-1909)

YEAR	MODEL	ENGINE	BODY	F	G	E
1905	35/40 hp	4 CY	Touring Car	1600	3200	6000
1909		4 CY	Roadster	1800	3500	6500

SHEFFIELD-SIMPLEX (GB 1907-1922)

YEAR	MODEL	ENGINE	BODY	F	G	E
1907	20 hp	4 CY	Touring Car	1000	2000	4000
1909	45 hp	6 CY	Touring Car	1100	2300	4600
1910	20/30 hp	6 CY	Touring Car	1000	1900	3800
1914	14/20 hp	6 CY	Coupe	1000	1950	3900
1917	30 hp	6 CY	Coupe	1000	2000	4000
1921	30 hp	6 CY	Touring Car	1200	2400	4800

SHELBY (US 1902-1903)

YEAR	MODEL	ENGINE	BODY	F	G	E
1902		1 CY	2 Seats	1175	2350	4750
1903		1 CY	4 Seats	1150	2300	4700

SHEPHARD (F 1900)

YEAR	MODEL	ENGINE	BODY	F	G	E
1900	5 hp	2 CY	2 Seats	1000	1900	3850

SHEPPEE (GB 1912)

YEAR	MODEL	ENGINE	BODY	F	G	E
1912	25 hp	2 CY	Touring Car	1100	2300	4600
1912	25 hp	2 Cy	Cabriolet	1000	2100	4250

SHERET (GB 1924-1925)

YEAR	MODEL	ENGINE	BODY	F	G	E
1924	7/8 hp	2 CY	3 Seats	1000	1900	3800
1925		4 CY	Touring Car	1000	2000	3900

SHERIDAN (US 1920-1921)

YEAR	MODEL	ENGINE	BODY	F	G	E
1920		4 CY	Sedan	900	1800	3500
1921		8 CY	Sedan	1200	2400	4800

SHIBAURA (J 1954)

YEAR	MODEL	ENGINE	BODY	F	G	E
1954		2 CY	Minicar	250	500	1000

SHIELS (AUS 1933)

YEAR	MODEL	ENGINE	BODY	F	G	E
1933	18 hp	6 CY	Sport	1500	3000	6000

SHOEMAKER (US 1906-1908)

YEAR	MODEL	ENGINE	BODY	F	G	E
1906	35/40 hp	4 CY	5 Seats	1150	2300	4750
1908	35/40 hp	4 CY	7 Seats	1250	2500	5000

SHORT-ASHBY (GB 1921-1923)

YEAR	MODEL	ENGINE	BODY	F	G	E
1921	4 CY 970cc	2 Seats		750	1500	3000

S.H.W. (D 1924-1925)

YEAR	MODEL	ENGINE	BODY	F	G	E
1924	4/20 PS	1000cc	Racing Car	750	1500	2900

S.I.A.M. (I 1921-1923)

YEAR	MODEL	ENGINE	BODY	F	G	E
1921		6 CY	2 Seats	800	1600	3250

YEAR	MODEL	ENGINE	BODY	F	G	E

SIATA (I 1949-1970)

YEAR	MODEL	ENGINE	BODY	F	G	E
1949		750cc	2 Seats	1000	1900	3800
1950	1400	6 CY	Touring Car	1150	2350	4750
1951		6 CY	2 Seats	1200	2400	4800
1952	202	V-8 2 Litre	Coupe	1400	2750	5500
1957		V-8	Coupe	1350	2700	5400
1959		V-8	Coupe	1250	2500	5000

SIBLEY (GB 1902)

YEAR	MODEL	ENGINE	BODY	F	G	E
1902		4 CY	Roadster	1000	2000	3800

SIBLEY (US 1910-1911)

YEAR	MODEL	ENGINE	BODY	F	G	E
1910	2 S	4 CY 3.6 Litre	Roadster	1100	2250	4500

SIBRAVA (CS 1920-1923)

YEAR	MODEL	ENGINE	BODY	F	G	E
1920			3-Wheel	750	1500	2950

S.I.C. (I 1924)

YEAR	MODEL	ENGINE	BODY	F	G	E
1924		2 CY 500cc	Cycle Car	750	1500	2750

SICAM (F 1919-1922)

YEAR	MODEL	ENGINE	BODY	F	G	E
1919		2 CY 496cc	Cycle Car	750	1500	3000

SIDDELEY (GB 1902-1904)

YEAR	MODEL	ENGINE	BODY	F	G	E
1902		2 CY 2.3 Litre	2 Seats	1100	2200	4400
1903		4 Cy 3.3 Litre	4 Seats	1200	2400	4800
1904	6 hp	1 CY	2 Seats	900	1800	3650

SIDDELEY-DEASY (GB 1912-1919)

YEAR	MODEL	ENGINE	BODY	F	G	E
1912		4 CY 1.9 Litre	4 Seats	1000	2000	4000
1913	14/20 hp	4 CY 2.6 Litre	2 Seats	1100	2100	4200
1919	18/24 hp	6 CY	Town Carriage	1150	2300	4650

SIDEA (F 1912-1924)

YEAR	MODEL	ENGINE	BODY	F	G	E
1912	6 hp	4 CY	2 Seats	800	1600	3250
1918	10 hp	4 CY	2 Seats	900	1800	3600
1924	24 hp	4 CY	4 Seats	1000	1900	3800

SIEGEL (D 1908-1910)

YEAR	MODEL	ENGINE	BODY	F	G	E
1908	9 hp	2 CY	2 Seats	700	1400	2800
1909	9 hp	2 CY	4 Seats	900	1750	3500

SIEMENS-SCHUCKERT (D 1906-1910)

YEAR	MODEL	ENGINE	BODY	F	G	E
1906	6/10 PS	EL	Laundalet	1000	1900	3800

SIGMA (CH 1909-1914)

YEAR	MODEL	ENGINE	BODY	F	G	E
1909	8/11 hp	4 CY	Sport	1100	2000	4000
1911	18 hp	4 CY	Sport	900	1800	3650
1911	28 hp	4 CY	Sport	1000	1900	3850

SIGMA (F 1913-1928)

YEAR	MODEL	ENGINE	BODY	F	G	E
1913	8 hp	4 CY	Touring Car	1400	2800	3600
1917	20 hp	4 CY	Touring Car	1450	2900	3800
1921		2 CY	Touring Car	1300	2600	3250
1928		4 CY	Saloon Sedan	700	1400	2850

YEAR	MODEL	ENGINE	BODY	F	G	E
SIGNET (US 1913-1914)						
1913	9/13 hp	2 CY	2 Seats	1100	2250	4500
SILENT KNIGHT (US 1906-1909)						
1906	40 hp	4 CY	Touring Car	1150	2350	4750
1909	5 Ps	4 CY	Touring Car	1250	2500	5000
SILVA-CORONEL (F 1927-1928)						
1927		Straight 8	2 Seats	1000	1900	2800
SILVER HAWK (GB 1920-1921)						
1920	10/35	1373cc	Sport	1000	1900	2800
SILVERTOWN (GB 1905-1910)						
1905		EL	Laundalet	1200	2400	4800
SIMA-STANDARD (F 1929-1932)						
1929	Open	860cc	2 Seats	750	1500	3000
1932	7 CV	1.3 Litre	Saloon Sedan	600	1200	2400
SIMA-VIOLET (F 1924-1929)						
1924		2 CY 496cc	Sport	450	900	1850
1929	1.5 Litre	4 CY	Racing Car	500	1000	2000
SIMCA (F 1935-to-date)						
1935	Tipo 508	2 Litre	2 Seats	1000	1700	3400
1937	Tipo 518	1.5 Litre	4 Seats	1000	1750	3500
1938	Tipo 508C	1.5 Litre	2 Seats	1000	1900	3800
1940		1100cc	Single Seat	1000	1750	3500
1942	Simca 5	1.5 Litre	Coupe	700	1400	2800
1948	Simca 8	1.2 Litre	Saloon Sedan	350	700	1400
1950	Simca 6	1.5 Litre	Coupe	650	1250	2500
1951	Aronde	1.5 Litre	Saloon Sedan	350	650	1250
1956		1.3 Litre	Coupe	350	700	1400
1958		V-8	Saloon Sedan	350	700	1400
1959		V-8	Coupe	450	900	1750
1961	Etiole	4 CY	Sedan	250	500	1000
SIMMS (GB 1901-1908)						
1901	3.5 hp	2 CY	Laundalet	900	1800	3600
1903	20/24 hp	4 CY	Laundalet	850	1700	3400
1905	30/35 hp	4 CY	Touring Car	900	1800	3600
1906	10 hp	2 CY	Touring Car	750	1500	3600
1908	35 hp	6 CY	Touring Car	1000	2000	4000
SIMMS (US 1920-1921)						
1920	5 S	4 CY	Touring Car	1200	2250	4500
SIMPLEX (NL 1899-1914)						
1899		1 CY	Vis-a-vis	800	1600	3150
1902		1 CY	2 Seats	600	1500	2950
1907	8 hp	2 CY	4 Seats	900	1800	3600
1914	14/16 hp	4 CY	4 Seats	1000	2000	4000

YEAR	MODEL	ENGINE	BODY	F	G	E

SIMPLEX (US 1907-1917)

YEAR	MODEL	ENGINE	BODY	F	G	E
1907	50 hp	4 CY 10 Litre	Racing Car	10000	20000	40000
1911	38 hp	7 Litre	Racing Car	9500	17500	35000
1915	75 hp	10 Litre	2 Seats	7500	15000	30000
1917	50 hp	6 CY	2 Seats	9000	18000	36000

SIMPLEX (F 1920)

YEAR	MODEL	ENGINE	BODY	F	G	E
1920	Open	1 CY 735cc	Touring Car	800	1600	3250

SIMPLEX PERFECTA (GB 1900)

YEAR	MODEL	ENGINE	BODY	F	G	E
1900	4 Seats	4 hp	Voiturette	1000	2000	4000

SIMPLIC (GB 1914)

YEAR	MODEL	ENGINE	BODY	F	G	E
1914	5/6 hp	2 CY	Cycle Car	800	1600	3200

SIMPLICITIES (US 1905)

YEAR	MODEL	ENGINE	BODY	F	G	E
1905	Rear Entrance	4 CY	5 Seats	1150	2350	4750

SIMPLICITY (US 1906-1911)

YEAR	MODEL	ENGINE	BODY	F	G	E
1906		4 CY	Touring Car	1100	2250	4500
1909		4 CY	Limousine	1150	2350	4750
1911		4 CY	Roadster	1200	2400	4800

SIMPLO (US 1908-1909)

YEAR	MODEL	ENGINE	BODY	F	G	E
1908	4 S	2 CY	Runabout	1250	2500	4750

SIMPSON (GB 1897-1904)

YEAR	MODEL	ENGINE	BODY	F	G	E
1897	6 hp	4 CY Steam		1500	3000	6000
1902	10 hp	4 CY		1650	3250	6500
1904	12 hp	4 CY		1700	3400	6800

SIMS (I 1908-1909)

YEAR	MODEL	ENGINE	BODY	F	G	E
1908	10/12 hp	4 CY	2 Seats	900	1750	3500

SIMSON; SIMSON-SUPRA (D 1911-1932)

YEAR	MODEL	ENGINE	BODY	F	G	E
1911	6/18 PS	2 CY	Touring Car	900	1750	3500
1919	10/30 PS	4 CY	Touring Car	1100	2250	4500
1924	Type SO	4 CY 2595cc	Touring Car	1050	2100	4250
1926	Type R	6 CY 3538cc	Touring Car	1100	2250	4500
1928	Type J	4 CY	Touring Car	1100	2250	4500
1930	Type RJ	3358cc	Touring Car	1200	2350	5640
1932	Type A	Straight 8	Touring Car	1500	3000	6000

SINCLAIR (GB 1899-1902)

YEAR	MODEL	ENGINE	BODY	F	G	E
1899	5 hp	EL	Victoria	2200	2400	4850
1902	10 hp	EL	Victoria	2250	2500	4900

SINGER (GB 1905-1970)

YEAR	MODEL	ENGINE	BODY	F	G	E
1905	6 hp	2 CY	Touring Car	1000	2100	4200
1906	9 hp	2 CY	Touring Car	1000	2000	3900
1908	10/14 hp	4 CY	Doctor Coupe	850	1650	3350
1910	15 hp	3 CY	Coupe	900	1750	3500

YEAR	MODEL	ENGINE	BODY	F	G	E
1911		2 CY	Touring Car	750	1500	2950
1913	2.4 Litre	4 CY	Touring Car	900	1800	3600
1917	Ten	4 CY 1100cc	Coupe	750	1500	3000
1920	20 hp	6 CY	Sport	900	1700	3400
1922	2 Litre	6 CY	Sport	800	1600	3250
1924		6 CY	Fabric Saloon Sedan	700	1400	2850
1927	Senior	1.3 Litre	Saloon Sedan	600	1200	2400
1929	Junior	848cc	Coupe	750	1500	3000
1932		6 CY	Convertible Saloon Sedan	1100	2250	4500
1933	Kaye Don	6 CY	Coupe	700	1400	2800
1935	Ten	4 CY	Coupe	700	1400	2800
1937	1.5 Litre	6 CY	Saloon Sedan	550	1100	2250
1940	1.2 Litre	6 CY	Sport	900	1750	3500
1948	1.5 Litre	6 CY	Saloon Sedan	500	1000	2000
1951	1.5 Litre	6 CY	Roadster	800	1600	3250
1953		6 CY	Roadster	750	1500	3000
1954	Hunter		Sedan	300	600	1250
1959		6 CY	Saloon Sedan	350	700	1400

SINGER (US 1915-1920)

YEAR	MODEL	ENGINE	BODY	F	G	E
1915		6 CY		1700	3400	6850
1917		12 CY		1800	3600	7500
1920		6 CY		1500	3000	6000

SINGLE-CENTER (US 1906-1908)

YEAR	MODEL	ENGINE	BODY	F	G	E
1906	2.6 Litre	2 CY	2 Seats	1000	2100	4250

SINPAR (F 1907-1914)

YEAR	MODEL	ENGINE	BODY	F	G	E
1907	4.5 hp	1 CY	2 Seats	750	1500	2950
1911	8 hp	4 CY	4 Seats	850	1700	3400
1914		4 CY	4 Seats	800	1600	3250

SINTZ (US 1903-1904)

YEAR	MODEL	ENGINE	BODY	F	G	E
1903	16 hp	2 CY	Tonneau			4750

SIRRON (GB 1909-1916)

YEAR	MODEL	ENGINE	BODY	F	G	E
1909	10/12 hp	4 CY	2 Seats	1000	2000	4000
1914	12/16 hp	4 CY	2 Seats	1050	2100	4250
1916	16/20 hp	6 CY	2 Seats	1100	2250	4500

SIZAIRE-BERWICK (F/GB 1913-1927)

YEAR	MODEL	ENGINE	BODY	F	G	E
1913	4 Litre	4 CY	Touring Car	1100	2250	4500
1917		4 CY	Coupe	800	1650	3250
1923	3.2 Litre	6 CY	Coupe	900	1750	3500
1927		6 CY	Coupe	900	1750	3500

YEAR	MODEL	ENGINE	BODY	F	G	E

SIZAIRE FRERES (F/B 1923-1931)

YEAR	MODEL	ENGINE	BODY	F	G	E
1923	11 CV	2 Litre	Sport Touring Car	1000	1900	3800
1927	6 CY	Touring Car		1000	1900	3750
1931	2 Litre	Saloon Sedan		750	1500	2900

SIZAIRE-NAUDIN (F-1905-1921)

YEAR	MODEL	ENGINE	BODY	F	G	E
1905		1 CY 918cc	Voiturette	1000	2000	4000
1911	12 hp	4 CY	Roadster	1200	2300	4600
1915		4 CY 1500cc	Roadster	1100	2250	4500
1920		4 CY	Saloon Sedan	1200	2400	2850
1921		4 CY	Touring Car	800	1600	3250

S.J.R. (US 1915-1916)

YEAR	MODEL	ENGINE	BODY	F	G	E
1916	4 S	4 CY	Roadster	1250	2500	4750

SKELTON (US 1920-1922)

YEAR	MODEL	ENGINE	BODY	F	G	E
1920		2 CY	Single Seat	1000	2100	4250
1922	2 S	2 CY	Stanhope	1250	2500	4900

SKENE (US 1900-1901)

YEAR	MODEL	ENGINE	BODY	F	G	E
1900		2 CY	Single Seat	1250	2500	5000

SKEOCH (GB 1921)

YEAR	MODEL	ENGINE	BODY	F	G	E
1921		1 CY 348cc	Cycle Car	600	1100	2200

SKIRROW (GB 1936-1939)

YEAR	MODEL	ENGINE	BODY	F	G	E
1936		1000cc	Racing Car	750	1500	3000

SKODA (CS 1923-to-date)

YEAR	MODEL	ENGINE	BODY	F	G	E
1923	6.6 Litre	6 CY	Coupe	750	1500	2950
1927	2.5 Litre	4 CY	Saloon Sedan	700	1400	2850
1930	860	8 CY	Cabriolet	900	1800	3500
1933	420	4 CY	Coupe	550	1100	2250
1938	Superb	6 CY	Saloon Sedan	450	900	1850
1939	932	6 CY	CCoupe	500	1000	1900
1947	Favorit	6 CY	Saloon Sedan	400	800	1600
1950	Monte Carlo	6 CY	Saloon Sedan	350	750	1500
1955	Octavia	1089cc	Coupe	350	700	1400
1959	Felicia	6 CY	2 Seats	250	500	1000

SKRIVA (F 1922-1924)

YEAR	MODEL	ENGINE	BODY	F	G	E
1922		6 CY 2.4 Litre	Saloon Sedan	520	1000	2000

S.K. SIMPLEX (GB 1908-1910)

YEAR	MODEL	ENGINE	BODY	F	G	E
1908	10 hp	2 CY	2 Seats	1000	2000	4000

SKYLINE (US 1958)

YEAR	MODEL	ENGINE	BODY	F	G	E
1958	X50		Sport	500	1000	2000

YEAR	MODEL	ENGINE	BODY	F	G	E
S.L.I.M. (F 1920-1929)						
1920	3.8 Litre	4 CY	Sport	750	1300	2600
1922	15 hp	4 CY	Sport	1000	1900	2750
1927		4 CY	2 Seats	1000	1900	2800
1929		6 CY	2 Seats	900	1800	3600
S.L.M. (CH 1899-1935)						
1899		1 CY	4 Seats	750	1500	3000
1934		V-16	Racing Car	900	1750	3500
1935	2 S	6 CY	Drop Head Coupe	750	1500	3000
SLOANE (GB 1907)						
1907	6.5 hp	1 CY	2 Seats	1000	1900	3800
1907	10 hp	2 CY	2 Seats	1000	2000	4000
1907	14 hp	4 CY	4 Seats	1100	2100	4200
S.M. (GB 1904-1905)						
1904	8.5 hp	4 CY	2 Seats	800	1600	3250
1904	20 hp	4 CY	2 Seats	1000	1900	3800
1905		2 CY	2 Seats	900	1800	3600
S.M.B. (I 1907-1910)						
1907	20 hp	4 CY		1000	1900	3800
SMITH; GREAT SMITH (US 1898-1911)						
1898		4 CY	Touring Car	2100	4250	8500
1909	50 hp	6 CY	Touring Car	2100	4250	8500
1911		6 CY	Touring Car	2250	4500	9000
SMITH FLYER (US 1917-1919)						
1917	5-Wheel	1 CY	Buckboard	800	1600	3200
SMYK (PL 1958)						
1958	15 hp	4 CY	Sedan	350	700	1400
SMZ (US 1956-1969)						
1956		1 CY	2 Seats	250	500	1000
S.N.A. (CH 1903-1913)						
1903	6/8 hp	2 CY		900	1700	3400
1905	10/12 hp	2 CY		1000	1900	3800
1911	18/20 hp	4 CY		1000	2000	4000
1913	25/30 hp	4 CY		1100	2250	4500
SNYDER (US 1906-1914)						
1906	10/12 hp	2 CY	Motor Buggy	1500	3000	6000
1914	9 hp	2 CY	Cycle Car	850	1650	3250
		4 CY	Cycle Car	900	1750	3500

YEAR	MODEL	ENGINE	BODY	F	G	E
SOAMES (GB 1903-1904)						
1903	11 hp	2 CY	2 Seats	1000	2000	4000
SOCIETE DES PONTS MOTEURS (F 1913-1914)						
1913		V-twin		800	1600	3250
SODERBLOM (S 1903)						
1903	10 hp	2 CY		1000	1900	3800
SOLETTA (CH 1956)						
1956	4 S	2 CY	Saloon Sedan	350	600	1250
SOLIDOR (D 1905-1907)						
1905	8 hp	1 CY		1000	2150	4300
1906	10 hp	2 CY		1100	2250	4500
1907	14 hp	4 CY		1200	2300	4600
SOLIGNAC (F 1900-1903)						
1900		EL	Voiturette	1100	2250	4500
SOLOMOBIL (D 1921-1922)						
1921	4/10 PS	V-twin	3-Wheel	750	1500	2950
SOMEA (B 1921)						
1921		2 Litre	Sport	750	1500	3000
SOMMER (US 1904-1907)						
1904	12 hp	2 CY		1200	2250	4500
SONCIN (F 1900-1902)						
1900	4.5 hp	2 CY	Voiturette	1000	2000	3900
SORIANO-PEDROSO (F 1919-1924)						
1919		1131cc	Sport	700	1400	2800
1920		1094cc	Racing Car	750	1500	2850
1924	Pedroso	904cc	Racing Car	850	1650	2750
SOURIAU (F 1912-1914)						
1912	5 hp	1 CY	Voiturette	750	1500	2950
1914	8 hp	4 CY	3-Wheel	750	1500	3000
SOUTH BEND (US 1914)						
1914	2 S	4 CY	Roadster	1150	2350	4750
SOUTHERN (US 1906-1922)						
1906			High-wheel	1500	3000	6000
1909	30 hp	4 CY	5 Passenger Touring Car	1150	2350	4750
1912		4 CY	Touring Car	1200	2400	4800
1919	2 S	4 CY	Roadster	1250	2500	5000
1922	Six	6 CY	Touring Car	1000	2100	4200

YEAR	MODEL	ENGINE	BODY	F	G	E
SOUTHERN CROSS (AUS 1933-1935)						
1933		4 CY	Sedan	700	1300	2600
SOUTHERN SIX (AUS 1921-1922)						
1921		6 CY	Touring Car	800	1600	3250
SOVEREIGN (US 1906-1907)						
1906	48 hp	4 CY	Touring Car	1000	2100	4200
S.P.A. (I 1906-1926)						
1906	24 hp	4 CY	Touring Car	1000	2000	4000
1907	60 hp	4 CY	Touring Car	1050	2100	4250
1910		6 CY	Touring Car	1000	2000	4000
1911	60/80 hp	6 CY	Touring Car	1100	2250	4500
1912	14/16 hp	4 CY	Touring Car	800	1600	3250
1917		2.7	Sport	750	1500	3000
1919		6 Litre	Sport	1000	1900	3800
1923		4.4 Litre	Sport	800	1600	3250
1926		6 CY	Touring Car	750	1500	3000
S.P.A.G. (F 1927-1928)						
1927		1.5 Litre	Racing Car	750	1500	2950
1927		1100cc	Touring Car	700	1400	2800
1927		1500cc	Sport	650	1250	2500
1928		1.5 Litre	Saloon Sedan	550	1100	2250
1928		1.5 Litre	Roadster	750	1300	2650
SPARTAN (US 1911)						
1911			3-Wheel	1000	1900	3800
1911	5 S		Touring Car	1100	2250	4500
SPATZ (D 1955-1957)						
1955		250cc	3 Seats	300	600	1200
SPAULDING US (1902-1916)						
1902		1 CY	Touring Car	1000	2000	3950
1910		4 CY	Coupe	900	1750	3400
1916		4 CY	Touring Car	1000	2000	4000
SPEEDSPORT (B 1924-1927)						
1924	2 S		Sport	900	1700	3400
1927	2 Dr		Saloon Sedan	700	1400	2800
SPEEDWAY (US 1904-1905)						
1904	Side entrance	4 CY	Tonneau	1200	2400	4750
SPEEDWELL (GB 1900-1907)						
1900		1 CY 700cc	Racing Car	800	1600	3250
1902		4 CY	Touring Car	1000	2000	4000

YEAR	MODEL	ENGINE	BODY	F	G	E
1904	6 hp	4 CY	Dogcart	900	1800	3600
1905		3922cc	Touring Car	1000	1900	3850
1906		3 CY	Touring Car	900	1700	3400
1907		4 CY	Touring Car	1000	1900	3850

SPEEDWELL (US 1907-1914)

1907	40 hp	4 CY	Touring Car	1500	3000	6000
1910	6.9 Litre	6 CY	Touring Car	1750	3500	7000
1914	50 hp	6 CY	Touring Car	1750	3500	7000

SPEEDY (GB 1905-1921)

1905		1 CY	3-Wheel	900	1700	3400
1906	Tandem	2 CY	2 Seats	1000	1900	3800
1920	8 hp	V-twin	Cycle Car	800	1600	3200

SPEIDEL (CH 1915-1922)

1915	Tandem	4 CY	2 Seats	750	1500	2950
1922		2 CY	Racing Car	650	1250	2500

SPENCER (US 1921-1922)

1921	5 S	4 CY	Touring Car	1000	2000	4000

SPENNY (US 1914-1915)

1914	30 hp	4 CY	Roadster	1000	1900	3750
1915		6 CY	Touring Car	1250	2500	4950

SPERBER (D 1911-1919)

1911	6/16 PS	1592cc	Touring Car	750	1500	2950
1919		4 CY	Touring Car	1000	1750	3500

SPERLING (US 1921-1923)

1921	Open		Sedan	1000	2000	3850

SPHINX (F 1912-1925)

1912		1 CY		750	1500	2900
1920		2 CY		700	1400	2850
1925		4 CY		750	1500	3000

SPHINX (US 1914-1915)

1914	5 S	4 CY	Touring Car	1000	2000	4000

SPHINX (D 1920-1925)

1920		4 CY		900	1800	3600

SPIDOS (F 1921-1925)

1921		1100cc	Cycle Car	750	1500	3000

SPINELL (D 1924-1925)

1924	2 S	500cc	Sport	600	1200	2450

YEAR	MODEL	ENGINE	BODY	F	G	E

SPITZ (A 1902-1907)

YEAR	MODEL	ENGINE	BODY	F	G	E
1902		1 CY	Racing Car	800	1750	3500
1905		2 CY	Racing Car	950	1900	3700
1907		4 CY	Racing Car	1000	1950	3800

S.P.M.A. (F 1908)

YEAR	MODEL	ENGINE	BODY	F	G	E
1908	10/12 hp	4 CY	2 Seats	1000	2000	3850

SPOERER (US 1907-1914)

YEAR	MODEL	ENGINE	BODY	F	G	E
1907	30 hp	4 CY	7 Seats	1250	2500	4700
1909	50/60 hp	4 CY	Limousine	1200	2400	4850
1911		4 CY	Touring Car	1200	2400	4800
1914		4 CY	Coupe	1000	1750	3500

SPORTS (GB 1900-1901)

YEAR	MODEL	ENGINE	BODY	F	G	E
1900	8 hp	2 CY	2 Seats	1000	2000	3800
1901	4 S	2 CY	Phaeton	1100	2100	4250

SPRINGER (US 1904-1906)

YEAR	MODEL	ENGINE	BODY	F	G	E
1904	12 hp	2 CY	2 Seats	1150	2300	4600
1906	40 hp	4 CY	5 Seats	1200	2400	4800

SPRINGFIELD (US 1904-1911)

YEAR	MODEL	ENGINE	BODY	F	G	E
1904	8 hp	1 CY	2 Seats	1100	2250	4500
1907		4 CY	5 Seats	1150	2300	4600
1908		4 CY	Torpedo	1400	2800	5600
1911		4 CY	Touring Car	1200	2400	4800

SPRINGUEL (B 1907-1910)

YEAR	MODEL	ENGINE	BODY	F	G	E
1907	24 hp	4 CY	Touring Car	900	2000	3850
1910		4 CY	Touring Car	1000	2100	3900

SPRITE (US 1914)

YEAR	MODEL	ENGINE	BODY	F	G	E
1914		2 CY	2 Seats	1100	2250	4500

SPYKER (SPIJKER) (NL 1900-1925)

YEAR	MODEL	ENGINE	BODY	F	G	E
1900	5 hp	2 CY	Touring Car	1100	2250	4500
1902	1.9 Litre	2 CY	Touring Car	1200	2400	4800
1903	12 hp	2 CY	Limousine	1100	2300	4650
1904	12/16 hp	4 CY	Touring Car	1200	2400	4800
1905	20/24 hp	4 CY	Touring Car	1250	2500	4950
1906	30/36 hp	4 CY	Touring Car	1250	2500	5000
1910	8.7 Litre	6 CY	Racing Car	1450	2900	5800
1913		2 CY	2 Seats	1100	2300	4600
1914	1.7 Litre	4 CY	Touring Car	1050	2100	4250
1915	7.2 Litre	4 CY	Laundalet	1000	2000	4000
1915	3.4 Litre	6 CY	Sport	1050	2100	4300
1916	3.3 Litre	6 CY	2 Seats	1100	2250	4500

YEAR	MODEL	ENGINE	BODY	F	G	E
1919	16/30 hp	6 CY	2 Seats	1150	2300	4600
1920	13/30 hp	6 CY	Sport	1100	2100	4250
1922		6 CY	Sport	700	1350	3750
1925		6 CY	Sport	900	1700	3500

SQUIRE (GB 1934-1936)

1934		1.5 Litre	Sport	1900	3750	7500
1936		1.5 Litre	2 Seats	2000	4000	8000

S.R.C. (E 1922-1925)

1922	11.9 hp	4 CY	2 Seats	1000	1900	3750

S.S. (GB 1900-1945)

1900	5 hp	1 CY		1100	2250	4500
1931		6 CY	Coupe	1300	2600	5200
1932	2.5 Litre	6 CY	Coupe	1350	2750	5500
1933		6 CY	Sport Touring Car	1500	3000	6000
1934	2.7 Litre	6 CY	2 Seats	1600	3100	6200
1935	Airline	6 CY	Saloon Sedan	1750	3400	6800
1938	4 Dr	2.7 Litre	Sport Saloon Sedan	1600	3100	6250
1940		2.5 Litre	Saloon Sedan	1500	3000	6000
1943		2.8 Litre	2 Seats	2100	4250	85500
1945	SS Jaguar 100	3.5 Litre	Sport	1800	3750	7500

S.S.E. (US 1916-1917)

1916	5 S	6 CY	Touring Car	1100	2250	4500
1917	Closed	6 CY	Berline	1200	2350	4750

STABILIA (F 1908-1930)

1908	2.2 Litre	4 CY	2 Seats	800	1600	3250
1912	1.5 Litre	4 CY	Sport	850	1700	3400
1917	1.7 Litre	4 CY	Sport	900	1750	3500
1925	2.7 Litre	4 CY	Sport	1000	1900	3800
1927	2.8 Litre	6 CY	2 Seats	1000	2000	4000
1928	1.5 Litre	6 CY	2 Seats	1000	2000	4000
1930	2 Litre	6 CY	2 Seats	900	1750	3500

STACK (GB 1921-1925)

1921		V-twin	2 Seats	900	1800	3600

STAFFORD (US 1910-1915)

1910		4 CY		1200	2350	4750

STAFFORD (GB 1920-1921)

1920	11.9 hp	6 CY	Touring Car	1000	1900	3850

STAG (GB 1913-1914)

1913		1 CY	Cycle Car	900	1600	3250

YEAR	MODEL	ENGINE	BODY	F	G	E

STAIGER (D 1923-1924)

YEAR	MODEL	ENGINE	BODY	F	G	E
1923		4 CY	2 Seats	900	1750	3500
1924		4 CY	4 Seats	1000	1800	3650

STAINES-SIMPLEX (GB 1906-1912)

YEAR	MODEL	ENGINE	BODY	F	G	E
1906	8/10 hp	2 CY	2 Seats	900	1800	3650
1909	15/20 hp	4 CY	4 Seats	1000	1900	3750

STANBURY (GB 1903)

YEAR	MODEL	ENGINE	BODY	F	G	E
1903	12 hp	2 CY		1000	2000	4000

STANDARD (GB 1903-1963)

YEAR	MODEL	ENGINE	BODY	F	G	E
1903	12/15 hp	2 CY	Touring Car	1100	2100	4200
1904		4 CY	Coupe	1000	2000	4000
1905	30 hp	4 CY	Touring Car	1000	2000	3900
1907	50 hp	4 CY	Touring Car	900	1800	3650
1909	3.3 Litre	6 CY	Touring Car	1000	1900	3800
1910		6 CY	Touring Car	1000	2000	4000
1911	4 Litre	4 CY	Sport	1000	1900	3800
1912	2.7 Litre	4 CY	Sport	900	1800	3600
1913	RHYL	9.5 hp	Coupe	700	1400	2800
1919	SLS	1.3 Litre	Saloon Sedan	600	1200	2400
1921	SLO	11.6 hp	Saloon Sedan	500	1000	2000
1922	SLO 4	13.9 hp	Saloon Sedan	550	1100	2200
1930	Big Nine	6 CY	Saloon Sedan	550	1100	2250
1933	2 S	6 CY	Sport	650	1300	2600
1936		6 CY	2 Seats	650	1250	2500
1939		4 CY	Coupe	500	1000	2000
1941		V-8	Coupe	500	1000	2000
1947	Twelve	8 CY	Saloon Sedan	400	800	1600
1953	Fourteen	8 CY	Saloon Sedan	350	700	1400
1959	2 S	8 CY	Sport	450	900	1750

STANDARD (STANDARD TOURIST)

YEAR	MODEL	ENGINE	BODY	F	G	E
1903	25 hp	4 CY	5 Seats	1250	2500	4750

STANDARD (I 1906-1912)

YEAR	MODEL	ENGINE	BODY	F	G	E
1906	14/20 hp	4 CY		1000	2000	3850

STANDARD (US 1909-1921)

YEAR	MODEL	ENGINE	BODY	F	G	E
1909		6 CY	Limousine	1200	2400	4800
1910	4 S	4 CY	Torpedo	1500	2900	5800
1912	Model M	EL	4 Seats	1900	2750	5500
1913	38 hp	6 CY	Touring Car	1300	2600	5250
1916		8 CY	Coupe	1500	3000	6000
1917	34 hp	6 CY	Tcrpedo	1900	3400	6800
1920		2 CY	Touring Car	1000	2000	4000
1921		6 CY	Touring Car	1100	2100	4250

YEAR	MODEL	ENGINE	BODY	F	G	E
STANDARD (D 1911-1935)						
1911		4 CY	2 Seats	1000	1750	3500
1933		2 CY 396cc	Saloon Sedan	800	1600	3250
STANDISH (US 1924-1925)						
1924		6 CY		1150	2300	4650
STANGUELLINI (I 1946-1966)						
1946		4 CY 750cc	Sport	700	1400	2800
1951	2 S	1100cc	Spider	1100	2200	2250
1959		1100cc	Single Seat	500	1000	2000
STANHOPE (GB 1915-1925)						
1915	8 hp	V-twin	3-Wheel	1000	2000	3850
1922	10 hp	V-twin	Saloon Sedan	750	1500	2850
1923		V-twin	2 Seats	800	1600	3200
1925		V-twin	4 Seats	1000	1700	3400
STANLEY (US 1897-1923)						
1897		Steam	Runabout	2100	4250	9500
1899		Steam	Runabout	2200	4400	9800
1903	8 hp	4 CY	Runabout	2500	5000	10500
1906	10 hp	4 CY	Touring Car	3750	7500	15000
1907	20 hp	4 CY	Roadster	4500	9000	17500
1908		4 CY	Roadster	4500	9000	17500
1908		4 CY	Touring Car	4750	9500	18500
1908	Model E.X.	4 CY	Touring Car	5000	10000	19000
1918	7 Ps	6 CY	Touring Car	4500	9000	18000
1920	7 Ps	6 CY	Touring Car	4500	9000	17500
1921		6 CY	Touring Car	4500	9000	17500
1922		6 CY	Roadster	5500	11000	22500
1922	7 Ps	6 CY	Touring Car	4500	9000	17500
1923		6 CY	Limousine	3000	6000	12500
1923	7 Ps	6 CY	Touring Car	4500	9000	17500
STANWOOD (US 1920-1922)						
1920		6 CY	Open	1600	3250	6500
1920		6 CY	Closed	1200	2400	4800
STAR (STARLING, STUART) (GB 1898-1932)						
1898	3.5 hp	1 CY	Vis-a-vis	1100	2300	4600
1899		2 CY	Touring Car	1100	2350	4750
1902	8 hp	2 CY	Touring Car	1200	2400	4800
1908	20 hp	4 CY	Touring Car	1200	2400	4800
1914	15.9 hp	6 CY	Touring Car	1200	2450	4950
1921	11.9 hp	6 CY	Coupe	1050	2100	4250
1924	12/25 hp	2 Litre	Touring Car	1050	2100	4350
1925	12/40 hp	6 CY	Coupe	1000	2000	4000

YEAR	MODEL	ENGINE	BODY	F	G	E
1926		6 CY 3 Litre	Coupe	1000	2100	4200
1928		2 Litre	Saloon Sedan	800	1600	3250
1929	18/50 hp	6 CY	Saloon Sedan	750	1500	3000
1930	14/40 hp	6 CY	Sedan	700	1400	2800
1931		3.6 Litre	Sedan	800	1600	3200
1932	14 hp	2 Litre	Sedan	750	1500	3000

STAR (US 1903-1928)

YEAR	MODEL	ENGINE	BODY	F	G	E
1903		1 CY	2 Seats	1100	2250	4500
1904	Rear entrance	1 CY	5 Seats	1100	2350	4700
1908	Open	2 CY	2 Seats	1000	2100	4250
1922		4 CY	Touring Car	1000	2000	4000
1923		4 CY	Touring Car	1100	2100	4250
1924		4 CY	Coupe	1000	1900	3800
1925		4 CY	Roadster	1100	2250	4500
1926		6 CY	Touring Car	1200	2400	4800
1927		6 CY	Sport Roadster	1300	2600	5250

STARIDE (GB 1952-1954)

YEAR	MODEL	ENGINE	BODY	F	G	E
1952			Racing Car	600	1250	2500
1954			Racing Car	700	1400	2800

STARIN (US 1903-1904)

YEAR	MODEL	ENGINE	BODY	F	G	E
1903	6 hp	1 CY	Runabout	1250	2500	4750

START (CS 1921-1930)

YEAR	MODEL	ENGINE	BODY	F	G	E
1921		2 CY	2 Seats	750	1500	2950
1930		4 CY	2 Seats	1000	1750	3500

STATES (US 1915-1919)

YEAR	MODEL	ENGINE	BODY	F	G	E
1915		4 CY	Cycle Car	1300	1600	3250
1918		6 CY	Roadster	1500	2900	5650
1919		4 CY	Phaeton	1200	2400	4800
		6 CY	Sedan	1100	2250	4500

STATIC (US 1923)

YEAR	MODEL	ENGINE	BODY	F	G	E
1923		6 CY		1500	2900	5600

STAUNAU (D 1950-1951)

YEAR	MODEL	ENGINE	BODY	F	G	E
1950		2 CY 400cc		300	650	1250
1951		2 CY 750cc		350	700	1300

STAVER; STAVER-CHICAGO (US 1907-1914)

YEAR	MODEL	ENGINE	BODY	F	G	E
1907		2 CY	High-wheel	1500	3000	6000
1909	30 hp	4 CY	4 Seats	1200	2400	4800
1910	45 hp	4 CY	5 Seats	1200	2350	4750
1914		6 CY	4 Seats	1250	2450	4900

YEAR	MODEL	ENGINE	BODY	F	G	E
STEAMOBILE (US 1900-1902)						
1900		2 CY	Dos-a dos	2000	4000	8000
1902		4 CY	2 Seats	2250	4500	8950
STEARNS; STEARNS-KNIGHT (US 1899-1930)						
1899		1 CY	Touring Car	1100	2350	4700
1902		2 CY	Touring Car	1100	2250	4500
1904	24 hp	4 CY	Tonneau	1100	2300	4650
1911	45/90 hp	6 CY	Touring Car	3000	6000	12000
1917		Straight 8	Touring Car	3250	6500	12500
1925	4 Dr	6 CY	Brougham	2500	5000	10000
1926		8 CY	Roadster	3250	6500	12500
1927		8 CY	Cabriolet	2750	5500	10500
1928		8 CY	Convertible Coupe	2500	5000	9500
1929		8 CY	Sport Roadster	2500	5000	10000
STEARNS (US 1900-1904)						
1900	8 hp	2 CY	6 Seats	1350	2700	5800
1904		2 CY	4 Seats	1300	2650	5600
STECO (US 1914)						
1914	10 hp	2 CY	2 Seats	1250	2500	4900
STEELE (US 1915)						
1915		2 CY	Cycle Car	900	1750	3500
STEELE SWALLOW (US 1907-1908)						
1907		2 CY	Runabout	1100	2250	4500
STEIGER (D 1920-1926)						
1920	10/50 PS	2.6 Litre	Touring Car	750	1500	3050
1926		2899cc	Racing Car	900	1750	3500
STELA (F 1941-1944)						
1941		EL	Saloon Sedan	350	700	1400
1944	4 Dr	EL	Saloon Sedan	350	700	1400
STELKA (CS 1920-1921)						
1920		2 CY	2 Seats	700	1250	2500
STELLA (F 1900-1901)						
1900	2.5 hp	1 CY	Voiturette	1000	1900	3850
STELLA (CH 1906-1913)						
1906	10 hp	4 CY	Saloon Sedan	1100	2000	4000
1910	14/18 hp	4 CY	Saloon Sedan	1000	1900	3800
1913	24/30 hp	4 CY	Saloon Sedan	750	1500	3050
STELLITE (GB 1913-1919)						
1913		4 CY	2 Seats	1000	2100	4250

YEAR	MODEL	ENGINE	BODY	F	G	E

STEPHENS (GB 1898-1900)

YEAR	MODEL	ENGINE	BODY	F	G	E
1898	8 hp	2 CY	Dogcart	1100	2250	4500

STEPHENS (US 1916-1924)

YEAR	MODEL	ENGINE	BODY	F	G	E
1916		3.7 Litre	Coupe	1000	1900	3850
1922	Salient Six	6 CY	Sedan	700	1400	2850
1924	4 S	6 CY	Sport Phaeton	800	1600	3250

STERLING (US 1909-1916)

YEAR	MODEL	ENGINE	BODY	F	G	E
1909		4 CY	Touring Car	1200	2400	4850
1911	Komet	4 CY	Open	1100	2250	4500
1914	5 S	4 CY	Touring Car	1150	2350	4700

STERLING (GB 1913)

YEAR	MODEL	ENGINE	BODY	F	G	E
1913	8 hp	V-twin	Cycle Car	800	1600	3200

STERLING; AMS-STERLING (US 1915-1923)

YEAR	MODEL	ENGINE	BODY	F	G	E
1915	2 S	4 CY	Roadster	1100	2250	4500
1919		6 CY	Roadster	1600	3250	6500
1921		6 CY	Roadster	1600	3250	6500
1923		6 CY	Roadster	1600	3200	6400

STERLING-KNIGHT (US 1923-1925)

YEAR	MODEL	ENGINE	BODY	F	G	E
1923		6 CY		1500	3000	6000

STESROC (GB 1905-1906)

YEAR	MODEL	ENGINE	BODY	F	G	E
1905	8 hp	2 CY		1000	1900	3800
1905	10 hp	4 CY		1000	2000	4000
1906	15 hp	4 CY		1100	2100	4250

STEUDEL (D 1904-1909)

YEAR	MODEL	ENGINE	BODY	F	G	E
1904	5/10 PS	2 CY		1000	2100	4200
1909	6/12 PS	4 CY		1200	2400	4800

STEVENS-DURYEA (US 1902-1927)

YEAR	MODEL	ENGINE	BODY	F	G	E
1902	6 hp	2 CY	Stanhope	4500	9000	17500
1905		4 CY	Touring Car	4250	8500	16500
1906		2 CY	Touring Car	3500	7500	15000
1906		6 CY	Touring Car	5000	10000	20000
1907	Model U	6 CY	Touring Car	7500	15000	30000
1908		6 CY	Limousine	5500	11000	22500
1909		6 CY	Roadster	3750	7500	15000
1913		6 CY	Touring Car	4000	8000	16000
1915	Model D	6 CY	Touring Car	4500	9000	17500

STEWART (US 1915-1916)

YEAR	MODEL	ENGINE	BODY	F	G	E
1915	29 hp	6 CY	Touring Car	1200	2400	4800
1916	6 S	6 CY	Touring Car	1250	2500	5000

YEAR	MODEL	ENGINE	BODY	F	G	E
STEYR (A 1920-to-date)						
1920	12/40 PS	6 CY	Limousine	1200	2400	4800
1922	Type IV	4 CY	Touring Car	1100	2100	4200
1923	Type VI	6 CY	Sport	1000	2000	4000
1926	Klausen	19/145 PS	Sport	1000	1900	3800
1927	Type XII	6/30 PS	Sport	900	1750	3500
1929	Type XX	6 CY	Drop Head Coupe	900	1700	3400
1930	Type XXX	6 CY	Sport	900	1750	3500
1939		8 CY	Cabriolet	1000	1900	3850
1953	Model 100	4 CY	Coupe	600	1200	1400
1954	Model 120	6 CY	Saloon Sedan	300	600	1250
1955	Model 200	4 CY	Coupe	350	750	1500
1956	Model 220	6 CY	Saloon Sedan	400	800	1600
1957	Model 50		Saloon Sedan	350	700	1400
1958	Model 55	6 CY	Saloon Sedan	325	650	1300
STICKNEY (US 1914)						
1914	Tandem	4 CY	2 Seats	900	1750	3500
STIGLER (I 1921-1925)						
1921		EL	2 Seats	1100	2250	4500
1925		EL	4 Seats	1150	2300	4600
STILL (CDN 1899-1900)						
1899		EL		1500	3000	6000
STILSON (US 1907-1910)						
1907		6 CY	Touring Car	1250	2500	4750
STIMULA (F 1905-1914)						
1905	8 hp	1 CY	Sport	1000	2000	4000
1910	10/12 hp	4 CY	Touring Car	1100	2250	4500
1914		2 CY	Touring Car	1250	2500	4750
STIRLING (GB 1897-1903)						
1897	4 hp	1 CY	Voiturette	1100	2250	4500
1900	5 hp	1 CY	Voiturette	1150	2300	4600
1901		2 CY	Doctor Coupe	1250	2500	5000
1902		2 CY	2 Seats	1200	2400	4800
1903	12 hp	2 CY	Tonneau	1150	2300	4600
STODDARD-DAYTON (US 1904-1913)						
1904		4 CY	Touring Car	5500	11500	23000
1907		4 CY	Touring Car	5000	11000	22500
1908		6 CY	Touring Car	7000	13500	26500
1911		6 CY	Speedster	7500	15000	30000

YEAR	MODEL	ENGINE	BODY	F	G	E
STOEWER (D 1899-1939)						
1899		2 CY	Touring Car	1150	2250	4500
1900		4 CY	Touring Car	1300	2400	4800
1904	Type T	2 CY	Coupe	1150	2100	4200
1910	Type P4	4 CY	Touring Car	1200	2250	4500
1911	Type G4	4 CY	Touring Car	1150	2100	4200
1917	Type P6	6 CY	Coupe	1000	1900	3800
1921	Type B1	6 CY	Sport	900	1800	3600
1938	Type D6	6 CY	Sedan	750	1500	3000
	Arcona	8 CY	Drop Head Coupe	900	1750	3500
STOLLE (D 1924-1927)						
1924	6/40 PS	4 CY	Sport	900	1800	3600
1927	4 Ps	4 CY	Touring Car	1000	1900	3750
STONEBOW (GB 1901)						
1901	5 hp	1 CY	2 Seats	1100	2250	4500
1901	7 hp	1 CY	2 Seats	1250	2400	4800
STONELEIGH (GB 1912-1924)						
1912		V-twin	3 Seats	900	1800	3600
1924		V-twin	Single Seat	1000	1900	3800
STORCK (US 1901-1903)						
1901		Steam	2 Seats	2000	4000	8000
STORERO (I 1912-1919)						
1912		4 CY	Sport	1000	1900	3800
1915	Type C	6 CY	Racing Car	1000	2000	4000
1919	Type C2	6 CY	Racing Car	1000	2100	4200
STOREY (GB 1919-1930)						
1919	14.3 hp	4 CY	Touring Car	900	1750	3500
1920	15.9 hp	4 CY	Touring Car	900	1800	3600
1923	20 hp	4 CY	2 Seats	1000	1900	3800
1925	10/25	4 CY	2 Seats	900	1800	3600
1928	14/40	4 CY	2 Seats	650	1250	3500
1930		6 CY	2 Seats	1000	1900	3800
STORK KAR (US 1919-1921)						
1919		4 CY	Touring Car	1000	2000	4000
STORM (E 1924-1925)						
1924	6/8 hp	4 CY	Cycle Car	750	1500	2950
STORM (US 1954)						
1954	Z-250	V-8	Sport	350	750	1450
STORMS (US 1915)						
1915	3 S	EL	Cycle Car	900	1750	3500

YEAR	MODEL	ENGINE	BODY	F	G	E

STORY (NL 1941-1944)

YEAR	MODEL	ENGINE	BODY	F	G	E
1941	2 S	EL	3-Wheel	450	900	1800
1944	2 S	EL	3-Wheel	550	1100	2300

STRAKER-SQUIRE (GB 1906-1926)

YEAR	MODEL	ENGINE	BODY	F	G	E
1906	16/20 hp	4 CY	Touring Car	1200	2400	4800
1908	12/14 hp	4 CY	Touring Car	1100	2250	4500
1910	15 hp	4 CY	Sport	1000	1900	3800
1912	15 hp	4 CY	Coupe	700	1350	3750
1919	20/25 hp	6 CY	Touring Car	650	1300	3600
1921	24/90 hp	6 CY	Sport	600	1200	3400
1924	24/90 hp	6 CY	Touring Car	650	1300	3600
1926		6 CY	Coupe	750	1500	3000

STRATHMORE (US 1899-1902)

YEAR	MODEL	ENGINE	BODY	F	G	E
1899		2 CY	2 Seats	1100	2250	4500

STRATTON (US 1909-1923)

YEAR	MODEL	ENGINE	BODY	F	G	E
1909	2 S	2 CY	High-wheel	1600	3250	6500
1911	5 S	2 CY	High-wheel	1600	3250	6600
1923		4 CY	2 Seats	1000	2100	4300

STREET & SMITH (ZA 1913)

YEAR	MODEL	ENGINE	BODY	F	G	E
1913	8 hp	2 CY	Cycle Car	1000	1800	3600

STRINGER (US 1901)

YEAR	MODEL	ENGINE	BODY	F	G	E
1901		4 CY	Steam Carriage	2000	4000	8000

STRINGER-WINCO (GB 1921-1932)

YEAR	MODEL	ENGINE	BODY	F	G	E
1921		4 CY	2 Seats	700	1400	2850
1922	Type S	11.9 hp	4 Seats	900	1800	3600
1929		9 hp	2 Seats	850	1700	3400
1932		11 hp	2 Seats	900	1800	3600

STROMMEN; STROMMEN-DODGE (N 1933-1940)

YEAR	MODEL	ENGINE	BODY	F	G	E
1933	7 S		Saloon Sedan	650	1400	2850
1937			Saloon Sedan	700	1450	2900
1940			Saloon Sedan	750	1500	3000

STRONG & ROGERS (US 1900-1901)

YEAR	MODEL	ENGINE	BODY	F	G	E
1900	2.5 hp	EL	2 Seats	1600	3250	6500

STROUSE (US 1915-1916)

YEAR	MODEL	ENGINE	BODY	F	G	E
1915	2 S	4 CY	Roadster	1100	2250	4500

STRUSS (US 1897)

YEAR	MODEL	ENGINE	BODY	F	G	E
1897		4 CY	2 Seats	1100	2250	4500

YEAR	MODEL	ENGINE	BODY	F	G	E
STUDEBAKER (US/CDN 1902-1966)						
1902		EL	Touring Car	1500	3000	6000
1904	Model C	Flat-twin	Touring Car	1500	3000	6000
1910		4 CY	Roadster	1650	3250	6500
1911		4 CY	Roadster	1700	3400	6800
1913	Model 25	6 CY	Touring Car	2500	5000	10500
1914		4 CY	Touring Car	2350	4750	9500
1915	7 Ps	6 CY	Touring Car	2850	4900	9800
1915		4 CY	Touring Car	2100	4250	8500
1917	7 Ps	6 CY	Touring Car	2150	4300	8600
1917	Big Six	6 CY	Roadster	2400	4800	9500
1918	Big Six	6 CY	Touring Car	1600	3250	6500
1921	Light Six	6 CY	Touring Car	1600	3250	6500
1922	Special Six	6 CY	Touring Car	1700	3400	6850
1922	Special Six	6 CY	Roadster	1400	2800	5600
1922	Big Six	6 CY	Touring Car	1300	3600	7250
1923	Big Six	6 CY	Roadster	2250	4500	9000
1923	Light Six	6 CY	Roadster	2100	4250	8500
1923	Special Six	6 CY	Sedan	1500	3000	6000
1923	Big Six	6 CY	Touring Car	1300	3600	7250
1925	Big Six	6 CY	Phaeton	3000	6000	12000
1925	Light Six	6 CY	Touring Car	3000	6000	6100
1926	BR	6 CY	Sedan	1100	2250	4500
1926	Big Six	6 CY	Roadster	3000	6000	12500
1926	2 Dr	8 CY	Brougham	1000	2100	4250
1928	Dictator	6 CY	Sedan	900	1750	3500
1928	President 8	8 CY	Sedan	2100	4250	8500
1928	Commander	8 CY	Sedan	1200	2400	4800
1929	President	8 CY	Roadster	4500	9000	17500
1929	President	8 CY	Cabriolet	4000	8000	16500
1929	Dictator	6 CY	Roadster	3500	7000	13500
1929	Commander	8 CY	Cabriolet	3750	7500	15000
1930	Dictator-Regal	6 CY	Sedan	2500	4250	6600
1930	President	8 CY	Sedan	2250	4500	7000
1930	President 8	8 CY	Touring Car	3250	6500	12500
1931	President 8	8 CY	Roadster	4500	9000	17500
1931	8-70	8 CY	Sedan	1400	2800	5600
1931	Dictator	6 CY	Roadster	2100	4250	8500
1931	President	8 CY	Sedan	2100	4250	8500
1931	Dictator	6 CY	Coupe	1750	3500	7000
1932	President 91	8 CY	Sedan	1900	3750	7500
1932	4 Dr	8 CY	Convertible	3500	7000	14500
1932	President	8 CY	Roadster	3750	7500	15000
1932	Dictator	6 CY	Coupe	1250	2500	5000
1933	President	8 CY	Convertible	3250	6500	12500

YEAR	MODEL	ENGINE	BODY	F	G	E
1933	Commander 8	8 CY	Victoria	1250	2300	5600
1934	President	8 CY	Convertible Coupe	2500	5000	10000
1934	Dictator	6 CY	Sedan	1000	2150	4300
1935	Commander	8 CY	Sedan	800	1600	3200
1938	Commander	8 CY	Sedan	900	1750	3500
1939	Commander	8 CY	Sedan	800	1600	3200
1940	Champion	6 CY	Coupe	1000	1900	3750
1940	President	8 CY	Sedan	1100	2250	4500
1940	Commander	8 CY	2 Door	800	1600	3250
1941	President	8 CY	Sedan	1150	2300	4650
1941	Champion	6 CY	Sedan	600	1250	2500
1942	President	8 CY	Sedan	1100	2250	4500
1948	Commander	8 CY	Convertible Coupe	1250	2300	4650
1948	Commander	8 CY	Club Coupe	500	1000	2000
1949	Champion	6 CY	Convertible	1000	2000	4000
1949	Champion	6 CY	4 Door	400	900	1800
1949		6 CY	Pickup Truck	600	1000	1900
1950	Champion	6 CY	Light Coupe	700	1400	2600
1951	Champion	6 CY	3-Window Coupe	700	1400	2800
1952	Land Cruiser	V-8	4 Door Sedan	250	800	1500
1953	2 Dr	V-8	Hardtop	1500	2500	3500
1954	Commander	8 CY	Coupe	1000	2200	3250
1955	President	259 V-8	Coupe	850	1650	2500
1956	Golden Hawk	V-8	Coupe	1300	2500	3650
1956	Power Hawk	V-8	Coupe	900	1950	2700
1957	Golden Hawk	V-8 SC	Coupe	1200	2250	4000
1958	Golden Hawk	289 V-8	Coupe	1150	2100	3850
1959	Lark Regal	289 V-8	Convertible	800	1500	2350
1960	Lark VIII	V-8	Convertible	1000	1650	3000
1961	Silver Hawk	V-8	Coupe	650	1250	2500
1962	Champ	V-8	Pickup Truck	500	1000	1750
1962	Daytona	V-8	Convertible	650	1250	2500
1962	Gran Turismo	V-8	Coupe	1100	2000	3850

STURTEVANT (US 1904-1908)

1904		4 CY	Touring Car	1200	2500	4800
1908		6 CY	Roadster	1750	3750	7500

STUTZ (US 1911-1935)

1911		6 CY	Torpedo Roadster	10000	20000	20000
1911		4 CY	Torpedo Roadster	4000	8000	15000
1912		6 CY	Roadster	8000	15000	30000
1912		6 CY	Coupe	5000	10000	20000
1912		6 CY	Touring Car	7500	15000	30000

YEAR	MODEL	ENGINE	BODY	F	G	E
1913		6 CY	Roadster	11000	23000	45000
1913		6 CY	Speedster	12500	25000	50000
1914	Bearcat	6 CY	Roadster	15000	30000	60000
1914		4 CY	Coupe	3000	6000	12000
1914		6 CY	Touring Car	4000	8000	16000
1914		4 CY	Roadster	4000	8000	15000
1914		6 CY	Touring Car	4500	9000	17000
1914		4 CY	Speedster	5000	10000	20000
1915	HCS	6 CY	Roadster	7000	13000	25000
1916		6 CY	Roadster	11000	23000	45000
1916		6 CY	Speedster	10000	20000	40000
1917	Bull Dog	6 CY	Touring Car	4000	7500	15000
1917		6 CY	Roadster	4500	9000	17000
1917		6 CY	Speedster	5000	10000	20000
1918		6 CY	Roadster	6500	12500	25000
1918	Bearcat	6 CY	Speedster	9000	18500	38000
1919		6 CY	Roadster	5000	10000	20000
1919	Bearcat	6 CY	Speedster	10000	20000	40000
1920		6 CY	Speedster	3750	7500	15000
1920		4 CY	Roadster	3750	7500	15000
1920			Touring Car	3250	6500	12500
1921		6 CY	Roadster	3500	7500	15000
1921		6 CY	Touring Car	3500	6500	12500
1921		6 CY	Speedster	5000	10000	20000
1922		6 CY	Touring Car	3500	7000	13000
1922		6 CY	Speedster	5000	10000	20000
1923		6 CY	Sport Roadster	3500	7000	13000
1923		6 CY	Touring Car	3000	6000	12000
1923		6 CY	Roadster	2500	5500	11000
1924		6 CY	Roadster	2500	5500	11000
1924		6 CY	Sedan	2000	4000	8000
1924		6 CY	Touring Car	3000	6000	12000
1924	Speedway Six	6 CY	Speedster	3500	7000	14000
1925	5 Ps	6 CY	Sedan	2250	4500	9000
1925		6 CY	Sport Touring Car	5500	11000	22000
1925		6 CY	Sport Roadster	5000	10000	20000
1925		6 CY	Speedster	7000	14000	28000
1926		Straight 8	Sport Roadster	7000	14000	28000
1926	AA	Straight 8	Touring Car	6800	13500	27500
1926		Straight 8	Roadster	6500	13000	26000
1926		Straight 8	Speedster	7500	15000	30000
1927	AA	8 CY	7 Passenger Sedan	2250	4500	9000
1927		8 CY	Rumble Seat Coupe	3250	6500	12500
1927	5 Ps	8 CY	Sedan	2250	5500	11000
1927	Black Hawk	8 CY	Speedster	6500	12500	25000

YEAR	MODEL	ENGINE	BODY	F	G	E
928		8 CY	Cabriolet	6000	12000	24000
928		8 CY	Dual Cowl Phaeton	11000	22500	45000
928		8 CY	Victoria Coupe	3500	7000	13000
928		8 CY	Touring Car	5000	10000	20000
928	Weymann	8 CY	Fabric Coupe	8000	17500	35000
928	Model BB	8 CY	Boattail Speedster	15000	30000	60000
929	Black Hawk	Straight 8	Speedster	11000	22500	45000
929	5 Ps	Straight 8	Sedan	3100	6250	12500
929	Model M	Straight 8	Roadster	10000	20000	40000
929	Black Hawk	6 CY	Sedan	5000	10000	20000
930	Black Hawk	6 CY	Speedster	11000	22500	45500
930		Straight 8	Boattail Speedster	10000	19000	38000
930		Straight 8	Cabriolet	6500	12500	25000
931	Bearcat	Straight 8	Speedster	11000	22500	45000
931	Super Bearcat	Straight 8	Speedster	12500	25000	50000
931	Black Hawk	Straight 8	Speedster	12000	23000	46000
932	Black Hawk	Straight 8	Speedster	12000	24000	38000
932	DV-32	Straight 8	5 Passenger Sedan	4100	8250	17500
932	DV-32	Straight 8	Convertible Victoria	15000	27500	55000
932	DV-16	Straight 8	Convertible Roadster	15000	27500	55000
932	SV-16	Straight 8	Convertible Coupe	11000	22500	25000
933	DV-16	Straight 8	5 Passenger Sedan	3250	6500	12500
933	DV-16	Straight 8	Cabriolet	6500	12500	25000
933	DV-32	Straight 8	Club Sedan	5500	11000	22000
933	DV-32	Straight 8	Drop Head Coupe	7500	15000	30000
933	SV-16	Straight 8	Convertible Coupe	10000	20000	40000
973	Black Hawk	V-8	Coupe	9000	14750	20000

STUYVESANT (US 1911-1912)

911	5 S	6 CY	Touring Car	1250	2350	4750

SUBARU (J 1958-to-date)

958		2 CY	Saloon Sedan	250	500	900

SUBURBAN LIMITED (US 1911-1912)

911		6 CY	Runabout	1700	3400	6800
911		6 CY	Torpedo	1900	3750	7500
912		6 CY	Touring Car	1400	2800	5600

SUCCESS (B 1952)

952		2 CY	3-Wheel	1200	2400	4800

SUCCESS (US 1906-1909)

906		1 CY	High-wheel	1500	3000	6000
907	4 S	2 CY	High-wheel	1600	3250	6500
909	4 S	4 CY	High-wheel	1700	3400	6800

YEAR	MODEL	ENGINE	BODY	F	G	E
SUERE (F 1909-1930)						
1909	8 CV	1 CY	Touring Car	1000	1900	385
1915	8 CV	4 CY	Touring Car	950	1850	375
1922	10 CV	4 CY	Saloon Sedan	700	1400	285
1928		V-8	Saloon Sedan	900	1800	365
1930		6 CY	Saloon Sedan	750	1500	300
SULMAN SIMPLEX (AUS 1923)						
1923		2 CY	Cycle Car	800	1600	325
SULTAN (US 1909-1912)						
1909	4 S	4 CY	Laundalet	1000	2000	400
1912		6 CY	Laundalet	1100	2200	440
SULTANE (F 1903-1910)						
1903	10/14 hp	4 CY	Tonneau	950	1900	385
1907	9/12 hp	4 CY	Tonneau	1000	2000	400
1910	7/9 hp	2 CY	Tonneau	900	1750	330
SUMIDA (J 1933-1937)						
1933	Model H		4 Door Sedan	700	1400	280
1934	Model K		Touring Car	750	1500	300
1935	Model K93		6-Wheel Touring Car	900	1750	350
1937	Model JC		Touring Car	700	1400	280
SUMINOE (J 1954-1955)						
1954		2 CY	2 Seats	300	650	125
SUMMERS & HARDING (GB 1913)						
1913		V-twin	Cycle Car	800	1600	320
SUMMITT (US 1907)						
1907	10 hp	1 CY	High-wheel	1600	3250	650
SUMMIT (AUS 1922-1926)						
1922		4 CY		750	1500	300
SUN (D 1906-1924)						
1906	18/22 hp	4 CY	2 Seats	1000	1900	380
1908	40/50 hp	6 CY	2 Seats	1200	2300	460
1920		V-twin	2 Seats	1250	1500	300
SUN (US 1915-1924)						
1915	22 hp	6 CY	Touring Car	1150	2350	475
1917		6 CY	Roadster	1250	2500	500
1919		6 CY	Sedan	1000	1900	385
1921		4 CY	Runabout	1000	2250	450
1924		4 CY	Touring Car	1000	2000	390

YEAR	MODEL	ENGINE	BODY	F	G	E

SUNBEAM (GB 1899-to-date)

YEAR	MODEL	ENGINE	BODY	F	G	E
1899	4 hp	1 CY	Voiturette	1100	2250	4500
1901		2 CY	Voiturette	1100	2250	4500
1903	12 hp	2 CY	Tonneau	1150	2350	4700
1904		4 CY	Coupe	1050	2100	4200
1908		6 CY	Touring Car	1100	2250	4500
1910		6 CY	Racing Car	1250	2500	5000
1913	12/16 hp	4 CY	Drop Head Coupe	1150	2350	4750
1914		4 CY	Grand Prix Racing Car	1500	3000	6000
1919	6 hp	4 CY	Touring Car	1200	2400	4800
1919		6 CY	Racing Car	1600	3100	6250
1920		Straight 8	Limousine	2000	4000	8000
1922		Straight 8	Sport	2100	4250	8500
1924		V-12	Sprint	2000	4000	8000
1924	24-70	V-12	Sport Touring Car	2100	4250	8500
1926		V-12	Racing Car	2350	4750	9500
1930	Silver Bullet	45 Litre	Racing Car	3000	6000	12500
1930		23.8 hp	Saloon Sedan	1100	2250	4500
1933	Speed Model	2.9 Litre	Sport	1850	3750	7500
1934	Dawn	4 CY	Saloon Sedan	1000	1900	3800
1935		21 hp	Saloon Sedan	900	1750	3500
1937		Straight 8	Sport	1000	2000	4000
1938		4 CY	Saloon Sedan	750	1500	2850
1956	Rapier	4 CY	Sport Saloon Sedan	400	800	1600
1958	Alpine 2 S	4 CY	Sport	500	1000	2000

SUNBEAM-TALBOT (GB 1938-1954)

YEAR	MODEL	ENGINE	BODY	F	G	E
1938		3 Litre	Touring Car	650	1250	2500
1939	Super Snipe	6 CY	Touring Car	700	1400	2800
1940		10 hp	Touring Car	750	1500	3000
1948	Model 90	2 Litre	Saloon Sedan	750	1500	2950
1953	Alpine	6 CY	Roadster	1100	2250	4500
1954	MK 111	4 CY	Saloon Sedan	1200	2400	2700

SUNSET (US 1901-1904)

YEAR	MODEL	ENGINE	BODY	F	G	E
1901		2 CY	Steam	2000	4000	8000

S.U.P. (F 1919-1922)

YEAR	MODEL	ENGINE	BODY	F	G	E
1919		1843cc		700	1400	2800

SUPER (F 1912-1914)

YEAR	MODEL	ENGINE	BODY	F	G	E
1912		1 CY	Cycle Car	900	1750	3500
1914		2 CY	Cycle Car	1000	1900	3800

YEAR	MODEL	ENGINE	BODY	F	G	E
SUPERIOR (D 1905-1906)						
1905		2 CY	Voiturette	1000	2000	400
1906		4 CY	Voiturette	1200	2400	480
SUPERIOR (CDN 1910)						
1910		4 CY		1000	2000	400
SUPERIOR (US 1914)						
1914		4 CY	5 Seats	1500	3000	600
SUPER KAR (US 1946)						
1946		15 hp	3-Wheel	750	1500	300
SURREY (GB 1921-1930)						
1921	10 hp	4 CY	2 Seats	750	1500	300
1930	New Victory	6 CY	2 Seats	900	1750	350
SURREY '03 (US 1958-1959)						
1958		8 hp		450	700	140
SURRIDGE (GB 1912-1913)						
1912	8 hp	V-twin	Cycle Car	800	1600	325
SUTTON (AUS 1900-1901)						
1900	6 hp	2 CY		750	1500	300
S.V.A. (I 1949)						
1949		Flat-four		350	650	125
SVEBE (S 1948-1952)						
1948		500cc	Racing Car	350	700	140
SVELTE (F 1904-1907)						
1904		4 CY	2 Seats	1000	1900	380
S.V.P. (F 1905-1906)						
1905	8 hp	2 CY	2 Seats	900	1800	350
SWALLOW (GB 1922)						
1922		2 CY		1000	1900	380
1922		4 CY		1000	2000	400
SWALLOW DORETTI (GB 1954-1955)						
1954		2 Litre	Touring Car	1000	1900	285
1955	GT	2 Litre	Coupe	600	1200	240
1955	Open	2 Litre	2 Seats	650	1250	250
SWAN (F 1923)						
1923		4 CY	2 Seats	700	1400	285
SWEANY (US 1895)						
1895	3 hp	4 CY	Steam	2000	4000	800

YEAR	MODEL	ENGINE	BODY	F	G	E
SWIFT (GB 1900-1931)						
1900		1 CY	Voiturette	1100	2200	4400
1904	10 hp	2 CY	Touring Car	1100	2250	4500
1906		3 CY	Roadster	1100	2200	4400
1908		4 CY	Roadster	1000	2100	4200
1910	7 hp	1 CY	Roadster	1000	1900	3800
1912		2 CY	2 Seats	900	1700	3400
1913	7 hp	2 CY	Cycle Car	800	1600	3250
1914	Ten	4 CY	2 Seats	1000	1900	3800
1922	10 hp	2 CY	Roadster	1000	2000	4000
1929	Twelve	2 Litre	Fabric Saloon Sedan	900	1750	3500
1931	10 hp	4 CY	Saloon Sedan	700	1400	2850
SWIFT (CDN 1911)						
1911		6 CY	2 Seats	1000	1900	3850
SWIFT (US 1959)						
1959	Swift T	1 CY	2 Seats	350	700	1400
1959	Swift Cat	1 CY	2 Seats	320	650	1250
1959	Swifter	1 CY	2 Seats	350	700	1300
SYCAR (GB 1915)						
1915	4.5 hp	1 CY	3-Wheel	600	1200	2450
SYLPHE (F 1920)						
1920	6 hp	4 CY	2 Seats	800	1650	3250
SYNNESTVEDT (US 1904-1908)						
1904	8 hp	EL	2 Seats	1200	2400	4800
SYRACUSE (US 1899-1903)						
1899		EL	2 Seats	1500	2900	4750
SYRENA (PL 1955-1972)						
1955		2 CY 744cc	Sedan	350	650	1250
1957		3 CY 992cc	Saloon Sedan	450	750	1400
SZAWE (D 1920-1922)						
1920		2.5 Litre	Touring Car	900	1750	3500
1922	All Weather	2.6 Litre	Touring Car	1000	1800	3600

T

Thomas Flyer — *1912 "Touring Car" One of the Six Cars in the New York to Paris Race*

YEAR	MODEL	ENGINE	BODY	F	G	E
TAKURI (J 1907-1909)						
1907	4 S	4 CY	Touring Car	800	1600	3200
TALBOT (GB 1903-1940)						
1903	6 hp	1 CY	Touring Car	1100	2200	4450
1904	11 hp	2 CY	Touring Car	1150	2300	4600
1904	27 hp	4 CY	Coupe	1100	2250	4500
1905	11 hp	2 CY	Racing Car	1200	2400	4800
1906	50 hp	4 CY	Racing Car	1700	3400	6800
1906	12/16 hp	4 CY	Touring Car	1500	3000	6000
1907	20 hp	4 CY	Limousine	1150	2300	5600
1908	35 hp	4 CY	Coupe	1200	2400	4850
1910	25 hp	4.5 Litre	Racing Car	1900	2800	5600
1913	15/20 hp	2.6 Litre	Touring Car	1250	2500	4950
1919	25/50 hp	6 CY	Limousine	1500	2900	5800
1922		1 Litre	Racing Car	1500	3000	6000
1923	10/20 hp	6 CY	Coupe	1000	2000	3950
1924	23 hp	6 CY	Touring Car	1750	3500	7500
1929	14/45 hp		Saloon Sedan	1500	3000	6000
1930		4 Litre	Coupe	1750	3500	7500
1930		6 CY	Sport Saloon Sedan	2100	4250	8500
1930	Model 75	14/45 hp	Touring Car	1900	3750	7500
1930	Model 90	14/45 hp	Sport	2100	4250	8500
1931	Model 105	3 Litre	Sport Touring Car	1900	3750	7500
1931		3 Litre	Saloon Sedan	1650	3250	6500
1931	4 S	3 Litre	Sport	2150	4500	9000

YEAR	MODEL	ENGINE	BODY	F	G	E
1932	Model 65	14/45 hp	Coupe	2200	4450	8900
1933	Model 95	3 Litre	Touring Car	2100	4250	8500
1935	Model 110	3 Litre	Sport	2500	5000	10500
1938		4 Litre	Coupe	2450	4900	9500
1938	5 Ps	6 CY	Saloon Sedan	2250	4500	9000
1939		6 CY	Cabriolet	5500	11000	22500
1939		6 CY	Sport Saloon Sedan	2250	4500	9000

T.A.M. (F 1908-1925)

YEAR	MODEL	ENGINE	BODY	F	G	E
1908	12	4 CY	2 Seats	1000	2000	4000
1913	10/12 hp	4 CY	2 Seats	1000	1900	3850
1925	12/14 hp	4 CY	4 Seats	800	1600	3200

TAMA (J 1947-1951)

YEAR	MODEL	ENGINE	BODY	F	G	E
1947	E4-47	EL 4.5 hp	Saloon Sedan	250	500	1000
1948	Junior	4.5 hp	Sedan	200	450	900
1951	Senior	5.5 hp	5 Passenger Sedan	300	600	1200

TAMAG (D 1933)

YEAR	MODEL	ENGINE	BODY	F	G	E
1933	3-Wheel	200cc	Coupe	450	900	1850

TAMM (D 1922)

YEAR	MODEL	ENGINE	BODY	F	G	E
1922		2 CY	Cycle Car	800	1600	3250

TAMPLIN (GB 1919-1927)

YEAR	MODEL	ENGINE	BODY	F	G	E
1919	Tandem	V-twin	2 Seats	900	1800	3600
1927		4 CY	Sport	850	1700	3400

TANKETTE (GB 1919-1920)

YEAR	MODEL	ENGINE	BODY	F	G	E
1919	2.75 hp	1 CY	3-Wheel	800	1600	3250

TARKINGTON (US 1922-1923)

YEAR	MODEL	ENGINE	BODY	F	G	E
1922	5 S	6 CY	Touring Car	1250	2500	5000

TARRANT (AUS 1901-1907)

YEAR	MODEL	ENGINE	BODY	F	G	E
1901	6 hp	2 CY	2 Seats	1100	2250	4500
1902	10 hp	2 CY	Touring Car	1150	2350	4750
1904	14 hp	4 CY	Touring Car	1050	2100	4250
1906	16 hp	4 CY	Touring Car	1050	2150	4350
1907	11.9 hp	3 CY	Touring Car	1100	2250	4500
1948			Sport	4500	9000	17500

TASCO (US 1948)

YEAR	MODEL	ENGINE	BODY	F	G	E
1948			Sport	4500	9000	17500

TATE (CDN 1912-1913)

YEAR	MODEL	ENGINE	BODY	F	G	E
1912			Coupe	1000	2000	4000
1913			Roadster	1200	2400	4800

TATIN (F 1899)

YEAR	MODEL	ENGINE	BODY	F	G	E
1899	2.5 hp	1 CY	3-Wheel	700	1400	3800

YEAR	MODEL	ENGINE	BODY	F	G	E
TATRA (CS 1923-to-date)						
1923	6.5 Litre	6 CY	Touring Car	1000	2000	4000
1924	Type 11	1066cc	Touring Car	800	1600	3250
1925	Type 12	1066cc	Sport	750	1500	3000
1926	Type 30	4 CY	Touring Car	900	1900	2750
1927	Type 52	1919cc	Touring Car	700	1400	2800
1928	Type 70	6 CY	Touring Car	900	1750	3450
1929	Type 80	V-12	Sport	900	1800	3600
1930	Type 49	528cc	3-Wheel	550	1100	2200
1932	Type 57	1160cc	Sport	600	1200	2400
1934	Type 77	V-8	Sport	750	1500	3000
1935	Type 80	V-12	Saloon Sedan	700	1400	2800
1937	Type 87	V-8	Saloon Sedan	500	1000	2000
1939	Type 97	4 CY	Saloon Sedan	400	800	1600
1945	Type 57-B	6 CY	Sport	450	900	1800
1957	Type 603	V-8	Saloon Sedan	500	1000	2000
TAU (I 1924-1926)						
1924	Tipo 95	4 CY	Touring Car	1000	1900	3800
1926	Tipo 90		Sport	900	1800	3600
TAUNTON (US 1901-1904)						
1901		1 CY	Runabout	1200	2350	4750
TAUNTON (GB/B 1914-1920)						
1914		4 CY	2 Seats	1000	2000	4000
TAUNUS (D 1907-1909)						
1907	6/12 hp	4 CY		1000	1900	3850
TAURINIA (I 1902-1908)						
1902	9.5 hp	1 CY	Voiturette	1000	2000	3850
1906	10/12 hp	4 CY	Voiturette	1000	2000	4000
1908	14/18 hp	3 Litre	Touring Car	1100	2100	4200
TAUZIN (F 1899)						
1899	3.5 hp	V-twin	Voiturette	1000	1900	3800
TAYLOR (GB 1922-1924)						
1922	10 hp	4 CY		1000	1900	3750
1924	14 hp	4 CY		1000	2000	3900
TAYLOR-SWETNAM (GB 1913)						
1913		2 CY	2 Seats	1000	1900	3800
T.B. (GB 1920-1924)						
1920		2 CY	3-Wheel	1000	1600	3200
TECO (GB 1905)						
1905		2 CY	2 Seats	1000	2100	4200
TECO (D 1924-1925)						
1924	5/30 PS	4 CY		750	1400	2800

YEAR	MODEL	ENGINE	BODY	F	G	E
TEMPERINO (I 1919-1925)						
1919		V-twin	Racing Car	750	1500	3000
TEMPLAR (US 1917-1924)						
1917		3 Litre	Roadster	2500	5000	10000
1922		3.2	Touring Car	2200	4400	8800
1923		4 CY	Touring Car	2100	4250	8500
1924		6 CY	Touring Car	2100	4200	8400
TEMPLE-WESTCOTT (US 1921-1922)						
1921		6 CY		1100	2250	4750
TEMPO (D 1933-1956)						
1933			3-Wheel	500	1000	2000
1935	V-600	600	Convertible	1000	1900	2850
1950			Convertible	360	700	1450
1956			Sedan	300	600	1200
TENNANT (US 1914-1915)						
1914	30/35 hp	4 CY	Roadster	1100	2300	4750
1915	5 S	4 CY	Touring Car	1000	2100	4250
TENTING (F 1891-1899)						
1891	4 hp	2 CY	Racing Car	1000	1900	3800
TERRAPLANE (US 1932-1937)						
1932	Essex	6 CY	Coach	1000	1900	3800
1933		6 CY	Sedan	1000	1900	3800
1933		8 CY	Sedan	1200	2250	4500
1933		8 CY	Cabriolet	1750	3500	7500
1934		6 CY	Cabriolet	1700	3400	6800
1935	3.5 Litre	6 CY	Convertible Roadster	1800	3600	7250
1936	2 Dr	6 CY	Sedan	1000	2000	4000
1937	2 Dr	6 CY	Sedan	1100	2100	4250
TERROT (F 1912-1914)						
1912	8 hp	4 CY	Voiturette	800	1600	3250
1914	10 hp	4 CY	Voiturette	1000	1800	3500
TESTE ET MORET (F 1898-1903)						
1898		1 CY	Voiturette	1000	2000	4000
1903	10 hp	2 CY	Voiturette	1000	1900	3800
TEXAN (US 1918-1922)						
1918		4 CY		1100	2250	4500
TEXAS (US 1920)						
1920			Saloon Sedan	750	1500	2900
TEXMOBILE (US 1921-1922)						
1921	22.5 hp	4 CY	2 Seats	800	1600	3250
THAMES (GB 1906-1911)						
1906	45 hp	6 CY	2 Seats	1000	1900	3800

YEAR	MODEL	ENGINE	BODY	F	G	E
1908		4 CY	2 Seats	900	1800	3500
1910	8 hp	1 CY	2 Seats	800	1600	3200

THEIS (D 1933)
1933		200cc	Coupe	450	900	1700

THIEULIN (F 1907-1908)
1907	2 S	4 CY	Racing Car	1000	1900	3800

THOLOME (F 1920-1922)
1920		2 CY	Cycle Car	800	1600	3250
1922		4 CY	2 Seats	750	1500	2950

THOMAS (US 1902-1919)
1902	24 hp	3 CY	Touring Car	1200	2400	4800
1905	24/30 hp	4 CY	Racing Car	3000	6000	12000
1906	60 hp	6 CY	Racing Car	4500	9000	18000
1907		6 CY	Speedster	4500	9000	17500
1909		6 CY	Roadster	5500	11000	22500
1910	Flyer	72 hp	Touring Car	10000	19000	38000
1912		6 CY	Limousine	5000	10000	20000
1915		6 CY	Landau	4500	9000	17000
1917		6 CY	Town Car	4000	8000	16000
1919	Model 6-70	12.8 Litre	Racing Car	3250	6500	12500

THOMAS (GB 1903)
1903	8 hp	2 CY	Touring Car	1000	1900	3850
1903	6 hp	1 CY	2 Seats	1000	2000	4000
1903	10 hp	2 CY	Coupe	1000	2000	4000

THOMAS-DETROIT (US 1906-1908)
1906		4 CY		1200	2400	4750
1908		4 CY		1250	2500	5000

THOMOND (IRL 1925-1929)
1925	5 S	4 CY	Saloon Sedan	600	1200	2400
1929		12/40 hp	Fabric Coupe	700	1400	2850

THOMPSON (US 1901-1906)
1901	1.25 hp	EL	Runabout	1500	3000	6000
1906		4 CY	6 Seats	1200	2400	4850

THOMPSON (AUS 1896-1901)
1896	5 hp	2 CY	6 Seats	1100	2100	4250

THOMSON (F 1913-1928)
1913		1.5 Litre	Touring Car	900	1800	3650
1913		2 Litre	Touring Car	950	1900	3800
1914	6.6 Litre	4 CY	Coupe	900	1800	3650
1920		4 CY	Touring Car	850	1750	3500
1928	40 CV	6 CY	Sport	1000	2000	4000

THOR (GB 1904-1921)
1904	6/8 hp	2 CY	Touring Car	1000	2000	4000

YEAR	MODEL	ENGINE	BODY	F	G	E
1910	12/14 hp	2 CY	Touring Car	1100	2100	4200
1914		4 CY	Coupe	1000	1900	3800
1918		6 CY	Touring Car	1150	2250	4500

THORN ET HOGAN (F 1901-1902)
1901	10 hp	2 CY	Tonneau	800	1600	3350

THRUPP & MABERLY (GB 1896)
1896		EL	Victoria	1500	3000	6000

TH. SCHNEIDER (F 1910-1931)
1910		4 CY	Touring Car	1000	1800	3600
1912		6 CY	Touring Car	1000	2100	4200
1914	18/22	6 CY	Cabriolet	1000	2000	4000
1916	15 hp	4 CY	Touring Car	1000	1900	3800
1917		6 CY	Racing Car	1000	1800	3600
1919	14 CV	4 CY	Touring Car	900	1750	3500
1921	14 CV	6 CY	Coupe	700	1400	2800
1926	VL	1170cc	Racing Car	750	1500	3000
1927	VL	6 CY	Saloon Sedan	650	1300	2650
1931		6 CY	Coupe	750	1500	3000

THULIN (S 1920-1928)
1920		4 CY	Saloon Sedan	700	1400	2800
1924	Type B	4 CY	Saloon Sedan	700	1400	2800
1926	Type B	6 CY	Saloon Sedan	750	1500	3000
1928		6 CY	Saloon Sedan	750	1500	3000

THURLOW (GB 1920-1921)
1920	10 hp	V-twin	3-Wheel	900	1800	3650

TIC-TAC (F 1920-1924)
1920		4 CY	Cycle Car	750	1500	3000
1924		1.5 Litre	Sport	800	1600	3250

TIDAHOLM (S 1906-1913)
1906		4 CY	Shooting Brake	1200	2350	4750
1910		4 CY	2 Seats	1200	2400	4800
1913		4 CY	2 Seats	1250	2500	4950

TIFFANY (US 1913-1914)
1913	Open	EL	2 Seats	1750	3500	7000

TIGER (US 1914)
1914		4 CY	2 Seats	1250	2500	4750
1914		4 CY	4 Seats	1100	2250	4500

TILEY (US 1904-1913)
1904	32/36 hp	4 CY				
1910		6 CY				
1913		6 CY				

YEAR	MODEL	ENGINE	BODY	F	G	E
TILICUM (US 1914)						
1914	14 hp	2 CY	Cycle Car	750	1500	3000
TINCHER (US 1903-1908)						
1903	20 hp	4 CY		1100	2250	4500
1908	50 hp	4 CY		1200	2400	4800
TINY (GB 1913-1915)						
1913	8 hp	V-twin	Cycle Car	1000	1900	3800
1915	10 hp	4 CY	2 Seats	1200	2300	4650
TISCHER (US 1914)						
1914	9 hp	2 CY	3-Wheel	1000	1900	3800
TITAN (GB 1911)						
1911	5.25 hp	1 CY	3-Wheel	800	1600	3200
TMF (US 1909)						
1909		4 CY	High-wheel	1600	3250	6500
TOBOGGAN (GB 1905-1906)						
1905	4.5 hp	2 CY	Single Seat	1000	1900	3800
1906	6 hp	2 CY	Single Seat	1100	2100	4200
TOJEIRO (GB 1952-1962)						
1952		1467cc	Sport	300	650	1250
1956		3.8 Litre	Sport	350	700	1400
1959		1.5 Litre	Sport	300	600	1200
TOLEDO (US 1900-1913)						
1900	6.25 hp	2 CY	Steam	2000	3900	7800
1906		3 CY	Touring Car	2000	4000	8000
1913		2 CY	Cycle Car	1000	1900	3600
TOM POUCE (F 1920-1924)						
1920		2 CY 730cc	Cycle Car	500	1000	2000
1924		4 CY	2 Seats	700	1300	2600
TONELLO (I 1921-1923)						
1921		4 CY	Sport	700	1400	2800
TONY HUBER (F 1902-1906)						
1902	8 hp	2 CY	2 Seats	900	1750	3500
1904	11 hp	2 CY	2 Seats	900	1800	3600
1906	20/24 hp	4 CY	2 Seats	1000	1900	3800
TOQUET (US 1905)						
1905		4 CY	5 Seats	1250	2500	4750
TORNADO (GB 1958-1964)						
1958	Open	2 Litre	2 Seats	450	900	1750
TORNAX (D 1934-1937)						
1934	Rex	700cc	Sport	450	900	1800

YEAR	MODEL	ENGINE	BODY	F	G	E
TORPEDO (GB 1909)						
1909	6 hp	1 CY		1200	2400	4750
1909		2 CY		1250	2500	4900
TOURAINE (US 1912-1915)						
1912	Open	6 CY	2 Seats	1600	3250	6500
1913	Open	6 CY	5 Seats	1750	3500	6700
1915	Open	6 CY	7 Seats	2000	3750	6900
TOURAND (F 1900-1907)						
1900	6 hp	2 CY	Touring Car	900	1800	3700
1905	16/20 hp	4 CY	Racing Car	1000	2000	4000
1907	80 hp	6 CY	Racing Car	1000	2100	4200
TOURETTE (GB 1956-1958)						
1956		197cc	3-Wheel	350	650	1250
TOUREY (F 1898)						
1898	4 hp	1 CY	Petit Duc	1000	2000	4000
TOURIST (US 1902-1909)						
1902	5 S	2 CY	Touring Car	1700	3400	6800
1907		4 CY	Touring Car	1900	3750	7500
1909		4 CY	Touring Car	1900	3800	7600
TOURIST (D 1907-1920)						
1907	7 hp	2 CY	Touring Car	1100	2250	4500
1910	Open	2 CY	3-Wheel	800	1600	3200
1920	Open	2 CY	2 Seats	750	1500	2900
TOWANDA (US 1904)						
1904		2 CY	2 Seats	1250	2500	4750
TOWNE SHOPPER (US 1948)						
1948	10.6 hp	2 CY	2 Seats	250	500	1000
TOYOTA (J 1936-to-date)						
1936	Model AA	6 CY	Saloon Sedan	500	1000	2000
1937	Model AB	6 CY	Sedan	450	900	1800
1938	Model AC	6 CY	Touring Car	550	1100	2200
1939	Model AE	2258cc	Saloon Sedan	450	900	1800
1943	Model BA	4 CY	Sedan	300	600	1200
1945	Model B	6 CY	Saloon Sedan	350	700	1400
1949	Model SA	4 CY	Saloon Sedan	300	600	1200
1955	Crown	4 CY	Saloon Sedan	350	650	1250
1958	Corona	1 Litre	Saloon Sedan	250	500	1000
TRACTOBILE (US 1900-1902)						
1900		2 CY	2 Seats	1200	2500	4500
TRAEGER (D 1923)						
1923	5/18 PS	4 CY	2 Seats	750	1500	3000

YEAR	MODEL	ENGINE	BODY	F	G	E
TRAIN (F 1924-1925)						
1924		1 CY 344cc	Cycle Car	450	900	1850
TRAVELER (US 1906-1915)						
1906	30 hp	4 CY	Runabout	1150	2300	4600
1908	36 hp	4 CY	2 Seats	1200	2400	4800
1910	5 S	4 CY	Touring Car	1250	2500	5000
1914	Model 36	4 CY	Roadster	1300	2600	5250
1915	2 S	4 CY	Roadster	1400	2800	5600
TREBERT (US 1907)						
1907	7 S	4 CY	Touring Car	1200	2400	4800
TRESKOW (D 1906-1908)						
1906	10 PS	2 CY	2 Seats	900	1750	3500
1908		2 CY	2 Seats	900	1800	3600
TRIBELHORN (CH 1902-1920)						
1902	2 S	EL	Victoria	800	1600	3250
1910	4 S	EL	Victoria	750	1500	2950
1918	2 S	EL	3-Wheel	700	1400	2800
1920		EL	3-Wheel	700	1400	2800
TRIBET (F 1909-1914)						
1909	8/10 hp	4 CY	Sport	900	1800	3600
1914	4/16 hp	6 CY	Racing Car	800	1650	3700
TRIBUNE (US 1913-1914)						
1913		4 CY	5 Seats	1350	2650	4750
TRI-CAR (US 1955)						
1955	3 S	V-twin	Coupe	350	650	1250
TRICOLET (US 1904-1906)						
1904	2 S	2 CY	3-Wheel	800	1900	3800
1906		2 CY	3-Wheel	1000	2000	4000
TRIDENT (F/GB 1919-1920)						
1919	8 hp	2 CY	3-Wheel	700	1400	2800
1920	Tandem	2 CY	2 Seats	750	1500	3000
TRI-MOTO (US 1900-1901)						
1900			3-Wheel	1000	1900	3800
TRIOULEYRES (F 1896)						
1896		1 CY 5 hp	2 Seats	1000	2000	3950
1896		1 CY	4 Seats	1000	2000	4000
TRIPPEL (D 1934-1952)						
1934	Type SG	2.5 Litre	Amphibious	1100	2250	4500
1936		6 CY	Amphibious	1200	2300	4600
1937	Type SK	6 CY	Amphibious	1200	2400	4800
1948	Type SG-7	V-8	Amphibious	1000	1900	3800
1950		498cc	Coupe	450	900	1800

YEAR	MODEL	ENGINE	BODY	F	G	E
TRIUMPH (US 1900-1909)						
1900		EL	Stanhope	1500	3000	6000
1906	Open	4 CY	4 Seats	1100	2250	4750
1909	Open	4 CY	5 Seats	1250	2500	4900
TRIUMPH (GB 1923-to-date)						
1923	10/20 hp	4 CY	Touring Car	1150	2250	4500
1925		1.9 Litre	Touring Car	1100	2250	4500
1927	15 hp	6 CY	Saloon Sedan	1000	1900	3800
1928	Super Seven	832cc	Sport Supercharged	1150	2300	4650
1930		6 CY	Sport	1200	2400	4800
1933	Super Nine	6 CY	Saloon Sedan	1150	2300	4600
1934	4 Ps	6 CY	Touring Car	1250	2500	5000
1937	Gloria	6 CY	Sport	1500	2900	5600
1938	Gloria	4 CY	Sport	1500	2900	5600
1939	Dolomite	2 Litre	Roadster	1650	3250	6500
1940		2 Litre	Roadster	1600	3200	6400
1946		6 CY	Roadster	2250	4000	6600
1946	1800	6 CY	Saloon Sedan	1250	2500	4000
1948		2 Litre	Roadster	2200	4000	6500
1949		6 CY	Sedan	1250	2500	4000
1949	2000	2 Litre	Roadster	2200	4000	6500
1949	2 Dr	2.1 Litre	Saloon Sedan	1250	2400	3500
1950	Model TR-2	2 Litre	Roadster	1250	2400	3500
1953	TR-2	2 Litre	Roadster	1200	2800	3000
1955		6 CY	Saloon Sedan	600	1000	2000
1956	TR-2	6 CY	Roadster	1100	1750	2850
1956	TR-3	6 CY	Roadster	1000	1650	2750
1959		6 CY	Saloon Sedan	400	850	1800
1960	TR-3	4 CY	Roadster	900	1750	3000
TRIUMPH (D 1933)						
1933		350cc	Coupe	450	900	1700
TRIVER (E 1952)						
1952		2 CY	Coupe	350	700	1400
TROJAN (GB 1922-1936)						
1922		4 CY	Saloon Sedan	550	1050	2100
1924		1.5 Litre	Saloon Sedan	550	1100	2250
1928	Apollo	10 hp	Saloon Sedan	600	1200	2400
1930	Model RE	10 hp	Purley Saloon Sedan	600	1200	2400
1935	Mastra	6 CY	Saloon Sedan	450	900	1800
TROLL (N 1956)						
1956		2 CY	Saloon Sedan	300	600	1200
1956	2 S	2 CY	Coupe	350	700	1350
TRUE (US 1914)						
1914	10 hp	2 CY	Cycle Car	800	1600	3250

YEAR	MODEL	ENGINE	BODY	F	G	E
TRUFFAULT (F 1907-1908)						
1907		1 CY	2 Seats	900	1800	3600
TRUMBULL (US 1913-1915)						
1913	13 hp	4 CY	2 Seats	1100	2250	4500
1915		4 CY	2 Seats	1150	2300	4600
TRUNER (GB 1913)						
1913	8 hp	V-twin	Cycle Car	750	1500	3000
T.S.T. (GB 1922)						
1922		1 CY	3-Wheel	750	1500	3000
TSUKUBA (J 1935-1937)						
1935		V-4	2 Seats	350	750	1450
1936	4 S	V-4	Touring Car	350	700	1300
1937	4 S	V-4	Saloon Sedan	300	600	1200
TUAR (F 1913-1925)						
1913		4 CY	2 Seats	1000	1900	3800
1919		6 CY	Racing Car	1000	2000	4000
1925		6 CY	Racing Car	1100	2250	4500
TUCK (US 1904-1905)						
1904		4 CY		1200	2400	4800
TUCKER (US 1900-1948)						
1900		2 CY		1200	2300	4600
1947		6 CY	Sedan	9000	18500	35000
1948	V-1	6 CY	Sedan	9000	18500	35000
1948	R-1	6 CY	Sedan	9000	18500	35000
TUDHOPE (CDN 1908-1913)						
1908		4 CY	High-wheel	1500	3000	6000
1910		4 CY	Roadster	1150	2350	4750
1913		6 CY	Touring Car	1250	2500	4900
TULSA (US 1917-1923)						
1917		4 CY		1100	2250	4500
1923		6 CY		1200	2400	4800
TURBO (CH 1920-1921)						
1920	2 S	5 CY	Saloon Sedan	800	1600	3100
1921	4 S	5 CY	Saloon Sedan	750	1500	3000
TURBO (D 1923-1924)						
1923	6/25 PS	1640cc		700	1400	2800
1924	18/32 PS	1980cc		750	1500	2950
TURCAT-MERY (F 1898-1928)						
1898		4 CY	Touring Car	1100	2250	4500
1900		2.6 Litre	Touring Car	1100	2250	4500
1902	16 hp	4 CY	Touring Car	1200	2400	4800
1904		12.8 Litre	Racing Car	1100	2300	4650

YEAR	MODEL	ENGINE	BODY	F	G	E
1905		6 CY	6-Wheel	1250	2500	5000
1907		6 CY 10.2 Litre	Touring Car	1100	2350	4750
1908	Type FM	6.3 Litre	Racing Car	1200	2400	4800
1909		2.6 Litre	Touring Car	1150	2350	4750
1911		2.3 Litre	Touring Car	1150	2300	4600
1912		4 CY	Touring Car	1100	2100	4300
1915		2.6 Litre	Touring Car	1100	2200	4400
1918		4.1 Litre	Racing Car	1000	1900	3850
1920		6.1 Litre	Racing Car	1000	2100	4250
1924	Type UG	2.4 Litre	2 Seats	1000	2000	4000
1926	7 CV	1.2 Litre	Sport	850	1700	3400
1928	Type VF	1.6 Litre	Sport	900	1750	3500
1928		Straight 8	Racing Car	1000	2000	4000

TURGAN-FOY (F 1899-1906)

YEAR	MODEL	ENGINE	BODY	F	G	E
1899	4.5 hp	1 CY	Tonneau	1000	2000	4000
1900	6 hp	1 CY	Tonneau	1050	2100	4200
1901	8 hp	2 CY	Tonneau	1050	2100	4300
1903	16 hp	4 CY	Touring Car	1000	1900	3800
1905	24 hp	4 CY	Touring Car	1000	2000	3950
1906	60 hp	4 CY	Touring Car	1000	2000	4000

TURICUM (CH 1904-1914)

YEAR	MODEL	ENGINE	BODY	F	G	E
1904	7 hp	1 CY	Touring Car	1000	1900	3850
1908	10/12 hp	4 CY	Touring Car	1000	2000	3900
1909		2 CY	Touring Car	950	1700	3400
1911	10/12 hp	4 CY	Touring Car	1000	1900	3800
1914	16/20 hp	4 CY	Touring Car	1000	2000	3900

TURNER (US 1900-1901)

YEAR	MODEL	ENGINE	BODY	F	G	E
1900	1.25 hp	1 CY	Voiturette	1200	2300	4600
1900	3 hp	1 CY	3-Wheel	1000	1900	3800
1901	Lilliputian	1 CY	Voiturette	900	1800	3600
1901	Gadabout	1 CY	3-Wheel	900	1750	3450
1901	3 hp	1 CY	Runabout	900	1750	3500

TURNER (GB 1906-1966)

YEAR	MODEL	ENGINE	BODY	F	G	E
1906	20/25 hp	4 CY	Touring Car	1000	1900	3800
1909		V-twin	Cycle Car	800	1600	3200
1912		4 CY	Touring Car	1000	2100	4250
1913	Fifteen	2.1 Litre	Touring Car	1100	2250	4500
1914	10 hp	4 CY	Drop Head Coupe	1000	2000	4000
19	12/20 hp	4 CY	Touring Car	900	1750	3500
19		1.8 Litre	Coupe	900	1800	3750
19		2.3 Litre	Touring Car	1000	2000	4000
1922	All Weather	4 CY	Touring Car	1250	2300	4750
1924	Colonial	2.1 Litre	Touring Car	900	1750	3500
1926	12 hp	4 CY	Coupe	850	1650	3250
1930		1.4 Litre	Saloon Sedan	750	1500	3000
1951		4 CY 500cc	Sport	600	1200	2400
1955			Single Seat	650	1250	2500
1959	Open		2 Seats	750	1500	2900

YEAR	MODEL	ENGINE	BODY	F	G	E
TURNER-MIESSE (GB 1902-1913)						
1902		3 CY	Laundalet	1200	2400	4800
1903	10 hp	3 CY	Laundalet	1150	2350	4750
1904	15 hp	2 CY	2 Seats	1150	2300	4600
1905		4 CY	Laundalet	1100	2200	4400
1906	20 hp	4 CY	Laundalet	1100	2200	4400
1908	30 hp	4 CY	2 Seats	1100	2250	4500
1919	10 hp	4 CY	2 Seats	1150	2300	4600
1913	10 hp	4 CY	4 Seats	1200	2400	4800
T.V.D. (B 1923-1925)						
1923		4 CY 1094cc	Saloon Sedan	550	1100	2200
T.V.R. (GB 1954-to-date)						
1954	Mark 1	1.2 Litre	Coupe	700	1400	2800
1957	Mark 1	1.2 Litre	Coupe	750	1500	2900
1959	Mark 1	1.2 Litre	Coupe	750	1500	3000
TWIN CITY (US 1914)						
1914		4 CY	Cycle Car	1000	1750	3500
TWOMBLY (US 1903-1915)						
1903	12 hp	4 CY	Touring Car	1000	1900	3800
1906	28 hp	4 CY	Limousine	900	1800	3600
1909	40 hp	4 CY	Touring Car	1000	2000	4000
1913		4 CY	2 Seats	1000	2100	4100
TWYFORD (US 1902-1908)						
1902	10 hp	2 CY	Touring Car	1150	2300	4600
1905	18 hp	2 CY	Touring Car	1200	2400	4800
1908	5 S	2 CY	Touring Car	1150	2300	4600
TYNE (GB 1904)						
1904	6.5 hp	1 CY	2 Seats	750	1500	3000
1904	4 S	2 CY	Tonneau	1000	2100	4200
TYSELEY (GB 1912-1913)						
1912	8/10 hp	2 CY	Coupe	1000	1900	3800
T.Z. (E 1956-1966)						
1956	18 hp	2 CY	Saloon Sedan	350	700	1400

Unic — 1909 "London Taxi"

YEAR	MODEL	ENGINE	BODY	F	G	E
U (A 1919-1923)						
1919	2 S	4 CY	Roadster	1000	2000	4000
1919		2 CY	Cycle Car	800	1600	3200
1923		4 CY	Cycle Car			
ULMANN (D 1903)						
1903		12 hp		1000	2000	4000
ULTIMA (F 1912-1914)						
1912	10 hp	1 CY		900	1800	3600
	10/12 hp	4 CY		1000	2000	4000
ULTRAMOBIL (D 1904-1908)						
1904		2 CY		950	1900	3850
ULTRAMOBILE (D 1908)						
1908	6/12 hp	4 CY	2 Seats	900	1750	3500
1908	6/12 hp	4 CY	4 Seats	900	1800	3600
UNDERBERG (F 1899-1909)						
1899	2 S	1 CY	Voiturette	1000	2000	4000
1906	6/8 hp	2 CY	Voiturette	1100	2200	4500
1909	12/16 hp	4 CY	Tonneau	1150	2300	4600
UNIC (F 1904-1939)						
1904		1 CY	Touring Car	900	1800	3600
1904	10/12 hp	2 CY	Coupe	800	1600	3200
1907	12/14 hp	4 CY	Touring Car	850	1750	3500
1909	4.1 Litre	6 CY	Touring Car	800	1650	3300
1914		6 CY	2 Seats	800	1600	3200

YEAR	MODEL	ENGINE	BODY	F	G	E
1920	Type L	1847cc	4 Seats	750	1500	3000
1923		1.8 Litre	Sport	700	1400	2800
1925	Type L313	2 Litre	Sport	800	1600	3200
1926		6 CY	Touring Car	950	1900	3800
1928		Straight 8	Sport	1000	2000	4000
1931	15 CV	Straight 8	Coupe	850	1700	3400
1932		2 Litre	Touring Car	950	1900	3800
1934	U-4	4 CY	Saloon Sedan	700	1400	2800
1937	U-6	6 CY	Saloon Sedan	600	1200	2400
1939	U-4D	2150cc	Saloon Sedan	550	1100	2200

UNION (US 1902-1914)

1902		4 CY	Roadster	1200	2400	4750
1902		2 CY	2 Seats	1050	2100	4200
1904		2 CY	5 Seats	1100	2250	4500
1911		4 CY	Touring Car	1150	2300	4600

UNIQUE (GB 1916)

1916	8/10 hp	2 CY	Cycle Car	800	1600	3250

UNIT (GB 1920-1923)

1920	8.9 hp	Flat-twin	2 Seats	700	1400	2800
1923		4 CY	2 Seats	800	1600	3250

UNITED (US 1914)

1914		4 CY	2 Seats	1150	2300	4600

UNIVERSAL (US 1914)

1914	2 S	4 CY	Roadster	1200	2400	4800

UPTON (US 1900-1907)

1900	3.5 hp	1 CY	Runabout	1150	2250	4500
1901		4 CY	Touring Car	1150	2300	4600
1905	5 S	4 CY	Tonneau	1050	2100	4250

URECAR (GB 1923)

1923	9.8 hp	4 CY	2 Seats	950	1900	3800

URSUS (F 1908)

1908	8 hp	1 CY	2 Seats	800	1650	3250

U.S. (US 1908)

1908		4 CY	2 Seats	1100	2250	4500

U.S. ELECTRIC (US 1899-1901)

1899	Open	EL	2 Seats	1000	2000	3950
1901	Open	EL	4 Seats	1000	2000	4000

U.S. LONG DISTANCE (US 1901-1903)

1901	7 hp	1 CY	Runabout	1100	2250	4500
1903	2 S	2 CY	Tonneau	1200	2350	4700

UTILE (GB 1904)

1904	8 hp	1 CY	2 Seats	850	1700	3400

YEAR	MODEL	ENGINE	BODY	F	G	E

UTILIS (F 1923-1925)

YEAR	MODEL	ENGINE	BODY	F	G	E
1923		1 CY	Cycle Car	950	1900	3800
1925		2 CY	Cycle Car	950	1850	3750

UTILITAS (D 1920-1921)

YEAR	MODEL	ENGINE	BODY	F	G	E
1920		1 CY	Cycle Car	750	1500	3000
1921		2 CY	Cycle Car	800	1600	3250
1921	Tandem	4 CY	2 Seats	850	1700	3400

UTILITY (US 1921-1922)

YEAR	MODEL	ENGINE	BODY	F	G	E
1921			Roadster	950	1850	3750
1922			Touring Car	950	1900	3800
1922			Station Wagon	1000	2000	4000

UTOPIAN (GB 1914)

YEAR	MODEL	ENGINE	BODY	F	G	E
1914	2 S	2 CY	3-Wheel	800	1600	3250

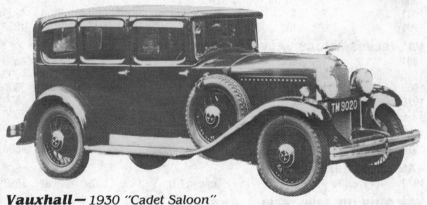

Vauxhall— 1930 "Cadet Saloon"

YEAR	MODEL	ENGINE	BODY	F	G	E

VABIS (S 1897-1915)

YEAR	MODEL	ENGINE	BODY	F	G	E
1897		2 CY	Touring Car	950	1900	3850
1900		4 CY	Touring Car	1000	2000	4000
1903	Type G4	2 Litre	Touring Car	950	1850	3750
1910		4 CY	Touring Car	900	1800	3600
1915		4 CY	Touring Car	850	1700	3400

VAGHI (I 1920-1924)

YEAR	MODEL	ENGINE	BODY	F	G	E
1920		V-twin	3-Wheel	500	1000	2000

VAGNON ET CANET (F 1898-1900)

YEAR	MODEL	ENGINE	BODY	F	G	E
1898				900	1800	3650

YEAR	MODEL	ENGINE	BODY	F	G	E
VAGOVA (F 1924-1926)						
1924		6 CY	Touring Car	950	1900	3850
VAILLANT (F 1922-1924)						
1922	5 CV	4 CY	Cycle Car	750	1500	3000
V.A.L. (GB 1913-1914)						
1913	8.9 hp	V-twin	Cycle Car	800	1600	3250
VALE (GB 1932-1936)						
1932	2 S	832cc	Sport	800	1600	3250
1933		4 CY	Roadster	1000	2000	4000
1933	Tourette	4 CY	Touring Car	875	1750	3500
1935	10 hp	4 CY	Sport	900	1800	3600
1936		6 CY	Racing Car	950	1900	3800
VALKYRIE (GB 1900)						
1900	3.5 hp	1 CY	Voiturette	1000	2000	4000
VALLEE (F 1895-1901)						
1895	4 hp	2 CY	Touring Car	950	1850	3750
1900	6 hp	2 CY	Touring Car	975	1950	3900
1901	7 hp	2 CY	Racing Car	1050	2100	4250
1901		4 CY	Brake	1050	2100	4250
VALVELESS; LUCAS VALVELESS (GB 1901-1914)						
1901		2 CY	Touring Car	950	1950	3850
1905	25 hp	2 CY	Laundalet	1000	2000	4000
1908	20 hp	2 CY	Laundalet	950	1900	3800
1910	15 hp	4 CY	Touring Car	875	1750	3500
1914		4 CY	Touring Car	900	1800	3600
VAN (US 1910-1911)						
1910	2 S	4 CY	Roadster	1150	2300	4600
VANDY (GB 1920-1921)						
1920	All Weather	6 CY	Touring Car	950	1950	3850
VAN GINK (NL 1899-1900)						
1899	2.5 hp	2 CY	4 Seats	1000	2000	4000
VAN LANGENDONCK (B 1901-1902)						
1901	5 hp	2 CY	2 Seats	950	1900	3850
1902	4 S	2 CY	Tonneau	1000	1975	3950
VAPOMOBILE (GB 1902-1904)						
1902	12 hp	2 CY	2 Seats	950	1900	3850
VAR (A 1924)						
1924		Flat-twin	2 Seats	800	1600	3250
VARLEY-WOODS (GB 1918-1921)						
1918		4 CY	Torpedo	1200	2400	4750
1920	14.3 hp	4 CY	Touring Car	1100	2250	4500
1921		4 CY	Saloon Sedan	800	1600	3200

YEAR	MODEL	ENGINE	BODY	F	G	E

V.A.T.E. (F 1908)

YEAR	MODEL	ENGINE	BODY	F	G	E
1908	10 hp	2 CY	2 Seats	800	1600	3250

VAUXHALL (GB 1903-to-date)

YEAR	MODEL	ENGINE	BODY	F	G	E
1903		1 CY	Runabout	900	1850	3700
1905	7/9 hp	3 CY	2 Seats	950	1950	3900
1907		4 CY	Sport	950	1900	3800
1910		4 Litre	Sport	900	1850	3700
1912	30/98 hp	6 CY	4 Seats	900	1850	3650
1914	Type D	4 Litre	Touring Car	875	1750	3500
1916	Type B	6 CY	Touring Car	800	1600	3250
1917		3 Litre	Single Seat	750	1500	2950
1919	Type E	30/90 hp	Sport	875	1750	3500
1922	Type M	14/40 hp	Touring Car	900	1800	3600
1925	Princeton	14/40 hp	Touring Car	950	1900	3800
1928	20/60 hp	6 CY	Coupe	1150	2250	4500
1930		6 CY	Roadster	3000	6000	12000
1930	Cadat	3 Litre	Saloon Sedan	900	1800	3600
1932	Type T-80	3.3 Litre	Sport	875	1750	3500
1933	Cadet	2.4 Litre	Saloon Sedan	700	1400	2800
1935		6 CY	Speedster	3650	7250	14500
1935	Big Six	6 CY	Laundalet	1500	3000	6000
1938		1.2 Litre	Coupe	450	900	1750
1940	Ten	4 CY	Coupe	475	950	1900
1948	Velox	6 CY	Saloon Sedan	450	900	1850
1953	Wyvern	1.4 Litre	Coupe	500	1000	2000
1955	Cresta	6 CY	Saloon Sedan	450	900	1800
1957	Victor	1.5 Litre	Saloon Sedan	400	750	1500
1959		6 CY	Saloon Sedan	400	750	1500

VAUZELLE-MOREL (F 1902)

YEAR	MODEL	ENGINE	BODY	F	G	E
1902	5 hp	1 CY	Voiturette	800	1600	3250

V.E. (V.E.C.) (US 1903-1905)

YEAR	MODEL	ENGINE	BODY	F	G	E
1903		EL	3 Seats	1600	3250	6500

VECHET (A 1911-1913)

YEAR	MODEL	ENGINE	BODY	F	G	E
1911		2 CY	4 Seats	950	1900	3850
1913		4 CY	4 Seats	1050	2100	4250

VEDRINE (F 1904-1910)

YEAR	MODEL	ENGINE	BODY	F	G	E
1904		EL	Brougham	950	1900	3800
1907		EL	Laundalet	1000	2000	4000
1910		EL	Laundalet	1000	2050	4100

VEE GEE (GB 1913)

YEAR	MODEL	ENGINE	BODY	F	G	E
1913	8 hp	V-twin	Cycle Car	800	1600	3250

VEERAC (US 1913)

YEAR	MODEL	ENGINE	BODY	F	G	E
1913		2 CY	2 Seats	1000	2000	3950

YEAR	MODEL	ENGINE	BODY	F	G	E

VEHAL (F 1899-1901)

YEAR	MODEL	ENGINE	BODY	F	G	E
1899	6 hp	1 CY	Tonneau	850	1700	3400
1901	8 hp	2 CY	Tonneau	900	1800	3600

V.E.L. (F 1947-1948)

YEAR	MODEL	ENGINE	BODY	F	G	E
1947	1 CV	1 CY	2 Seats	300	600	1200

VELIE (US 1909-1928)

YEAR	MODEL	ENGINE	BODY	F	G	E
1909	30/35 hp	4 CY	Touring Car			
1914	25 hp	4 CY	Touring Car			
1915	34 hp	6 CY	Touring Car			
1916		6 CY	Touring Car	1550	3100	6200
1917	Model 38	6 CY	Touring Car	1750	3500	7000
1918		6 CY	Touring Car	1750	3500	7000
1923	Model 585	6 CY	Touring Car	1900	3750	7500
1925	Model 60	6 CY	Touring Car	2000	4000	8000
1926	4 Dr	6 CY	Sedan	1100	2250	4500
1928	Standard 50	Straight 8	Coupe	1600	3250	6500

VELOCE (GB 1909)

YEAR	MODEL	ENGINE	BODY	F	G	E
1909	18/24 hp	4 CY		950	1900	3850
1909	24/26 hp	4 CY		1050	2100	4250

VELOMOBILE (D 1905-1907)

YEAR	MODEL	ENGINE	BODY	F	G	E
1905	2 S		3-Wheel	800	1600	3250
1907	3 S		3-Wheel	850	1700	3400

VELOX (GB 1902-1904)

YEAR	MODEL	ENGINE	BODY	F	G	E
1902	10 hp	2 CY	2 Seats	875	1750	3500
1904	10 hp	4 CY	2 Seats	900	1800	3650

VELOX (A 1906-1910)

YEAR	MODEL	ENGINE	BODY	F	G	E
1906	10 hp	1 CY	Coupe	850	1700	3400
1910		1 CY	Coupe	900	1800	3600

VERA (US 1912)

YEAR	MODEL	ENGINE	BODY	F	G	E
1912		6 CY	5 Seats	1450	2850	5750
1912		6 CY	7 Seats	1500	3000	6000

VERITAS (D 1948-1953)

YEAR	MODEL	ENGINE	BODY	F	G	E
1948	Saturn	6 CY	Coupe	450	900	1850
1949	Skorpion	2 Litre	Convertible	400	800	1600
1950	Komet	6 CY	Sport	450	875	1750
1951	Komet S	6 CY	Sport Racing Car	400	800	1600
1953	Dyna	744cc	Convertible	350	700	1400

VERMOREL (F 1908-1930)

YEAR	MODEL	ENGINE	BODY	F	G	E
1908		1.8 Litre	Touring Car	950	1900	3800
1911		2.2 Litre	Touring Car	900	1800	3600
1917		3.3 Litre	Coupe	975	1950	3900
1923		1.5 Litre	Sport	700	1425	2850
1928		2.8 Litre	Saloon Sedan	750	1500	3000
1930	Model AD	2.3 Litre	Saloon Sedan	800	1600	3250

YEAR	MODEL	ENGINE	BODY	F	G	E
VERNANDI (F 1928-1929)						
1928	1.5 Litre	V-8	Racing Car	875	1750	3500
VERNON (US 1915-1920)						
1915	2850cc	8 CY	Touring Car	1000	1975	3950
VESPA (I 1913-1916)						
1913		4 CY	2 Seats	700	1400	2850
VIA (GB 1910)						
1910	27.5 hp	6 CY	Touring Car	1000	1975	3950
VIA (H 1921)						
1921	Tandem	EL	2 Seats	1150	2250	4500
VICEROY (GB 1914-1915)						
1914	8/10 hp	4 CY	2 Seats	950	1900	3800
VICI (GB 1906-1907)						
1906	12/16 hp	4 CY	Sport	900	1800	3600
VICKSTOW (GB 1913-1914)						
1913	2 Litre	4 CY		950	1875	3750
VICTOR (US 1907-1915)						
1907	12 hp	1 CY	High-wheel	1600	3250	6500
1913	2.2 Litre	4 CY	Cycle Car	875	1750	3500
1914	13 hp	2 CY	2 Seats	1100	2250	4500
VICTOR (GB 1914-1915)						
1914	10 hp	965cc	Cycle Car	750	1500	3000
1915	1100cc	4 CY	Cycle Car	800	1600	3250
VICTORIA (D 1900-1909)						
1900	5 hp	1 CY	Voiturette	950	1900	3800
1903	7 hp	2 CY	Voiturette	950	1900	3750
1905	20 hp	4 CY	Voiturette	1000	2000	4000
1909		4 CY	Touring Car	1000	2050	4100
VICTORIA (E 1905-1923)						
1905				875	1750	3500
1919		4 CY	Touring Car	850	1700	3400
1923		950cc	Sport	700	1400	2850
VICTORIA (GB 1907)						
1907	10/12 hp	4 CY	Touring Car	950	1950	3850
1907		4 CY	2 Seats	1000	2000	4000
VICTORIAN (CDN 1900)						
1900				875	1750	3500
VICTRIX (GB 1902-1904)						
1902	6 hp	2 CY	2 Seats	950	1900	3850
1903	8 hp	2 CY	2 Seats	1000	2000	4000
1904	12 hp	4 CY	2 Seats	1100	2250	4500

YEAR	MODEL	ENGINE	BODY	F	G	E
VICTRIX (I 1911-1913)						
1911		1 CY 695cc	Voiturette	900	1800	3600
VICTRIX (F 1921-1924)						
1921	15 hp	4 CY	Coupe	800	1600	3250
1921	15 hp	4 CY	Saloon Segan	700	1400	2800
1923	15 hp	4 CY	Torpedo Touring Car	875	1750	3500
1924	15 hp	4 CY	Limousine	900	1800	3650
VIKING (US 1908-1930)						
1908	5 S	40 hp	Touring Car	950	1900	3850
1929		V-8	Cabriolet	700	1400	2850
1929		V-8	Sedan	600	1200	2400
VIKING (GB 1914)						
1914	6/8 hp	2 CY	2 Seats	875	1750	3500
1914	7 hp	1 CY	2 Seats	850	1700	3400
VILAIN (F 1900-1902)						
1900	6/8 hp	2 CY	3 Seats	1150	2300	4650
1901	2 S	2 CY	Touring Car	1100	2175	4350
1902		2 CY	Sport	1000	2000	4000
VILLARD (F 1925-1935)						
1925		2 CY	Cycle Car	750	1500	3000
1927		2 CY	Touring Car	875	1750	3500
1929		2 CY	Touring Car	950	1850	3600
1930		4 CY	Coupe	800	1600	3200
1933		4 CY	Sport	900	1800	3650
1935		V-4	Drop Head Coupe	1050	2100	4250
VINCKE (B 1895-1905)						
1895	15 hp	2 CY		1000	1975	3950
1905		4 CY		1000	2000	4000
VINDELICA (D 1899-1900)						
1899	3.5 hp	1 CY	2 Seats	1125	2250	4500
VINCET (F 1900-1904)						
1900	3.5 hp	1 CY	Voiturette	850	1750	3500
1902	12 hp	2 CY	Limousine	900	1800	3600
1904	16/20 hp	4 CY	Touring Car	1000	2000	4000
VINOT (F 1901-1926)						
1901		1.5 Litre	Tonneau	1000	1900	3800
1905	14 hp	4 CY	Touring Car	1000	2000	3900
1911	Type H	4 CY	Tonneau	1000	2000	4000
1917	Type F	18 hp	2 Seats	900	1800	3600
1920	30 hp	5.8 Litre	2 Seats	1000	1900	3800
1923	3.3 Litre	4 CY	2 Seats	750	1600	3250
1924		3.7 Litre	Touring Car	1000	1900	3800

YEAR	MODEL	ENGINE	BODY	F	G	E
1925		1.7 Litre	Touring Car	700	1400	2800
1926		2.1 Litre	Touring Car	800	1600	3250

VIOLET-BOGEY (F 1913-1914)
1913		2 CY 1100cc	Cycle Car	750	1500	3000

VIPEN (GB 1898-1904)
1898	12 hp	2 CY	Tonneau	1000	2000	4000
1904		2 CY	4 Seats	1100	2250	4500

VIQUEOT (US 1905)
1905	28/32 hp	4 CY		1100	2250	4350

VIRATELLE (US 1911-1912)
1911			Cycle Car	900	1750	3350

VITTORIA (I 1914-1915)
1914	3.2 Litre	4 CY		700	1400	2850

VIRINUS (B 1899-1912)
1899		1 CY	Voiturette	700	1500	3000
1900		2 CY	Voiturette	800	1600	3250
1909	7 hp	2 CY	Voiturette	850	1650	3300
1910	15/18 hp	4 CY	Touring Car	900	1800	3600
1912	16/20 hp	6 CY	Limousine	1000	1900	3800

VIXEN (US 1914)
1914		4 CY	Cycle Car	1000	1750	3500

VOGTLAND (D 1910-1912)
1910	6/12 PS	4 CY	2 Seats	900	1800	3600
1912	10/20 PS	4 CY	6 Seats	1000	2000	4000

VOGUE (US 1917-1923)
1917		8 CY	Saloon Sedan	875	1750	3500
1923		8 CY	Saloon Sedan	800	1650	3250

VOISIN (F 1919-1939)
1919	Type C-1	4 CY	Coupe	2100	4250	8500
1921	Type C-4	1.25 Litre	Coupe	1900	3750	7500
1923		18 hp	Coupe de Ville	1650	3250	6500
1927	2.3 Litre	6 CY	Saloon Sedan	950	1900	3850
1930	Type C-18	4.8 Litre	Saloon Sedan	875	1750	3500
1931		6 CY	Coupe	1150	2250	4500
1933	Sirocco	V-12	Coupe	2100	4250	8500
1934	Chamant	6 CY	Saloon Sedan	1500	3000	6000
1936		Straight 12	Sport	2400	4750	9500
1938		6 CY	Drop Head Coupe	2100	4250	8500

VOLGA (SU 1955-to-date)
1955	4 Dr	4 CY	Sedan	1100	2000	2700

VOLK (GB 1895)
1895		EL	Dogcart	1200	2250	4500
1895		EL	3-Wheel	1000	1950	3750

YEAR	MODEL	ENGINE	BODY	F	G	E
VOLKSWAGEN (D 1936-to-date)						
1936	VW 3		Touring Car	1500	2550	4500
1937	VW 30	704cc	Touring Car	1500	2550	4500
1938	VW 38	784cc	Touring Car	1600	2600	4750
1940		1131cc	Sedan	1400	2600	4250
1946		1131cc	Convertible	1200	1500	3000
1953	Micro Bus	4 CY	Station Wagon	350	900	1950
1954		1192cc	Sedan	900	1400	2250
1957		1192cc	Sedan	700	1100	1750
1959		1192cc	Sedan	600	900	1300
1963	Karmann Ghia	4 CY	Coupe	600	1000	2000
1967		1500cc	Convertible	650	1000	1500
VOLPE (I 1947-1949)						
1947	Open	2 CY	2 Seats	750	1500	3000
VOLPINI (I 1954-1959)						
1954			Racing Car	600	1200	2400
VOLTOR (F 1922-1925)						
1922		EL		750	1500	3000
VOLUGRAFO (I 1946-1948)						
1946	Open	125cc	2 Seats	300	650	1250
VOLVO (S 1927-to-date)						
1927	P4	1 CY 1.9 Litre	Saloon Sedan	750	1500	3000
1929	PV 651	6 CY	Saloon Sedan	750	1500	2950
1936	PV 36	3.7	Saloon Sedan	700	1350	2700
1939	60	3.6		650	1250	2500
1944	PV 444	1.4	Saloon Sedan	750	1100	1500
1957	444	4 CY	2 Door Sedan	500	800	1100
1965	544	4 CY	2 Door Sedan	700	1200	1700
1970	1800	4 CY	Coupe	1750	2550	3800
VORAN (D 1926-1928)						
1926	4/20 PS	4 CY	2 Seats	950	1900	3800
VOUSEMOI (F 1904)						
1904	10 hp	2	2 Seats	950	1900	3800
1904	16/20 hp	4 CY	2 Seats	1000	2000	4000
VOX (GB 1912-1915)						
1912	750cc	2 CY	2 Seats	550	1100	2250
VULCAN (GB 1902-1928)						
1902		1 CY	Voiturette	950	1900	3800
1904	12 hp	4 CY	Touring Car	1000	2000	4000
1905	16 hp	4 CY	Touring Car	1050	2100	4200
1906		5.2 Litre	Sport	1150	2250	4500
1908		6 CY	Sport	1200	2400	4800
1910		2.4 Litre	Sport	950	1900	3800
			Touring Car			

YEAR	MODEL	ENGINE	BODY	F	G	E
1912		6 CY	Touring Car	900	1800	3650
1918	3.5 Litre	V-8	Touring Car	1000	2000	4000
1920	3.6 Litre	4 CY	Sport Touring Car	800	1600	3250
1925	3.3 Litre	4 CY	Saloon Sedan	750	1500	3050
1927	Gainsborough	4 CY	Saloon Sedan	800	1600	3200

VULCAN (US 1913-1914)

YEAR	MODEL	ENGINE	BODY	F	G	E
1913	27 hp	4 CY	Speedster	1450	2900	5800
1914		4 CY	5 Seats	1300	2600	5250

VULKAN (D 1899-1905)

YEAR	MODEL	ENGINE	BODY	F	G	E
1899		EL		1100	2250	4500

VULPES (F 1905-1910)

YEAR	MODEL	ENGINE	BODY	F	G	E
1905	8 hp	1 CY	Voiturette	1000	2000	4000
1906	30/40 hp	4 CY	Touring Car	950	1900	3800
1908		4 CY	Touring Car	900	1800	3650
1910		4 CY	Touring Car	950	1900	3750

White — 1911 "Roadster"
Very Rare

YEAR	MODEL	ENGINE	BODY	F	G	E

WALWORTH (US 1905-1906)

YEAR	MODEL	ENGINE	BODY	F	G	E
1905	14 hp	2 CY	Tonneau	1200	2400	4800

WANDERER (D 1911-1939)

YEAR	MODEL	ENGINE	BODY	F	G	E
1911		2 CY		950	1900	3850
1915	Tandem	4 CY	2 Seats	1150	2250	4500
1920	1.5 Litre	4	3 Seats	1200	2400	4850
1923		4 CY	4 Seats	1600	3250	6500

YEAR	MODEL	ENGINE	BODY	F	G	E
1927		6 CY	Touring Car	2000	4000	8000
1931	10/50 PS	6 CY	Cabriolet	2250	4500	9000
1936	W 25 K	2 Litre	Sport	1200	2400	4850
1937		6 CY	Saloon Sedan	950	1900	3800

WARD (US 1914-1916)

1914	Closed	EL	4 Seats	1400	2750	5500
1914		2 CY	2 Seats	1200	2400	4750
		4 CY	2 Seats	1200	2400	4800

WARFIELD (GB 1903)

1903		2 CY	2 Seats	800	1650	3250

WARNE (GB 1913-1915)

1913	8 hp	V-twin	Cycle Car	750	1500	3000

WARREN (WARREN-DETROIT) (US 1909-1914)

1909	Pilgrim	4 CY		1250	2500	5000
1911	Resolute	6 CY		1400	2800	5600
1914	Wolverine	6 CY		1450	2900	5800

WARREN-LAMBERT (GB 1912-1922)

1912		2 CY	Cycle Car	800	1600	3250
1919		4 CY	Sport	875	1750	3500
1922		1.5 Litre	Sport	900	1800	3650

WARSZAWA (PL 1951-1972)

1951	Model 201	50 hp	Saloon Sedan	300	600	1250
1955	Model 202	70 hp	Saloon Sedan	350	700	1400

WARTBURG (D 1898-1904)

1898	3 hp	2 CY	Tonneau	1100	2200	4450
1901	5 hp	2 CY	Tonneau	1060	2100	4250
1903	10 hp	4 CY	Touring Car	950	1900	3850
1904	45 hp	4 CY	Touring Car	1000	2000	4000
1959		3 CY	4 Door Sedan	450	750	1200

WARWICK (US 1903-1904)

1903		2 CY	4 Seats	1200	2400	4750
1904		3 CY	4 Seats	1200	2450	4900

WASHINGTON (US 1909-1924)

1909		4 CY	Touring Car	1200	2400	4750
1010		4.6 Litre	Limousine	1250	2500	5000
1912		6 CY	Touring Car	1400	2800	5650
1921		3.2 Litre	Touring Car	1200	2400	4850
1924		6 CY	Sedan	950	1900	3800

WASP (GB 1907-1908)

1907		6 CY	Phaeton	1750	3500	7000
1908		6 CY	Limousine	1600	3250	6500

WASP (US 1919-1925)

1919		4 CY	Touring Car	10000	20000	30000

YEAR	MODEL	ENGINE	BODY	F	G	E
WATERLOO-DURYEA (US 1904-1905)						
1904	2 S		Phaeton	1250	2450	4950
WATROUS (US 1905-1907)						
1905	5 S	2 CY	Touring Car	2100	4250	8500
1907	2 S	2 CY	Runabout	2200	4400	8800
WATT (US 1910)						
1910	5 S	6 CY	Touring Car	1600	3250	6500
WATTEL-MORTIER (F 1921)						
1921		6 CY		750	1500	3000
WAVERLEY; POPE-WAVERLEY (US 1898-1907)						
1898		EL	2 Seats	1500	3000	6000
1900		EL	Limousine	1600	3250	6500
1907		EL	Touring Car	2000	4000	8000
WAVERLEY (GB 1901-1931)						
1901	9 hp	1 CY	Touring Car	800	1650	3300
1910		V-twin	Touring Car	750	1500	3000
1913	10 hp	4 CY	Touring Car	800	1650	3250
1916	15 hp	4 CY	Touring Car	875	1750	3500
1919	Twelve	4 CY	Touring Car	750	1500	3000
1922	10 hp	1.5 Litre	Saloon Sedan	700	1400	2800
1924		1.5 Litre	Saloon Sedan	700	1450	2850
1927		16/50 hp	Saloon Sedan	700	1400	2800
WAYNE (US 1904-1910)						
1904		2 CY	2 Seats	1050	2150	4250
1906	50 hp	4 CY	Touring Car	1200	2400	4800
1908		4 CY	Limousine	1100	2200	4400
1910		2 CY	Runabout	1000	2000	4000
WEARWELL; WOLF (GB 1899-1905)						
1899		2 CY	Voiturette	1000	2000	4000
WEBB (GB 1922-1923)						
1922	9 hp	4 CY	4 Seats	800	1650	3300
WEBB JAY (US 1908)						
1908	5 S	2 CY	Touring Car	1200	2400	4800
WEBER (CH 1899-1906)						
1899	6/8 hp	1 CY	2-Wheel	750	1500	3000
1906	12 hp	1 CY	Victoria	11000	2000	4000
WEGMANN (D 1925-1926)						
1925	4/20 PS	4 CY	3 Seats	800	1500	3000
WEICHELT (D 1908)						
1908	10 PS	2 CY	Voiturette	1000	2000	4000
1908	16 PS	4 CY	Voiturette	1050	2100	4200

YEAR	MODEL	ENGINE	BODY	F	G	E

WEIGEL (GB 1906-1909)

YEAR	MODEL	ENGINE	BODY	F	G	E
1906	40 hp	4 CY	Touring Car	850	1900	3800
1907	60 hp	6 CY	Limousine	1000	2000	4000
1908		8 CY	Touring Car	1100	2250	4500

WEISE (D 1932)

1932	4 S	1 CY 196cc	Saloon Sedan	450	900	1800

WACO (US 1915-1917)

1915	5 S	4 CY	Touring Car	1200	2400	4750

WADDINGTON (GB 1903-1904)

1903	6.5 hp	1 CY	2 Seats	950	1900	3850
1904	10 hp	2 CY	Tonneau	1000	2000	4000

W.A.F. (A 1910-1926)

1910	25 hp	4 CY	Touring Car	1000	2000	4000
1917	35 hp	4 CY	Touring Car	1050	2100	4200
1922	45 hp	4 CY	Touring Car	1100	2150	4350
1926	70 hp	6 CY	Touring Car	1200	2400	4800

WAGENHALS (US 1913-1915)

1913	25 hp	4 CY	3-Wheel	750	1500	3000

WAHL (US 1913-1914)

1913	3.3 Litre	4 CY	Touring Car	1150	2250	4500
1914	2 S	4 CY	Roadster	1250	2500	5000

WALCO (GB 1905)

1905		4 hp	4-Wheel	900	1750	3500

WALDRON (US 1909-1910)

1909		2 CY	Runabout	1150	2250	4500

WALKER (US 1905-1906)

1905	2 S	2 CY	Runabout	1200	2400	4800

WALKER & HUTTON (GB 1902)

1902	4 hp	1 CY	Voiturette	800	1600	3250

WALL (US 1901-1904)

1901	9 hp	3 CY	Tonneau	1000	2000	4000

WALL (GB 1911-1915)

1911	2 S	2 CY	3-Wheel	750	1500	3000

WALMOBIL (D 1920)

1920	Single S	2 CY	3-Wheel	800	1600	3200

WALTER (US 1904-1909)

1904	40 hp	4 CY	Touring Car	1200	2450	4900
1904	50 hp	4 CY	Limousine	1400	2750	5500

WALTER (A; CS 1908-1936)

1908	7 hp	V-twin	3-Wheel	800	1600	3200

YEAR	MODEL	ENGINE	BODY	F	G	E
1913	14 hp	4 CY	2 Seats	900	1750	3500
1920		4 CY	4 Seats	900	1800	3600
1929	Six B Super	3.3 Litre	Saloon Sedan	700	1450	2850
1931		V-12	Saloon Sedan	950	1900	3800
1934	Regent	3.2 Litre	Cabriolet	900	1800	3600

WALTHAM (US 1898-1922)

1898		2 CY	Runabout	1200	2400	4750
1900		EL	Runabout	1250	2500	5000
1903	Orient	4 CY	Buckboard	800	1600	3250
1905	Side Entrance	4 CY	Tonneau	1200	2400	4750
1922		6 CY	Touring Car	1000	2000	4000

WEISS (D 1902-1905)

1902	10/14 PS	2 CY		800	1550	3100
1905	10/12 PS	4 CY		850	1700	3350

WEISS MANFRED (H 1924-1930)

1924		4 CY 750cc	Saloon Sedan	500	1000	2000
1930		4 CY 875cc	Saloon Sedan	550	1050	2150

WELCH (US 1903-1911)

1903	20 hp	2 CY	Touring Car	1100	2100	4250
1907	36 hp	4 CY	Touring Car	1250	2500	5000
1910	75 hp	6 CY	Touring Car	1750	3500	7000

WEL-DOER (CDN 1914)

1914		2 CY	2 Seats	950	1900	3750

WELLER (GB 1903)

1903	20 hp	4 CY		900	1800	3600

WELLINGTON (GB 1900-1901)

1900	2.5 hp	1 CY	Voiturette	800	1600	3250

WENDAX (D 1950-1951)

1950		2 CY 750cc		300	650	1250

WENKELMOBIL (D 1904-1907)

1904		2 CY	Voiturette	850	1750	3450
1907	8 hp	1 CY	Voiturette	900	1800	3600

WERBELL (GB 1907-1909)

1907	25 hp	4 CY	Touring Car	950	1950	3850

WERNER (F 1906-1914)

1906	7 hp	2 CY	Voiturette	850	1700	3400
1910	14 hp	4 CY	Voiturette	900	1750	3500
1914	20/30 hp	4 CY	Voiturette	950	1900	3800

WESEN (D 1900)

1900	4.5 hp	1 CY	Vis-a-vis	1000	2000	4000

WESNIGK (D 1920-1923)

1920	1.8 PS	1 CY	3-Wheel	500	1000	2000

YEAR	MODEL	ENGINE	BODY	F	G	E

WEST & BURGETT (US 1899)

YEAR	MODEL	ENGINE	BODY	F	G	E
1899		2 CY	ST	2000	4000	8000

WEST-ASTER; WEST (GB 1904-1913)

YEAR	MODEL	ENGINE	BODY	F	G	E
1904	10/12 hp	2 CY	Touring Car	850	1700	3400
1913	35 hp	4 CY	Touring Car	950	1900	3800

WESTCAR (GB 1922-1926)

YEAR	MODEL	ENGINE	BODY	F	G	E
1922	11.9 hp	4 CY	Touring Car	650	1300	2600

WESTCOTT (US 1912-1925)

YEAR	MODEL	ENGINE	BODY	F	G	E
1912		6 CY	Touring Car	2000	4000	8000
1915		3.9 Litre	Touring Car	1900	3750	7500
1918		5 Litre	Touring Car	2650	5250	10500
1923		6 CY	Touring Car	3000	6000	12000
1925	Model 660	6 CY	Touring Car	3100	6250	12500

WESTFALIA (D 1906-1913)

YEAR	MODEL	ENGINE	BODY	F	G	E
1906	6/16 PS	4 CY	2 Seats	850	1700	3400
1908	8/20 PS	4 CY	Touring Car	950	1950	3850
1910	10/25 PS	6 CY	Touring Car	1050	2100	4200
1913	12/30 PS	6 CY	Touring Car	1100	2250	4500

WESTFIELD (US 1902-1903)

YEAR	MODEL	ENGINE	BODY	F	G	E
1902	6 hp	2 CY		1200	2400	4800

WESTINGHOUSE (F 1904-1912)

YEAR	MODEL	ENGINE	BODY	F	G	E
1904	20/28 hp	4 CY	Touring Car	1050	2100	4250
1908	30/40 hp	4 CY	Limousine	1100	2250	4500
1912		4 CY	Laundalet	1150	2300	4600

WESTLAKE (GB 1907)

YEAR	MODEL	ENGINE	BODY	F	G	E
1907	24 hp	6 CY		900	1750	3500

WESTMINSTER (GB 1906-1908)

YEAR	MODEL	ENGINE	BODY	F	G	E
1906	10 hp	4 CY		900	1850	3650
1908	30/35 hp	4 CY		1050	2100	4250

WESTWOOD (GB 1920-1926)

YEAR	MODEL	ENGINE	BODY	F	G	E
1920	11.9 hp	4 CY	Touring Car	800	1600	3200
1926	14 hp	4 CY	Sport	700	1450	2850

WETZIKON (CH 1898)

YEAR	MODEL	ENGINE	BODY	F	G	E
1898			4 Seats	900	1750	3500

WEYHER ET RICHEMOND (F 1905-1910)

YEAR	MODEL	ENGINE	BODY	F	G	E
1905	15 hp	4 CY		900	1850	3650
1906	20 hp	4 CY		950	1900	3750
1908	28 hp	6 CY		950	1950	3850
1910	30 hp	6 CY				4000

YEAR	MODEL	ENGINE	BODY	F	G	E
W.F.S. (US 1911-1913)						
1911		4 CY	Coupe	990	2000	3950
1911		4 CY	Runabout	1150	2250	4500
1912		4 CY	Touring Car	1200	2400	4800
1913		4 CY	Limousine	1250	2500	4950
WHARTON (US 1921-1922)						
1921		8 CY	Touring Car	1750	3500	7000
1921		6 CY	Coupe	1800	3650	7250
1922		4 CY	Saloon Sedan	1600	3250	6500
WHEELER (US 1900-1902)						
1900		1 CY	2 Seats	1100	2250	4500
WHERWELL (GB 1920-1921)						
1920	7 hp	Flat-twin	Cycle Car	750	1500	3000
WHITE (US 1900-1918)						
1900		Steam	Surrey	4100	8250	16500
1905		4 CY	Tonneau	2200	4400	8750
1908	Model L	20 hp	2 Seats	2450	4900	9800
1909	Model K	4 CY	7 Seats	2500	5000	9950
1910	Model GA	4 CY	Touring Car	2310	4625	9250
1910	Model MM	Steam	Touring Car	4650	9250	18500
1916		1.5 Litre	Touring Car	2000	4000	8000
WHITEHEAD (GB 1920-1921)						
1920		1498cc	2 Seats	750	1500	3000
	4 S	1498cc	Touring Car	800	1600	3250
WHITEHEAD-THANET (GB 1920-1921)						
1920	16/20 hp	4 CY		1000	2000	4000
WHITE STAR (US 1909-1911)						
1909		2 CY	2 Seats	1200	2350	4700
WHITGIFT (GB 1913)						
1913	8 hp	V-twin	Cycle Car	800	1650	3250
WHITING (US 1910-1912)						
1910	20 hp	4 CY	2 Seats	1150	2300	4600
1912	40 hp	4 CY	5 Seats	1200	2400	4800
WHITLOCK (GB 1903-1932)						
1903	6.5 hp	1 CY	Touring Car	1000	2000	4000
1907	9 hp	1 CY	Touring Car	1000	2000	4000
1910	12 hp	2 CY	Touring Car	1050	2100	4200
1917	16 hp	2 CY	Coupe	850	1700	3400
1920	20/30 hp	4 CY	Coupe	750	1500	3000

YEAR	MODEL	ENGINE	BODY	F	G	E
1924		6 CY	Touring Car	850	1700	3400
1928	20/70 hp	6 CY	Drop Head Coupe	700	1450	2850
1932		6 CY	Coupe	950	1900	3750

WHITNEY (US 1897-1905)

1897		1 CY	Runabout	1200	2400	4750
1900	2 S	2 CY	Runabout	1200	2400	4800
1905	4 S	2 CY	Surrey	1100	2250	4500

WHITWOOD MONOCAR (GB 1934-1936)

1934	Tandem	V-twin	2 Seats	700	1400	2850

WICHITA (US 1914)

1914		2 CY	Cycle Car	900	1800	3600
1914	Tandem	2 CY	2 Seats	850	1700	3450

WICK (US 1902-1903)

1902	30 hp	4 CY		1000	2000	3950

WIGAN-BARLOW (GB 1922-1923)

1922		4 CY	Saloon Sedan	850	1700	3400

WIKOV (CS 1929-1936)

1929		4 CY		800	1600	3200
1933	2 S	1.5 Litre	Sport	850	1700	3400
1936		2 Litre	Saloon Sedan	770	1550	3050

WILBROOK (GB 1913)

1913	8 hp	V-twin		950	1900	3800

WILES-THOMSON (AUS 1947)

1947	Open	2 CY	Touring Car	600	1150	2300

WILFORD (B 1897-1901)

1897	4 S	1 CY	Vis-a-vis	1100	2250	4500

WILKINSON (GB 1903-1913)

1903	24 hp	4 CY	Tonneau	1050	2150	4250

WILLIAMS (US 1905)

1905	25 hp	4 CY	5 Seats	1150	2300	4550

WILLIAMSON (GB 1913-1916)

1913	8 hp	2 CY	3-Wheel	750	1500	3000

WILLIS (GB 1913)

1913	8 hp	V-twin	Cycle Car	800	1600	3200

WILLS SAINTE CLAIRE (US 1921-1927)

1921		V-8	Sedan	2000	4000	8000
1922		V-8	Roadster	3150	6250	12500

YEAR	MODEL	ENGINE	BODY	F	G	E
1923	2 Dr	V-8	Brougham	1900	3750	7500
1925		V-8	Sport Roadster	3650	7250	14500
1926		V-8	Roadster	3100	6250	12500

WILLYS (US 1909-1963)

YEAR	MODEL	ENGINE	BODY	F	G	E
1909		2 CY	Runabout	1100	2250	4500
1915	5 Ps	4 CY	Touring Car	1200	2400	4750
1917	7 Ps	4 CY	Touring Car	1200	2400	4800
1918	3 Dr	4 CY	Touring Car	1200	2400	4750
1921		4 CY	Touring Car	950	1950	3850
1923	Model 92	4 CY	Touring Car	900	1850	3650
1924		4 CY	Touring Car	850	1750	3500
1925	3 Dr	6 CY	Sedan	800	1600	3200
1926	Model 56	6 CY	2 Door Sedan	700	1400	2800
1926	4 Dr	4 CY	Sedan	750	1500	3000
1927	4 Dr	4 CY	Sedan	800	1550	3100
1927	Model 70	6 CY	Roadster	1650	3300	6600
1927	Model 70	6 CY	Cabriolet	1660	3200	6400
1928	Model 70	6 CY	Sedan	950	1900	3800
1929	Great Six	6 CY	Roadster	1900	3750	7500
1929	Great Six	6 CY	Phaeton	1950	3900	7850
1929	Model 70 B	6 CY	4 Door Sedan	950	1900	3800
1930	6-87	6 CY	Phaeton	2150	4250	8500
1930	6-87	6 CY	Roadster	1950	3900	7800
1930	6-66 B	6 CY	Roadster	1900	3750	7500
1931	6-87	6 CY	Sedan	800	1600	3200
1931	6-66 D	6 CY	2 Door Victoria	750	1500	3000
1931	6-98 B	6 CY	Touring Car	1900	3750	7500
1931	6-97	6 CY	Roadster	2000	4000	8000
1932	6-97	6 CY	Phaeton	2100	4250	8500
1932	8-88	8 CY	Roadster	3100	6250	12500
1932	8-88	8 CY	Cabriolet	2650	5250	10500
1932	6-66 D	6 CY	Victoria	1450	2850	5700
1933	6-690 A	6 CY	Roadster	1900	3750	7500
1933	4-77	2.2 Litre	Coupe	800	1625	3250
1933	6-66 E	6 CY	Victoria	975	1950	3850
1934	4-77	2.2 Litre	Coupe	850	1750	3500
1935	4-77	2.2 Litre	Roadster	1100	2200	4400
1936	4-77	4 CY	Sedan	750	1500	3000
1939		4 CY	Coupe	1225	2200	3600
1941	Americar	4 CY	Sedan	1100	2000	3250
1942	Americar	2.2 Litre	Coupe	1150	2100	3500
1947	Jeepster	6 CY	Convertible	750	2250	3850
1949	Jeepster		Convertible	775	2500	3900
1952	Ace	6 CY	4 Door Sedan	600	1350	2200
1954	2 Dr	6 CY	Hardtop	1000	2000	3250
1955	Bermuda	6 CY	Hardtop	1250	2250	3650
1960	Maverick Special	4 CY	Station Wagon	450	900	1500

YEAR	MODEL	ENGINE	BODY	F	G	E

WILSON (GB 1922-1936)

YEAR	MODEL	ENGINE	BODY	F	G	E
1922	11.9 hp	4 CY		800	1600	3200
1935		EL	Coupe	850	1700	3400

WILSON-PILCHER (GB 1901-1907)

YEAR	MODEL	ENGINE	BODY	F	G	E
1901		EL	Coupe	950	1950	3850
1905		4 CY	Touring Car	900	1800	3600
1907		6 CY	Touring Car	950	1900	3800

WILTON (GB 1912-1924)

YEAR	MODEL	ENGINE	BODY	F	G	E
1912		V-twin	Coupe	800	1600	3250
1924	9 hp	4 CY	Coupe	850	1750	3500

WINCO (GB 1913-1914)

YEAR	MODEL	ENGINE	BODY	F	G	E
1913	9 hp	2 CY	Racing Car	900	1850	3650

WINDHOFF (D 1908-1914)

YEAR	MODEL	ENGINE	BODY	F	G	E
1908		4 CY	Touring Car	950	1900	3800
1914		6 CY	Sport	1000	2000	4000

WINDSOR (US 1906; 1929-1930)

YEAR	MODEL	ENGINE	BODY	F	G	E
1906	5 S	6 CY	Touring Car	1900	3750	7500
1929	White Prince		Roadster	3500	7000	14000
1930	6-69		Roadster	4400	8750	17500

WINDSOR (GB 1924-1927)

YEAR	MODEL	ENGINE	BODY	F	G	E
1924	10.4 hp	6 CY	Sport	950	1900	3800
1927	14/45 hp	6 CY	Sport	900	1800	3650

WINGFIELD (GB 1909-1920)

YEAR	MODEL	ENGINE	BODY	F	G	E
1909	18 hp	4 CY				
1911	18/23 hp	4 CY				
1918	10 hp	4 CY				
1920	16.9 hp	6 CY				

WING MIDGET (US 1922)

YEAR	MODEL	ENGINE	BODY	F	G	E
1922	Single S	6 CY	Roadster	800	1600	3200

WINNER (US 1907)

YEAR	MODEL	ENGINE	BODY	F	G	E
1907		4 CY	High-wheel	1600	3150	6300

WINNIPEG (CDN 1921-1923)

YEAR	MODEL	ENGINE	BODY	F	G	E
1921		4 CY		1130	2250	4500

WINSON (GB 1920)

YEAR	MODEL	ENGINE	BODY	F	G	E
1920	8 hp	4 CY	Cycle Car	800	1600	3250

WINTHER (US 1920-1923)

YEAR	MODEL	ENGINE	BODY	F	G	E
1920		6 CY		1600	3250	6500

WINTON (US 1897-1924)

YEAR	MODEL	ENGINE	BODY	F	G	E
1897	12 hp	2 CY	Phaeton	3150	6250	12500
1905	15 hp	2 CY	Touring Car			
1911	30 hp	4 CY	Roadster	3500	7000	14000

YEAR	MODEL	ENGINE	BODY	F	G	E
1917		4 CY	Touring Car	3750	7500	15000
1918	24 hp	4 CY	3 Door Sedan	2150	4250	8500
1919		4 CY	Touring Car	3100	6250	12500
1922	4 Ps	4 CY	Touring Car	3400	6750	13500
1923	7 Ps	34 hp	Touring Car	3600	7250	14500

WISCO (US 1910)

1910	4 S	4 CY	Tonneau	1150	2250	4500
1910	5 S	4 CY	Touring Car	1060	2100	4250

WITHERS (GB 1906-1915)

1906	12/14 hp	4 CY		900	1750	3500
1910	20/24 hp	4 CY		900	1800	3600
1915	24/30 hp	4 CY		950	1900	3750

WITTEKIND (D 1922-1925)

1922		4 CY	2 Seats	900	1750	3500
1925		4 CY	3 Seats	900	1800	3600

WIZARD (US 1921-1922)

1921		2 CY	Roadster	600	1200	2400

WM (PL 1927-1928)

1927	Open	Flat-twin	Touring Car	500	1000	2000
1928		Flat-twin	Saloon Sedan	450	900	1800

WOLFE (US 1907-1909)

1907	5 S	4 CY	Touring Car	1000	1800	3600

WOLSELEY; WOLSELEY-SIDDELEY (GB 1899-to-date)

1899		2 CY	3-Wheel	1100	2150	4300
1900	3.5 hp	1 CY	Touring Car	1500	3000	6000
1902	30 hp	2 CY	Racing Car	2400	2800	5600
1905	10 hp	2 CY	Racing Car	1600	3250	6500
1907		4 CY	Racing Car	1750	3500	7000
1908	5.2 Litre	4 CY	Touring Car	1900	3750	7500
1909	11.9 Litre	6 CY	Racing Car	2100	4250	8500
1910	12 hp	2 CY	Touring Car	1875	3750	7500
1912	5 Ps	4 CY	Touring Car	2000	4000	8000
1914		6 CY	Touring Car	2450	4900	9800
1917		V-8	Racing Car	2500	5000	10000
1920	All Weather	30/40 hp	Touring Car	2250	4500	9000
1921	15 hp	4 CY	Coupe de Ville	2000	4000	8000
1925	4 S	11/22 hp	Touring Car	1900	3800	7600
1927	Silent Six	2 Litre	Touring Car	1950	3900	7800
1929		8 CY	Touring Car	2000	4000	8000
1930	Viper	16 hp	Saloon Sedan	1250	2500	5000
1932	4 Ps	6 CY	Touring Car	1900	3750	7500
1934	Hornet	6 CY	Sport	2100	4250	8500
1935	Wasp	6 CY	Coupe	1200	2400	4850
1940	Ten	4 CY	Drop Head Coupe	1450	2900	5850
1945		4 CY	Saloon Sedan	1000	2000	4000

YEAR	MODEL	ENGINE	BODY	F	G	E
1949		6 CY	Coupe	900	1800	3600
1953	4/44	4 CY	Saloon Sedan	700	1400	2800
1959		6 CY	Saloon Sedan	600	1200	2400

WOLVERINE (WOLVERINE SPECIAL) (US 1904-1928)

1904	10 hp	2 CY	Runabout	1250	2500	4950
1906	15 hp	2 CY	Tonneau	1200	2400	4800
1917		4 CY	Speedster	1150	2300	4600
1927	2 Dr	6 CY	Sedan	900	1800	3600
1927	4 Dr	6 CY	Sedan	950	1900	3800
1928	2 Dr	6 CY	Sedan	1000	2000	4000
1928		6 CY	Rumble Seat Coupe	1500	3000	6000
1928	2/4 S	6 CY	Cabriolet	1875	3750	7500

WONDER (US 1917)

1917	24 hp	4 CY	Touring Car	1200	2400	4750

WOOD (US 1902-1903)

1902	8 hp	3 CY	2 Seats	1250	2450	4900

WOODILL (US 1952-1958)

1952	2 S	V-8	Sport	1600	3250	6500

WOOD-LOCO (US 1901-1902)

1901	8 hp	2 CY	2 Seats	1600	3250	6500

WOODROW (GB 1913-1915)

1913	8 hp	V-twin	Cycle Car	800	1650	3250
1915	9 hp	V-twin	Sport	850	1700	3400

WOODRUFF (US 1904)

1904		3 CY		1400	2800	5600

WOODS (US 1899-1919)

1899	3 hp	EL	Tonneau	2150	4250	8500
1903	12 hp	4 CY	Coupe	1600	3250	6500
1907	13/34	EL	Brougham	1600	3250	6500
1913		4 CY	Roadster	1250	2500	5000
1914		4 CY	Roadster	1400	2800	5600
1915		4 CY	Roadster	1500	3000	6000

WOODS MOBILETTE (US 1914-1916)

1914	10/12 hp	4 CY	Cycle Car	900	1800	3600
1916	Tandem	4 CY	2 Seats	900	1780	3550

WOOLER (GB 1920-1921)

1920		2 CY	Cycle Car	750	1500	3000

WORLDMOBILE (US 1928)

1928	6 S	4.5 Litre	Saloon Sedan	950	1900	3800

WORTH (US 1909-1910)

1909		2 CY	2 Seats	1100	2250	4500
1910		2 CY	4 Seats	1200	2400	4800

YEAR	MODEL	ENGINE	BODY	F	G	E
WORTHINGTON BOLLEE (US 1904)						
1904	24/32 hp	4 CY		1200	2400	4800
WORTHINGTON RUNABOUT (GB 1909-1912)						
1909	8 hp	2 CY	Runabout	1050	2100	4200
1912	8 hp	2 CY	Runabout	1050	2100	4500
WRIGHT (US 1910)						
1910	5 S	4 CY	Touring Car	1200	2450	4900
WRIGHT (CDN 1929)						
1929			Touring Car	900	1800	3650
WRIGLEY (GB 1913)						
1913	7/9 hp	2 CY	Cycle Car	800	1600	3200
W.S.C. (GB 1914)						
1914	8 hp	2 CY	Cycle Car	850	1700	3400
WUNDERLICH (D 1902)						
1902		2 CY	Voiturette	1100	2250	4500
W.W. (GB 1913-1914)						
1913	8 hp	2 CY	2 Seats	900	1850	3650
WYNER (A 1903-1905)						
1903	8 hp	1 CY		900	1750	3500
1904		2 CY		850	1750	3450
1905		4 CY		1000	2000	4000
WYVERN (GB 1913-1914)						
1913	10.5 hp	2 CY	2 Seats	800	1600	3250

X

Xenia — 1914 "Cycle Car" Extremely Rare

YEAR	MODEL	ENGINE	BODY	F	G	E

XENIA (US 1914-1915)

YEAR	MODEL	ENGINE	BODY	F	G	E
1914	9/13 hp	2 CY	2 Seats	1150	2300	4650

XTRA (GB 1922-1924)

YEAR	MODEL	ENGINE	BODY	F	G	E
1922	Single S	1 CY	3-Wheel	700	1400	2800

Y

Yellow Cab — 1926 "Sedan"

YEAR	MODEL	ENGINE	BODY	F	G	E

YAKOVLEV-FREZE (SU 1896)

YEAR	MODEL	ENGINE	BODY	F	G	E
1896	2 hp	1 CY	2 Seats	1100	2250	4500

YALE (US 1903-1918)

YEAR	MODEL	ENGINE	BODY	F	G	E
1903		1 CY	Touring Car	1400	2800	5650
1904		2 CY	Touring Car	1600	3250	6500
1905	28 hp	4 CY	Roadster	1875	3750	7500
1916	7 S	V-8	Touring Car			800

YAMATA (J 1916)

YEAR	MODEL	ENGINE	BODY	F	G	E
1916			3-Wheel	550	1150	2300

YANK (US 1950)

YEAR	MODEL	ENGINE	BODY	F	G	E
1950	2 S	4 CY	Sport	1400	2800	5600

YANKEE (US 1910)

YEAR	MODEL	ENGINE	BODY	F	G	E
1910		2 CY	High-wheel	1600	3250	6500
1910	2 S	2 CY	Roadster	1400	2800	5600

YAXA (CH 1912-1914)

YEAR	MODEL	ENGINE	BODY	F	G	E
1912	6/12 hp	4 CY	Torpedo Touring Car	900	1850	3650
1914		4 CY	Touring Car	950	1900	3800

YEAR	MODEL	ENGINE	BODY	F	G	E
Y.E.C. (GB 1907-1908)						
1907	30 hp	4 CY		900	1750	3500
YORK (US 1905-1907)						
1905	5 S	4 CY	Surrey	1200	2400	4800
YORK (D 1922)						
1922		V-twin	Cycle Car	950	1950	3850

Z

Zust — 1910 "Roadster"
One of the Six Cars in the New York to Paris Race

YEAR	MODEL	ENGINE	BODY	F	G	E
Z (I 1914-1915)						
1914		4 CY 3690cc	Sport	500	2000	4000
Z (CS 1924-1939)						
1924	Z-1	1 CY	Touring Car	900	1700	3400
1929	Z-2	6 CY	Touring Car	750	1825	3600
1930	Z-9	2 CY	Touring Car	1500	2150	2850
1931	Z-13	8 CY	Sport	600	1150	3650
1935	Z-5	4 CY	Touring Car	1500	2100	2800
1936	Z-6	2 CY 750cc	Saloon Sedan	650	1500	2500
1939	Z-9	2 CY	Saloon Sedan	1500	2100	2800
ZEDDECO (F 1905-1906)						
1905		EL	2 Seats	1150	2250	4500
ZEDEL (F; CH 1906-1923)						
1906	2 S	4 CY	Roadster			4600
1907	4 S	10/12 hp	Roadster	1150	2250	4500
1908		15 hp	Roadster	1150	2250	4500
1909		4 CY	Roadster	940	1875	3780

YEAR	MODEL	ENGINE	BODY	F	G	E
1912	18 hp	4 CY	Touring Car	900	1750	3500
1920		4 CY	Touring Car	1000	2100	3300
1923		4 CY	Touring Car	1300	2450	3250

ZEILLER ET FOURNIER (F 1920-1924)
1920	8 hp	4 CY	2 Seats	1250	2450	3250
1924		4 CY	2 Seats	1300	2450	3250

ZENA (I 1906-1908)
1906	6 hp	1 CY		900	1750	3500
1906	8 hp	1 CY		950	1900	3800
1907	10 hp	4 CY		900	1750	3500
1908	14 hp	4 CY		1000	1800	3600

ZENDIK (GB 1913-1914)
1913	8 hp	2 CY	Cycle Car	1300	2450	3250

ZENIA (F 1913-1914)
1913		4 CY	Sport			3850

ZENITH (F 1910)
1910	8 hp	1 CY	Voiturette	1000	2000	4000

ZENT (US 1902-1907)
1902		2 CY	2 Seats	1500	2500	4500
1907		3 CY	5 Seats	1850	2850	4850

ZEPHYR (GB 1919-1920)
1919	11.9 hp	4 CY	2 Seats	900	1750	3500
1920		4 CY	4 Seats	900	1800	3600

ZETA (I 1914-1915)
1914		4 CY		1640	2500	3250

ZETGELETTE (D 1923)
1923		3 PS	2 Seats	1000	2000	4000

ZEVACO (F 1923-1925)
1923		2 CY	Cycle Car	1250	2300	3000
1925		4 CY	Cycle Car	1500	2250	2800

ZIEBEL (US 1914-1915)
1914		4 CY	Cycle Car	1400	2500	3600

ZIL (SU 1956-to-date)
1956	7 S	6 Litre	Limousine	650	1250	2500
1959		V-8	Sport	725	1450	2950

ZIM (F 1922-1924)
1922		1 CY	Single Seat	750	1300	2300
1924		1 CY	2 Seats	1500	2100	2800

ZIM (SU 1950-1957)
1950		6 CY	Sedan	900	1600	2000
1957		3.5 Litre	Saloon Sedan	1000	1700	2500

YEAR	MODEL	ENGINE	BODY	F	G	E
ZIMMERMAN (US 1908-1914)						
1908	12 hp	2 CY	High-wheel	1650	3250	6500
1910		4 CY	Touring Car	1900	3750	7500
1914		6 CY	Touring Car	2300	4500	8250
ZIP (US 1913-1914)						
1913	10/14 hp	2 CY		1200	2400	4800
ZIS (SU 1936-1956)						
1936	Model 101	8 CY	Limousine			2650
1939		5.5 Litre	Saloon Sedan	1500	2250	2800
1940	Model 102	8 CY	Open Touring Car	950	1900	3800
1945	Model 110	8 CY	Limousine	1450	2050	2500
1950	Model 110	5.4 Litre	Convertible			3000
1956	7 S	8 CY	Limousine	1500	2250	2800
ZUNDAPP (D 1956-1958)						
1956	Janus	1 CY 248cc	Saloon Sedan	350	750	1050
ZUST; BRIXIA-ZUST (I 1905-1917)						
1905		7.4 Litre	Touring Car	1500	3000	6000
1908		5 Litre	Touring Car	1650	3250	6500
1910		1.5 Litre	2 Seats	900	1750	3500
1912		3 Litre	Touring Car	1350	2350	3600
1914		2.3 Litre	Touring Car	1300	2450	3250
1916		2.9 Litre	Touring Car	1250	2300	3000
1917		7.4 Litre	Sport	975	1950	3900
ZWICKAU (D 1956-1959)						
1956	P 70	684cc	Saloon Sedan	1500	2100	2800
1959	P 50	4 CY	Saloon Sedan			2600

MODEL YEAR PRODUCTION FIGURES 1897 TO DATE

We have long felt that this kind of car production information would be a valuable tool to the collector. It represents our attempt to compile information not readily available to the general public.

We have scanned literally thousands of figures and documents assembling this list. Although every effort has been made to make these figures as accurate as possible, we cannot guarantee them to be absolute.

1897
Oldsmobile 4
1898
Oldsmobile 6
1899
Oldsmobile 5
Packard 1
1900
Oldsmobile 6
Packard 3
1901
Oldsmobile 394
Packard 5
1902
Oldsmobile 2,531
Cadillac 640
Packard 22
1903
Oldsmobile 3,910
Cadillac 1,720
Ford 1,708
Packard 34
Buick 6
1904
Oldsmobile 5,598
Cadillac 2,418
Ford 1,695
Packard 281
Studebaker 260
Buick 37
1905
Oldsmobile 6,437
Cadillac 3,712
Ford 1,599
Buick 750
Packard 443
Studebaker 340
1906
Ford 8,802
Cadillac 3,319
Oldsmobile 1,663
Buick 1,428
Packard 928
Studebaker 410
1907
Ford 14,814

Buick 4,461
Cadillac 2,409
Packard 1,215
Oldsmobile 1,104
Studebaker 563
1908
Ford 10,116
Buick 8,940
Studebaker 8,137
Cadillac 1,967
Packard 1,607
Oldsmobile 1,251
1909
Ford 17,857
Buick 14,109
Cadillac 7,903
Studebaker 7,843
Packard 3,083
Oldsmobile 1,575
1910
Ford 30,794
Buick 28,416
Studebaker 16,421
Cadillac 8,008
Hudson 4,640
Oakland 4,028
Packard 2,242
1911
Ford 71,021
Studebaker 26,480
Buick 14,401
Cadillac 10,018
Hudson 6,391
Oakland 3,429
Packard 2,812
Oldsmobile 1,250
1912
Ford 161,409
Studebaker 28,611
Buick 21,804
Cadillac 13,995
Hudson 5,641
Oakland 5,421
Chevrolet 3,106
Packard 2,238
Oldsmobile 1,075

1913
Ford 211,469
Studebaker 41,642
Buick 24,901
Cadillac 15,018
Oakland 7,840
Hudson 7,391
Chevrolet 4,861
Packard 2,835
Oldsmobile 1,175
1914
Ford 331,862
Buick 31,641
Studebaker 29,830
Cadillac 10,002
Hudson 9,648
Chevrolet 7,841
Oakland 7,100
Packard 3,018
Oldsmobile 1,400
1915
Ford 477,762
Studebaker 54,730
Buick 41,756
Dodge 39,147
Cadillac 17,141
Oakland 12,461
Hudson 11,961
Chevrolet 8,609
Oldsmobile 6,842
Packard 5,600
1916
Ford 756,436
Buick 119,811
Dodge 68,471
Cadillac 18,004
Chevrolet 51,402
Studebaker 35,388
Hudson 28,491
Oakland 26,736
Oldsmobile 10,911
Packard 8,372
1917
Ford 600,726
Buick 118,438
Chevrolet 109,416

Dodge 88,471
Studebaker 39,748
Hudson 32,464
Oakland 32,116
Oldsmobile 22,613
Cadillac 19,006
Nash 11,811
Packard 7,696

1918
Ford 417,862
Buick 128,632
Chevrolet 72,491
Dodge 57,331
Oakland 26,219
Oldsmobile 19,169
Studebaker 18,419
Cadillac 14,285
Hudson 11,910
Nash 9,080
Packard 3,196

1919
Ford 838,481
Buick 165,997
Chevrolet 131,891
Dodge 104,791
Oakland 43,220
Oldsmobile 39,042
Hudson 38,491
Studebaker 35,051
Nash 26,414
Cadillac 20,678
Packard 3,196

1920
Ford 366,490
Dodge 148,621
Buick 123,000
Chevrolet 118,416
Hudson 48,216
Studebaker 47,981
Nash 35,606
Oldsmobile 34,504
Oakland 33,356
Cadillac 19,628
Packard 9,126

1921
Ford 956,841
Dodge 77,496
Studebaker 69,863
Buick 67,537
Chevrolet 57,439
Hudson 26,501
Nash 19,761
Oldsmobile 19,157
Cadillac 15,250
Oakland 10,444
Packard 9,126

1922
Ford 1,216,543
Chevrolet 211,916

Dodge 161,912
Buick 117,191
Studebaker 107,378
Hudson 64,380
Nash 38,919
Cadillac 26,296
Oldsmobile 21,499
Oakland 18,486
Packard 9,127

1923
Ford 1,775,093
Chevrolet 396,411
Buick 172,876
Dodge 171,421
Studebaker 89,418
Hudson 86,904
Nash 54,687
Oldsmobile 39,926
Oakland 25,576
Cadillac 24,707
Packard 13,652

1924
Ford 1,801,492
Chevrolet 248,309
Dodge 207,687
Buick 171,561
Studebaker 159,782
Hudson 136,840
Chrysler 69,161
Nash 53,481
Oldsmobile 44,542
Oakland 37,080
Cadillac 18,827
Packard 16,653

1925
Ford 1,591,630
Chevrolet 461,092
Hudson 261,400
DeSoto 197,831
Buick 186,483
Chrysler 128,417
Nash 98,764
Studebaker 80,365
Oldsmobile 37,786
Packard 30,477
Oakland 29,425
Cadillac 21,673

1926
Ford 1,289,653
Chevrolet 584,293
Dodge 249,869
Buick 238,543
Hudson 238,461
Studebaker 158,463
Chrysler 150,101
Nash 137,601
Pontiac 132,276
Oakland 58,827
Oldsmobile 53,783
Packard 37,734

1927
Chevrolet 1,678,540
Ford 434,918
Hudson 276,491
Buick 250,116
Pontiac 182,277
Chrysler 179,140
Dodge 146,001
Nash 127,164
Studebaker 123,474
Oldsmobile 69,282
Oakland 44,658
Packard 40,875
Cadillac 36,369
Lasalle 10,767

1928
Chevrolet 746,394
Ford 659,841
Hudson 291,840
Buick 235,009
Pontiac 224,784
Chrysler 151,306
Nash 139,004
Studebaker 105,968
Oldsmobile 78,879
Oakland 60,121
Packard 53,690
Plymouth 51,860
Cadillac 40,000
Lasalle 16,038

1929
Ford 1,511,312
Chrysler 884,680
Chevrolet 846,743
Hudson 346,876
Buick 201,182
Pontiac 200,503
Dodge 121,457
Nash 117,411
Oldsmobile 99,857
Plymouth 92,184
DeSoto 62,191
Studebaker 57,790
Oakland 50,693
Packard 45,788
LaSalle 22,961
Cadillac 18,004

1930
Ford 1,124,735
Chevrolet 640,980
Buick 138,155
Hudson 116,407
Pontiac 82,888
Plymouth 76,950
Studebaker 76,781
Nash 54,698
Oldsmobile 52,133
Chrysler 43,594
Packard 25,982
Oakland 21,943

Cadillac 15,492
LaSalle 14,986

1931
Chevrolet 847,979
Ford 537,918
Plymouth 106,896
Buick 97,661
Pontiac 84,708
Hudson 55,201
Dodge 52,690
Chrysler 51,145
Oldsmobile 47,277
Studebaker 44,218
Nash 38,467
Cadillac 15,197
Oakland 13,408
Packard 13,262
LaSalle 10,095
Lincoln 3,311

1932
Chevrolet 313,395
Ford 234,678
Plymouth 123,910
Buick 55,499
Hudson 51,046
Studebaker 47,950
Pontiac 45,340
Dodge 27,229
Chrysler 25,699
Oldsmobile 19,169
Nash 17,413
Cadillac 8,688
Packard 5,538
Lincoln 3,388
LaSalle 3,386

1933
Chevrolet 486,280
Ford 330,261
Plymouth 298,557
Dodge 106,107
Pontiac 90,198
Hudson 46,894
Buick 45,365
Studebaker 45,074
Oldsmobile 36,648
Chrysler 32,192
DeSoto 22,736
Nash 14,805
Packard 14,340
LaSalle 3,482
Cadillac 3,173

1934
Ford 573,807
Chevrolet 551,371
Plymouth 321,171
Dodge 95,001
Hudson 87,401
Pontiac 78,859
Oldsmobile 78,574

Buick 66,177
Studebaker 51,773
Chrysler 36,491
Nash 27,013
DeSoto 13,940
LaSalle 7,195
Packard 5,960
Cadillac 5,819
Lincoln 2,149

1935
Ford 938,465
Chevrolet 548,212
Plymouth 450,884
Oldsmobile 180,374
Pontiac 169,468
Dodge 158,999
Buick 109,961
Hudson 97,016
Packard 65,402
Nash 47,754
Chrysler 41,553
Studebaker 36,504
DeSoto 27,581
Cadillac 13,636
LaSalle 8,651
Lincoln 2,381

1936
Chevrolet 921,461
Ford 811,551
Plymouth 520,025
Dodge 265,005
Buick 251,059
Oldsmobile 191,357
Pontiac 176,270
Hudson 121,400
Packard 91,810
Studebaker 63,664
Chrysler 59,248
DeSoto 53,710
Nash 52,814
Lincoln 16,453
LaSalle 13,004
Cadillac 12,880

1937
Ford 837,419
Chevrolet 815,420
Plymouth 551,994
Buick 295,915
Dodge 295,047
Pontiac 236,189
Oldsmobile 206,830
Hudson 116,200
Chrysler 106,300
Packard 89,157
Nash 85,843
Studebaker 82,627
DeSoto 82,561
LaSalle 32,000
Lincoln 30,974
Cadillac 14,152

1938
Chevrolet 465,156
Ford 391,006
Plymouth 279,388
Buick 159,726
Dodge 114,529
Pontiac 97,139
Oldsmobile 88,045
Hudson 56,480
Chrysler 53,832
Studebaker 45,220
Packard 51,062
DeSoto 39,203
Nash 32,000
Lincoln 19,527
LaSalle 15,575
Cadillac 9,375

1939
Chevrolet 586,632
Ford 547,664
Plymouth 417,529
Buick 201,141
Dodge 179,300
Pontiac 154,340
Oldsmobile 137,227
Studebaker 92,200
Hudson 82,291
Mercury 74,107
Chrysler 72,309
Packard 72,213
Nash 65,451
DeSoto 55,699
LaSalle 24,130
Lincoln 15,406
Cadillac 13,581

1940
Chevrolet 767,744
Ford 594,155
Plymouth 499,155
Buick 278,784
Pontiac 247,001
Oldsmobile 197,154
Dodge 195,505
Studebaker 120,543
Chrysler 92,448
Packard 85,437
Mercury 81,059
Hudson 74,219
DeSoto 67,790
Nash 62,119
Cadillac 43,046
Lincoln 21,948

1941
Chevrolet 1,020,029
Ford 576,773
Plymouth 429,811
Buick 352,780
Pontiac 330,061
Dodge 236,999
Oldsmobile 235,852

Chrysler 161,704
Studebaker 92,289
DeSoto 89,580
Nash 83,211
Hudson 79,654
Mercury 76,481
Packard 66,428
Cadillac 66,130
Lincoln 21,994

1942
Studebaker 85,339
Chevrolet 58,087
Nash 53,817
Ford 47,488
Chrysler 46,586
Plymouth 29,480
Dodge 18,522
Buick 18,091
Oldsmobile 16,303
Pontiac 13,555
Packard 6,776
Lincoln 6,567
Hudson 5,291
DeSoto 4,471
Mercury 3,821
Cadillac 3,511

1943
1944
1945
Ford 33,921
Chevrolet 11,407
Nash 6,340
Pontiac 5,421
Hudson 4,614
Oldsmobile 3,102
Packard 2,652
Mercury 2,649
Studebaker 2,637
Buick 2,460
Cadillac 1,609
DeSoto 948
Plymouth 749
Lincoln 487
Chrysler 468
Dodge 376

1946
Chevrolet 398,028
Ford 373,435
Packard 253,163
DeSoto 155,666
Buick 153,677
Pontiac 137,640
Oldsmobile 117,633
Nash 99,041
Hudson 93,481
Chrysler 87,061
Mercury 76,603
Studebaker 76,023
DeSoto 64,331

Packard 42,793
Cadillac 29,194
Lincoln 16,645
1947
Chevrolet 691,846
Ford 530,198
Plymouth 353,163
Buick 272,598
Pontiac 230,600
Dodge 195,666
Oldsmobile 194,255
Studebaker 139,299
Kaiser-Fraizer . . . 139,249
Mercury 121,811
Hudson 116,411
Nash 116,030
Chrysler 111,061
DeSoto 84,331
Cadillac 61,926
Packard 51,086
Lincoln 21,460

1948
Chevrolet 639,861
Ford 447,724
Plymouth 353,163
Buick 263,599
Pontiac 235,419
Dodge 195,667
Kaiser-Fraizer . . . 189,922
Oldsmobile 182,852
Studebaker 166,069
Mercury 150,268
Hudson 147,200
Chrysler 118,487
Nash 115,525
Packard 90,525
DeSoto 84,333
Cadillac 52,706
Lincoln 47,769

1949
Chevrolet 974,279
Ford 918,762
Mercury 701,319
Plymouth 572,285
Buick 368,286
Pontiac 334,819
Oldsmobile 288,310
Dodge 256,854
Studebaker 178,435
Hudson 159,100
Nash 142,319
Chrysler 124,218
Packard 115,306
DeSoto 95,053
Cadillac 92,554
Kaiser-Fraizer . . . 60,049
Lincoln 33,507
1950
Chevrolet 1,521,635

Ford 1,209,549
Plymouth 610,954
Buick 568,726
Pontiac 446,429
Oldsmobile 407,889
Dodge 343,097
Studebaker 320,884
Nash 189,190
Chrysler 179,299
Kaiser-Fraizer . . . 144,841
DeSoto 136,203
Hudson 121,408
Cadillac 103,857
Packard 76,650
Lincoln 28,190
1951
Chevrolet 1,250,803
Ford 913,381
Plymouth 603,831
Buick 399,732
Pontiac 370,139
Mercury 310,387
Oldsmobile 285,615
Dodge 249,747
Studebaker 246,195
Nash 160,732
Chrysler 145,500
DeSoto 124,099
Hudson 111,915
Cadillac 110,340
Kaiser-Fraizer . . . 98,421
Packard 88,312
Lincoln 32,574
1952
Chevrolet 827,317
Ford 671,733
Plymouth 503,831
Pontiac 271,373
Dodge 259,681
Oldsmobile 213,419
Buick 211,702
Nash 151,075
Mercury 172,087
Studebaker 167,662
Chrysler 125,500
DeSoto 119,901
Cadillac 90,259
Hudson 76,401
Packard 69,921
Kaiser-Fraizer . . . 57,265
Lincoln 27,271
1953
Chevrolet 1,357,000
Ford 1,247,542
Plymouth 650,451
Buick 486,812
Pontiac 418,619
Oldsmobile 324,462
Mercury 305,863

Dodge 304,258
Chrysler 170,006
Studebaker 151,576
Nash 137,812
DeSoto 132,104
Cadillac. 109,651
Packard. 89,730
Hudson. 66,143
Kaiser-Fraizer. . . . 46,398
Lincoln 40,762
1954
Chevrolet 1,351,816
Ford 1,265,942
Buick. 542,903
Oldsmobile 454,001
Pontiac 387,744
Plymouth 363,148
Mercury 259,305
Dodge 154,648
Cadillac. 128,680
Chrysler 105,030
DeSoto 78,580
Studebaker 68,708
Nash 62,965
Lincoln 36,993
Packard. 30,965
Kaiser-Fraizer. . . . 10,097
1955
Chevrolet 1,713,478
Ford 1,651,157
Buick. 767,035
Plymouth 745,455
Oldsmobile 633,179
Pontiac 563,800
Mercury 429,808
Dodge 276,936
Chrysler 164,209
Studebaker 116,333
DeSoto 115,485
Packard. 65,517
Hudson. 45,535
Lincoln 38,453
Kaiser-Fraizer. 1,291
1956
Chevrolet 1,438,735
Ford 1,408,478
Buick. 570,631
Plymouth 516,636
Oldsmobile 435,458
Pontiac 325,429
Mercury 227,943
Dodge 203,571
Cadillac. 154,577
Chrysler 121,006
DeSoto 114,137
Studebaker 69,593
Lincoln 51,647
Packard. 18,799
Hudson. 10,671

1957
Ford 1,576,448
Chevrolet 1,515,177
Plymouth 650,674
Buick. 419,452
Oldsmobile 384,390
Pontiac 333,473
Dodge 289,242
Mercury 286,163
Cadillac. 146,841
Chrysler 129,830
DeSoto 121,909
Studebaker 63,101
Lincoln 41,567
Packard. 4,809
Hudson. 3,876
1958
Chevrolet 1,225,765
Ford 987,945
Plymouth 408,039
Oldsmobile 296,374
Buick. 243,223
Pontiac 216,982
Dodge 133,952
Mercury 133,271
Cadillac. 121,778
Edsel 63,110
Chrysler 59,773
DeSoto 48,374
Studebaker 44,759
Lincoln 29,684
Packard. 2,622
1959
Ford 1,462,140
Chevrolet 1,446,624
Plymouth 425,081
Pontiac 382,940
Oldsmobile 382,864
Buick. 254,248
Mercury 155,487
Dodge 151,851
Cadillac. 142,272
Studebaker 126,156
Chrysler 87,233
DeSoto 45,306
Edsel 44,891
Lincoln 26,906
1960
Chevrolet 1,651,753
Ford 1,539,553
Pontiac 466,179
Plymouth 430,540
Oldsmobile 387,365
Mercury 371,331
Dodge 349,122
Buick. 283,807
Cadillac. 142,184
Studebaker 120,465
Chrysler 94,988
Lincoln 24,820

DeSoto 23,832
Edsel 2,846
1961
Chevrolet 1,532,479
Ford 1,353,872
Pontiac 361,250
Plymouth 331,928
Oldsmobile 317,767
Mercury 317,351
Buick. 276,754
Dodge 256,478
Cadillac. 138,379
Chrysler 108,703
Studebaker 59,713
Lincoln 25,164
DeSoto 3,034
1962
Chevrolet 2,093,646
Ford 1,528,061
Pontiac 521,437
Oldsmobile 447,589
Buick. 399,526
Mercury 341,366
Plymouth 317,487
Dodge 230,142
Cadillac. 160,840
Chrysler 143,258
Studebaker 89,318
Lincoln 31,061
1963
Chevrolet 2,250,408
Ford 1,688,455
Plymouth 521,437
Oakland 447,589
Buick. 457,828
Packard 442,794
Dodge 363,762
Mercury 306,446
Cadillac. 163,174
Chrysler 123,105
Studebaker 69,554
Lincoln 31,233
1964
Chevrolet 2,366,366
Ford 1,816,860
Pontiac 752,269
Oldsmobile 536,228
Plymouth 499,943
Buick. 510,490
Dodge 475,672
Mercury 325,478
Chrysler 168,477
Cadillac. 165,959
Studebaker 29,969
1965
Chevrolet 2,344,706
Ford 2,064,258
Pontiac 861,357
Buick. 641,145

Oldsmobile 639,701
Dodge 550,075
Mercury 346,751
Chrysler 224,588
Cadillac 181,435
Lincoln 40,180
1966
Chevrolet 2,215,999
Ford 2,093,832
Pontiac 830,778
Plymouth 656,329
Oldsmobile 586,381
Buick 583,870
Dodge 537,780
Mercury 323,730
Chrysler 254,124
Lincoln 54,755
1967
Chevrolet 1,900,049
Ford 1,342,311
Pontiac 847,343
Plymouth 590,356
Buick 562,507
Oldsmobile 548,390
Dodge 466,951
Mercury 254,920
Chrysler 236,330
Cadillac 211,961
Lincoln 35,667
1968
Chevrolet 2,139,426
Ford 1,840,884
Pontiac 940,482
Plymouth 682,193
Buick 651,823
Dodge 626,155
Oldsmobile 617,253
Mercury 389,046
Chrysler 280,224
Lincoln 16,904
1969
Chevrolet 2,106,459
Ford 1,732,126
Pontiac 770,081
Buick 665,422
Plymouth 645,139
Oldsmobile 635,241
Dodge 577,575
Mercury 358,006
Chrysler 282,848
Cadillac 243,237
Lincoln 61,378
1970
Chevrolet 1,690,327
Ford 1,632,998
Plymouth 725,589
Buick 466,501
Oldsmobile 435,473
Pontiac 425,204

Dodge 383,230
Mercury 305,316
Chrysler 192,593
Cadillac 138,745
Lincoln 59,127
1971
Ford 1,748,138
Chevrolet 1,737,442
Plymouth 625,812
Oldsmobile 560,426
Buick 551,880
Pontiac 536,047
Dodge 444,724
Mercury 331,057
Cadillac 188,537
Lincoln 62,642
1972
Chevrolet 2,281,610
Ford 1,855,201
Oldsmobile 758,184
Buick 679,921
Pontiac 638,773
Plymouth 636,515
Dodge 508,445
Mercury 421,626
Cadillac 267,787
Chrysler 220,558
Lincoln 94,560
1973
Chevrolet 2,118,678
Ford 1,971,878
Oldsmobile 939,630
Pontiac 894,446
Buick 821,650
Plymouth 746,821
Dodge 625,690
Mercury 462,674
Cadillac 304,819
Chrysler 250,958
Lincoln 128,073
1974
Chevrolet 2,118,678
Ford 1,843,340
Plymouth 665,720
Oldsmobile 619,397
Pontiac 560,216
Dodge 521,567
Buick 495,063
Mercury 398,682
Cadillac 242,330
Chrysler 131,799
Lincoln 93,985
1975
Chevrolet 1,642,225
Ford 1,319,475
Oldsmobile 597,821
Pontiac 525,413
Buick 481,768
Plymouth 476,245

Mercury 397,949
Dodge 338,929
Chrysler 110,274
Lincoln 101,843
1976
Chevrolet 1,951,055
Ford 1,563,844
Oldsmobile 874,618
Buick 737,466
Pontiac 721,614
Plymouth 546,885
Mercury 459,670
Dodge 440,261
Cadillac 309,139
Lincoln 124,756
Chrysler 101,691
1977
Chevrolet 2,120,692
Ford 1,560,793
Oldsmobile . . . 1,116,818
Pontiac 847,129
Buick 845,234
Plymouth 584,796
Dodge 558,783
Mercury 526,751
Cadillac 358,487
Chrysler 212,131
Lincoln 191,355

REFERENCE PUBLICATIONS

The following are excellent sources of information on cars, parts and services:

Antique Motor News
919 South Street
Long Beach, CA 90805
Monthly Magazine, heavy west coast interest, but national in scope. $7.00 per year.

Cars & Parts Magazine
P.O. Box 299
Sessor, IL 62884
Monthly Magazine, Full color cover, well established. $7.50 per year

Coast Car Collector
5800 Shellmound St.
Emeryville, CA 94608
Monthly color newspaper, professionally produced totally West Coast oriented $7.00 per year

Hemmings Motor News
P.O. Box 380
Bennington, VT 05201
Monthly newsprint magazine, no editorial matter, all ads for cars, parts, and services; largest publication of its type in the world, over 158,000 subscribers. $25.00 per year first class mail, $6.75 third class mail (third class may be too slow to make good buys)

Kruse Report Magazine
Kruse Building
Auburn, IN 47606
Monthly color magazine for car collectors and investors, written with a tilt toward investment, and the financial end of the car collecting hobby. $8.50 per year.

Kruse Green Book
Kruse Publications
Auburn, IN 47606
A value guide based on every Kruse Classic Auction Co. auction throughout the year. Subscriber receives a Green Digest binder Jan. 1, and is sent listing supplements after each auction with actual top bid prices. No advertising. $15.00 per year.

Old Cars Newspaper
Krause Publications
Iola, WI 54945
The only weekly newspaper in the hobby, almost 100,000 readers, many ads with good editorial matter. $8.50 per year.

Special Interest Autos
P.O. Box 186
Bennington, VT 05201
A color magazine published by Hemmings Motor News, excellent articles under the editorship of Mike Lamm. $8.50 per year (bi-monthly)

COLLECTOR CAR MUSEUMS

ARKANSAS
The Museum of Automobiles
Buddy Hoelzeman, Director
Route 3
Morrilton, Arkansas 72110
501-727-5427

CALIFORNIA
Briggs Cunningham Automotive Museum
John N. Burgess, Sr., Director
250 Baker Street
Costa Mesa, California 92626
714-546-7660

Los Angeles County Museum of Natural History
James Zordich, Curator
900 Exposition Blvd.
Los Angeles, California 90007
213-746-0410

Miller's Horse & Buggy Ranch
Mrs. Pierce A. Miller
9425 Yosemite Blvd.
Modesto, California 95351
209-522-1781

Movieworld Cars of the Stars
James F. Brucker, Owner
6920 Orangethorpe Avenue
Buena Park, California 90620
714-423-1521

COLORADO
Ray Dougherty Collection
Ray Dougherty, Owner
Route 2, Box 253-A
Longmont, Colorado 80501
303-776-2520

Forney Transportation Museum
J.D. Forney, President
P.O. Box 176
Fort Collins, Colorado
(1416 Platte Street, Denver, Colorado 80202)
303-433-3643, or 482-7271

CONNECTICUT
Antique Auto Museum
P.O. Box 430
Manchester, Connecticut 06040
203-649-7285

Bradley Air Museum
Bradley International Airport
Windsor Locks, Connecticut 06096
203-623-8803

DELAWARE
Magic Age of Steam
Thomas C. Marshall Jr., President
P.O. Box 127 Route 82
Yorklyn, Delaware 19726
302-239-4410

DISTRICT OF COLUMBIA
National Museum of History and Technology
Smithsonian Institute
Washington, D.C. 20560
202-381-5669

FLORIDA
Bellm's Cars and Music of Yesterday
Walter Bells, President
5500 North Tamiami Trail
Sarasota, Florida 33580
813-355-6228

Early American Museum
P.O. Box 188
Silver Springs, Florida 32688
904-236-2404

Horseless Carriage Shop
Marion and Bud Josey
P.O. Box 898, 1881 Main Street
Dunedin, Florida 33528

Museum of Speed
P.O. Box 500
Daytona Beach, Florida 32015

GEORGIA
Antique Auto and Music Museum
C.T. Protsman, Owner
Stone Mountain, Georgia 30088
404-981-0194

HAWAII
Automotive Museum of the Pacific
197 Sand Island Road
Honolulu, Hawaii 96819
808-841-5580

ILLINOIS
Excalibur Motorcars Ltd.
J. J. Born President
3610 Skokie Valley Road
Highland Park, Illinois 60035
312-433-4400

Hartung's Automotive Museum
Lee Hartung, Owner
3623 West Lake Street
Glenview, Illinois 60025
312-724-4354

Lazarus Motor Museum
L.E. Lazarus, Manager
Box 368, 211 Walnut
Forreston, Illinois 61030
815-938-2250 or 938-2668

Museum of Science and Industry
Daniel McMaster, President
Victor Danilov, Director
57th Street and Lake Shore Drive
Chicago, Illinois 60637
312-684-1414

Quinsippi Island Antique Auto Museum
Mississippi Valley Historic Auto Club
2215 Spruce
Quincy, Illinois 62301
217-223-4846

Time Was Village Museum
Kenneth B. Butler, Owner
1325 Burlington Street
Mendota, Illinois 61342
815-539-6042

INDIANA
Auburn-Cord-Duesenberg Museum
Skip Marketti, Executive Director
P.O. Box 148, 1600 S. Wayne Street
Auburn, Indiana 46706
219-925-1444

Cars of Yesterday
Frederick J. Capp
5226 Nob Lane
5254 E. 65th Street
Indianapolis, Indiana 46226
317-547-9145

Indiana Museum of Transport Communications, Inc.
Forest Park, P.O. Box 83
Noblesville, Indiana 46060

Indianapolis Motor Speedway Hall of Fame
Indiana Motor Speedway Foundation
4790 W. 16th Street
Speedway, Indiana 46224
317-241-2501

IOWA
Auto Museum
Elmer J. Duistermars, Owner
P.O. Box 188 Highway 75
Sioux Center, Iowa 51250
712-722-1611

Fischer's Colony Museum
Ott and Cookie Fischer
South Amana, Iowa 52334
319-622-3285

Don Jensen Enterprises
Don W. Jensen, Owner
411 4th Avenue North
Humboldt, Indiana 50548
515-332-3343

KANSAS
Billue's Antique Car Museum
P.O. Box 522
Hesston, Kansas 67062
316-327-4558

King's Antique Car Museum
P.O. Box 522
Hesston, Kansas 67062
316-665-7951

KENTUCKY
Calvert Auto Museum
Paul Harrington, Owner
P.O. Box 245 Highway 95
Calvert City, Kentucky 42029
502-395-4660 or 395-4541

MAINE
Boothbay Railway Museum
George H. McEvoy, President
Box 123, Route 27
Boothbay, Maine 04537
207-633-4727

Wells Auto Museum
Glenn C. Gould Jr., Owner
P.O. Box 496, Route 1
Wells, Maine 04090
207-646-9064

MARYLAND
Fire Museum of Maryland, Inc.
Stephen G. Heaver, President
1301 York Road
Lutherville, Maryland 21093
301-321-7500

MASSACHUSETTS
Edaville Railroad Museum
P.O. Box 7
South Carver, Massachusetts

Heritage Plantation of Sandwich
Nelson O. Price, Director
P.O. Box 566 Grove Street
Sandwich, Massachusetts 02563
617-888-3300

Museum of Transportation
Duncan Smith, Director
15 Newton Street
Brookline, Massachusetts 02146
617-521-1200

Sturbridge Auto Museum
Harold J. Kenneway, President
P.O. Box 486, Route 20
Sturbridge, Massachusetts 01506
617-867-2217

MICHIGAN
Detroit Historical Museum
5401 Woodward Avenue
Detroit, Michigan 48202

The Henry Ford Museum
The Edison Institute
Dearborn, Michigan 48121
313-271-1620

Poll Museum
Henry Poll, Owner
353 East 6th Street
Holland, Michigan 49423
616-399-1955

MINNESOTA
Hemp Museum
P.O. Box 851
Rochester, Minnesota 55901
507-282-7788

Woodlands Automotive Museum
Mark B. Nelson, Owner
Highway 34 East
Park Rapids, Minnesota 56470
218-732-9280

MISSOURI
Autos of Yesteryear
George L. Carney, Owner
Highway 63 North
Rolla, Missouri 65401
314-364-1810

Kelsey's Antique Cars
Box 564
Camdenton, Missouri 65020
314-346-2506

National Museum of Transport
3015 Barrett Station Road
St. Louis, Missouri 63122
314-965-6885

MONTANA
Ed Towe Ford Collection
Montana Historical Society
225 North Roberts Street
Helena, Montana 59601

NEBRASKA
Hastings Museum
1330 North Burlington
Hastings, Nebraska 68901
402-463-7126

Sandhills Museum
G.M. Sawyer, Owner
440 Valentine Street
Valentine, Nebraska 69201
402-376-3293

Stuhr Museum of the Prarie Pioneer
U.S. Highway 281-34 Junction
Grand Island, Nebraska 68801
308-384-1380

Harold Warp Pioneer Village
Minden, Nebraska 68959
308-832-1181

NEVADA
Harrah's Automobile Collection
Clyde Wade, Director
P.O. Box 10
Reno, Nevada 89504
702-786-3232

NEW HAMPSHIRE
Meredith Auto Museum
R.D. 2 Box 86
Meredith, New Hampshire 03252
603-432-6835

NEW JERSEY
Roaring 20 Autos
Jack Wishrick, Owner
R.D. 1 Box 178-G Highway 34
Wall, New Jersey 07719
201-681-8844

NEW YORK
Ausable Chasm Antique Auto Museum
Route 9
Ausable Chasm, New York 12911

Automobile Museum of Rome and Restoration
Shoppe
Salvatore F. Comito, Owner
6 Pillmore Drive, Route 49 West
Rome, New York 13440
315-336-7032 or 336-2225

Cavalcade of Cars
Charles R. Wood, Owner
Gaslight Village, Inc.
Box 511, Route 9
Lake George, New York 12845
518-668-5459

Golden Age Auto Museum
Timothy O'Connell, Owner
West Grand Street, P.O. Box 61
Palarine Bridge, New York 13428

The Long Island Automotive Museum
Henry J. Austin Clark Jr., Owner
Meadow Spring, Glen Cove, New York 11542
Route 27 Southhampton, New York 11968
516-676-0845 or 283-1880

National Motor Racing Museum
Dr. David F. Ward, Managing Director
110 North Franklin Street
Watkins Glen, New York 14891
607-535-2779

Harry Resnick Motor Museum
46 Canal Street
Ellenville, New York 12428
914-647-4710

Upstate Auto Museum
W. Myersm Manager
Box 152, Main Street
Bridgewater, New York 13313

Jim York's Auto Museum
Howes Cave, New York 12092
518-296-8448

NORTH CAROLINA
Estes-Winn-Blomberg Antique Car Museum
Harry D. Blomberg, Owner
P.O. Box 6854, Grovewood Road
Asheville, North Carolina 28806
704-253-7651

OHIO
Allen County Museum
Allen County Historical Society, Manager
620 West Market Street
Lima, Ohio 45801
419-222-9426

Antique Classic Auto Museum
Columbus, Ohio 43200
614-263-3800

Frederick C. Crawford Auto-Aviation Museum
Western Reserve Historical Society
Kenneth B. Gooding, Director
10825 East Blvd.
Cleveland, Ohio 44106
216-721-5722

OKLAHOMA
Antiques, Inc.
P.O. Box 1887, 2115 West Shawnee
Muskogee, Oklahoma 74401
918-683-1284

PENNSYLVANIA
Automobilarama
P.O. Box 1855
Harrisburg, Pennsylvania 17105
717-766-4792

Boywertown Museum of Historical Vehicles
Hafer Foundation, Paul R. Hafer, President
P.O. Box 30, Warwick Street and Reading
Avenue
Boyertown, Pennsylvania 19512
215-367-2090

Alan Dent Antique Auto Museum
Alan Dent, Owner
Box 254
Lightstreet, Pennsylvania 17839
717-784-4927

Magee Transportation
Box 150
Bloosburg, Pennsylvania 17815
717-784-5401

Pollock Auto Showcase 1
William Pollock, Owner
70 South Franklin Street
Pottstown, Pennsylvania 19464
215-323-7108

Swigart Museum
William E. Swigart Jr., Owner
Box 214 Museum Park
Huntingdon, Pennsylvania 16652
814-643-3000

SOUTH CAROLINA
Joe Weatherly Stock Car Museum
Darlington Raceway, Owner
Highway 34, West Box 500
Darlington, South Carolina 29532
803-393-4041

Wings and Wheels
P.O. Box 93
Santee, South Carolina 29142
803-854-2155

SOUTH DAKOTA
Horseless Carriage Museum
Keystone Route Box 255
Rapid City, South Dakota 57701
605-342-2279

Mitchell Car Museum
Harry A. and Hope R. Hieb, Propietors
1130 S. Burr Street
Mitchell, South Dakota 57301
605-996-6962

Pioneer Auto Museum and Antique Town
John N. Geisler, Manager
Box 76
Murdo, South Dakota 57559
605-669-9120

TENNESSEE
Cox's Car Museum
P.O. Box 253
Gatlinburg, Tennessee 37738
615-436-4072

Smoky Mountain Car Museum
U.S. 441 Highway
Pigeon Forge, Tennessee 37863

TEXAS
Chapman Auto Museum
Bill Chapman, President
Route 3 Box 120A
Rickwell, Texas 75087
214-263-2552 or 722-3021

Classic Showcase
Mr. & Mrs. C.A. Cagle, Managers
Star Route 543
Kerrville, Texas 78028
512-896-5655

Museum of Time and Travel
Dr. A.B. Finch, Owner
Route 1 Box 90, 1101 Pool Road
Odessa, Texas 79763
915-333-3801

Pate Museum of Transportation
A.M. Pate Jr., Executive Director

P.O. Box 711, Highway 377 South
Fort Worth, Texas 76101
817-332-1161

VIRGINIA
American Road Museum
Route 60 West
Williamsburg, Virginia

Car And Carriage Caravan, Inc.
Mr. H.T. Graves, President
P.O. Box 748
Luray, Virginia 22835
703-743-6551

Pettit's Museum of Motoring Memories
William A.C. Pettit, III
P.O. Box 445
Louisa, Virginia 23093
703-967-0444

Roaring Twenties Antique Car Museum
John Dudley, Manager Clarissa Dudley, Owner
Route 1 Box 198
Hood, Virginia 22723
703-948-6290

WISCONSIN
Midway Auto Museum
Clarence Timm, Ronald Ostrowski
Route 2, Highway 52
Birnamwood, Wisconsin 54414
715-449-2901

CAR COLLECTOR CLUBS

The Antique and Classic Automobile Club of the Wabash Valley, Inc.
4400 South St.
Terre Haute, Ind 47802
812-299-2731
Antique Auto and Engine Club of Mississippi
3407 Nottingham
Ocean Springs, Miss 39564
601-875-4966
Antique Auto Association
P.O. Box 501
Regina, Saskatchewan
Canada S4P 3A2
The Antique Auto Club of Fall River, Inc.
454 Tower St.
Fall River, Mass 02721
617-674-2948
Antique Automobile Association of Brooklyn, NY, Inc.
1635 81st St.
Brooklyn, NY 11214
Antique Automobile Club of America
501 Governor Rd.
Hershey, Pa 17033
717-534-1910
Antique Automobile Club of Ottawa
748 Canterbury Ave.
Ottawa, Ontario, Canada K1G 3A5
613-733-6999, 613-826-5171

Antique Car Club of Pembroke
P.O. Box 161
Pembroke, Ontario, Canada
K8A 6X3
613-735-5069
Antique Motor Club
R.D. 3
Box 30
Rockville, Ind 47872
Antique Vehicle Club of Mississippi
1325 Winnrose St.
Jackson, Miss 39211
601-956-7863
Arizona Automobile Hobbyist Council
P.O. Box 1945
Phoenix, Ariz 85001
Arkansas Traveler Antique Auto Club
7521 Gable Dr.
Little Rock, Ark 72205
501-666-8483
Ark-La-Tex Antique and Classic Car Assoc., Inc.
Box 3353
Shreveport, La 71108
318-631-0465
Audrain Antique Auto Association
919 W. Blvd.
Mexico, Mo 65265
314-581-4251

Auroraland Auto Restorers Club
28W762 Leverenz Rd.
Naperville, Ill 60540
312-355-4262
Autoenthusiasts International
Box 31A
Royal Oak, Mich 48068
Automobilist
Keith Marvin
Record Newspapers
Troy, NY 12181
The Automobilists of the Upper Hudson Valley
P.O. Box G
Clarksville, NY 12041
518-768-2164
Auto Restorers Club
Box 138
Eagle Lake, Minn 56024
507-257-3325
Automotive Old Timers
Box 62
Warrentown, Va 22186
Badger Antique Auto Club, Inc.
Box 763
Poynette, Wis 53955
Bay State Antique Auto Club, Inc.
Box 491
Norwood, Mass 02062
Ben Hur Antique and Classic Car Club
P.O. Box 343
Crawfordsville, Ind 47933
317-362-1273

Berkshire County Antique Car Club, Inc.
81 Westchester Ave.
Pittsfield, Mass 01201
413-443-7967

Blackhawk Auto Restorers
P.O. Box 445
Burlington, Iowa 52601
319-754-6696

Blue Water Auto Restorers
2519 Alger Rd.
Port Huron, Mich 48060
313-982-6206

Brainerd Antique Auto Club
P.O. Box 322
Brainerd, Minn 56401
218-829-6656

Bremerton Auto Club
c/o Lee Tennison
1145 Pitt Ave.
Bremerton, Wash 98310
206-377-3546

Capaha Antique Car Club, Inc.
P.O. Box 875
Cape Girardeau, Mo 63701
314-334-1141

Capitol City Old Car Club
P.O. Box 1395
Lansing, Mich 48904

Car Coddlers Club (of Ohio)
Box 2094
Sandusky, Ohio 44870
419-626-4600

C.A.R.S. (Classic, Antique, Rods, Special Interest)
6881 Cedar Brook Glen
New Albany, Ohio 43054
614-855-7679

Caveman Vintage Car Club
P.O. Box 1394
Grants Pass, Ore 97526
503-479-9874

Central Carolina Vintage Car Club
P.O. Box 2162
Chapel Hill, NC 27514

Central Indiana Old Car Club
CIOCC, c/o Townsend Service
2203 Godman Ave.
Muncie, Ind 47303
317-774-4544, 317-643-5825

The Central Michigan Old Car Club, Inc.
Route 1
Midland, Mich 48640
517-835-4218

Central Wisconsin Auto Collectors, LTD.
318 Scott Ave.
Oshkosh, Wis 54901
414-235-1898

Chantilly Automobile Restoration Society (CARS)
13127 Pennypacker Lane
Fairfax, Va 22030
703-968-7730

Classic American Auto Club of Great Britain
Old Laundry Cottage
Eastwick Road, Hunsdon
Hertfordshire SG 12 8 PP
United Kingdom
0920 870353 (Ware)

Classic and Antique Restorers Club
R.R. #1
Constantine, Mich 49042
616-435-7511

Classic Car Club of America
P.O. Box 443
Madison, NJ 07940
201-377-1925

Classic Car Club of Southern California
5617 Hollywood Blvd.
Hollywood, Calif 90028
213-445-1618

Clermont Country Antique and Classic Car Club
885 Willow St.
Williamsburg, Ohio 45176
513-724-2274

Clinton Country Antique and Classic Car Club
662 W. Locust
Wilmington, Ohio 45177
513-382-3980

Connecticut Historical Automobile Society, Inc.
149 Jennifer Rd.
Hamden, Conn 06514
203-281-1778

Contemporary Autos of Southern Oregon
2930 Margaret Way
Medford, Ore 97501
503-779-5597

Contemporary Historical Vehicle Association (CHVA)
P.O. Box 522
Cerritos, Calif 90701
714-870-5121

Coronado Country Car Club
1925 Hart Ave.
Dodge City, Kansas 67801
316-225-1115

Cortland Antique Auto Club
P.O. Box 747
Cortland, NY 13045
607-SK3-3294

Covered Bridge Antique Motor Club
c/o Dean Matthews
Rockville, Ind 47842

Cumberland Motor Club
Box 247, R.D. 2
Cumberland Center, Maine 04021
207-829-3277

Delmarva Region of VMCCA
R.D. 2, Box 1376
Smyrna, Del 19977
302-653-6533

Denver Coupe and Sedan Club
2458 Ward Dr.
Lakewood, Colo 80215
303-233-2893

Double-I Antique Auto Club
c/o Jon E. DeBruin
1708 Springdale Dr.
Clinton, Iowa 52732
319-242-2766

Duluth Special Interest Car Club, Inc.
c/o Roland Lovstad
190 E. Harney Rd.
Esko, Minn 55733
218-879-3006

Dust Bowl Antique & Classic Car Club
P.O. Box 278
Walsh, Colo 81090
303-324-5269

Early Idlers
Box 1341
Decatur, Ill 62523

East Bay Old Time Auto Club
1298 Trojan Ave.
San Leandro, Calif 94579

Eastern Upper Peninsula Antique Auto Club
905 McCandless St.
Sault St. Marie, Mich 49783
906-632-9537

East Range Vintage Auto Club
Chuck Stenlund
Zim, Minn 55799

East Texas Vintage Auto Club
P.O. Box 8681
Longview, Texas 75601
214-663-0331, 214-753-3273

First Fifty Auto Club
831 Pine Street
Circle Pines, Minn 55014
612-464-3289

Flint Hills Antique Car Club
713 Commercial St.
Emporia, Kan 66801
316-342-7046

Foothills of the Ozarks Antique Auto Club
1102 Gutensohn
Springdale, Ark 72764

Forked Deer Antique Car Club
2136 Randall Rd.
Dyersburg, Tenn 38024

Fort Wayne Historic Auto Association, Inc.
P.O. Box 313
Fort Wayne, Ind 46802
219-432-5246

Franklin Syndicate Auto Club
115 Lincoln Center
Stockton, Calif 95207
209-477-1578

Fremont Antique Auto Club
1635 North Broad St.
Fremont, Neb 68025

Gadsden Antique Automobile Club
113 Buckingham Pl.
Gadsden, Ala 35901

Gateway Antique Auto Club, Inc.
P.O. Box 3202
Darien, Conn 06902
203-655-2907

Genesee Valley Antique Car Society, Inc.
5104 Brookfield Rd.
Rochester, NY 14610
716-482-8187

Geographical Antique Auto Club
P.O. Box 71
Rugby, ND 58368
701-776-5276

GM Restorers Club
Box 143 Highland Station
Springfield, Mass 01109

The Golden Age Antique Automobile Club
66 Shannon Dr.
Truro, Nova Scotia Canada
B2N3V8
902-893-7723

Graham Vintage Auto Club
907 Brazos (or Box 810)
Graham, Texas 76046
817-549-1170

Grinnell Vintage Auto Club
P.O. Box 42
Grinnell, Iowa 50112
515-236-4028

High Hopes Historical Auto Club
Hillcrest Rd.
Hannacroix, NY 12087
518-966-8740

Historical Auto Club of the Blackhills
1725 Mt. View
Rapid City, SD 57701
605-342-4479

Historic Auto Association of Michigan, Inc.
Rt. 2, 117 US 12, W
Sturgis, Mich 49091
616-651-6378

Historical Automobile Club of Oregon
950 N. Grant
Canby, Ore 97013
503-266-9739

The Historical Automobile Society of Canada
264 Main St., Site 1, Box 6
RR 2, Rockwood, Ontario
Canada N0B 2K0
519-856-4214

Historical Vintage Car Club of Delaware, Inc.
P.O. Box 43
Dover, Del 19901
302-653-6533

Hoosier Old Wheels, Inc.
Box 123
Plymouth, Ind 46563
219-892-5866

Horseless Carriage Club of America
9031 E. Florence Ave.
Downey, Calif 90240
213-862-6210

Horseless Carriage Club of Missouri
#15 Talisman Way
Florissant, Mo 63034
314-838-1515

Indian River Region AACA
1815 33rd Ave.
Vero Beach, Fla 32960
305-567-2365

Indiana Classic Car Club
R.R. 1, Box 764
Indianapolis, Ind 46227

Ismailia Antique Car Club
114 Blake Hill Rd.
East Aurora, NY 14052
716-652-6868

Itasca Vintage Car Club, Inc.
1801 County Rd. "A"
Grand Rapids, Minn 55744
218-326-4987

Joliet Antique Auto Club
2010 Plainfield Rd.
Joliet, Ill 60435
815-729-0457

Kalamazoo Antique Auto Restorers Club
7383 North 12th St.
Kalamazoo, Mich 49009
616-344-6581

Kansas Council R & P of Historic Vehicles
6015 E. Gilbert
Wichita, Kan 67213

Kettlemoraine Klassic Kar Klub
6696 Glacier Dr.
West Bend, Wis 53095
414-338-1211

Klamath Antique Auto Club
4129 Summers Ln.
Klamath Falls, Ore 97601
503-884-6727

Kokomo Pioneer Auto Club
1810 South Union St.
Kokomo, Ind 46902

Lafayette, Indiana Historic Auto Club, Inc.
P.O. Box 191
Lafayette, Ind 47901
317-742-8547

Lawton Antique Auto Club
1214 Columbia Ave.
Lawton, Okla 73501
405-353-6585

Le Cercle Concours D'Elegance
1323 Venice Blvd.
Los Angeles, Calif 90006
213-384-0119

Litchfield Hills Historical Automobile Club
P.O. Box 823
Litchfield, Conn 06759

Lodi Auto Club, Inc.
P.O. Box 23
Lodi, Wis 53555

Long Island Motor Touring Club, Inc.
15 Clearbrook Dr.
Smithtown, NY 11787
516-265-2029

Magic City Antique Car Club
P.O. Box 465
Minot, ND 58701
701-839-3834

Maine Obsolete Auto League
24 Lowell St.
South Portland, Maine 04106
207-799-6215

M & M Antique Auto Club
P.O. Box 181
Menominee, Mich 49858
715-735-5167

Manitoba Classic & Antique Auto Club
Box 1031
Winnipeg, Manitoba
Canada R3C 2W2

Michigan Council of Automotive Hobbyists
Box 4563
Dearborn, Mich 48126

Mid-America Old Time Automobile Association
P.O. Box 8
Dardanelle, Ark 72834
501-229-3315

Mid-Missouri Old Car Club
308 Tomahawk Rd.
Jefferson City, Mo 65101
314-635-1403

Mid-Peninsula Old Time Automobile Club
P.O. Box 525
Belmont, Calif 94002
408-251-5150

The Milestone Car Society
P.O. Box 1166
Pacific Palisades, Calif 90272

Mississippi Antique Car Club
920 Eisenhower
Tupelo, Miss 38801
601-842-9355

Montana Pioneer & Classic Auto Club
3112 McBride Bt.
Billings, Mont 59102
406-656-4420

Muscatine Antique Car Club
1458 Devitt Ave.
Muscatine, Iowa 52761

Natchez Adams County Antique Car Club
202 Hurricane Rd.
Natchez, Miss 39120
601-442-2835

New Brunswick Antique Auto Club, Inc.
c/o Mrs. Mavis Vallis, secretary
Welsford, Kings County
NB, Canada
506-486-2163

NIAPRA-North Iowa Association for the Preservation & Restoration of Antique Automobiles
c/o Alan Forbes
Thor, Iowa 50591
515-972-4733

North Hills Historic Auto Club
P.O. Box 133
Wexford, Pa 15090

North Platte Valley Horseless Carriage Club
North Star Rt.
Torrington, Wyo 82240
307-532-5696, 307-532-3114

North Shore Antique Auto Club
West Hurley Pond Rd.
R.D. 1, Box 295D
Belmar, NJ 07719
201-681-7977

North Shore Old Car Club
Rupel B. Perry, secretary
62 Chestnut St.
Lynn, Mass 01902
617-593-2957

Northeast Ohio Antique Auto Club
5590 Clairidge Dr.
Willoughby, Ohio 44094
216-942-7190

The Northern Ohio Antique & Classic Car Club, Inc.
Box 333
Brunswick, Ohio
216-225-4278

'48 'N Under, Inc.
708 Water St.
Sauk City, Wis 53583
608-643-8146

Old Car Club, Inc.
P.O. Box 462
Shrewsbury, Mass 01510
617-842-8250

Olde Yankee Street Rods
Box 95
Ashley Falls, Mass 01222
413-229-8652

Old Timers N.W., Inc.
2900 S.E. Fir St.
Port Orchard, Wash 98366
206-876-4558

Oregon Pioneer Automobile Club
1230 Woodrow N.E.
Salem, Ore 97303
503-363-1276

Oregon Zone Milestone Car Society
Rt. 1, Box 900
Corbett, Ore 97019

Ozark Antique Auto Club
W. 6 Underwood, 1027 S.
Kentwood
Springfield, Mo 65804
417-866-2477

Pathfinder Antique Auto Club
2445 West St.
Hannibal, NY 13074
315-564-6287

Paul Bunyan Vintage Auto Club
P.O. Box 475
Bermidji, Minn 56601
218-751-6591, 218-751-5634

Pine Belt Antique Automobile Club, Inc.
200 Robin Dr.
Petal, Miss 39465
601-582-4662

Pioneer Antique Auto Club of Parkersburg-Marietta
2105 17th Ave.
Parkersburg, W Va 26101
304-428-4851

Pioneer Auto Club Antique & Classic
1301 E. Deffenbaugh
P.O. Box 352
Kokomo, Ind 46901
317-452-8759

Pioneer Auto Club, Inc.
R.R. 4, Box 28
Leipsic, Ohio 56856
419-943-2283

Pioneer Automobile Association of St. Joseph Valley, Inc.
922 East Jefferson
Mishawaka, Ind 46544
219-255-5916

Pioneer Automobile Touring Club
c/o E.S.P. Cope
374 Harvard Ave.
Palmerton, Pa 18071
215-826-2622

Plumas Antique Auto Club
P.O. Box 1434
Quincy, Calif 95971
916-283-0549

Postwar Historic Car Club
20 Hart Ave.
Hopewell, NJ 08525

Prairie Motor Club
960 3rd Ave. N.W.
Valley City, ND 58072
701-845-4131

Primetimers Auto Club, Inc.
P.O. Box 9
Angola, NY 14006

The Professional Car Society
Box 1976
Garrison, Md 21055
301-363-0471

Radiator Caps Old Car Club
85 Pinelawn Ave.
Shirley, NY 11967
516-281-3460

Razorback Antique Auto Club
3034 So. Hwy.
Jacksonville, Ark 72076
501-982-2390

Red River Valley Car Club
Rt. 1
Telephone, Tex 75488

Red Rose Antique Auto Club
Box 388
Bausman, Pa 17504

The Reminiscers Antique - Special Interest Car Club of Oneonta
3 Olin Ave.
Oneonta, NY 13820
607-432-4837

Rhinelander Antique Auto Club
902 Balsam St.
Rhinelander, Wis 54501
715-369-3055

Road Riders Car Club of Concord
Rt. 2, Box 460C
Concord, NC 28025

Roaring 20's Antique and Classic Car Club, Inc.
P.O. Box 1187
Waterbury, Conn 06702
203-756-0029

Rolling Rhodies Antique Auto Club
207 Atwood Ave.
Cranston, RI 02920
401-737-4093

Rustic Auto Club
308 E. Ash St.
Fairbury, Ill 61739
815-692-3054

Scioto Antique Motor Club
P.O. Box 463
Portsmouth, Ohio 45662

Screwball Antique Vehicle Club
P.O. Box 1784
Meridian, Miss 39301
601-482-2351

Serpaci Car Club
J.M. Starck
515 Barton St.
Storm Lake, Iowa 50588
712-732-2555

Silver T Horseless Carriage Club
P.O. Box 143
Silverton, Ore 97381
503-873-5905

Southeast Iowa Antique Car Club
Box 231
Mt. Pleasant, Iowa 52641
319-385-4464

Southwestern Oklahoma Antique Automobile Club
720 N. Grady St.
Altus, Okla 73521
405-477-0663

Sport Custom Registry
1306 Brick St.
Burlington, Iowa 52601
319-752-0420

St. Cloud Antique Auto Club
Box 704
St. Cloud, Minn 56301
612-252-3786

Stevens Point Old Car Club
Rt. 6, Box 680
Stevens Point, Wis 54481
715-344-2723

Stout Antique Auto Club
Rt. 4, Box 33
Menomonie, Wis 54751
715-235-4652

Terre Haute Antique & Classic Auto Club
1550 Lafayette Ave.
Terre Haute, Ind 47904

Unrestored Antique Auto Club of America
P.O. Box 364
Upper Darby, Pa 19082

Valley Antique Automobile Club
P.O. Box 8
Dardanelle, Ark 72834
501-229-3315

Valley Vintage Car Club
c/o Wayne Koeplin
2849 North Elm St.
Fargo, ND 58102
701-293-7973

Veteran Motor Car Club of America
Dr. R.H. DeHart, secretary
105 Elm St.
Andover, Mass 01810
617-475-0005

Vicksburg Antique Car Club
323 Enchanted Drive
Vicksburg, Miss 39180
601-638-4227

Village Historic Vehicle Club
3390 Apache Trail
Pinckney, Mich 48169
313-878-3000

Vintage Automobile Club of Miami
Louise Gaulden, membership chairman
18135 N.W. 18th Ave.
Miami, Fla 33055
305-625-5208

Vintage Automobile Club of Montreal, Inc.
P.O. Box 546
Lachute, Quebec, Canada J3H 3Y1

The Vintage Automobile Club of the Palm Beaches, Inc.
63 Barberton Rd.
Florida Gardens
Lake Worth, Fla 33463
305-965-1913

Vintage Car Club
922 6th Ave. E.
Alexandria, Minn 56308
612-763-6855

Vintage Car Club of Canada
P.O. Box 3070
Vancouver, British Columbia
Canada

Vintage Car Club of Holland
16680 Quincy
Holland, Mich 49423
616-399-6613

Vintage Transport Enthusiasts' Club
14 Broadway
S.W. 1, London, England
01 834-9225

Voitures Anciennes du Quebec, Inc.
C.P. 367 Succursale C
Montreal, Quebec, Canada
514-277-2959

The Wachusett Old Car Club, Inc.
Box 396
Rutland, Mass 01543
617-886-4267

Walla Walla Historical Auto Club
P.O. Box 153
Walla Walla, Wash 99362
509-529-2828

Wausau Antique Auto Club, Inc.
P.O. Box 104
Wausau, Wis 54401

Yankee Yesteryear Car Club, Inc.
Eimdale Rd.
Canterbury, Conn 06331
203-546-6084

Yankton Antique Auto Association
808 Mulberry
Yankton, SD 57078
605-665-7658

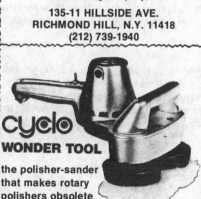

486

STATEMENT OF POLICY

Buying through the mail is at best a gamble!
At Rader's Relics we try to take as much of
the gamble as possible out of it.

Our specialty is cars meeting these criteria
(1) they must be sharp - not needing restoration
(2) they must be a good investment - going up in value

If you come to see your car within 30 days of placing a 10% deposit and don't want it for *any* reason, your full deposit will be refunded.

If you need an extension an additional deposit will hold it.

(Also, while here you can visit our neighbor, Mickey Mouse.)

Ads for our cars will always contain the price! (Did you ever waste a long distance call on an unpriced advertised car by talking to someone who didn't know the price? Then you waste a second call to find out it's sold, or priced out of sight.)

On most of our cars we offer a *two year buy-back warranty* and *immediate trade-in upgrade* policy, as long as you keep the car in equal condition (or better of course.)

This means: if after two years you want to sell the car, we will buy it back for *cash,* paying you exactly what you paid us for it, as long as it is in at least equal condition to when you bought it.

It's impossible to drive a car and keep it identical. "Equal" is hard to describe, but equal does make sense.

Let's say you bought Rex, our '57 T-Bird. He's perfect mechanically and has a practically flawless laquer paint, but his interior is just good, showing some wear, but not worn enough yet to replace. Two years from now you bring Rex back with 5,000 miles added and some unfortunate door dings in that beautiful finish, but you've replaced the seat covers and carpet.

Rex went down in paint and up in interior and we would call that equal.

You won't find us nitpicking either because the hardest part of our business is *finding sharp cars.* We know Rex is sharp and frankly two years from now average wholesale will equal today's retail.

In addition, any time *within* the two years we will allow you to trade in that equal car on anything else in our stock as long as it's an upgrade - allowing you what you paid for it.

We accept trades (although it's hard to do sometimes by long distance) and take consignments (we're very choosey) maintaining an inventory of about 50 cars.

We are not computerized and do not pretend to be a museum.
25 minutes from Walt Disney World. 25 minutes from Orlando Airport.

2601 West Fairbanks

Winter Park, Florida 32789

(305) 647-1940

Check Rader's Relics out with the Chamber of Commerce in Orlando and Winter Park.

487